抗菌薬の考え方，使い方 ver.5
コロナの時代の差異

岩田健太郎

中外医学社

推薦文

　著者の一人である岩田健太郎先生と自分が卒後初期研修を受けた沖縄県立中部病院には古き良き時代の米国型診療が息づいている．それは丁寧な病歴の聴取や身体所見の検討であり，感染症診療で言えばグラム染色の重視などである．そしてこの病院で研修を終えた医師は研修終了後，自らの専門が外科であれ内科であれ赴任先の病院で感染症診療・院内感染症対策のオピニオンリーダーとなる事が多い．この背景には日本人として初めて米国感染症専門医となられた喜舎場朝和先生が，沖縄中部病院で長年育くまれた「感染症診療文化」といったものがある．岩田先生は，ここで研修を終えた後，直ちに米国に渡り，インターンから感染症フェローまでの臨床訓練を受けられた．彼が感染症を専門として選ばれた背景にも初期研修をこの病院で始めた事と深い関係があるに違いない．

　本書が良質な最新の医療情報を素早く大量に読みこなし臨床現場の言葉に翻訳する能力のある著者によって書かれている事は一読して明らかであるが，同時にまた本書には極めてオーソドックスな側面も光っている．新しいが臨床的位置づけがさほど大きくはない抗菌薬は軽く流す一方で，サルファ剤といった古き良き薬剤が尿路感染症やカリニ肺炎の治療だけではなく，一般呼吸器感染症や軟部組織感染症にも大切な役割を持っている事などを紹介している．残念ながら日本で入手が困難・不可能になった黄色ブドウ球菌専用ペニシリンさえ今なお臨床における薬剤選択で重要である事も解説されている．

　本書の最後にまとめられている宮入烈先生による小児科領域における抗菌薬の考え方は，他科では小児・妊婦・胎児が抗菌薬使用において特別に考慮されるべき対象であるという哲学から，実際の薬物動態までを学べる構成になっている．

　本書の情報源の多くは米国の医学雑誌，教科書に基づいていると思われるが，資金力，機械力に依存し，時にビジネス中心に医療を考える方向に流れ

がちな「最近の米国型医療・診療」に埋没するのでなく著者の目は広く英国など他の良識ある地域，第三世界にも届いている．読者は北京の診療所で多忙な一般家庭医として働くかたわら熱帯医学の通信教育を受ける岩田先生の現場医師としての姿勢・哲学を感じるに違いない．

「抗菌薬の考え方，使い方」と題して当初メールマガジンの形で定期的に送られてきた本書を読む事は自分の日課となっていたが，今回，それが一冊の本として上梓される事になった．医療経済の問題がことのほか厳しくなると同時に本当の感染症の専門家の育成が望まれる今日，本書が一人でも多くの医学生，研修医，現場の医師の目にとまり良い指針として愛読される事を願う．

2004年6月

サクラ精機学術顧問　感染症コンサルタント

青木　眞

ver. 5 のまえがき

　言うまでもないことですが，本書ver. 5と前作ver. 4の最大の違いは，コロナ前か，以後か，という点ですね．覚えていーますーかー♪　コロナの前のーじだーいー♫．

　けれども，コロナにみんなが注目している間に，抗菌薬の世界も大きく変化しています．多剤耐性グラム陰性菌対策の切り札，と目されていたコリスチン（ポリミキシン）はすでに「時代遅れの薬」扱いされています．その一方，緑膿菌には効くんだけど可もなく不可もなしで，どうも個性ねえなー，と格下扱いされていたアズトレオナムが耐性菌対策の真打ちレベルにまで下剋上していたりします．コロナに気を取られて勉強を怠っていると，まじで，時代に乗り遅れますぜ．

　とはいえ，本書はそういう世の中のトレンドに乗っかるだけの本ではありません．あくまでも「考え方」の本ですから，「コリスチン，格下げだってよ」みたいな豆知識（だけ）を提供したいわけではないのです．なぜ，そうなのか，を丁寧に……別名，ねちっこく……理路を示すのが本書の目的です．

　こういうときは，ああやっとけ．こういう「ハウツー」なアプローチは楽なんです．そして便利なんです．実際，このアプローチが有効な疾患も多いです．

　ま，典型的なのはCOVID-19ですね．今（2022年2月）はオミクロンな第6波の真っ只中にあります．日本では臨床感染症のプロは希少種ですから（だれだ，奇行種って言ってる奴は．当たってるけど），こんな巨大なパンデミックにスタンドアローンで立ち向かえるわけがありません．というか，重症COVIDは9割がた集中治療の専門領域でケアする疾患ですから，「ECMOの使い方も知りませーん」な我々（少なくとも俺）では歯がたたないのです．

　というわけで，超大量の感染者に立ち向かうには大多数は自宅待機ー，相当数はホテル待機ーな公衆衛生な対策のみならず，

軽症だったらゼビュ打って帰してください．

みたいな「ハウツー®」で，非専門家の皆様にアウトソーシングするしかないんです．このゼビュ（ゼビュディ®，ソトロビマブ）が，少し前は「ロナ」（ロナプリーブ®，本文 Bonus Track 参照）だったりするわけですが，「そこ」はあんまり気にしなくていい．アルゴリズムの「ロナ」が「ゼビュ」に変わるだけで，とりあえず，こういうときは，ああやっとけ，型で，「今日から私もコロナ医者」になれるわけです．そう，あなただって，今からだって．

しかしながら，リアルワールドの患者さんは多様であり，型通りのパターン認識的な対応が通用するシーンはとても限定されています．実際には「こういうときは，どうすればよいのか??」と悩みに悩むことも多いのです．いや，ちゃんと勉強して，考えている人ほど悩みは多いといってもよいでしょう．

ぼくは『本質の感染症』（中外医学社）という本も書きましたが，本書は「本質の抗菌薬」と呼んでもよい存在です．抗菌薬の本質はどこにあり，目の前の多様な患者にどういう根拠で何を目指して使うのか？を丁寧に，ねちっこく考えるのです．

考える，といってもそんなに巨大な頭脳を必要とするわけではありません．なにしろ，書いてる俺の頭脳がかなり残念な脳みそで，現在進行形で絶賛萎縮中ですから．「丁寧に考える」のに巨大な頭脳は要りません．必要なのは考えるのを止めないこと．みんな，途中で面倒くさくなって，考えるのをやめちゃうんです．

コロナの時代になって，一部の医療現場で抗菌薬使用がとても雑になりました．ろくに培養も取らずにタゾピペ®，メロペーン®，と脊髄反射的に（頭脳を使わずに）出しています．面倒くさくなって，考えるのをやめちゃってる．怖いから考えたくないっ，つーのもあるとは思いますが．

本書は怖くないので，ゆっくり丁寧に，端折らずに読んでください．すぐに読破しなくてもいいし，僕を論破しようと挑みかかってこなくてもよいです．お茶でもすすり，クッキーでもかじりながら1ページ，1ページのんびり読んでいただければ大丈夫です．想定している読み手は，学生，看護師，薬

剤師，臨床検査技師，研修医たちですが，シニアのドクターたちも読めばいろいろ発見があると信じています．ぼくらは死ぬまで勉強し続けることを義務付けられていますから（まじで），生涯学習のお供に本書を使っていただいてもとても嬉しいです．

  2022年2月

岩 田 健 太 郎

目次

1 学生，研修生のみなさんに，まずはここだけおさえとけば大丈夫，の10の掟 … 1

- おきて①　患者の重症度を把握しよう……………………………………… 2
- おきて②　必要な培養検査を採り，グラム染色を依頼しよう …………… 10
- おきて③　血液培養の採り方を知ろう．カテ先培養は原則禁忌………… 12
- おきて④　腎機能をチェックしよう………………………………………… 16
- おきて⑤　使用中の薬は全部チェックしよう，検査は時系列で
　　　　　　チェックしよう ………………………………………………… 21
- おきて⑥　アセスメントを立てよう………………………………………… 26
- おきて⑦　最初は広域抗菌薬　培養結果を見て de-escalation………… 33
- おきて⑧　抗菌薬が効いてない，と思ったら抗菌薬を変えない………… 39
- おきて⑨　患者が良くなっているか，悪くなっているか，
　　　　　　どちらでもないのか確認しよう ……………………………… 43
- おきて⑩　失敗症例から学ぼう……………………………………………… 50

2 感染症診断のコツ … 59

- A　時間と空間……………………………………………………………… 60

3 空間と身体診察 … 66

- A　リンパ節腫脹の考え方………………………………………………… 66
- B　関節痛・関節炎の考え方……………………………………………… 68

    C   皮疹の考え方 …………………………………………………………… 70
    D   陰性所見も大事 ………………………………………………………… 70

4 グラム染色を活用しよう 77

5 臨床的微生物の理解の方法 87

6 コンタミとコロニーの違い 100

7 臨床薬理学を考える 103

    A   まず PK から ………………………………………………………… 103
    B   Vd とタンパク結合能 ……………………………………………… 107
    C   PD とタイムキルカーブ，そして薬剤感受性 ………………… 109
    D   殺菌か，静菌か ………………………………………………………116

8 Inoculum effect とイーグル効果 120

    A   Inoculum effect …………………………………………………… 120
    B   Eagle effect ………………………………………………………… 122

9 ポストアンティビオティック エフェクト（PAE） 124

10 シナジー効果 128

11 時間依存性と濃度依存性　131

- A　濃度依存性の抗菌薬 …………………………………… 131
- B　時間依存性の抗菌薬 …………………………………… 133

12 MICの縦読みにはご用心　137

- A　MICを気にしなければならない代表的な感染症 ……… 138
- B　ブドウ球菌 ……………………………………………… 144
- C　その他 …………………………………………………… 146

13 βラクタマーゼ　150

- A　ESBLs …………………………………………………… 153
- B　AmpC　βラクタマーゼ量が大事 …………………… 158

14 カルバペネム耐性腸内細菌科（CRE）　163

15 ビギナーとの違いがビビッ．抗菌薬の使い方が上手になる中級編の10のステップ　170

- ステップ①　ESBL産生菌にはセフメタゾールを使おう ……… 170
- ステップ②　抗菌薬の終わり方をイメージしよう ……………… 171
- ステップ③　経口第三世代セフェムを使うのは止めよう ……… 174
- ステップ④　治療効果判定のためのグラム染色 ………………… 181
- ステップ⑤　エスカレーションをマスターしよう ……………… 182
- ステップ⑥　患者のパラメーターに齟齬が生じたときの対応法を学ぼう ……………………………………………… 183

ステップ⑦	抗菌薬が「効いてない」ときの対応法を学ぼう	184
ステップ⑧	エコノミカルな抗菌薬を選ぼう	185
ステップ⑨	ローカルファクターを活用しよう	186
ステップ⑩	最良の抗菌薬を選ぼう．モナドロジーのすすめ	186

16 抗菌薬の「変え方」 189

17 治療期間の問題 193

18 ペニシリン　すべての基本はここにあり 204

- A　ペニシリンの作用とは？ 205
- B　ペニシリンの薬理作用 206
- C　おそるべし，βラクタマーゼ 207
- D　ペニシリンの分類を試みる 209
- E　ペニシリンG（点滴薬）の使い方 211
- F　ペニシリンGが第一選択となりやすい病原体
  （マニアックなもの含む） 231
- G　筋注用ペニシリン（特に benzathine penicillin について） 233
- H　ペニシリン系抗菌薬の副作用 233
- I　アミノペニシリン 240
- J　緑膿菌に効果のあるペニシリン 253
- K　βラクタマーゼに対抗する：βラクタマーゼ阻害薬 254

19 セファロスポリン 264

- A　セファロスポリンの魔 264
- B　セファロスポリンの基礎 267

	C	黄色ブドウ球菌やレンサ球菌に使えるセフアロスポリン............	270
	D	肺炎球菌，尿路感染を狙うセフアロスポリン...................	275
	E	第3のグループ，セファマイシン（セフメタゾール）..............	280
	F	第4のセファロスポリン──緑膿菌をたたけ！..................	285
	G	胆道移行性？　セフオペラゾン・スルバクタムの立ち位置とは...	296

20　カルバペネム・アズトレオナム　　306

	A	カルバペネム...	306
	B	アズトレオナム──副作用の少ないアミノグリコシド？........	314

21　スルファメトキサゾール・トリメトプリム　　320
（ST合剤）

	A	ST合剤とは..	320
	B	サルファ剤の副作用.....................................	323
	C	ST合剤に対する耐性のメカニズム.........................	325
	D	尿路感染..	326
	E	呼吸器感染..	327
	F	皮膚軟部組織感染症（SSTI）.............................	327
	G	その他のグラム陰性菌感染症.............................	329
	H	ST合剤とHIV感染......................................	329
	I	ウィップル病...	331
	J	類鼻疽..	331

22　ダプソン　　334

v

23 キノロン系抗菌薬 ― フルオロキノロン　337

- A　フルオロキノロンの構造と作用……………………………… 338
- B　フルオロキノロンの使い方 …………………………………… 345
- C　フルオロキノロンの絞り込みを試みる ……………………… 349
- D　Trovan®の栄光と失墜 ………………………………………… 356

24 マクロライド系抗菌薬　361

- A　マクロライド …………………………………………………… 361
- B　クリンダマイシン ……………………………………………… 373

25 グリコペプチドとリポペプチド，その他の抗MRSA薬　382

- A　バンコマイシン ………………………………………………… 382
- B　テイコプラニン ………………………………………………… 397
- C　ダプトマイシン ………………………………………………… 398
- D　リネゾリド ……………………………………………………… 402
- E　テジゾリド ……………………………………………………… 404
- F　キヌプリスチン―ダルフォプリスチン ……………………… 405
- G　Oritavancin …………………………………………………… 406
- H　Delafloxacin …………………………………………………… 407
- I　Telavancin ……………………………………………………… 407
- J　Lefamulin ……………………………………………………… 408

26 ムピロシン　411

27 アミノグリコシド　413

- A アミノグリコシドの薬理学 …… 413
- B アミノグリコシドの使い方 …… 416
- C アミノグリコシドと毒性 …… 422

28 テトラサイクリン　429

29 チゲサイクリン　437

30 クロラムフェニコール　440

31 メトロニダゾール　442

- A メトロニダゾール …… 442
- B チニダゾール（チニダゾール「F」）…… 445

32 ホスホマイシン・コリスチン　447

- A ホスホマイシン …… 447
- B コリスチン（ポリミキシン）…… 451
- C リファキシミン …… 455

33 抗真菌薬　457

- A アゾール …… 457

	B	アムホテリシンB	466
	C	エキノカンディン	469
	D	フルシトシン	473
	E	テルビナフィン	474
	F	Isavuconazole	476

34 抗ウイルス薬　480

	A	抗インフルエンザ薬	481
	B	サイトメガロウイルス治療薬	489
	C	単純ヘルペスウイルス・帯状疱疹ウイルス感染症の薬	496
	D	肝炎ウイルスの治療薬	500

35 抗結核薬　512

	A	さて，前置きはこのくらいにして本題に入りましょう	513
	B	ファーストラインの抗結核薬	519
	C	セカンドラインの抗結核薬	526
	D	困った合併症	531

36 寄生虫の治療薬　533

	A	マラリア	534
	B	赤痢アメーバ	543
	C	ジアルジア症（ランブル鞭毛虫症）	544
	D	クリプトスポリジウム症	544
	E	サイクロスポラ，イソスポラ症	545
	F	アフリカトリパノソーマ症，アメリカトリパノソーマ症，リーシュマニア症	545
	G	自由生活アメーバ症	546

H	吸虫症	546
I	条虫症	548
J	エキノコックス症	550
K	回虫症	550
L	鉤虫症	551
M	鞭虫症	551
N	蟯虫症	552
O	旋毛虫症	552
P	糞線虫症	553
Q	顎口虫症	554
R	フィラリア症	554
S	トキソプラズマ症	555
T	疥癬	555

37 ひとつギアを上げた，抗菌薬の考え方，使い方　557

- A 出てる菌全部カバーするの？ ……… 557
- B Blaz 陰性で de-escalation できるか ……… 558
- C グラム陰性菌の IE？ ……… 559
- D キーワードをつなげても物語はできない ……… 561

38 新型コロナウイルス感染の治療　563

BT1 MALDI-TOF，マルチプレックス PCR，そして新型コロナの時代の抗菌薬の考え方，使い方　569

BT2 新型コロナウイルスと抗体カクテル療法　575

- A　抗体療法と感染症 …………………………………………… 575
- B　COVID-19 に対する抗体療法 ……………………………… 578
- C　その将来性と懸念材料 ……………………………………… 580

あとがき …………………………………………………… 585
索引 ………………………………………………………… 587

1 学生,研修生のみなさんに,まずはここだけおさえとけば大丈夫,の10の掟

　抗菌薬の使い方を学ぶといっても,学ぶことがたくさんありすぎてやってられまへん.こういう苦情をよく聞きます.

　そうですね.いきなり一晩で抗菌薬マスターになれるわけもありませんし,なる必要もありません.

　そこで,まずはこれだけやっておけば,ここまでやっておけば大失敗しない,という「10の掟」を用意しました.抗菌薬を初めて勉強する,初めて実際に使ってみるという皆さん,まずはここだけ,確実にクリアしてください.

　もちろん,この10の掟「だけ」で抗菌薬が使えるようにはなりません.なりませんが,これが「まずはここまで」という最低条件です.よって,ここを乗り越えないままで,きちんとした抗菌薬を使えるようにはなりません.なので,まずは「とりあえず」のビール代わりに「10の掟」を読みましょう.そして,その後少しずつ難易度を高めていく本書を読み進めていただき,最終的には皆さんが抗菌薬を巧みに使いこなす「マスター」のレベルにまで達していただけるようお祈り申し上げます.

　では,じゃじゃーん.お待たせしました.これが10の「鉄の掟」です.

抗菌薬使用のための,10の掟

- おきて① 患者の重症度を把握しよう
- おきて② 必要な培養検査を採り,グラム染色を依頼しよう
- おきて③ 血液培養の採り方を知ろう.カテ先培養は原則禁忌
- おきて④ 腎機能をチェックしよう
- おきて⑤ 使用中の薬は全部チェックしよう,検査は時系列でチェックしよう
- おきて⑥ アセスメントを立てよう
- おきて⑦ 最初は広域抗菌薬培養結果を見て de-escalation
- おきて⑧ 抗菌薬が効いてない,と思ったら抗菌薬を変えない
- おきて⑨ 患者が良くなっているか,悪くなっているか,どちらでもないのか確認しよう
- おきて⑩ 失敗症例から学ぼう

おきて,おきてと,まるで居眠りしている人相手にしているみたいですが,あれ? 寝てませんよね.

では,一つひとつ説明していきますね!

おきて① 患者の重症度を把握しよう

感染症に限らず,病気はなんでもそうなのですが,「診断」と「重症度判定」が大切です.

例えば,肺炎一つとってみても,自然に良くなるような軽症肺炎もあれば,全力で集中治療をやっても亡くなってしまう重症肺炎もあります.「肺炎」という診断も大切ですが,重症度判定も等しく大切なのは,そのためです.

では,どのように重症度を判定するか.

これにはいくつか,ポイントがあります.ただ,ここではとりあえず,「手っ取り早くできる」判定方法をお伝えしましょう.

それは,「バイタルサイン」と,「意識状態」です.

バイタルサインというのは,血圧,脈拍数,呼吸数,体温,そして最近で

は指に挟んで手軽に測定できる酸素飽和度（よく，"サチュレーション"と呼んでる「あれ」です）を指します．サチュレーション（saturation）とは「飽和」を意味する英語なので，そのまんまですね．

　血圧はとても大事です．日常生活では，血圧の問題は「高血圧」の問題，すなわち血圧が高すぎることが問題になります．「私は血圧が低くて，朝起きれない」という人がいますが，それは単に寝起きが悪いだけで血圧はおそらく関係ありません．

　ところが，**緊急時には血圧が高いよりも低いほうが「ヤバイ」のです**．血圧を維持できない状態，すなわちショックを示唆するからです．

　ここで，収縮期血圧がいくつ以下だとどうだとか，ショックの定義とはなんだ？とか気にする必要はありません．要は血圧が下がっていれば「ヤバイ」という事実を知っておくのが大事なのです．

　ところで，「低すぎる血圧」の意味は人によって違います．「低すぎる身長」の意味が人によって違うように……ってなんで村上春樹調なのかはわかりませんが，要はイワタは自分の低い身長が気になるんです．

　普段の血圧が高い人は「正常」な血圧が実はショックを意味していたりします．収縮期血圧が160mmHgの人が，110にまで落ちていれば立派なショックなんです．

　「普段はどのくらい」か，を逐一チェックするのはすべての急変患者においてとても大事なコンセプトなんですね．

　血圧が下がると，人間は血圧を上げようとします．まずは心臓がバクバクします．頻脈になります．よって，バイタルサインの二つめ，脈拍数が上がるわけです．当たり前ですね．

　呼吸数も大事です．これはあくまで個人的な意見ですが（そして，強く反対する大家の方もおいでですが），呼吸は要するに，「速いか，速くないか」の二択問題で対応すればよいと思います．重症患者にはいろいろやることがあるのです．じっと時計を見ながら呼吸数を測定して，なんてやっている時間はありません（くどいようですが，私見です）．

　呼吸が速くなる理由はいろいろです．

　例えば肺炎とか気管支炎があれば低酸素血症で呼吸が速くなります．酸素

1　学生、研修生のみなさんに、まずはここだけおさえとけば大丈夫、の10の掟

足りないんで．重症感染症では代謝性アシドーシスになりますから，これを代償しようとして呼吸性アルカローシス側に戻そうとします．で，急いで呼吸します．

あるいは低酸素とは関係ない頻呼吸もあります．例えば，感染症に伴う痛みなどの苦しみ，焦り，あるいはパニックが過呼吸に導いているのかもしれません（よくあります）．

まあ，病態生理の分析は患者が落ち着いてからゆっくりやればよいでしょう．とりあえず，血圧が下がる，脈が高まる，そして呼吸が速くなるのは患者の重症サイン，とみて，「やばい，やばい」と（我々医療者の）体中をアドレナリンが駆け巡るのです．

そうそう，忘れてました．**体温．**これもバイタルサインの一つですが，意外や意外，**体温そのものはあまり重症度には関係していません．**血圧，脈拍数，呼吸数のほうがずっと重要です．

なんか，感染症だとやたら体温だけ細かくチェックするんですよね．しかし，38.4℃だろうが，38.6℃だろうが，さしたる違いはないんです．そんでもって，「それより血圧いくつ？」って聞くと調べてなかったりする．うにゃー，こっちの血圧のほうが上がるやんけ．

まあ，もちろん，ものごとは何でも程度問題でして，極端に高い体温とか，むっちゃ低い体温とかは問題で，これは重症患者を示唆します．ただ，そういうときはやはり上記の血圧，脈拍数，呼吸数も乱れていますからどっちに

してもすぐ判定できると思います．

- バイタルサインが大事．血圧，脈拍数．呼吸数は速いか，否か．
- 体温は相対的には重要度がやや下がる．

患者さんの見た目も大事です．
　重症患者はとにかく循環状態が悪くなっていますから，皮膚が冷たく，白っぽくなっていることが多いです．あるいは紫色のまだら状の皮膚をしていることもあります．これを livedo reticularis といいます．リベド・レティキュラーリスと読みます．日本語では「リ」にアクセントがありますが，英語では「リビードウ」と「ビ」にアクセントがあります．まるで関西人のように．マクド．

　Livedo とは，皮膚が紫っぽくなっている状態をいいます．Reticularis は網のような，という意味です．アクセントは「ラー」にあります．ラテン語なので，名詞の後に形容詞がつくのですね．なぜラテン語を使うかというと，そのほうが頭良さそうでカッコイイからです……たぶん．

　あと，脾臓摘出患者などで液性免疫が低下したときに起きる劇症型細菌感染症で同様の皮膚所見が見られ，電撃性紫斑病（fulminant purpura）といいます．とても怖い病気です．

　次に意識状態．これは声がけや痛み刺激に反応しない状態で判定できます．ジャパン・コーマ・スケール（JCS）とか，グラスゴー・コーマ・スケール（GCS）とか，いろいろ判定法はありますが，まあとにかく**「いつもと様子が違え」ば意識状態の変容，**と理解してください．最初はこの程度でいいのです．

　血液検査でもある程度重症度を判定できますが，結果を出すのに時間がかかりますし，それほど重要とはいえません．

　例えば，日本の医者が大好きな CRP（C 反応性タンパク）です．
　CRP は感染症のような炎症が起きているときに，肝臓から作られるタンパク質です．

CRPが全く役に立たない，ということはありません．ある程度は役に立ちます．例えば，CRPが高い肺炎は死亡率が高かった，という研究があります（Chalmers JD, Singanayagam A, Hill AT. C-reactive protein is an independent predictor of severity in community-acquired pneumonia. Am J Med. 2008; 121: 219-25）．

　ただですね，CRPが高い患者さんは実は上記のバイタルサインとかの異常もあって，要するに**「CRPでわかることは，バイタルサインと意識でもだいたいわかる」**のです．それならば，ベッドサイドですぐに判定できるほうが便利ですよね．ぼくらも件の論文にレターを書いて，そうツッコミを入れました（Iwata K, Kagawa H. C-reactive protein is an independent predictor of severity in community-acquired pneumonia: what does it add to? Am J Med. 2008; 121: e7）．逆に，CRPが正常，あるいは低値でも重症患者，という事例も多いです．多くは超急性発症の患者でCRPが上がり出す前に重症になっちゃった，とかCRPを作ってる肝臓が多臓器不全でCRPを作れなくなっちゃった，とか，何らかの免疫不全があってCRPの反応がなかった，といった理由です．CRPが上がっていないから細菌感染を疑わなかった，という理由で患者の治療を失敗し，医療訴訟に至ったケースも存じています．要注意，要注意ですよー．

　同様に，血中の塩素（Cl）とかが予後に影響するという研究もありますが（Neyra JA, Canepa-Escaro F, Li X, et al. Association of hyperchloremia with hospital mortality in critically ill septic patients. Crit Care Med. 2015; 43: 1938-44），あんま使いませんねえ．結局，上記と同じで「そういうマニアックな情報でわかることは，常識的な判定方法でもわかる」からでしょう．CRPについてはあとで，もう少し細かく触れます．

　とはいえ，血液検査を全く無視しろ，という意味ではありません．血液検査もやはりとても役に立ちます．

　とくに最初に注意したいのは

1. 血算
2. 肝機能
3. 腎機能

です．

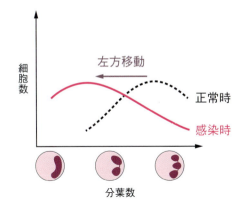

　血算だとみなさん，「白血球が高い」「好中球優位」「左方移動」に気をつけろといいます．

　「左方移動」というのは白血球の桿状核球（バンド，とも呼ばれます．ボコボコしている好中球の核が平たく棒みたいになるから）をグラフに書く時，左側に移動するから「左方移動」ってわけです．幼若化ともいいます．右に行くほど成熟な好中球だからです．

　ただ，もっと「重症度」と関係しているのは，むしろ**白血球の減少**です．白血球が1万だろうが2万だろうがぼくは驚きませんが，これが3千（3,000/mm^3）とかに減っていると「やば」と思います．

　あと，あまりみんなが見ていないけど**大事なのが血小板**です．血小板が下がっていると，やはりヤバイ感染症のことが多いです．

　血液検査は「全部見る」のが大事です．見なくていい検査項目はありませんし，見ないんだったらそもそもオーダーしないほうがいい．

　とはいえ，やはりチラ見する検査とガン見する検査はありまして，ぼくが感染症疑い患者で見るときの順番としては，まずこの

白血球減ってないか……
血小板減ってないか……

をガン見して確認をします．とても大切です．

ちなみに，血小板が多いときも診断にはわりと役に立ちます．多くの場合は慢性感染症を示唆しますし，たまに成人スチル病のような自己免疫疾患だったりします．

　で，**肝機能と腎機能**．これらが崩れていると，重症のことが多いですし，肝機能異常は肝炎とか胆管炎のような診断に役に立つこともあります．腎機能は重症度の判定にも使えますし，あとで出てくる抗菌薬の投与量の決定にも重要です．

　最後にチェックしたいのは患者の基礎疾患や免疫状態です．これについては後で説明しますね．
　実は，いろいろな感染症の予後予測についてはたくさんの研究があります．ただ，最初から難しくて面倒くさいところに突入すると消化不良を起こします．まずは「割り切り」が大事ですので，ここまでできるようになりましょう．

◆ 練習問題

> どっちが重症？
> - 78歳男性，血圧120/60mmHg，脈拍数77/分，呼吸数16/分，体温38.8℃，意識清明，赤ら顔．
> - 77歳女性，血圧80/50mmHg，脈拍数133/分，呼吸数32/分，体温37.7℃，ぼおっとしていて呼びかけに応答できない．冷や汗をかいていて，顔色は真っ青．

はい，後者の女性のほうが重症です．もういっちょ．どっちが重症？

> - 白血球12,000/mm^3，血小板15万/mm^3，CRP 25mg/dL
> - 白血球2,500/mm^3，血小板3万/mm^3，CRP 5mg/dL

はい．CRPに騙されてはいけません．これは後者のほうが重症の可能性

が高いです．ま，練習問題で，他の条件が開示されてませんから，あくまでざっくりな判定ですけどね．

　要は患者さんを見たときに，こういうところから優先的にチェックする習慣をつけましょうねって話です．

■ もう一つだけ大事な話を

　時間を大事にしましょう．

　別に，遅刻すんなよ，という話ではありません（まあ，遅刻しないのも大事だけど）．

　つまり，
　患者が急転直下に悪化しているのか
　数カ月かけて今の状態にあるのか

ってことです．要するに発症（オンセット）を確認し，今に至るまでどのくらい時間がかかったか，ってことです．

　急にどんどん変わっていく患者のほうが重症の可能性が高いです．ゆっくり動いている患者はそうでない可能性のほうが高い．

　てなわけで，目の前の患者の「目の前の状態」だけ見ていてはだめ．過去の患者を透かし見ることが大事です．

　そのためのカルテレビューですし，病歴聴取なのです．

　過去の情報のチェック，やってない医者は案外多いので，要注意．患者の話を聞いてない医者……結構多いのでとても注意．「いつからですか？」の一言を聞くだけでバーンと開けてくる世界があるというものです．

● 時間情報が大事．いつから，どのくらいの時間をかけて「今」に至っているのか．

時間情報は精緻な画像検査も，血液検査も教えてくれません．もちろん，過去の画像，過去の血液と比較すればわかりますが，それは時間情報を根拠にした時間情報的な判断であり，一種のトートロジーです．まあ，ようわからんでもいいですけど，時間は大事ってことです．そして，遅刻すんなよ．

おきて②　必要な培養検査を採り，グラム染色を依頼しよう

■ 抗菌薬を開始する前に，必要なのが適切な培養採取

なぜか？

培養検査は感染症の原因になっている菌……主には細菌ですが，ときに真菌も……を見つけ，薬剤感受性検査で正しい抗菌薬を選択するのに必要です．これがなければ何が正しくて，何が間違っているのかがわかりません．こりゃ，気持ち悪いわけです．

たしかに，培養を採らないで抗菌薬を使っても「まぐれで」良くなってしまう人はいるでしょう．

でも，その抗菌薬で例えば副作用が出てしまったとしましょう．では，次に出すべき抗菌薬は何が正しいのでしょうか．

培養検査がなければ，わかりません．

ときに，薬剤耐性菌の出現で，最初はよくなっていた患者さんが悪くなることもあります．あるいは，一旦よくなった患者さんが，また感染症を発症することも．

こんなときは，次に出すべき抗菌薬はなんでしょうか．

培養検査がなければわかりません．

効いている抗菌薬が，他の常在菌……とくに腸内の常在菌まで不必要に殺してしまっているかもしれません．培養検査を採っていれば，そんなに広域スペクトラムの抗菌薬を使わなくてもよかったかもしれないのに．後述する

de-escalation できたかもしれなかったのに．

　こういうとき，後から気づいて慌てて培養検査をしても，もう検査は答えを教えてくれないことが多いです．また，患者さんが良くならない，治療がうまくいっていない，抗菌薬が当たっていない場合でも，培養検査を偽陰性にするくらいは，抗菌薬が効いていることもあります．菌を殺す＝感染症が治る，ではないのです．菌を殺しても感染症が治らないとか，菌は（あまり）殺さないのに感染症は治るってことはよくあるのです．

　そう，だから，適切な培養を採りましょう．抗菌薬が入る「前」に採るのです．

　人生には取り返しのつく失敗と，取り返しのつかない失敗があります．抗菌薬が入った後で培養を採った場合，後者の失敗になる可能性が高いのです．人生で取り返しのつく失敗と，つかない失敗の両者を（たくさん）経験しているぼくは強くそう思います．キッパリ．

　臨床は，場当たり的に，その場しのぎでやってはいけません．また，やったことがうまくいくに決まっている，という傲慢な態度は厳禁です．

　「今やっていることが，うまくいかなかったらどうしよう」という謙虚な態度が必要なのです．治療がうまくいかないときは，方針転換が必要かもしれません．そのための**「保険」としても培養検査はとても重要なのです．**

　さて，では具体的には，どの培養を採りましょうか．例えば，**入院患者さんの場合**，最初は

血液培養×2セット
喀痰培養
尿培養

をワンセットで考えましょう．

　中級編，上級編になるとあえて尿培養は無視してもいいよ，とか，髄液培養を加えよう，とかいろいろバリエーションが出てきますが，最初は基本の「型」を身につけるのが大事です．ちゃんとした素振りができるようになってから，イチローの真似をしましょう……ところで，イチローの例え話っ

ていつまで通用するんだ？

　検体を採ったら，**検査室でグラム染色**をしてもらいましょう．

　ちょっとレベルが上がれば，あるいは意識が高い系の研修病院では「グラム染色くらい，自分でやれ」ということになりますが，まあ日本の病院全部にそれを求める必要はないかもしれません．それに，細菌検査室がない病院（外注）も少なくないですし．

　ただし，技師さんにグラム染色をやってもらったら，**必ず一緒にグラム染色を見ましょう．**報告書だけ読んでいてはいけません．

　心電図や胸部レントゲン写真もそうですが，**「パターン認識」は自分の目で見ないとわからないもの**です．ただ，電子カルテの GPC とか GNR とかのレポートを読んでも，グラム染色がわかるようにはなりません．

　美人（べつにイケメン，でもいいです）

という文字を何百万べん眺めたって，美人がどういうものかをイメージできるようにはなりません．一緒に見て学ぶのが大事です．

　グラム染色も培養検査と同じように，抗菌薬が入った「後」にやろうと思っても手遅れになっていることが多いです．必ず抗菌薬が入る前の検体を使うのが大事です．

　外来患者でどういう培養を採るかは，ケースバイケースなので，初級編の段階では割愛です．気になる人はぜひ本書を読み続けましょう～．

おきて③　血液培養の採り方を知ろう．カテ先培養は原則禁忌

　すでに述べたように，**血液培養は抗菌薬を始める「前」に行う**のが基本です．もちろん，これは「基本」ですので，血液培養なしに抗菌薬を始めるバリエーションや，他の理由で血液培養を採ることもありますが，まずは基本をおさえましょう．

■ で，次に回数です．

これは基本的に

2セット

です．つまり，2回採血ということです．大人の場合は1セットを嫌気ボトルと好気ボトルに分注しますから，

2回採血
4本のボトル
となります．

誰が採血するのか？　これは医師がやっても看護師がやっても構いませんし，おそらくは将来的には検査技師や薬剤師がやってもよいと思います．要するに，技術的には（少し練習すれば）どの医療者が行ってもよい，難易度はそれほど高くない検査が血液培養です．

小児においてもほとんどの小児では，血液培養は2セットです！　近年，ようやく血液培養2セットも保険診療で認められるようになり，2セットの血液培養は標準化されつつあります．しかし，今でも2セット率が非常に低いのが小児患者です．

ガイドラインによると，血液培養1セットが許容される小児は体重1kg未満の乳幼児だけです（松本哲哉，満田年宏，訳．Cumitech 血液培養ガイドライン．東京: 医歯薬出版; 2007）．ということは，ほとんどすべての小児の血液培養は2セットが必要，ということです．

ちなみに大人の場合，採血量は1セット20cc，1ボトル10ccずつ分注します．2セットということは，合計40ccの採血を必要とするわけですね（Cockerill FR, Wilson JW, Vetter EA, et al. Optimal testing parameters for blood cultures. Clinical Infectious Diseases. 2004; 38: 1724-30）．

　最初は「たくさん採るなあ」と思うかもしれませんが，40ccといえば，360mL入りの缶ジュースの9分の1に過ぎません．その程度の量の採血で，貧血（採血不良性貧血……むだな採血，検査をやりすぎての貧血）になったり，出血性ショックになることはありえませんから，きちんと診断し，きちんと治療しましょう．出血性ショックを恐れて敗血症性ショックの治療をしくじるなんて，シャレにもなりません．

　コンタミ（皮膚の常在菌の混入，コンタミネーション）を避けるため，**ラインからの直接採血は避けたほうがよい**と言われます．ただ，カテーテル関連血流感染を疑う場合には，1セット「だけ」カテから採血するやり方もまあ，OKです．ちなみに，もしカテから採血した方が，末梢（皮膚）から採血した場合に比べて2時間以上早く陽性になった場合は，カテーテル感染の診断をしてもよいと考えられています．

　あと，**原則として「カテ先」培養は出さないほうがいいです**．これはカテに定着しているバイオフィルム内の菌と本物の血流感染を区別できないためです．

　これも厳密に言えば，カテ先培養も臨床的に役に立つ場合はあるのですが，日本の現場を見ているとカテ先培養を誤用している場面のほうが圧倒的に多いので，むしろ出さないほうが賢明です（Mermel LA, Allon M, Bouza E, et al. Clinical practice guidelines for the diagnosis and management of intravascular catheter-related infection: 2009 Update by the Infectious Diseases Society of America. Clinical Infectious Diseases. 2009; 49: 1-45）．

　さて，実際の採血の方法です．通常の採血と異なり，注射部位の消毒を念入りにやります．これは皮膚の常在菌が紛れ込んで，血液の中に「ない」菌を生やさないようにする配慮です．

　まずはアルコール綿を使って2回消毒します．その後，イソジンかクロルヘキシジンで消毒し，そして採血を行います．採血部位は上肢のほうが望ましいですが，やむを得ないときは鼠径部など下肢からの採血を行うときも

あります．

　イソジンやクロルヘキシジン消毒は必要ないのでは，という研究も日本から出ていますが，これは採血手技がしっかりしている病院に限られるかもしれません（Kiyoyama T, Tokuda Y, Shiiki S, et al. Isopropyl alcohol compared with isopropyl alcohol plus povidone-iodine as skin preparation for prevention of blood culture contamination. J Clin Microbiol. 2009; 47: 54-8）．

　口腔内の汚染を防止するために，かならずマスクをします． 手袋は滅菌手袋が望ましいと思いますが，ガイドラインによっては滅菌手袋使わなくてもいいよ〜なものもあるそうです．しかし，滅菌手袋で菌の汚染を減らすというものが韓国から出ており，やはり**滅菌手袋をちゃんと使ったほうがよい**と思います（Kim N-H, Kim M, Lee S, et al. Effect of routine sterile gloving on contamination rates in blood culture: A cluster randomized trial. Ann Int Med. 2011; 154: 145）．

　イソジンを塗った後，その消毒効果を得るには2分間待たねばなりません．ただ，最近は30秒でもいいというデータもあるようです．

　2分間というとだいたい濡れていたイソジンが乾くくらいの時間です．そこで昔はぼくらは**「イソジン乾くまで待て」**と言われたものです．もちろん，これは乾かすことが大事なのではなく，時間が大事なのです．口でふうふう吹いて乾かしたり，イソジンを薄く塗って乾きやすくしても意味がありません．口で吹いているときに口腔内の常在菌を吹きかけてしまっては，本末転倒です．

　血液培養ボトルにはプラスチックのキャップが付いていますが，キャップを取ったあとにアルコールで消毒しなければなりません．滅菌ができていないためです．

　ボトルに入れるときは嫌気ボトル → 次に好気ボトルに入れるのが基本だ，と言われます．シリンジのお尻に入っている空気の汚染で嫌気性菌が死なないようにするためだそうですが，本当にどのくらい意味があるかはわかりません．あと，昔は動脈から採るか，静脈から採るか，という議論もありましたが，あまり気にする必要はないと思います．痛くないのは静脈なので，基本，静脈から採血しましょう．

あと，看護師さん向けに京都大学の山本舜悟先生がイラスト入りのわかりやすいまとめを作っていて，ネットに公開されています．これも参照されるといいでしょう．

 血液培養のうまいとり方 | 看護 roo! [カンゴルー][Internet]. [cited 2022 Feb 1].

　神戸大学病院の血液培養セット数は 2004 年の段階で血液培養 1,859 セット，複数セット率（2 セット以上）が 4.6％しかありませんでした．2007 年にはこれが 4,000 セットと 41.7％に改善，ぼくが赴任した 2008 年には 4,789 セットで 56.0％，2017 年で 10,543 セット（5,600 回）で 87％（小児科を除くと 95％）でした．2020 年はコロナの関係で病床稼働率が下がり，血液培養総数こそ減りました．が，6,201 セットで 89.6％，小児科を除くと 97.6％でした．まだ小児科病棟での努力が必要ですが，かなりいいところまでいっていると思います．
　大学病院ですらちゃんとできるのです．ぜひ皆さんの病院でも正しい血液培養を採りましょう！

おきて④　腎機能をチェックしよう

　多くの抗菌薬は腎臓から排出されます．ときに糸球体から濾過され，ときに尿細管から分泌され，ときにその両方が起きます．
　こうした**抗菌薬は，腎機能が下がると，排出されにくくなります**．当たり前ですね．なので，腎機能が低下している患者では量の調節が必要になることがあります．よって，腎機能のチェックは必須ということです．
　ところで，**腎排泄性と腎毒性は同義ではありません．**
　例えば，抗真菌薬のアムホテリシン B は肝臓から排出されるので腎排泄性ではなく，よって腎機能によって量を調節する必要はありません．しかし，結構強い腎毒性があるので，腎機能が低下した患者では使いにくいです．
　排泄性と毒性．両者をきっちり区別することが大事だってことです．

もっとも，両者が伴っている場合も多々あります．典型的なのがアミノグリコシド系とバンコマイシン．ま，そんなわけでこの概念は慣れるまでは，やや，ヤヤコチイかもしれません．

人間が抗菌薬を排出するのは主に肝臓と腎臓からです．汗とか唾液にも抗菌薬はちょこっとみつかりますが，こういうのは微々たるものなので実際には無視できる程度です．母乳内にも抗菌薬はみつかり，これはこれで（別の意味で）重要ですが，患者さん本人の抗菌薬の排出，という観点からはやはり無視できます．

が，残念なことに，肝臓の機能と抗菌薬の投与量の調節についてはあまりよくわかっていません．ALT（GOT）や AST（GPT）といった肝酵素や，アルブミンや PT といった長期的な意味での肝機能，いずれも抗菌薬の投与量調節には直接役には立ちません．ですから，肝機能の悪い患者さんに対する抗菌薬の投与の仕方は専門家の間でもばらばらです．

腎臓から排出される抗菌薬の場合，排出速度は腎臓の濾過速度 glomerular filtration rate（GFR）に依存します．最近は血中クレアチニン値から自動計算してくれてカルテに表示してくれることも多くなり，楽になりました．
そういう便利な機能がない場合は，近似値を Cockcroft-Gault の式を使って計算することができます．

> クレアチニンクリアランス
> ＝（140−年齢）×理想体重（kg）／血中クレアチニンレベル（mg／dL）×72
> でした．女性の場合は 0.85 をかけるのでしたね．

この式は，腎機能が安定していて，急激なクレアチニンレベルの変化がないときのみに有用です．
　他にも，MDRD という指標もあります．こちらは，

> MDRD 式
> 男性　GFR = 186 × (年齢)$^{-0.203}$ × (Scr)$^{-1.154}$
> 女性　GFR = 186 × 0.742 × (年齢)$^{-0.203}$ × (Scr)$^{-1.154}$

　計算は Cockcroft に比べるとはるかに面倒くさいので，ぼくは MedCalc にやってもらっています（iPhone ならダウンロード可）．サンフォード・ガイドのアプリ（英語）にも計算機能がついています．昔は手計算していたクレアチニン・クリアランスですが，便利になったものです．

　他にも Salazar-Corcoran とか，Schwartz とかいろいろ計算式があるようですが，ぼくはそのへんのマニアでないので使い分けができませんし，おそらく必要もないでしょう．

　ときに，クレアチニンが刻々と上昇している場合，そして無尿のときはクレアチニンクリアランスは 10mL/分を切っていると仮定して治療をするべきです．こういうときは「腎毒性」の薬はなるたけ避けたほうがよいです．致死的な感染症で他に選択肢がなく，腎臓を潰してでも救命したいとき……まあ，こういうこともときにありますが……以外は避けたほうがいいです．

- 腎機能は GFR で評価する．
- 急にクレアチニン値が高まっている時，無尿の時は CCr は 10 以下と考える．

　さて，クレアチニンクリアランスを計算したら，手元の『プラチナガイド』とか『サンフォード・ガイド』とかを開くと，抗菌薬をどのように投与したらいいかすぐにわかります．血液透析（HD）の場合とか，持続血液透析濾過（CHDF，サンフォードには CRRT とある）のときの投与量も書いてあります．便利！！

　例えば，クレアチニンクリアランスが 40 の場合，アズトレオナムなら投与量を普段の 50 から 75%に落とすよう書いてあります．とても便利．

　もっとも，CHDF の流量は外国と日本では異なるため，サンフォード・ガ

イドの推奨量がそのまま使えない可能性もあります．後述するTherapeutic Drug Monitoring（TDM）が使える場合は血中濃度を確認しながら投与すればいいのですが，そうでない場合は投与量を間違えるリスクがあるので，その点は留意しましょう．

　もし，不幸にもこうしたマニュアルが手元にない場合（そんなことは本書を読んでくださっている皆さんにはないかもしれませんが），どうしたらよいでしょうか．

　方法はあります．一般的に，GFRと抗菌薬の排出量は線的に比例します．したがって，例えばフルドースの投与量のときのGFRを100と仮定した場合，もし患者さんのクレアチニンクリアランスが50であれば，投与量を半分にします．25なら1/4にします．この大雑把なルール（rule of thumb）はたいていの，腎臓から排泄される抗菌薬に適応できます．

　ただし，初回投与量はたとえ腎機能が悪くても全量投与しましょう．維持療法のみが，投与量調整を必要とするのです．

- たとえ腎機能が悪くても初回投与は最大量（フルドース）で．

　腎毒性が強い抗菌薬には，アムホテリシンB，アミノグリコシド（ゲンタマイシン®など）が有名です．

　バンコマイシンなどのグリコペプチドは，過去には添加物の影響で腎毒性が強かったですが，現在では言われるほど腎毒性は強くないと考えられています．

　ただ，バンコマイシンを他の腎毒性のある薬……例えばアミノグリコシドなどと併用すると腎毒性は強くなりますから，要注意です．同じグリコペプチドでもテイコプラニンは比較的腎毒性が強くないと考えられています．

　感染症の患者の場合，こうした抗菌薬の副作用だけでなく，いろいろな理

由で腎機能は低下します．敗血症（sepsis）では各種臓器障害が起きますが，そのとき急性尿細管壊死（ATN）などで腎機能が落ちることはしばしばあります．発熱しているからとロキソニンやボルタレンなど NSAIDs を多用しすぎて腎機能が落ちる例，水分量が足りないのに輸液が足りなくて腎前性腎不全……という例も多々見ます．

　あ，そうそう，よく，**βラクタムの大量投与で腎機能が悪くなるんじゃないか……という質問をされますが，βラクタムが腎機能を悪くすることはほとんどありません．**まれにそういうことがあったとしても，それは後述する……Ⅱ型のアレルギー……間質性腎炎のため（**18**-H, 235 ページ）で，「投与量が多かった」ことが原因ではありません．よく誤解されているので，注意しましょう．

　ときに，腎機能は体重を加味した計算方法を採りますが，米国ではとても肥満な人が多いので，そういう「すごい肥満」のためにサンフォード・ガイドでも投与量調節の項目を立てています．例えば，ダプトマイシンだったら実体重をもとに 4〜12mg/kg を 24 時間おきに投与すればよい，という記載があります．便利ですね．

> Sanford Guide（App 版）
> 「Drug Usage & Dosing → Obesity: Dosing Adjustments」の項を参照

　ただ，実際には肥満において特別な調節法を必要とするような臨床データがあまりないことと，日本では（米国レベルの）肥満の患者はそれほど多くないことから，肥満で特別な投与法を行うことは少ないです．ときどきバンコマイシンを 1g 8 時間おきくらいに投与する肥満患者もいますが，これも TDM（後述）で調節します．

　むしろ日本で問題なのは痩せの患者であり，体重 40kg 未満の場合には若干量を減らすことがあります．このへんは，各論的なので薬剤師さんと相談したり，文献検索して決めることもあります．

おきて⑤　使用中の薬は全部チェックしよう，検査は時系列でチェックしよう

　薬の相互作用はとても大切です．主なものは覚えておくべきですが，全部覚え切れはしません．患者さんに抗菌薬を出そうかな，と思ったら，現在使っている薬を必ずチェックする習慣をつけましょう．

　制酸剤，鉄剤，亜鉛，マグネシウムなどはキノロンやテトラサイクリン経口薬の吸収を下げてしまいます．

　ST合剤などで消化管の細菌を殺してしまうと，併用しているジゴキシンやワルファリンの影響力を高めるため，ジゴキシン中毒になったり，凝固異常が起きることがあります．

　ドキシサイクリンやリファンピシンは経口避妊薬の効果を下げてしまいますから，これも外来診療では要注意です．もっとも，抗菌薬を飲まねばならないくらい体調悪いときに，避妊を気にしなければならないシチュエーションがやってくるのかというと，やや疑問ですが．

　ところで，神戸といえば横山光輝ですが，彼が描いた『武田信玄』（新田次郎・原作）によると，武田信玄は結核になっており，結核が悪化すると性欲が高まって側女と床を共にしていたそうです．昔は空気感染予防とかガン無視だったんですね．横山光輝というと子供向けな絵柄をイメージしますが，本作は結構アダルトな内容です．

　メトロニダゾールにはジスルフィラム様作用があるため，アルコールを摂取するとひどい二日酔い症状がでることがあります．同様の作用はセフメタゾールやセフォペラゾンなどの一部のセフェム系抗菌薬でも起きますが，まあ1日複数回投与の点滴薬なので臨床的には特に問題にはならないでしょう．入院患者限定使用ですから……．

> Yanagihara M, Okada K, Nozaki M, et al. Cephem antibiotics and alcohol metabolism. Jpn J Antibiot. 1985; 38: 634-42.

主に肝排泄性の抗菌薬
（腎機能低下による量調節の必要なし）抗 HIV 薬は割愛

抗菌薬

アジスロマイシン	Pyrimethamine
セフトリアキソン	リファキシミン
Dicloxacillin	リネゾリド
クロラムフェニコール	イソニアジド
ドキシサイクリン	リファンピン
Eravacycline	リファブチン
フィダキソマイシン	Rifapentine
フシジン酸（ただし日本では軟膏のみ）	イトラコナゾール
Lefamulin	ケトコナゾール
ミノサイクリン	Isavuconazonium sulfate
モキシフロキサシン	ポサコナゾール
クリンダマイシン	ミカファンギン
メトロニダゾール	ボリコナゾール
チゲサイクリン	Anidulafungin
キノプリスチン・ダルフォプリスチン	カスポファンギン
Nafcillin	アムホテリシン B
Omadacycline	Bedaquiline
Oritavancin	
Pivmecillinam	
Polymyxin B	
Secnidazole	
テジゾリド	

抗ウイルス薬 / 抗寄生虫薬

抗ウイルス薬	抗寄生虫薬
Bamlanivimab-Etesevimab	アルベンダゾール
Casirivimab-Imdevimab	アルテスネート
インターフェロンα 2a, 2b	Fexinidazole
ダクラタスビル	メフロキン
エプクルーサ（ツホスブビル・ベルパタスビル）	パロモマイシン
	プラジカンテル
マヴィレット（グレカプレビル・ピブレンタスビル）	Technivie
	Viekira Pak
	Viekira XR
	Vosevi
	Zepatier

Sanford Guide App Drug Usage & Dosing → Renal Impairment, No Dosing Adjustment より．

まあ，このメトロニダゾールのジスルフィラム様作用については侃々諤々の議論があり，全然症状が出ない人からかなり強い症状が出る人まで，頻度から重症度までマチマチのようです．こういう場合は「個人の経験」は役に立ちません．まるで新型コロナのよう……（時事ネタだー）．

Mergenhagen KA, Wattengel BA, Skelly MK, et al. Fact versus fiction: a review of the evidence behind alcohol and antibiotic interactions. Antimicrobial Agents and Chemotherapy. 2020; 64.

チトクローム系酵素の基質，誘導体，それから阻害薬になっている薬は特に相互作用を起こしやすいです．あと，覚えにくいです．必ずアプリなど使って確認しましょう．

CYP3A4 の強力な阻害薬としてはキヌプリスチン・ダルフォプリスチン（覚えにくい，書きにくい！）が有名です．

逆に誘導体としてはなんといってもリファンピンが有名です．CYP1A2, CYP2B6, CYP2C8 などなどの誘導体で，かつ P 糖プロテインの誘導体です．おまけに OATP1B1 とか 1B3 とかの阻害薬でもあります……って覚えられんわ！　こんなにたくさん……まあ，覚えなくていいので，相互作用は必ずチェックしましょう．

P 糖タンパクというのは腎臓の尿細管上皮細胞にあるタンパクでして，薬剤の膜トランスポーターの一つです．代謝酵素であるチトクローム同様，ここで薬剤相互作用が起こり，各薬剤が「基質」「誘導体」「阻害薬」となって作用します．

同様に，OATP (orgaic anion transporting polypeptide) は消化管や肝臓の血管側などに存在する膜トランスポーターです．やはりここの「基質」「誘導体」「阻害薬」が複数存在すると，相互作用を起こして血中濃度が変化するというわけです．

ときに，尿細管を通じた薬剤相互作用は昔から薬効を高める手段として活用されてきました．プロベネシドによるペニシリン血中濃度の上昇，ベタミプロンによる，カルバペネムのパニペネム濃度上昇などです．

ちなみに，プロベネシドはインフルエンザの治療薬オセルタミビルの血中濃度を高めることも知られており，これが副作用の増加につながる懸念があ

ります．相互作用は常にチェック，チェックです（永井純也.トランスポーターを介した薬物相互作用.日薬理誌. 2010; 135: 34-7, 前田和哉.トランスポーターを介した相互作用.ファルマシア. 2014; 50: 659-63）．

　まあ，臨床現場ではこのようなメカニズムを全て把握しながら，というのは難しいですし，現実的でもありません．いちいち確認して，「何が起きるか」をよくよく注意する必要があります．

　特に注意したいのは，キノロン系とマクロライド系です．どちらも臨床現場でよく使われていますから要注意．特に注意したいのは，向精神薬，抗うつ薬，抗不整脈薬，免疫抑制薬，テオフィリン，スタチンなどです．いや～，たくさんあるなあ．

　要するに，**キノロンとかマクロライドは「案外」使いにくい薬なんです**．そのことをまずしっかり理解する必要があります．副作用と相互作用の問題が多い両者を「なめては」いけません．

- キノロン，マクロライドは相互作用がとても多く，案外副作用も多い．気軽に使うのは，あぶなっかしい．

　MRSAや腸球菌の感染症によく使われる**リネゾリドはセロトニン再取り込み阻害薬，いわゆるSSRIなどの併用でセロトニン症候群が起きる**ことがあります．発熱，興奮，意識変容，ミオクローヌス，振戦といった症状が出てきますから要注意です．これ，米国では専門医試験とかでよく問われている有名なトピックですよ～．ぼくらも日本で「精神科病棟の謎の発熱」とかで診察してみたら，セロトニン症候群でしたー，というエピソードを経験しています．よくある話ですが，結構，見逃されてそう．

　薬の併用でもともとある毒性が強調されることがあります．前述したように，**バンコマイシンとアミノグリコシド系抗菌薬の併用はとくに要注意**．耳毒性や腎毒性が強化されることがあります．だから，ぼくは両者を併用する

ことはほとんどありません．腸球菌による心内膜炎（自然弁および人工弁）で，両者の併用が考慮されますが（後述），治療効果と副作用リスクのバランスが，微妙～．悩みどころです．

　ST合剤では，例えば，アザチオプリンとの併用で血球減少が増強されたり，カリウム保持性利尿薬でカリウムが上がったり（ま，当たり前といえば当たり前ですが……）が起きたりします．

　カルバペネム系の抗菌薬，**メロペネムは，抗けいれん薬のバルプロ酸の濃度を下げてしまう可能性が指摘**されており，原則併用禁忌です．実は，近年，他のカルバペネムたちもバルプロ酸の血中濃度に影響を与える可能性が指摘されています．カルバペネムとバルプロ酸，原則，併用しないほうが良いでしょう（後記，[20]-A, 308ページ）．

　とはいえ，βラクタム薬（ペニシリン，セファロスポリン，カルバペネム，モノバクタム）は一般に薬剤相互作用を起こしにくいので，併用薬が問題になることは，たまにしか，ありません．

　そうそう，よく聞かれることですが，異なるβラクタム薬を数種類同時に使うことは，それほど問題ではありません．

　例えば細菌性髄膜炎の治療にバンコマイシン，セフトリアキソン，アンピシリンといってセフェム系とペニシリン系を同時に使いますし，腸球菌の感染性心内膜炎でもアンピシリンとセフトリアキソンを長期併用することがあります（いつもじゃありません）．

　昔はMRSA（メチシリン耐性黄色ブドウ球菌）感染症に「ダブル・セフェム」といって，セファロスポリンを2種類併用するとよい，みたいな学説がでたことがあるそうですが，これは臨床効果を期待できないので現在では使いません．MRSA感染症に，原則βラクタム薬は効かないのです……わずかに例外あり，ですが（セファロスポリンのとこ〔[19], 266ページ〕で説明しますね）．

　セフェム系を2種類，とかカルバペネム2種類を同時に使う……というやり方が薬理学的にどのような不都合があるのかはわかりませんが，臨床的にはそのような使い方を必要とするシチュエーションはほとんどありません．

が，まれに中枢神経感染症にセフトリアキソン，他の部位の感染症にセフメタゾールなんかを使用することがあります．ちょっと審美的にどうかと思いますが（美しさ，大事！），薬理学的には問題ないと思います．

抗菌薬併用療法の原則については，あとで説明します．が，併用することで相互作用や個々の抗菌薬毒性のリスクは高まります．増やせば増やすほど良い，という「足し算の論理」には要注意です．

薬は，必要最小限に留め，ポリファーマシーを回避するのが原則です．さしたる根拠もないのに「念のため」と抗菌薬てんこ盛りにするのはよくありません．

必ず相互作用はチェックしましょう．うろ覚えは，全く無知なのと同じくらい，場合によってはそれ以上に危険です．ぼくはアプリの Epocrates の drug interactions で相互作用をチェックしています．スマホが手元にないと本当に仕事になりません．

- 薬の相互作用は必ずチェック

おきて⑥　アセスメントを立てよう

アセスメントなくして，治療なし．熱が高い，CRP が上昇している，という理由で安易に根拠なく適当に雑に無思慮，無配慮に……くどいですからもういいですか……とにかく抗菌薬を出してしまっているケースをよく見ます．

必ず診断をつけましょう．確定診断ができなくても，せめて「あたり」はつけましょう．

透析患者さんの熱にさらっとフロモックス®のような経口セフェムを出し

ていて，熱は下がるような下がらないような……

　と言っているうちに実は黄色ブドウ球菌による心内膜炎でした，疣贅が頭に飛んでしまい，片麻痺，寝たきりになって，あとで「ちゃんとした」抗菌薬で治療するも遅きに失した……

　こういう事例をほぼ毎週のように見ています．なぜ，同じような失敗が繰り返されるのでしょう．
　それは，上記の「適切な培養」を採っていないからですが，それ以上に

「ちゃんと診断」

していないからです．
　透析患者さんは，週に3回も皮膚に針を刺し，血管に異物を入れています．そこから菌が入る，菌血症の可能性が高まります．どんな菌が？　それは皮膚に常在している菌であり，よってそれはブドウ球菌かレンサ球菌です．
　皮膚に乗っかっているレンサ球菌はほとんどがペニシリン感受性ですが，ブドウ球菌の多くは……皮膚ブドウ球菌（*Staphylococcus epidermidis*）や黄色ブドウ球菌（*S. aureus*）です．その相当数はメチシリン耐性菌で，要するにセフェムとかカルバペネムといったβラクタムは全然効きません．あるいは，仮に（フロモックス®のような）セフェムが効くメチシリン感受性菌でも，経口薬では菌血症は（血中濃度が低すぎて），治りません．
　よって，熱が下がったような，下がらないような……でほうっておくと，菌が心臓の内膜（弁）にとりつき，心内膜炎となり，それが大きくなって頭に飛んでいった……というわけです．

　おっとっと．いきなりなんだか難しい話をしすぎました．レンサ球菌ってなんや？　メチシリン耐性って何の話？　心内膜炎とか聞いたことないぞ……という読者の皆さん，すみません．今は細かいところはあまり気にしなくてよいのですが（本書は基本的に「細けーことはあまり気にしなくてよいんだよ」な本なのです）．

1　学生、研修生のみなさんに、まずはここだけおさえとけば大丈夫，の10の掟

■ 大事なことは,要するに

熱

とか

CRP（炎症マーカー）

「そのもの」をアセスメントなしで,治療していると,このような失敗のパターンにハマってしまうということです.

かと言って,
フロモックス®の代わりに「強力な」メロペン®使えばいいんじゃない？みたいなのが,一番やばい間違え方で,前述の例でメチシリン耐性菌（MRSAとか）が原因だとカルバペネム（メロペン®のような）は効きません.要するに,重いハンマー振り回しても,当たらないものは効かないのです.

要するに,「アセスメント」とは患者に何が起こっているか,を言い当てる作業です.あるいは「的を絞る」作業です.

透析患者
⇓
熱
⇓
なんで？

と,「なんで？（why）」を入れます.
医療者はせっかちなのですぐに結論（何しよか？（what?））に飛びつきがちです.頭の回転が速い医者だとなおさらで,すぐに途中をすっ飛ばして結論に導こうとします.

しかし，このような腱反射的な

熱
⇓
フロモックス®

とか，

熱
⇓
メロペン®

とか，別に他の抗菌薬でもいいですけど……のような what に飛びつくのはよくありません．必ず

「俺には何かがわかっていない．熱の原因」

という自分の知らないことに自覚的になる態度，「無知の知」が必要です．わからへん，わかるようになりたい，という謙虚な姿勢が必要です．

ビギナーならば，
透析患者が透析後に発熱……よくあるのは，

肺炎？
尿路感染？（まだ排尿があれば）
カテ感染？（血液透析を介した血流感染？）

といった複数のアセスメントを立てて，それぞれに対応した検査を行い，それから後述のエンピリックな抗菌薬を出しても良いでしょう．たとえば，

胸部レントゲン，喀痰培養とグラム染色，血液培養2セット，尿培養とグラム染色
で，

肺炎にセフトリアキソン
尿路感染もセフトリアキソンでいいかな？
カテ感染にはMRSAとかを考えてバンコマイシン

　みたいな治療戦略になります．最初は，たった1つの確定診断，一発狙いのドクターG！　なんて目指す必要はありません（注．ドクターGもそういう診断の仕方はしません）．

大きく網を張り，複数の仮説を立てて
見逃し診断をしない

ことのほうが大事です．

　もし，血液培養が陽性になれば，そこで
　あれ？　じゃあ，心臓にも感染症が及んでいないかな……
　ということになり，さらに血液培養をやったり，心エコーをして診断に至るかもしれません．

　慣れてくると，患者さんの診察の段階で，
おそらく肺炎も尿路感染もないな．タイミング的には透析関連の血流感染（カテ感染）でいいやろ，と

　血液培養2セット⇒バンコマイシン

　というよりシンプルなアセスメント，そして治療を行うこともあります．いずれにしても，ビギナーであれ，ベテランであれ，

アセスメントなくして，治療なし

なのです．

ときに，このようなアセスメントの思考プロセス，理路を立てることはとても大切です．「理路」というのは理屈の通り道でして，なぜそのようなアセスメントに至ったのかをきちんと説明しなければなりません．

ビギナーなら
肺炎はそもそも数の多い疾患だし，咳をしない肺炎も高齢者では多いから，肺炎も鑑別に入れる
で，良いでしょう．合格点です．レベルが上がると，

肺炎の可能性は残るものの，急性発症の発熱で透析患者で呼吸器症状もまるでなく呼吸数も酸素飽和度も下がっていない．蓋然性としてはカテ感染の可能性のほうがずっと高い．患者の全身状態は良いことだし，いきなり肺炎まで考えんでもよいだろ．

と，より深度の高い理路を示すこともできるかもしれません．
もちろん，ベテランが外すこともあり，やっぱ肺炎でした〜なんてこともままあります．
問題は，診断が当たる，外れるということではなく，**「なぜ，そのアセスメントに至ったのか」**をわかりやすい理屈を示すことです．それを**カルテにちゃんと書きましょう．**カルテに理路を示しておけば，あとで上級医に

「お前，なんでセフトリアキソンなんて入れたんだ」
と聞かれたときも，
「いや，実は」
と説明できるでしょう．それが上級医の意見とぴったり一致する必要はありません．見解の相違とはあるものです．しかし，**見解がまるでない**，というのは困ります．
他人が了解できるような理路，見解を持つこと．これこそがアセスメントです．

他人が了解できる,とはどういうことか.例えば,

「肺炎の頻度が高いから,肺炎をカバーする」

は意見としては成り立ちますし,了解もできますが,

「今日,製薬会社の出してくれた料亭のお弁当が美味しかったから,新発売のあの薬使ったれ」

は理路としては間違っています(繰り返しますが,間違ってるんですよ!).ましてや,

「今日は天気もいいし,布団も干してきたから,セフトリアキソン」と俵万智の俳句のような,ポエティックな理路を立ててはいけません.

あ,ちなみに尿がほとんどでない透析患者さんでも尿路感染になることはあります.ちゃんとケースレポートもあるのですが,

「ケースレポートがある,ということ自体が,そのような事象の珍しさの証左」なのでして,ここから得られる結論は「そういうことはめったにない」なのです.わかりますか〜?

Rault R. Symptomatic urinary tract infections in patients on maintenance hemodialysis. NEF. 1984; 37: 82-4.

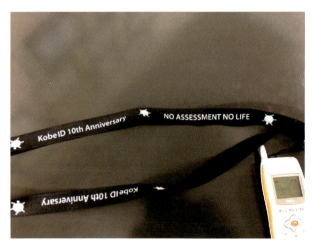

神戸大学病院感染症内科設立10周年記念(2018年)に作ったストラップ.No Assessment No Lifeとあり,回診時の感染症フェローの命がけっぷりがよくわかります.

このように,
「データ(症例)がある」
ことを単に知っていたり,記憶してることから,
「データがそこにある意味」

にまで思いを馳せるようになれば,ワンランクレベルの高い診療ができるようになりますよん.これを「メタ認知」といいます.単なる「物知り」から「智者」への進化といってもよいでしょう.あああ,初心者向けの「掟」のはずなのに,つい先走っちまっただ──.

おきて⑦　最初は広域抗菌薬　培養結果を見て de-escalation

アセスメントを立てるのはとても大事ですが,自分のアセスメントが正しい,という保証はありません.

特に初心者は「自分はもしかしたら間違ってるんじゃないか」という健全な謙虚な心を忘れてはなりません.

いや,前言撤回.ベテランこそふんぞり返って鼻高々になったりせず,「自分はもしかしたら間違ってるんじゃないか」という健全な謙虚な心を忘れてはならんのだ！　自戒を込めて.

感染症の場合,培養検査,薬剤感受性検査の結果が即座に出ませんから,いきなりピンポイントで原因微生物を叩く薬を使えるとは限りません.グラム染色である程度原因菌を絞り込むこともできますし,最近は質量分析など,迅速性の高い検査の技術革新が続いています.しかし,それでも検査の確度の問題もあり,やはり確定診断には若干の時間はかかります.

とはいえ,確定診断がつくまで患者さんを治療しないというわけにはいきません.確定診断のあとで治療するのが一般的なガンとは違い,感染症は待っているとどんどん悪化していくのです.**ガンとは違うのだよ,ガンとは.**

ガンダムネタもいい加減にしないと世代交代に対応できませんが，いずれにしても，初期治療においては原因菌とその感受性がわかっていないために，とくに重症感染症の場合は広めに治療します．これを

「機動戦士ガンダム THE ORIGIN」©創通・サンライズ

エンピリックな（あるいはエンピリカルな）治療

といいます．

　とはいえ，やたら広い抗菌薬ばかり使っていたら，薬剤耐性菌の問題が生じます．よって，感受性試験の結果を受けて，狙い撃ちにしてよい抗菌薬が判明したら，ピンポイントで狭い抗菌薬に置換します．これを

de-escalation（デエスカレーション）

といいます．カタカナばかり，英語ばかりでふざけんな，という方もおいででしょうが，どうも良い訳語がなくて定着しません．エンピリックなんかは「経験的治療」とか言われることもありますが，経験論で語られてもなあ，「風邪にフロモックス®」（⇐ダメ，絶対）も経験的治療やしなあ，と不全感が漂います……．

　というわけで，ここでは，

エンピリック
デエスカレーション

で覚えてしまってください，お願いします．

　例えば，**重症蜂窩織炎の治療に，**
バンコマイシン

という広域抗菌薬を使うかもしれません．市中獲得型 MRSA のような耐

性菌も「重症」感染症ならカバーしたいからです．さて，その後，血液培養から

　A群溶連菌（*Streptococcus pyogenes*）

が見つかったとしましょう．
　これはペニシリンに100％感受性がある菌であることはすでにわかっているので，

　ペニシリンG　200万単位を4時間おき点滴

にde-escalationします．イメージできますか？

　初期治療では（想定される）耐性菌を外さないためにエンピリックな広域抗菌薬，培養結果を見てde-escalationという戦略をとるわけです．
　de-escalationをやる際に，ビギナーがよく間違えている勘違いをここで指摘しておきましょう．

■ 勘違い1　重症患者にde-escalationはできない．

　例えば，レスピラトリーキノロン（クラビット®など）を使っていて，肺炎球菌が血液培養と喀痰培養から生えました．ペニシリンGに感受性があります．患者さんは重症でICUに入っています．
　どうぞde-escalationをやってください．重症患者だとde-escalationできないなんてことはないのです．大事なのは正確なアセスメントと，抗菌薬の必要性です．

　ときに，

広い
抗菌薬と，
強い
抗菌薬

を勘違いしている人もいます．いろんな菌を殺せる「広域性」とその菌を

ガッツンガッツン殺せる（科学的とはいえませんが，日本語のオノマトペはしばしば「適切な」メッセージ伝達をします……ほんま）「強さ」とは同義ではないのです．

「はじめの一歩」©森川ジョージ/講談社

　de-escalationの効果を検証するメタ分析は（異なる感染症を対象に）複数あります．ぼくらもde-escalationに関するメタ分析をしまして，ICU患者とか重症患者であってもde-escalationで予後が悪くならないことが示唆されました．いや，むしろ広域抗菌薬を続けていたほうが予後が悪くなる可能性すらこうしたメタ分析は示唆しています（神戸大でやったのは，Ohjiらの論文）．

　Tabah A, Cotta MO, Garnacho-Montero J, et al. A systematic review of the definitions, determinants, and clinical outcomes of antimicrobial de-escalation in the intensive care unit. Clin Infect Dis. 2016; 62: 1009-17.
　Paul M, Dickstein Y, Raz-Pasteur A. Antibiotic de-escalation for bloodstream infections and pneumonia: systematic review and meta-analysis. Clin Microbiol Infect. 2016; 22: 960-7.
　Ohji G, Doi A, Yamamoto S, Iwata K. Is de-escalation of antimicrobials effective? A systematic review and meta-analysis. Int J Infect Dis. 2016; 49: 71-9.

　これはメロペン®とか使い続けていると腸内細菌の殺し過ぎで真菌感染症が起きやすくなったり，CDI〔Clostridium（Clostridioides）difficileによる腸炎など〕が起きやすくなるためでしょう．

　Ben-Ami R, Olshtain-Pops K, Krieger M, et al. Antibiotic exposure as a risk factor for fluconazole-resistant Candida bloodstream infection. Antimicrob Agents Chemother. 2012; 56: 2518-23.

　というわけで，「うちの患者重症やから」「ここはICUじゃから」という理由でde-escalationをやらない理由にはなりません．よいですか？

■ 勘違い2　好中球減少患者でもde-escalationできる

　好中球減少時の発熱（febrile neutropenia，略してFN）は，**内科の緊急事態**でして，急ぎの対応が望まれます．初期治療が大切で，特に緑膿菌を外さずガッツリ治療するのが大事です．

　しかし，これは「緑膿菌が原因な場合，緑膿菌を外すとFN患者は非常に予後が悪い」という意味に過ぎません．「緑膿菌が原因でない」場合は当然緑膿菌カバーは必要ありません．

FN
⇓
緑膿菌カバー

とまるでマルチプルチョイス・クエスチョン（選択問題）でキーワードをつなげるだけ（老人，温泉→レジオネラ，みたいな）の単純発想ではいけません．ここでも「理路」が大事です．

> Freifeld AG, Bow EJ, Sepkowitz KA, et al. Clinical practice guideline for the use of antimicrobial agents in neutropenic patients with cancer: 2010 update by the Infectious Diseases Society of America. Clin Infect Dis. 2011; 52: e56-93.

　前述のOhjiらのメタ分析でも好中球減少患者を対象としたスタディーが引用され，de-escalationが死亡率を上げていないことが示されました．

　あと，de-escalationについてガチで勉強したい人は，中外医学社が誇る素晴らしい感染症専門誌「J-IDEO」創刊号（2017年3月号）で，ぼくがガチガチなレビューを書いているのでそれを参照してください．

> 岩田健太郎．「De-escalationを総括する」J-IDEO. 2017; 1: 5-16.

　そうそう，ちょっと話はずれますが，**FNは「好中球が下がっている状態の人が」発熱したものをいいます．発熱患者が（薬剤熱とか別の理由で）好中球が下がってきたものはFNではありません！**（きっぱり）

　つまり，
　好中球減少　⇒　発熱であり，
　発熱　⇒　好中球減少

はFNではないのでして，ガイドラインの適用，つまり緑膿菌カバーを必須とする，みたいに思い込んではいけません．

ものごとの順番は大事です．パンツを履いてからズボンを履くのと，ズボンを履いてからパンツを履くのを混同してはいけません．嘘だと思うなら，今度いつもと逆にやってみてください．

■ 勘違い3　検出菌だけカバーするのがde-escalationである

培養検査で見つかった菌と感受性だけ見てde-escalationしてはいけません．**大事なのはアセスメント．**患者に何が起きているかを看取するのが大事です．**検査ありきの感染症診療は必ず（どこかで）失敗します．**

特に問題になるのは，腹腔内膿瘍のような腸内細菌群と嫌気性菌の混合感染がある場合．

仮に，肝膿瘍患者の血液培養からセファゾリン感受性のある大腸菌が検出されたとしましょう．現在使っているのはアンピシリン・スルバクタムという比較的広域な抗菌薬です．

感受性があるのだから，セファゾリンにde-escalationするか？というと，これはしません．

どうしてかというと，血液培養で生えた大腸菌以外の菌もこの膿瘍を作っている原因となっているであろうからです．他の腸内細菌群や嫌気性菌を想定して，現行のアンピシリン・スルバクタムを（患者が良くなっていれば）続行する……というのがここでの正しい対応です．

患者が良くなっていなければどうするかって？　その場合は現状維持は許容できませんから，なにか別のことをします．おそらくはCTガイド下の膿瘍穿刺，ドレナージあたりが正しい方法になるでしょう．抗菌薬だけでなんでもかんでも解決できるわけではないのです！

例えば，MSSA（感受性の良い黄色ブドウ球菌）による心内膜炎の患者さんがいたとしましょう．セファゾリンにde-escalationしようと思ったら，頭に多発塞栓があることがわかりました．セファゾリンは中枢神経への移行性が悪いので，そこでの感染症には使えません．このような場合には他の抗菌薬を選択しなければなりません．例えば，セフトリアキソンなんかを使う

かもしれません．

　このことは，つぎの「おきて⑧」にそのままつながっていくのです．

おきて⑧　抗菌薬が効いてない，と思ったら抗菌薬を変えない

　抗菌薬が効いていないかな，と思うことがあります．
　ここで大切なことはですね，抗菌薬が効いてないな，と思ったときに**「じゃ，別の抗菌薬に変えよう」**と思ってはいけないということです．これはよくある間違いのパターンなのです．

　では，抗菌薬が効いてないな，と思ったときに何をすべきか．それは，さっきの「おきて⑥」と同じです．

「なぜ，この患者さんには抗菌薬が効いていないんだろうか？」

と考えることです．「どうする？（抗菌薬変える？）」の前に「なぜ？（抗菌薬効いてないの？）」と考えることが大事なのです．考えるのを止め，思考停止になったままで動くのはただのパニックです．プロの医療者がパニックを起こしてもよいことはありません（仮にあったとしても，それはまぐれです）．
　さて，ここではまだ初級編を説明していますから，ここで「抗菌薬が効いてない」の全てへの対応法をお伝えすることはできません．もしやったとしても多くの読者の皆さんは消化不良を起こして本を閉じてしまうことでしょう．なので，ぼくがよく病院で聞かれるごく初歩的な「効いてない」問題の原因だけを例示しますね．

■ 1. 実は抗菌薬は効いている

 抗菌薬は効いている．でも，主治医がそう認識できていない．これが実に多い．病院によっては，これが一番多い．

 なぜ，このような認知の間違いが起きてしまうのか．

 それは，「感染症が治る過程」の一般原則をご存じないからです．

 細菌感染症治癒の一般原則は，「感染症が良くなっているときは，全部良くなる」です．部分的に良くなり，部分的に悪くなることはほぼありません．もっと言うならば，

 抗菌薬が効いていて，同時に効いていないということはない

です．これは論理矛盾ですから，常識的に理解できるでしょう．具体的に説明しましょう．

 まず，感染症によって「効く」スピードが違います．

 例えば，ツツガムシ病のようなリケッチア（とその周辺）の感染症だと（例えばドキシサイクリンの）1日程度で抗菌薬が著効してる，という実感を得ることも珍しくはありません．

 逆に，腎盂腎炎の場合，解熱まで数日かかることが典型的で，抗菌薬を開始してから3日くらいたって，初めて熱が下がり，CRPが下がってくるのです．

 肺炎の場合は程度によって様々ですが，一晩で完治するということはまずなく，その場合はほとんど無気肺とか心不全との誤認（誤診）です．

 集中治療室（ICU）での重症患者でぼくが一番気にするのは血圧，つまり昇圧剤の必要性です．敗血症性ショックの患者でノルアドレナリンの必要量がどんどん減っていれば，熱が続いていても，CRPが高くても，呼吸状態が今一つでも「抗菌薬が効いている」可能性は高いです．

 よって，こういう場合は，「熱下がらない？ 抗菌薬効いてねえんじゃね？ 別のに変えようか？」ではなく，「抗菌薬は効いている，ではなぜ熱が続いているのだ？」という命題をたてるべきなのです．

もちろん，この前提を維持するには十分にして適切な輸液療法がなされていることが前提です．近年は集中治療の専門家が敗血症治療の専門性を高めてくださったので，輸液療法が不適切なまま，という患者さんを見ることは（昔よりは）少なくなりました．Early goal directed therapy（EGDT）であれ，そうでないやり方であれ（どっちがどうという議論はここでは本質的ではないので割愛！），敗血症性ショックの患者では大量輸液が必要になります．

　古い昭和なICUスタイルで病棟主治医がそのままICUの主治医になってしまうような場合，3号輸液などでじんわり，やんわり敗血症患者を放置するような誤謬を見ることは，さすがに令和の時代にはほとんど見ることはなくなりました．ICUの集中治療はここ10年で飛躍的に進歩した領域なんじゃないかな，とぼくの周辺を見ていると思います．まあ，全国的に網羅的に確認したわけではないですけど．集中治療医のコミュニティー（学会含む）の熱心さと頑張りのおかげだと思います．

　ぼくら感染症屋は抗菌薬だけ見ているわけではなく，こうした「輸液」や「人工呼吸」など，集中治療の大事なアイテムが適切に発動されているかもちゃんとチェックしています．ただ，本書はあくまでも「抗菌薬」の本なので，この問題に深入りすることはありません．

　とにかく，適切な輸液療法があるという前提で，敗血症性ショック患者の「抗菌薬が効いている」を決定する最大のポイントは「血圧が戻ってきている」「昇圧薬が減り，切れそう」なことです．

 ●敗血症性ショックの治療の成否評価は「血圧」にある．

　そして，他にうまくいっていない部分がある場合は，それは「抗菌薬が効いていて，かつ効いていないことはありえない」のですから，何か抗菌薬とは関係ない問題が隠れているのです．それを見つけるのも感染症屋の大事な仕事です．

というわけで，「抗菌薬が効いてない時」どうするか，の命題はまず「抗菌薬が効いていない，という前提はそもそも正しいのか」という命題そのものを疑うところから始まるのです．

　基本的に感染症のマネジメントは何事も疑いぬくというデカルト的なアプローチが必要です．感染症を生業にしていると，疑い深くなり，ヒトを信じなくなり，だんだん人相が悪くなり，犬歯が伸びて牙に変化していき……というのは真っ赤なウソですが，とにかく表層的な情報を鵜呑みにしない懐疑的な態度は大切です．

■ 2. 本当に抗菌薬が効いていない場合

　さて，では本当に「抗菌薬が効いてない」としましょう．そのとき，考えるべきは，

抗菌薬が効かず，患者の状態も悪くなっている．
なのか，
抗菌薬が効かず，患者の状態は定常状態（動いていない）．

　このときも大事なのは両者の判別に体温と CRP だけを使わないことです．例えば，昇圧剤の必要量が増えて，人工呼吸器の P/F ratio が低くなり（ここでは呼吸状態が悪くなっていると理解してください），尿量が減り，血液検査で肝機能や腎機能が増悪し，凝固が伸び，血小板が下がっているような状態は「患者が悪くなっている」です．

　実は，この点はすでに「おきて⑨」に片足突っ込んでいます．せっかくですから，先取りして，両方やっちまいましょう．

おきて⑨　患者が良くなっているか，悪くなっているか，どちらでもないのか確認しよう

- 感染症患者を見るときは，患者のすべてを見なければならない．

　あるいは CRP が 5 から 10, 10 から 15, 15 から 25 と上がり続けているときは，「患者が悪くなっている」と判断してもよいかもしれません．

　この判断には「繰り返し」と「程度の差」が必要です．今からどういうことなのかを説明しますね．

　CRP が 3 から 5 になりました．次の日に 4 になりました．これはぼくの目から見ると「誤差範囲」でして，CRP はべつに上がっても下がってもいません．

　それはどうしてかというと，

■ 1. 一貫性がない　そして上がり下がりの幅が小さい

　一貫性……つまり CRP が上がり続けていない．上がったり，下がったりしている．これはランダムな動きであり，一貫性がありません．おまけに上げ幅も下げ幅も大したことがない．身長が次の日 3mm 伸びた，というのは背が高くなったのではありません．単なる揺れ幅を見ているだけです．背，伸びないかなあ．

　CRP なんて，たった 1 デシリットル（100 分の 1 リットル）の血液を採ってその中の特定のタンパク質を測定しています．人間の血液の中身が完全に均質であるという保証はないので，そこには若干のずれがあるわけです．気にしなくていい程度のズレです．

　「気にする」ズレなのか，「気にしなくてよい」ズレなのかの判定は，割と

簡単な場合もありますが，けっこう難しいことも多いです．経験と洞察が必要です．数字の判定は「主観」が入るので，客観的にこれが「気にする」で，こっちは「気にしない」と決定できません．

例えば，金額という数字．1万円が「高い」と見るか，「はした金」と見るかには客観的，科学的，絶対的な基準はありません．多くの人が主観的に1万円を大金と判断し，また多くの人がそれを「はした金」と判断します．まあ，もちろん文脈にもよりますが．今日の朝飯代1万円はかなり奢った大金でしょうが，年間の国家予算から見たら，1万円は「はした金」でしょう．ただ，「主観」だからといって，そこに判定基準が「ない」わけではないのです．10円と20円にはたいした違いはありませんが，1万円と2万円の違いは通常は無視できない違いです．千円と2千円だって，あまり無視してはいけない違いでしょう．ただし，この違いはさっきの1万円と2万円の違いに比べれば「どってことのない」違いになります．

医学の世界でもたくさんの数字を扱いますが，その数字の高低は「主観」で扱います．しかし，主観だからといって軽く扱ってはなりません．正しい主観というのはあるのです．

白血球が$1mm^3$あたり30しかなかったら，これは我々医療者を青ざめさせるのに充分な小ささです．3,000であれば，まあ，そのくらいかな，ですし，30,000であればこれはこれでヤバイ値でしょう（感染かな，もしかしたら白血病かも）．

電解質では，ナトリウムの大きさのブレは，カリウムのそれよりも「ざっくり」です．ナトリウムが135mmol/Lから138になったからといって青ざめていたら医者やってられません（大した問題ではありません）．しかし，カリウムが4mmol/Lから7に跳ね上がったら，大変です．「へーっ，そうですか」と落ち着いてお茶を飲んでいるヒトは，ちゃんとした医者ではありません．ほっとくと不整脈で患者が死んでしまいかねないくらいのヤバイ変化です．

■ 2．では，CRP はどうか

CRP の変化も1〜2くらいの変化は「ほとんどない」くらいの変化です．

結構，CRPが2から1に下がったとか，1が2に上がったとかで一喜一憂する医師を見ますが，これは数字把握の感性に間違ったズレが起きています．財布の中に1円玉が1個あろうが，それが2個だろうが，大騒ぎをするのは大人げないってわけです．

　しかしながら，このCRPが「一貫して」増え続けるのは，よくない．1が2になり，2が4になり，4が8になり……と増え続けるのを「別にいいじゃん」と無視してはいけないのです．

　要するに，極めてざっくり説明すると，CRPは

・上がる
・下がる
・上がりも下がりもしない

の3択しかないのです．

　そして，この

・上がる
・下がる
・上がりも下がりもしない

がすべて「偶然，まぐれで」起きると仮に仮説を立ててみましょう．話をわかりやすくするために，それぞれの起きる確率は3分の1ずつとします．

　さて，CRPが1から2になりました．これが「偶然，まぐれ」で起きる確率は

1/3

です．だいたい，33％．

　で，次の日のCRPが4になる確率は，

$(1/3)^2 = 1/9$

と増えます．1割ちょっとの確率ですね．

　次の日もCRPが上がった，8になりました．これが「まぐれ」で起きる確率は，

$(1/3)^3 = 1/27$

です．だいたい3.7％．

統計学の世界では,「まぐれ」で起きる可能性が5％未満になると「統計的有意」とみなします（最近は,そうはみなさない,という見解もあるようですが）．まぐれで起きる可能性が3.7％の事象をぼくらは「あやしい」「話ができすぎている」と考えるのが自然でしょう．

　よって,4日連続で上昇し続けるCRPには「なにかまぐれではない,必然性を伴う理由があるはずだ」と考えるべきなんです．これが「一貫している」という意味です．

　もちろん,CRPが上がる理由は感染症だけではありません．いろんな理由でCRPは上がるのですが,「急に」「数日単位で」CRPが上がる時は,自己免疫疾患とかではなく,感染症の可能性がぐっと高くなります．もちろん,どの部位のどの微生物の感染症かは,CRPは黙したままで,決して教えてくれないのですが．

　次に,「一貫性」だけでなく,上がりっぷりも大事です．これが「程度の差」です．

　CRPが1から2に上がるのは大した問題ではありません．しかし,1から10だと無視できない上がりっぷりになります．財布に1円しかないと思っていたら,2円だった……は思い違いで済ませますが,10円だと……まあ,10円だったらやっぱ思い違いかなあ．でも,CRPが1から10は無視してはいけません．

　CRPは連続変数なので,「陽性」「陰性」で見てはいけないのです．しかも,そこに時間の概念が加わってきます．

　CRPは

どのくらいのスピードで,
どのくらいの上げ幅で
上がっていくかが大事なのです．

　急にどんどん上がるCRPはヤバイ．慢性的に上がっているCRPは（あまり）ヤバくない．急でもちょっとしか上がっていない,あるいは一貫性がないCRPの上がりはヤバくない．

こんな感じでCRPを見直してみてください．金銭感覚は大事です．あなたが破綻とか，破産しないために．CRP感覚……クオリアと言ってもよい……も大事にしましょう．患者を破綻させないために．

ちょっと（かなり）話はずれちゃいましたが，「患者がよくなっている」か「いない」かは，極めて重要な問題でして，ここを端折っては全く先に進めません．

そして，ぼくの見るところ日本の臨床現場での感染症診療の失敗の多くはこの「良くなっている」「なっていない」という極めてシンプルな区別の失敗からきているのです．なので，こだわるぞ．

で，まあ患者さんが「悪くなっている」．これはシンプルです．今の治療に何かが足りないのです．ただし，「何が」足りないかはわかっていません．

こういうときは「足し算の論理」を使います．足りないのだから，補うのです．まるで漢方診療みたいな言い方ですが，まさにそう．よって，抗菌薬は

「変える」
のではなく，
「足す」
にします．

現在使っている抗菌薬が「カバーしていない」なにかを足すのです．特に注意したいのは，

① MRSAのようなβラクタムが効かない菌
② 緑膿菌
③ 緑膿菌以外の耐性グラム陰性菌
④ やはりβラクタムが効かない細胞内寄生菌
⑤ 真菌や抗酸菌など「普通の細菌以外」

でしょうか．

① であれば，バンコマイシン，リネゾリド，ダプトマイシンなどが「足す」抗菌薬の選択肢になるでしょう．
② であれば，セフタジジム，ピペラシリン，カルバペネムのどれか，キノロンのどれか，アミノグリコシド，とくにトブラマイシンなどが選択肢になります．
③ であれば，これは難しい．感染症屋のプロに相談したほうが良いです．
④ はマイコプラズマとかリケッチアですね．ここだけの話，ミノサイクリンを落としとけば，大抵なんとかなります（ほんと，ここだけの話ですよ）．
⑤ は専門家レベルなので感染症屋に相談する，がよいですが，もし相談できなければミカファンギンを使っておく，という身も蓋もないやり方もあります，これもここだけの話．

ここの説明は今の段階では「なにそれ？」かもしれません．各論で詳しく述べますから，今は知らんカタカナはサラッと流していてください．

要するに，バンコマイシン，ミノサイクリン，ミカファンギンとかを「足す」かどうかを考えればよい，というのが「ビギナーレベル」の対応方法です．

ただ，この時点ではやはり感染症屋のプロに相談していただくのが一番問題がないとも思います．ちなみに，プロのレベルであれば「抗菌薬を変える」という選択肢は，ありです．しかし，それはただ闇雲になんかコロコロ変えてみるのではなく，アセスメントにかなりの確度があり，必然性の高い選択肢にできる，と思っているからそうするのです．

さて，最後．「悪くなってないけど，よくもなっていない」定常状態の場合です．この場合は

そもそも感染症じゃない

説が浮かび上がります．血栓とか，痛風発作とか，薬剤熱とか．

細菌感染症は，「良くなる」か，「悪くなる」かのどちらかなので，両方ない時点で「感染症らしくない」のです．

　仮にこれが「感染症」でかつ「定常状態」だとしましょう．その場合は2つ，あるいは3つの仮説が考えられます．
① 解剖の問題
② 微生物の問題
③ その両方
です．

① は，「定常状態になりやすい」細菌感染症には解剖学的特徴があるのです．それは，
ⓐ 血管（心臓含む）の感染症，典型的には感染性心内膜炎
ⓑ 膿瘍
ⓒ 骨の感染症，具体的には骨髄炎
です．この3つは「定常状態」になりやすいので，抗菌薬を始めても良くも悪くもならない可能性があります（良くなることも多いので，必須条件ではありません）．

次に② 微生物．「定常状態」を起こしやすいのは，
ⓐ 結核
ⓑ 結核
ⓒ 結核
ⓓ その他

というのは半分冗談，半分本気ですが，とにかく結核を疑います．忘れた頃にやってくる結核は，絶対に見逃したくない感染症の一つでもあります．そのくらい気合を入れて結核は診断に行かねばなりません．

ⓓ その他としては，
・サルモネラ（腸チフス）
・ノカルジア

・真菌の多く

などがゆっくり型の,「定常状態」を作る感染症の原因になります.まあ,一般診療ではまれな部類に入るでしょうね.あと,サルモネラの一部が感染性動脈瘤を作るときなんかが「両方」ですね.

- 定常状態の熱などは,
  感染症じゃない
  特殊な感染症を考える.

- 定常状態の感染症には,
  解剖の問題
  微生物の問題がある.

もういっちょ.忘れてはいけない,「抗菌薬が効いてない」の原因としては,
① 抗菌薬の投与法が間違っている.
② 異物抜去,ドレナージなど外科手技が必要.
の2つです.これもよくあります.
前者についてはあとで薬理学のところで詳しくやります.後者については,例えばカテ感染でカテ抜去してない,とか膿瘍で膿瘍ドレナージしてない,とかいうことです.なぜそれが問題なのかについても,あとで説明しますが,ビギナーの段階では,

抗菌薬の投与法がそもそも間違っていないか
異物は残っていないか

に着目してチェックする習慣をつけましょう.今の段階では,ここまでできていれば十分です(ていうか,要求多すぎたかな,この「おきて⑨」).

おきて⑩　失敗症例から学ぼう

感染症診療は,他のどの診療でも同じですが,必ず上手くいくとは限りま

せん．ときに，こちらの思惑通りにいかない，失敗症例というものが必ず出てきます．そのときに，**ぜひやりたいのは症例検討会です．**これは仲間内でやってもよいですし，どこかのカンファレンスに症例を提示しても良いですし，それもできなければ自分自身でやっても良い．

勝ちに不思議の勝ちあり，負けに不思議の負けなし，といいます．松浦静山というひとの言葉だそうですが，至言だと思います．

うまく行った症例は「まぐれ」のことが多いんです．特に感染症の場合は，自然治癒するウイルス疾患に抗菌薬を出したり，不適切な広域抗菌薬を出しても，患者はたいてい治ります．自分の失敗に自覚的になりにくいのです．

そもそも，治療開始前に患者の経過について予測を立てていなければ，自分の治療がうまくいったのか，うまくいかなかったのか，わかりません．

だからこそ，治療開始前に「この患者さんはこういう経過をたどるだろうな」という予測を立てておくことが大事です．

ビギナーの段階ではこれはとても難しいことですので，そうそう，うまくはいかないとは思います．

しかし，毎回毎回，感染症の予後予測……これは正確なアセスメントが自然に導き出すことですが……をやり，自分の予測と実際の患者の「ズレ」に自覚的でいれば，感染症診療能力は格段に高まっていきます．

逆に，場当たり的にアセスメントもたてずにとりあえず治療を開始し，患者の反応を見てやはり場当たり的に治療薬をコロコロ変えてみたりして，患者が治っても，治らなくても無反省なままでいたら，何年やっても，何千人の患者を見ていても感染症診療は上手になりません．

「そんなことはない．医療は勝ち負けじゃない．患者さんにベストを尽くせば，それでいいんだ．患者の生存だけが医療のアウトカムではない」

こんな意見を言う人がいます．

「患者の生存だけが医療のアウトカムではない」．おっしゃるとおりだと思います．

人間は必ずどこかで死にます．死なない人間というのは（たぶん）いませんから，問題は「死に至る過程」ということになるのでしょう．患者の死は，医療/医学の敗北とは限らない．正しい言葉だと思います．
　しかし，とぼくは言いたい．**そのような美しい言葉に逃げてはダメ**なのです．
　患者の生存が必ずしも望んでいるアウトカムでない，というのは，あくまでも自分が予見したアウトカムが，例えば「患者の苦痛のない死亡」である場合です．

　複数の併存疾患があり，すでに生命予後が悪く，基礎疾患の治癒も見込まれない患者が，蘇生処置を望んでいない，いわゆる「DNR」という宣言を出している（最近では"DNR"ではなく"DNAR"と呼べ，とか，"DNA-CPR"と呼べ，という意見もあるそうですが，その手のコトバ定義問題，基本，苦手……というか嫌い……なので深入りしません……）．その患者が熱を出して，主治医は「もうBSC（best supportive care，支持療法を全力でやる……）なんだけど，感染症は治療しときたくて」と熱のある患者について相談を受ける．
　このような場合（よくあります），ぼくらはどのへんが患者の着地点なのかを患者，家族，主治医と合意を取ろうとします．そして，その合意をゴールとして，何が最適な提案なのかを一所懸命考えるのです．
　患者が全面的に回復して，元気にスキップしながら病院を出て行くアウトカムをそういうときはイメージしません．いかに患者に過剰な負担を与えることなく，かつ主治医や家族の「熱は下げてあげたい」という思いに寄り添うかが課題になります．
　よって，ぼくらは普段の主義主張を取り下げ，検査を最小限にし，血液培養すらとくに必須とせず，抗菌薬の選択肢もできるだけ投与回数が少ない，患者や家族が望むのなら1日1回飲めばよい経口抗菌薬にして，自宅に帰りたいという患者であれば1日も早く帰宅できるような段取りをします．熱が苦痛の原因なら，通常なら感染症診療の「ご法度」と従来は言われてきた，ステロイドの投与すら厭いません．

そのような場合に患者の血圧が徐々に下がり，意識が遠のき，最終的に死に至ったとしてもそれは我々の失敗でも敗北でもないのです．

しかし，です．そのような事例の存在に甘えて，本来なら完全なる治癒を目指していた患者が重症化して，あるいは改善せずに亡くなった場合……つまり**我々のアセスメントが間違っており，アセスメントから予想される経過を辿らなかった場合は，やはりそれは我々の失敗であり，敗北なのです．**

感染症診療はサイコロをふるように，プロバリスティック（うまく行けばラッキー！）に，治療が当たった，外れた，という感じでやってはだめなのです．

診断を間違えた，予後設定をしくじった，治療がうまく行かなかった．臨んだとおりにならなかった．その場合は，我々の敗北であり，反省すべき点がそこには必ずあるはずです．

残念ながら，人間である我々感染症屋がいつでもうまくいく，ということはなく，必ず一定の確率でうまくいかない症例はあります．しかし，それを「そういうものだ」と，看過してはいけないのです．

必ずその失敗には理由がある．失敗が全てではないにしても，少なくとも何らかの改善点はあるのです．それを明らかにすれば，少なくとも次の似たような患者さんでは少しはマシな診療ができるはずです．

反省も改善もせずに，「一所懸命頑張ったから仕方ないんだよ．医療に敗北なんてない．ノールーザーさ」とかっこよくため息をついて慰めあっていたら，何も変わらないのです．

> Whoever said, "It's not whether you win or lose that counts," probably lost.
> "勝ち負けは関係ない，なんて言う人はたぶん，負けたのだ．"
>
> マルチナ・ナブラチロワ

ぼく自身も，医者になってから数多くの失敗をやらかしてきました．しかし，失敗からは必ず逃げないことにしてきましたし，うまく行かなかったことは必ず検証しました．そして，次はもう少し，マシな医療をやろうと改善

を重ねてきたのです．失敗は，改善を導く最良の教師なのです．

米国では……「米国では」とかいうと必ず不機嫌になる読者もいるのですが，まあ最後まで読んでください……Morbidity & Mortality conference, 略してM&Mというものがあります．

これは重症化してICUに転床したケースや，意図せず患者さんが亡くなった場合に，チーム全体で症例

をレビューして，改善点を模索するカンファレンスです．ぼくは米国の内科研修医時代，これを毎週行ってとても勉強になりました．自分の失敗も勉強になりますが，他人の失敗も勉強になるのです．

ところで，ぼくが日本に帰国した2004年，勤務先の亀田総合病院でM&Mがないことを知り，これをぜひ導入しようと思いました．

すると病院長に反対されました．日本にはM&Mの文化がなく，主治医を責めるような習慣は好ましくないので，こういうことはやらないほうがよい，と．

ぼくは，2つの理由で反対しました．

第一に，ぼくが研修を受けた沖縄県立中部病院ではM&Mをやっていました．

なんと，外科でやっていました．術後の経過がうまく行かなかった患者に関する反省会でした．

もう昔の話なので，いいと思いますが，あるレジェンドたる年配の先生が，とある手術でちょっとした見込み違いがありました．鬼のように怖い先生で，ぼくら研修医はよく怒鳴りつけられていた，そして神のように尊敬された名医でもありました．

その日のM&Mカンファでは，このレジェンドたる先生の失敗がやり玉に挙げられ，なんと若手の外科医たちが「あれはけしからん」「間違っていた」

と堂々と意見していました．するとこのレジェンダリーなベテラン外科医はその場で頭を下げて「俺が間違っていた」と謝ったのです．

　この光景を研修医のぼくは唖然として見ていました．年長者を槍玉に挙げる若手外科医もすごいし，それに素直に謝罪する年長者もすごい，と．

　しかも，このカンファレンスが終わったら，その後，彼らの人間関係はまったく元のように戻りました．カンファが終われば，ノーサイド，というわけです．

　今は知りませんが，思えば沖縄県立中部病院には喧嘩っ早い猛者がたくさんいたので，こうした口論が病院のあちこちで起きていたのですが，それは患者を思うがゆえの無私のものでした．話が終われば遺恨が残ることはなかったのです．

　そんなわけで，ぼくは日本でもM&Mが機能しているのを目の当たりにしていましたから，亀田でもやってできないことはない，と思いました．

　まあ，沖縄県立中部病院と亀田では若干気質が違うところがありますが（とくに昔は！），それでも質の高い亀田総合病院なら，このくらいちゃんとできるだろうと思ったのです．

　もちろん，沖縄県は1970年代まで米国の占領下にありましたし，県立中部病院はハワイ大学の研修プログラムを持っていました．病院の多くはアメリカンな方法論やメンタリティーを持っていました．「それは，オキチューだからできることで，本土では無理だよ」という反論もあったのです．

　そこで，理由その2，です．実は，日本でもM&Mをやっているところがあるのです．

　それは，世界に誇るトヨタ自動車です．まあ，名前はM&Mではなく，これも世界に誇る日本語「カイゼン」ですが．やってることは同じなのです．トヨタは，問題が起きると「5つのWHY（なぜ）」を出すことで知られています．問題の表層だけを見て，

ミスが起きた
⇩
次から気をつけます

1　学生、研修生のみなさんに、まずはここだけおさえとけば大丈夫、の10の掟

というやり方では，本質的なカイゼンにはなりません．そもそも「ミスがなぜ起きたのか」という遠因を調べる必要があるのです．そして，その原因を調べると，その原因にも背後にさらなる原因があることがわかります．本当の真相がわかるのは，5回「なぜ」と問い続ける必要があるのだとか．

これって，あるべき医療と全く同じです．

ミスが起きた
⇩
ごめんなさい，次からはもうしません．

患者が治らなかった
⇩
でも，まあ，みんながんばったんだから，明日から気を取り直していこう

では「カイゼン」は望めないのです．

「トヨタ式『5回のなぜ』でトラブル原因を因数分解」（PRESIDENT: 2013年9月16日号）

トヨタ自動車にできるのであれば，我々にだってできるはずだ．M&Mは日本文化とか日本人の遺伝子的に実行不可能なものではないはずです．「できない」のではなく「やってない」だけなのです．

そして，亀田総合病院は「できない」を「できる」に変え，「やってない」を「やっている」に転じることを日本で一番得意としている，前のめりな病院です．トヨタにできるなら，亀田でだってできる．

もっとも，ぼくはmortalityとかネガティブな単語を使うのをやめました．亀田では「カイゼンカンファ」と名付けたのです．そして，それは上手くいきました．

亀田ほど先進的な病院でなくても，どんな日本の病院でも「できない」を「できる」に，「やっていない」を「やっている」に変えることはできます．

ぼくが神戸大学に異動したとき,「国立大学病院は臨床ができない」という有難くないお言葉を何人かの人にいただきました．そして，その言葉はある程度事実ですらありました．しかし，10年の後に，神戸大病院の感染症診療の質は確実にカイゼンしました．それはぼく一人の功績ではもちろんなく，神戸大にもともとあった強み（ストレングス），微生物検査室の質の高さとか，当時あった総合内科のパワーと協力とか，すでに存在していた感染制御部の理解や協力とか，その他いろいろな要素が絡んでいます．

しかし，要するにどの病院であっても「できない」と決めつける根拠はないのです．ぼくは現在，某県立病院で週一回の感染対策と感染症診療のお手伝いをしています．まだまだできていないことが多い病院ではありますが，「できない」は「できる」ための前提のようなものです．日本のすべての病院での感染症診療の質が高まり，日本のすべての医療者がよい感染症診療をしてくれる，という目標は，必ずしも非現実的なものではないとぼくは思います．

というわけで，とにかくうまくいかなかったときには必ず検証をして，その原因を突き止めましょう．それを未来の診療に活かすのです．失敗が最大の学びなのでして，だからよくある地方会の「なんとかが著効したかんとか病の症例」にはほとんど学ぶところがないんです．

そうそう，ときに米国の話ですが，米国のM&Mでは「ノーシェイム，ノーブレイム（No shame, no blame）」というのが原則になっていました．個人攻撃をしない，個人に恥をかかせないという意味です．よく「米国は罪の文化，日本は恥の文化」なんて言いますが，実は米国も相当の「恥の文化」を持っているのですね．

で，たしかにカンファレンス中はどんなシクジリをやらかした研修医もけっして個人攻撃を受けることはありません（やっぱ，オキチューは特殊だったんです）．

しかし，これで「さすがは米国」と手放しで賞賛してはいけません．

カンファレンスが終わると，カフェテリアとかで「あいつ，ほんとにバカ

だよな」とスタッフは陰口を叩いていたのでした．ぼくも陰で相当バカにされていたんじゃないかなあ．アメリカ人はわりと本音と建前に乖離があるので，表面的なシステムを額面通り受け取ってはいけないのです．

　このことは，ことある事に申し上げていますが，米国には優れたシステムや先進的な見識などがあり，そこから学ぶことはとても多いです．しかし，米国にもたくさんの欠点があり，とくに「理念と実態の乖離」の大きさから，実際にやられている医療は必ずしもちゃんとしていなかったりします．

　感染症診療も例外ではなく，上記の原則を守らず，適当に検査し，適当に治療している例も少なくありません．薬剤耐性菌も日本とどっこいどっこいの多さでして，抗菌薬の不適切使用も相当なものです．

　というわけで，**本書が目指しているのは，「アメリカではこうなっている」というアメリカ医療の伝達本ではありません．**あくまでも患者にとってあるべき診療はこうだ，という理念と原則と論拠を紹介しているのです．時々，「イワタ先生はアメリカの医療をうちに持ちこもうとしているみたいですけど，俺達には俺達のやり方があるんですよ」みたいな言いがかりをされることがありますが，イワタのやり方は決して「米国流」ではありません（米国流，なんてものがあれば，の話ですが……）．

　その証拠に，本書では米国では絶対にやっていないような検査の解釈や抗菌薬の使い方が多数述べられています．先入観に惑わされることなく，きちんとその辺を読み取っていただければ幸いです．

　さあ，お疲れ様でした．ここまでできれば，抗菌薬使用，ザ・ビギニングの完了です．まずはこの「10 の掟」をしっかり守って個々の患者さんにあたってみてください．

2 感染症診断のコツ

　診断，アセスメントが大事だ，と繰り返していますので，ここで感染症診断についてもう少し述べたいと思います．とはいえ，本書は診断学の本ではありませんから，あくまでも Tips & Pearls，これを知っとくと便利だよっていう話だけをかいつまんでお話しましょう．

　よく言われることですが，病歴聴取と身体診察はとても大切です．感染症においてもそれは例外ではなく，というか，感染症診療においてこそ病歴聴取と身体診察は極めて重要なのです．ぶっちゃけ，急性白血病なんて病歴と診察で診断できることはほとんどありません．

「全身だるいんです」
「お，これは急性骨髄性白血病かな」

なんて普通わかりません（もしあたったとしても，まぐれです）．
　「診断の神様」ローレンス・ティアニー・Jrがよく言うように，「全身倦怠感」というのは診断につながりにくい症状です．このような場合はむしろ，（比較的）検査が寄与するところのほうが大きいでしょう．
　疾患によって病歴親和性，診察親和性の高いものとそうでもないものがあります．
　そして，たいていの感染症は，病歴や診察に親和性が高い部類の疾患なのです．
　アフリカ帰りの発熱，という病歴があってこそ「マラリア」という診断名

を思いつきます．その病歴なしに，マラリアを探しに行くのは難しいし，普通に検査を重ねていて「偶然」マラリアとわかることも，あまりありません．何の病歴もなく，発熱だけで，すぐに血液のギムザ染色をしたり，ましてやマラリアの迅速診断キットを使う医者は稀有なのではないでしょうか（たとえいたとしても，ちょっとやばい医者のような気もします）．

というわけで，詳細な病歴聴取は感染症診断に欠かせない大事なツールなんです．飼っているペット，旅行，性交渉，食べたものなどすべての情報が貴重な診断への手がかりになります．

A 時間と空間

病歴聴取にもコツがあります．ただ，漠然と患者の話に耳を傾けていたり，問診票に記録させていてもよくありません．すでに述べたことと若干重複しますが，特に重要な**「時間と空間」**についてお話します．

熱が出ています．咳が出ています．こうした「キーワード情報」の羅列では，診断に導くことは困難です．キーワードをつなげると正解できる，というのは医師国家試験などのマルチプルチョイスクエスチョンが得意なタイプが信じやすい誤謬ですが，現実世界ではそうはいかないのです．

大切なのは，「いつから？」．オンセットを訊くことが大切です．「時間」の要素が診断に重要になってくるのです．

感染症の診断は「感染臓器」と「病原微生物」，そして「患者の重症度」を正しく言い当てることで，たいていできます．逆にこれらの情報が欠落している場合，それは感染症の診断ができているとはいえません．

各病原微生物には時間的特徴があります．**潜伏期間**，**感染期間**，そして**有症状期間**があるのです．時間ってとても大切なのですね．

ある患者が3週間の発熱で来院したとしましょう．

前述のように，「細菌感染症は悪化か改善あるのみ」が原則です．細菌感

染症患者が適切な治療を受けていなければ，増悪の一途をたどるのが普通ですから，「3週間」放っておいた患者が通常の細菌感染症（肺炎や尿路感染など）をもっている可能性はきわめて低いと考えるべきでしょう．

　したがって，この患者の発熱の原因は特殊な感染症（結核など）や感染症以外（自己免疫疾患など）による発熱である可能性が高いのです．

　このような患者に対して「とりあえず」抗菌薬を処方するのはもちろん，御法度ですね．

　さて，発熱と黄疸のみられる患者でE型肝炎を疑うとします．その根拠として一昨日食べたイノシシ鍋を根拠にできるでしょうか？

　答えは「できない」です．

　E型肝炎の潜伏期間が15〜64日，多くの場合で26〜42日です．原因食物や水の摂取から，わりと時間が経たないとE型肝炎は発症しないのです．同じように，「昨日疥癬をもっている患者に曝露した」人が，今日疥癬を発症することは「ありえません」．疥癬の場合，通常潜伏期間は1カ月くらいあるからです．もっとも，疥癬患者にあたった医療者は少なからず，次の日あたりから「かゆい，かゆい」と言い出しますが（理由は考えてみてください）．

潜伏期間や感染可能な期間を意識することで鑑別疾患を絞ることが可能になります．

　潜伏期間や感染期間を全て丸暗記する必要はありません．ぼくはアメリカ公衆衛生学会（APHA）のマニュアルを長年用いてきました（Control of Communicable Diseases Manual：CCDM）．感染症名がアルファベット順に載っていて，各疾患の潜伏期間や感染期間が明記されているので，とても便利です．ただ，最近新しい版がでなくなり，一時はアプリ版もあったのですが，これもいつの間にかなくなってしまい，ちょっと使いにくくなってしまいました．ちと残念．いちおう，このウェブサイトからアクセスできます．

（APHA Press. control of communicable diseases）

　いずれにしても潜伏期間，めっちゃ大事．時間の概念を上手に使えば，感染症（と感染症に似て非なるもの）へのアプローチがとても上手になるので

す．時間に敏感であること．とても大切ですけど，しばしば忘れられています．

普段，我々が用いる検査を考えてみてください．多くの検査は時間の概念を教えてくれません．

というのは，**検査結果は検査時のスナップショットにすぎないからです**．

来院時に CRP が高くても，それがいつから高かったか，あるいはもっと高かったのが下がりつつあるのか，今ぐんぐん上がってきているのか，あるいは先月からずっと同じ値だったのかは教えてくれません．

画像所見についても同様です．レントゲンや CT に映る浸潤影は現在の肺炎なのか，過去の肺炎の治癒後を見ているのかはわかりません．空中に浮かぶピンポン球の写真を見ても，上から落ちてきたのか横から飛んできたのか，はたまた誰かが超能力で浮かべているのか，わからないのと同じですね．どうでもいいですが，ぼくはドラマ「リーガルハイ」が大好きで，脚本の古沢良太ファンなのですが，卓球映画の「ミックス。」は個人的にはイマイチでした．ガッキーファン，ごめん．

繰り返します．**検査は，過去から今に至る患者の経緯を教えてくれません．それを可能にするのは，患者との会話だけです．**だから，病歴聴取がとても

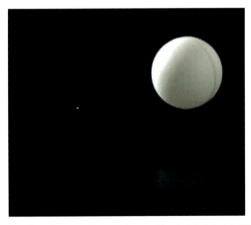

このピンポン玉が，どこからやってきて，どこに行くのかは写真を見てもわからない．どんなに優れた解像度の写真であってもわからない．

重要になってくるのですね.

■ 時間の次は空間です

　感染症界の開祖であるルイ・パスツールは「病原体が感染症を起こすためには感染経路をもたねばならない」ことを，独特なフラスコを用いて指摘しました.

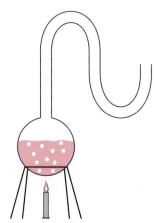

　感染経路もまた一つの「空間」です．結核が感染するには空気という空間が必要です．赤痢が感染するには，手とか食べ物とか水とかいった媒介物（という空間）が必要です．梅毒や淋菌感染には人と人との性的な接触を必要とします．これらが「空間的情報」です．

　E 型肝炎のストーリーは，食歴が感染症診断においては非常に重要なことを教えてくれます．いつ，**誰と何をどこでどのように食べたか**．こういった「空間的情報」が役に立つのです．
　食歴だけでなく，**「職歴」も重要です**．
　職業を訊くときは患者が実際どんな仕事をしているかイメージできるようでなければいけません．「会社員です」「公務員です」ではどんな仕事をしているのかさっぱりわからないですね．「建築関係です」なら，それが現場の大工さんなのか，現場監督なのか，建築士なのか，具体的にイメージできる

まで質問を重ねていきます．

　人間は仕事だけしているわけではないですから，「余暇」の過ごし方も必ず訊きましょう．特に野外活動（ウォーキング，釣りなど）の有無で診断される感染症は多いです．山の中に入らなければツツガムシ病やライム病に罹患することは（ありえなくはないけど）まれです．水との接触がなければ *Mycobacterium marinum* 感染の可能性は高くありません．

　結核は狭くて密閉されていて不特定多数の人が集まる所に多いのが特徴です．雀荘，パチンコ屋，カラオケボックス，カプセルホテル，ネットカフェ，刑務所（！），そして病院などの利用には要注意です．こういう情報収集が結核の集団感染発見のきっかけになることがあるのです．

　学生が長いこと咳をしていて，クラスの友人も複数同じ症状をもっていれば，十中八九，百日咳と考えてよいでしょう（けっこう，ありますよ）．

　みなさんがいらっしゃる居住環境も大切です．ぼくは以前，千葉県の房総半島に住んでいたのですが，そこではツツガムシ病が多くみられました．初冬から春先にかけての発熱では必ず鑑別に入れていました．

　大阪市西成区のあいりん地域の新規結核発生数は人口10万人あたり年間383.7例（2014年）です．同年の日本の平均が年間15.4例（人口10万人あたり）ですから，24倍以上ということになります．これはコンゴ民主共和国など，アフリカの貧困国，かつ結核流行国と同程度です（大阪市ホームページ）．もっとも，以前は10万人あたり600とか700という時代もあったそうなので，大阪の結核対策がそれなりに前進しているということでもあるのですが．

　いずれにしても，あいりん地域に住む人の発熱患者であれば，必ず，必ず，結核を鑑別に入れる，ということになるのです．多分，発熱がなかったとしても鑑別に入れるでしょう．

　ちなみに，米国の新規結核発生数は人口10万人あたり年間3人です．2000年くらいから「結核ゼロ」を目標に掲げているこの国では着実に結核を減らしているのです．移民も多い国なのに，すごいですね．

さて，日本で診断されるHIV感染者の7割以上が男性同性愛者です（厚生労働省．2019年エイズ発生動向より）．

もちろん，男性の同性愛者だからHIV感染があるというわけではありません（逆は真ではないのです）．しかし，このような人達に，発熱，皮疹，リンパ節腫脹など様々な訴えが認められたら，やはり必ずHIV感染は疑うべきでしょう．

さて，結核とHIV感染の話からわかるのは，**疫学情報はとても大事**だということです．公衆衛生と診療は決して分断されているのではなく，密接にリンクしているのです．公衆衛生学のもたらすデータに親しみ，解釈の仕方を熟知しておく．これも感染症診療のスキルの一つとしてとても大切なことです．

多くの疫学情報はネットに上がっています．国内の情報は日本語で，外国の情報は英語で検索すれば，すぐに見つかります．このような情報検索能力もこれからの医療者には必須の能力です．

3 空間と身体診察

次に身体診察の話をしましょう．

全身の診察が大切なのは言うまでもありません．が，特に注目したいのは，感染症では「リンパ節腫脹」「関節痛・関節炎」そして「皮疹」の3つです．

リンパ節腫脹はあるか，関節痛・関節炎はあるか，そして皮疹はあるか．それらの有無によって鑑別できる疾患は多いからです．

その際，注目すべきは，

① **対称性か，非対称性か**
② **単数か複数か**

です．ただ漠然と患者を診察するのではなく，このように「リンパ節は腫れていないか」，「関節は腫れていないか」，「皮疹はどうか」，そしてそれは対称性か否か，単数か複数か……と系統立ててシステマティックな診察をしていきます．

A リンパ節腫脹の考え方

例えば，リンパ節腫脹．

まずは時間が大事でした．急性全身性（対称性）リンパ節腫脹であれば，圧倒的にウイルス感染症の可能性が高いです．特に小児であれば麻疹などの全身性ウイルス感染症が鑑別に上がりますね．HIV や EBV といった特殊なウイルス感染症，ラッサ熱やデング熱といった輸入感染症，粟粒結核，ツツ

ガムシ病，ブルセラ症，梅毒，レプトスピラ症などの特殊な感染症も鑑別にあがるかもしれません．抗菌薬が効かないウイルス感染症が多く，また抗菌薬が効いてもその治療方法は多種多様にわたるので，ここでも「正確な診断」が重要になるのがわかりますね．

慢性だったらどうでしょう．このような「ゆっくりくる」全身性リンパ節腫脹であれば，リンパ腫などの悪性疾患やSLEなどの自己免疫性疾患，慢性疲労症候群，甲状腺機能亢進症，薬剤性（例：フェニトイン）などの非感染症の可能性がむしろ高まります．「いきなり抗菌薬」ではなく，精査しなければいけません．

では，**もしリンパ節腫脹が局所にある場合**はどうでしょうか．

例えば頸部．両側性（対称性）であればやはりウイルス性感染症が多いでしょうし，溶連菌による急性咽頭炎なども考えられるかもしれません．片側性（非対称性）であれば結核やネコひっかき病といったやや特殊な感染症，リンパ腫，転移癌，菊池病（組織球性壊死性リンパ節炎）などが鑑別にあがるでしょう．

鼠径部のリンパ節腫脹であれば，下腿の疾患，例えば下肢の蜂窩織炎などによるものと，梅毒やクラミジアといった性感染症などの可能性が高くなります．

リンパ節の触診は頸部，腋窩，肘（epitrochlear），鼠径は行いましょう．

頸部の診察にはコツが要ります．
ぼくの場合，頸部を各コンパートメントに分け，顎下，前頸部（細菌性咽頭炎に多い），後頸部（伝染性単核球症に多い），後頭部（小児の風邪などでよく触れる），ついでに甲状腺の順番で触診しています．甲状腺はもちろんリンパ節ではないですが，ルーチンに触れておくとよいです．亜急性甲状腺炎とかよく見逃さ

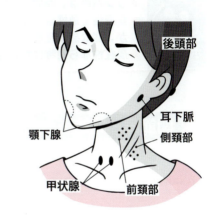

れるんですよ.

腋窩リンパ節も漠然と腋窩をまさぐるのではなく,腋窩の前方(検査者から見て手前側,胸筋リンパ節),上方(中心腋窩および外側腋窩リンパ節),後方(肩甲下リンパ節)の3つのコンパートメントに分けるとわかりやすいです.

Sapiraの身体診察の教科書を読むと,前腕に蜂窩織炎などがない場合の肘のリンパ節腫脹は全身性疾患診断の手がかり

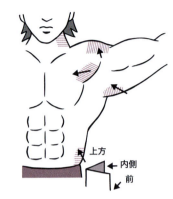

●腋窩は3面に分けるとわかりやすい

として「むちゃくちゃ役に立つ」(extremely valuable)と書いています.サルコイドーシス,野兎病,梅毒などを示唆するのだそうです(ぼくは,あまり見たことないなあ).

鼠径部の診察は鼠径靱帯より上か下かで分類することが多いのですが,実際にこれがすごく役に立つことは(少なくともぼく的には)あまりありません.ちなみに鼠径靱帯を挟んで上下両方のリンパ節が腫脹し,鼠径靱帯が溝のようになっている(groove sign)場合はクラミジアによる鼠径リンパ肉芽腫を示唆します(lymphogranuloma venereum).これは海外に多い感染症ですが,輸入例もあるので,覚えておくと結構役に立つかもしれませんよ.

- リンパ節は,時間と空間が大事.
- 全身性で急性はウイルス疾患,全身性で慢性は感染症以外か,変な感染症を考える.
- 局在性なら対称性か非対称性か.

B 関節痛・関節炎の考え方

次に関節痛・関節炎について考えてみましょう.
まず,**本当に関節なのか?** を検討します.どういうことでしょうか?

関節の周りにはたくさんの構造物があります．そういうところに炎症があると，「関節炎」と勘違いしやすいのです．筋肉，腱などの関節周囲の痛みではないか，丁寧に診察します．

関節痛の場合，疼痛は関節に限局し，自動・他動運動により痛みが増強される特徴があります．対して関節周囲の病変では自動運動では痛みが増強されるが他動運動（医師がゆっくり四肢を動かしてあげる）では増強しないことが多いです．

岸本暢将．詳細な病歴．In: すぐに使えるリウマチ・膠原病診療マニュアル．東京: 羊土社．2009; p.79-86．

関節痛と関節炎の区別も大切です．関節に限局した痛み（関節痛）があり，他覚的な炎症所見（紅斑，腫脹，熱感）を伴えば単なる関節痛（arthralgia）ではなく関節炎（arthritis）です．インフルエンザでは関節痛は起きますが，関節炎は起きないのです．大事ですね．

関節炎とわかれば，次に（非対称的な）単関節炎なのか，（しばしば対称的な）多関節炎なのかを考えます．

前者であれば痛風などの結晶性関節炎と感染性関節炎の可能性が高いです．後者が疑われれば関節穿刺によるワークアップを必要とします（逆に穿刺しなければ，診断できないことも多いです）．

多関節炎であれば，急性発症では（常に時間を考えるのでした）パルボウイルス B19 などのウイルス感染，慢性であれば関節リウマチなどの自己免疫疾患の可能性が高いです．この場合は関節穿刺よりは血液検査などがワークアップに有用なことが多いでしょうね．

- 関節の痛みか，それ以外の構造物の痛みか区別しよう．
- 関節痛か，関節炎か区別しよう．
- 時間が大事（いつだって大事）．急性か慢性か．
- 単関節炎か，多関節炎かチェックしよう．

3 空間と身体診察

C 皮疹の考え方

皮疹も重要な所見です．

　ただし，慣れていないと一つひとつの所見の区別は難しいかもしれません．

　皮疹は見てわかるかわからないかなので，診断能力に優れた皮膚科医の先生と一緒に皮疹を見て学ぶのが一番かもしれません．ちょうど，グラム染色を優秀な検査技師さんと一緒に見るように．

　以前，下腿の有痛性の盛り上がった皮疹をみて「これは結節性紅斑だ」と思ったことがありました．ところが，同じ患者をみた皮膚科医の先生に「ちょっと結節性紅斑にしてはおかしい」と指摘されました．然り．皮膚生検の結果は結節性紅斑に合致せず，診断は壊死性血管炎……つまり，結節性多発動脈炎（PN）だったのです．

　違いがわからないうちは，「違いのわかる男」に教えてもらうのが一番である，という話です（古くてわかんないだろうな．あと，違いのわかる女でも，もちろん OK です）．

　皮疹はどこにあるのか，押して消える（blanching）皮疹なのか（血管拡張なのか出血なのか），盛り上がっているのか平たいのか，大きいのか小さいのか，角化はあるか，水疱はあるか，膿性か，痂皮化はあるか，かゆみを伴うのか，など細かく聞いていきます．詳しくは成書をご参照いただきたいですが，要するに丁寧に診察し，その描写で聞いている人に皮疹がどんな感じかイメージできることが大事です．

D 陰性所見も大事

陰性所見も重要な所見です．

　「気道症状のない患者に上気道炎と名づけるのは困難」
　「下痢のない腹痛に急性胃腸炎とつけるのは困難」
といった格言（メディカル・パール）があります．こういう基本的な陰性所

見をおさえておくのも大事です.

例えば，マラリアでは皮疹はまれで，点状出血すらめったに認めないと言われています．皮疹が「あれば」マラリアの可能性はぐっと下がるのです．また，マラリアでは関節痛は多いが関節炎はまれであると言われています．リンパ節腫脹も認められないことが多いです．

Warrell DA. Clinical features of malaria. In; Essential Malariology 4th ed. Arnold: 2002; 191-205.

以前検討した症例では，リンパ節腫脹を伴うマラリアのケースで，「おかしいね」ということになり，後にリンパ節腫脹の方はリンパ腫によるものであると判明しました．2つの疾患が併存していた，という珍しいケースです．これも「マラリアでリンパ節腫脹はおかしい」という知識があったから，マラリアの診断だけで満足せず，さらに精査，リンパ腫を見つけ出すことができたのです．

コラム　抗生物質？　抗菌薬？　抗菌剤？

抗生物質（antibiotics）は生物から得られたもので，抗菌薬（antimicrobials）は合成されたものも，生物から得られたものも両方含んだものだ，なんてよく説明されます．あと，抗生剤とか抗菌剤とかは……よくわからない．

これって本当でしょうか．

世界初の「抗生物質」はなにか．これは多くの人が「ペニシリンでしょ」というところですが，さにあらず．ペニシリンがアレクサンダー・フレミングによって発見されたのが1928年．しかし，1910年頃にはすでに梅毒の治療薬「サルバルサン」が開発されていたのでした．開発したのはパウル・エールリッヒというユダヤ人と秦佐八郎という日本人です．

秦は島根県の出身でした．島根県出身の医者と言えば，秦佐八郎，森林太郎，岩田健太郎……というのはウソですが，とにかく世界的な偉業を成し遂げたこの島根の巨人，秦佐八郎は案外，日本では知られていません．ここで，宣伝しときます．ぼくはこの郷土の偉人を是非紹介したくて『サルバルサン戦記』（光文社新書）を書いたのです．

3　空間と身体診察

ちなみに，森林太郎＝鷗外は文学の領域では有名ですが，ビタミン欠乏症である脚気を感染症であると主張したりして，医学領域では（出世はしましたが）ちょっとイマイチなところもありました．『サルバルサン戦記』にも森鷗外が出てきます．

さて，当時は「抗生物質」といった呼び方はありませんでした．エールリッヒはこれを Chemotherapie ＝「化学療法」と呼んだのです．化学物質によってピンポイントで病気の原因を狙い打ちにし，病気の原因を直接叩くことで病気を治す．だから，Chemotherapie というわけです．

抗生物質はこれまでの医学のパラダイムを根底から覆す大発明でした．
それまでの西洋医学というと，ひまし油を飲ませたり，瀉血をしたりという，今から考えると非常に原始的なものだったのです．
エールリッヒはそこでパラダイムシフトを起こし，病気の原因そのものを標的にするという，極めて西洋的，かつ因果関係的な侵襲に成功したのです．このパラダイムとその原則は，現在の分子標的薬など，モダンな治療にも生きています．
秦はエールリッヒの「Chemotherapie」を訳して，これを当初「化學的療法」と訳し（講義　化學的療法ノ研究．1911 年（明治 44 年）「秦佐八郎論説集」（北里研究所・北里大学）収載），後に「化學療法」と呼びました（講演　化學療法ノ一般．同上収載．大正時代の講演か？）．秦の先輩だった志賀潔もサルバルサンを「化學療法」と呼んでいます（化学療法の現実．昭和 24 年．「志賀潔」（日本図書センター）収載）．

『日本臨牀』第 1 巻第 1 号は 1943 年（昭和 18 年）6 月に発行されました．ここに新潟医科大学の柴田經一郎らによる「肺炎に使用される新ズルォフンアミド剤に就て」という論文が載っていますが，この薬に対する一般的呼称は用いられていません．「ペニシリン注射も肺炎治療には偉功を奏すと伝えられているが，私は経験をもたない」と書かれているのみです（新仮名遣に改めた）．
日本で「碧素（ペニシリンのこと）」が作られたのが，翌 1944 年のことです．当時の医学界では感染症治療薬の一般呼称はなかったか，あっても一般的でなかった可能性があります．
1957 年（昭和 32 年）4 月の日本臨牀では，「抗生物質」というタイトルの総説があります（東京大学小児科　藤井良知）．「抗生物質が実用化されて約 10 年間……」という冒頭で始まるこの総説では特に抗生物質の定義はなされていません．ペニシリンショックが問題となった時期のことです．

『医科薬理学 第 3 版』（1998．南山堂）によると、「そんななか、微生物が産生し、腫瘍細胞など動物細胞の増殖を抑制する物質や免疫系細胞の機能を抑制する物質（例、シクロスポリン）が現れるに及んで、抗生物質の定義に混乱が起こってきました．1972 年、梅沢濱夫はこれらの事情を踏まえて抗生物質を"微生物によって産生され、細胞の生命に関与し、細胞の発育に重要な酵素反応を阻害する物質"と定義した」とあります．梅沢はペニシリンの国産化などに尽力した微生物学者です．

　1985 年の『日本臨牀』では「感染症治療法」の特集が組まれ、「治療総論」を清水喜八郎が書いています．ここでは「化学療法」と記載され、「感染症の化学療法は抗菌薬（antimicrobial agent）が主流である．従来の抗生物質と狭義の化学療法薬に分けられていたが、現在は多くの抗生物質が合成されるので、その区別がなく、上述のごとく抗菌薬という表現が多く用いられる」とあります．「抗生物質が合成される」と書いている時点で、すでに通俗的な定義……「自然界から得られたもの」……を逸脱しています．

　ところで、1981 年の『日本臨牀』には、渡辺康の「広範囲抗生物質（総論）」がのせられています．少し、引用しましょう．

　「最近の抗生物質の開発は、まことに素晴らしい．とくに日本の抗生物質の開発は世界一であると評価されている．
　このように世界に先駆けてつぎつぎに開発されてくる抗生物質で治療を受けることができる日本人は世界の他の国々の人よりも幸福であるといえよう．しかし、このような大きな長所の反面には日本独特の抗生物質の使用方法による耐性菌の増加、感染症の変ぼう、さらには副作用の出現など多くの問題があることも各方面から指摘されている（以下略）」

　どうです．まるでその後起きる日本の感染症史を予言したような発言ではないでしょうか．

　1988 年「日本臨牀特別号」でも特集が組まれ、藤井良知の「わが国における化学療法の歩み」という総説があります．ここではサルバルサンなどの治療効果が低かったことから、1935 年のドーマクのプロントジル（スルホンアミド）をもって化学療法の嚆矢と捉えています．

　たしかにサルバルサンは「最初の」化学療法薬ではありましたが、毒性が強く、治療効果は弱く、梅毒治療はその後のペニシリンに完全に取って代わられてしまい、マーケットから姿を消してしまいました．

　そう考えると、1930 年代に実用化されたスルホンアミドのほうが「最初の」化学療法薬という解釈も成り立ちましょう（ペニシリンが現場で使われるようになったのはフローリーとチェーンの大量生産技術によるもの

3　空間と身体診察

で，これは 1940 年代とサルファ剤よりあとのことになる）．

　なお，本説でさらに興味深いのが「昭和 50 年代──日本のセファロスポリン時代」です．引用する中の，カッコの注，およびビックリマーク（！）はぼくがつけました．

　「かつて第一位の座にあった CP（クロラムフェニコールのこと）が副作用問題で急速に使用されなくなり，TC・ML の消費が低下するのと逆にβ-lactam 剤は主流となり，世界先進国の中では日本がはじめて高価な CEP（セフェムのこと）が PC（ペニシリンのこと）を抜いて首位を占めるに至ったのである．……（中略）……CEP は重量では全体の約 55%，金額の 70% を占めることをみても CEP 時代にあるといえよう．日本がそれに耐えられるのは，社会保険制度と経済の高位ゆえであろう．……（中略）……特異なのは日本で発見された抗菌剤が 20, 30 年代には 20% 台であったものが，40 年代に 39.1% に上昇し，50 年代には 55.2% と過半数が日本の発見によるものなのである．碧素と GHQ の好意と日本人の熱意が，ついに世界第一位までに抗菌剤研究・生産・消費（！）を押し上げたといってもよい」

　このへんから，日本感染症界の黒歴史が始まるのです．

　いずれにしても，サルバルサン，あるいはドーマクのようなスルホンアミドら合成したものは化学療法薬，天然のものは抗生物質といったんは定義されたのですが，ご存知のように，今，感染症の治療薬を「化学療法薬」と呼ぶ人はほぼ皆無になりました．日本化学療法学会という「抗生物質の学会」の名称が，わずかにその残滓を残しているだけです．

　現在では，多くの専門家は「抗菌薬」で統一して呼んでいます．そもそも，薬理学的にも微生物学的にも，そして臨床医学的にも「抗生物質」と「抗菌薬」を区別する必然性はなくなっています．

　さて，昔は英語圏でも抗菌薬は，chemotherapy と antibiotics の二通りの呼称がありました．しかし，前者は同じ理由で廃れてしまいます．英語圏でも今や chemotherapy といえばがんの治療のことで，感染症治療に chemotherapy をやろう，なんて言おうものなら病棟で白眼視されること間違いありません．

　さて，薬理学のバイブル的存在，『グッドマン＆ギルマン薬理書第 8 版日本語版』を読むと，次のように書いてあります．

　「しかし，抗生物質 antibiotics という語を普通に使用する時には，スルホンアミド sulfonamides やキノロン quinolone のような微生物の生産

物でない合成抗菌薬をも含めてしばしば拡大して用いられる」

　ここでわかるのは日本語の抗生物質に相当するのが英語の antibiotics であることと，グッドマン&ギルマンの定義では antibiotics が合成抗菌薬をも内包する存在として用いられている，ということです．

　さらに，原書 11th ed. では「Common usage often extends the term antibiotics to include systhetic antimicrobial agenst, such as sulfonamides and quinolones」と上述の言葉がそっくりそのまま残っています．さらにさらに，原書の 12th ed になると，antimicrobials とか antibiotic という用語を用いてはいますが，その定義や守備範囲にはもう言及がありません．「その議論はもう終わった」のだと思います．

　繰り返します．歴史的には抗菌薬は「化学療法薬」と名づけられたのが最初なのです．しかし，化学療法薬という呼称はがんの治療薬に取って代わられてしまいました．現在，英語圏では antimicrobials，antibiotics という言葉はほとんど interchangable に用いられていますし，どっちかというと antibiotics のほうがメジャーな使い方です．合成か，そうでないかは問題ではありません．少なくともアメリカの診療現場では，ぼくの知る限り「antibiotics」が一番通りがいいです．

　日本の診療現場では現在，医者の間では抗菌薬が一番使われています．しかし，患者の間では抗生剤，抗生物質のほうが普及しているようにも思います．看護師や薬剤師の間では両方使われているようでもあります．

　この問題について「正しさ」を追求するのはあまり意味がないものと思います．歴史を通じて言葉の使い方はかわってくるのです．要は，診療現場でスタッフや患者さんとの会話が成立し，通じて，問題がなければそれでよいのです．もう，抗菌薬＝抗生物質でさしつかえないでしょう．

　辞書に載っているから正しいのではありません．正しい言葉だから辞書に載るのです．広辞苑のような辞書が定期的に改訂するのも，世界での言葉の使い方が変わり，それを辞書が追随しているからです．だから，抗菌薬か，抗生物質かにこだわる意味はもう日本にはないように思います．antimicrobial か antibiotics かを喧々諤々で区別する態度が英語圏で消滅したように．

　むしろ，神経質にならなければならないのは，**「正しい」んだけど「紛らわしい」言葉**のほうではないでしょうか．アミカシン（アミノグリコシド系抗菌薬）とアリナミン®（ビタミン）とアミサリン®（抗不整脈薬）は全て正しい薬の名前ですが，紛らわしいです．

こういう「正しいけれども，よろしくない」言葉のほうがぼくにはむしろ気になります．ぼくは現場のプラグマティストなので，リアルな問題が起きうる「正しい」言葉のほうが，学問的には間違っているんだけど「通じる」言葉よりもヤバいと考えます．

　モダシン®もダラシン®もオメガシン®もユナシン®もタイガー・ジェット・シンも……最後のは余計でしたが（そしてほとんどの読者には通じませんが），みんな似たような商品名の抗菌薬ですが，いずれも異なるクラスでその性質は全然違います．紛らわしいです．

　ときに，『サルバルサン戦記』のサブタイトルは「世界初の抗生物質を作った男」です．もちろん，わざとそうしました．正確には「世界初の化学療法薬を作った男」というべきでしょう．しかし，それでは意味が通じません．読者は誤解してしまうでしょう．
　コミュニケーションは伝わることが大事なのです．

4 グラム染色を活用しよう

　できればグラム染色は自分でやるのが大事ですが，すでに述べたようになかなか自分でやるのは大変かもしれません．それでも，細菌検査室に行って技師さんと一緒に見るのは大切です．**たくさん見れば見るほど，判定が上手になります．**だいたい，200 回くらい見たら，雰囲気がつかめるのではないでしょうか．200 という数字にとくに強い根拠はないですけど．

　これで，多くの肺炎球菌，モラキセラ，インフルエンザ菌の肺炎は診断できます．良質検体で肺炎で，そして細菌が全く見えない場合，マイコプラズマ，クラミジア，レジオネラ，その他の肺炎を考えます（カラー写真参照）．

　というわけで，グラム染色の面白さを体感するには，一般外来や救急外来での喀痰のグラム染色だと思います．ちなみに，結核を除外できないときは検体をクリーンベンチ内で処理しなければなりません．注意しましょう．

　Miller-Jones の分類というのがあります．これは喀痰の肉眼的な「見た目」で分類したものです．結構見た目は大事です．特に肺炎か，他の疾患を区別するときに Miller-Jones は有用です．肺炎に見えて肺炎じゃないってことも多いんですよ．例えば心不全，例えば肺胞出血，例えば間質性肺炎……心不全ならしゃばしゃばな泡沫状の喀痰になることが多いですし，肺胞出血なら血性痰，間質性肺炎だと「痰がそもそも出ない」が特徴になります．

　M1 だともう染色する価値すらありません．M2 以上であれば，つまようじかなにかで膿性痰だけを選び採って，それをスライドグラスに載せます．

喀痰の肉眼的品質評価（Miller & Jones 分類）	
M1	唾液，完全な粘性痰
M2	粘性痰の中に膿性痰が少量含まれる
P1	膿性痰で膿性部分が 1/3 以下
P2	膿性痰で膿性部分が 1/3 〜 2/3
P3	膿性痰で膿性部分が 2/3 以上

●肺炎球菌
(*Streptococcus pneumoniae*)

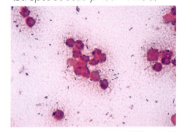

●インフルエンザ菌
(*Haemophilus influenzae*)

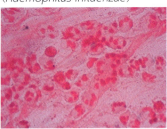

写真提供：細川直登（亀田総合病院）

●モラキセラ
(*Moraxella catarrhalis*)

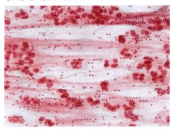

写真提供：藤本卓司（耳原総合病院）

　高齢者の患者でツバしかでなかったら，3％食塩水で吸入してから「けほっ」と痰を出してもらう手もあります．最近は，採痰ブースがあって，感染管理的にも気を使っている病院も増えました．すでに気管内挿管されていたり，気管支鏡で検体を採る場合は下気道の検体を直接入手できるのでサンプルの信頼度が増します．

　喀痰はとにかく薄ーくスライドグラスに塗り付けるのがコツです．初心者

は分厚く塗ってしまいがちです．透明になるくらい，薄く塗って，その「膜」のように薄い部分を検鏡します．喀痰の場合，自然乾燥させれば染色の準備ができます．**ホットドライヤーとかで慌てて乾かしてしまうと標本が壊れて白血球とかが見えにくくなりますから，要注意**．

で，染色の方法はいろいろあるのですが，以下はぼくのやり方．病院ごとに染色液とプロトコルは違うかもしれません．チェックしてくださいね．

1. まずクリスタルバイオレット（青い液）をじゃあっとかける（割と雑に）．30秒くらい待つ．
2. スライドグラスをひっくり返し，たらたらと水道水を「裏側」にかけてよく水洗する．
3. ルゴール液をじゃあっとかける．20～30秒待つ．
4. 再度，よく水洗した後，アルコールをかけ30秒待つ．
   ここでしっかりクリスタルバイオレットを落とすのが肝腎です．鏡検で好中球の核が青く見えたら，染めのこりがあります．
5. 再度，水洗した後，サフラニンレッド（赤い液）をかけて10秒待つ．
6. 水洗して乾燥させる．熱のないドライヤーや小さな扇風機を使ってもよい．ペーパータオルで軽く挟むという裏技もあるが，強くやると検体がとれてしまう……涙．

染色そのものは他の検体でも同じです．要注意なのが尿とか髄液の染色で，喀痰と異なり「べっとり」していないので，うまく固定させないと水で「流れて」しまいます．あああ！ やってもうた，とならないように要注意．

さあ，標本ができたらいよいよ検鏡です．まずは低倍のレンズで「見たい場所」にあたりをつけます．よくある学生，研修医の失敗はスライドグラスを上下間違えている…というのです．ピントが合いません．

Geckler分類と俗に言われている顕微鏡評価の方法があります．本当は，亀田総合病院で長く指導医をされていたDavid Gremillion先生も共著者なので，Geckler & Gremillion分類（略してGG？）と呼びたいところです．

> Geckler RW, Gremillion DH, McAllister CK, et al. Microscopic and bacteriological comparison of paired sputa and transtracheal aspirates. J Clin Microbiol. 1977; 6:

4 グラム染色を活用しよう

396-9.

GG4, 5なら信頼できますが，1, 2だとあてになりません．3は「微妙」でケース・バイ・ケースです．まあ，こんなの暗記しなくてもよいですが，要するに扁平上皮が見えなくて，好中球が沢山見えればよい検体なのです．GG6 は化学療法などで好中球減少時などにときどき見ます．

表 Geckler & Gremillion 分類

	白血球(好中球)	扁平上皮細胞
1	< 10	> 25
2	10-25	> 25
3	> 25	> 25
4	> 25	10-25
5	> 25	< 10
6	< 10	< 10

　さあ，これで原因微生物はいないか探します．グラム陽性双球菌で菌の形がやや細長い（ランセット型）をしていたら，たぶん肺炎球菌（*Streptococcus pneumoniae*）です．空豆のようなグラム陰性球菌が2つ並んでいたら，そしてそれが「割と」大きければモラキセラ（*Moraxella catarrhalis*）の可能性が高いです．小粒なグラム陰性菌で球菌のようにも見え，桿菌のようにも見え……これは多分インフルエンザ菌（*Haemophilus influenzae*）でしょう．同様に，院内のグラム陰性桿菌による肺炎やMRSA肺炎も（実際には「ブドウ球菌」肺炎としてしかグラム染色では認識できませんが），診断します．

　最初はグラム陽性菌のほうが見つけやすいでしょう．赤いバックに青い菌なので見逃しようがありません．逆に，グラム陰性菌はけっこう見逃しやすいです．とくに小さなインフルエンザ菌は，肺炎球菌と同居していることがあります．「は，肺炎球菌だ」と思ってペニシリンだけで治療してたりすると失敗しますから，要注意．青い菌が見えてしまうと，赤い菌が見えなくなってしまいます．まるで人生のようですね（なんのこっちゃ）．

　次によくやるグラム染色はおしっこです．尿のグラム染色．尿のグラム染色で大事なのは，とにかく検体を流してしまわないことです．

尿のグラム染色はですね，ぶっちゃけ，喀痰のそれに比べるとあまり役に立ちません．理由はいくつかあります．まず，原因微生物がたいていグラム陰性桿菌なので，肺炎ほど鑑別の醍醐味が大きくありません．もちろん，グラム陽性レンサ球菌の腸球菌や，腐生ブドウ球菌（*Staphylococcus saprophyticus*）なんかが原因になることもあるので，全く役に立たないわけではないのですが，こうしたグラム陽性菌は比較的少数派です．

おまけに，菌が仮に見えたとしても，尿の場合は定着菌の可能性もあるので，「見えたから診断」というわけにもいかないのです．

さらに，グラム染色の本質的な欠点なのですが，グラム染色は一般に感度が高くないので，「見えなくても除外できない」という問題もあるのです．研修医でよく，「グラム染色で見えなかったので尿路感染は否定的です」とプレゼンする人がいますが，

> 感度の低い検査で疾患を除外してはいけない

という一般法則がありますから，そういうことを口にするとイワタに水平チョップを喰らいます（うそ）．

このグラム染色の感度の低さの問題は喀痰でもそうです．昔やった研究では，院内肺炎で質の良い喀痰でのグラム染色の感度は89.4%でした．まあ，それほど低い感度ではないですが，あくまでも「質の良い喀痰」の場合で，そういうものが採れないことも多いのです．そして，1割弱の患者さんでは「グラム染色で見えない」場合も，細菌性肺炎が起きている……．

> Iwata K, Igarashi W, Honjo M, et al. Hospital-acquired pneumonia in Japan may have a better mortality profile than HAP in the United States: a retrospective study. J Infect Chemother. 2012; 18: 734-40.

グラム染色は活用すべきですが，グラム染色信仰というか，グラム染色主義に陥ってはいけません．

「グラム染色をできるということは，グラム染色の限界を知っていることだ」と沖縄県立中部病院で喜舎場朝和先生に教わった記憶があります．

もっとも，これは他の検査もそうですよね．瑕疵があることはその検査を否定する根拠にはなりません．心電図は心臓の病気についてすべて教えてくれるわけではありません．胸部レントゲン写真は肺についてすべてを教えてくれるわけではありません．かといって心電図やレントゲンが「無意味」ということには，もちろんなりません．
　心電図は何を教えてくれ，何を教えてくれないのか，どこに解釈上のピットフォールがあるのか．それを学ぶことが「心電図を使いこなす」という意味です．グラム染色も同様．利点も欠点もまっすぐに見据えて上手に使いこなすことが大切です．

　グラム染色は診断だけではなく，治療効果の判定にも用いることができます．特に，ICUに入院している重症患者．全身状態はあれやこれやの合併症でよくないし，胸部レントゲン写真は真っ白なまま．それは肺炎によるのか，心不全によるのか，無気肺によるのか，はたまたARDS（acute respiratory distress syndrome：急性呼吸窮迫症候群）によるのか，いくら画像を眺めてもわかりません．CTを撮ってもよくわからない．
　こういうときに，グラム染色をすれば，原因微生物が消失し，現行の抗菌薬が「効いている」ことを確認できます．逆に微生物がずっとうじゃうじゃしていれば「効いていない」のかもしれません．画像や人工呼吸器の設定ではわからない「抗菌薬の効果」もグラム染色で知ることができるのです．
　これは喀痰培養ではうまくいきません．挿管されている患者はすぐに気道に定着菌が……それも耐性菌がついてしまいます．肺炎の患者の喀痰を「フォローで」採っていると，現在使っている抗菌薬が効かない耐性菌が生えてきます．「げげ，菌交代現象か」なんて勘違いすると，また別の抗菌薬使用……抗菌薬の無間地獄に陥ってしまいます．こういうときは，培養よりもグラム染色のほうがより有効なのですね．

　もちろん，肺炎が増悪しているときは培養のフォローは有用です．新たな肺炎がおきている可能性があるからです．
　「肺炎のフォローで培養をやる」「やらない」と二元論で覚えるのではなく，

「なぜ，培養をするのか」と理屈で考えるのが大切なのです．ポイント！

- 肺炎の治療効果判定にグラム染色は有用．肺炎の治療効果の判定に培養検査はご法度（例外あり）．

あと，グラム染色がパワフルなのは特異度が高いこと．特に，清潔部位から採取した検体の価値は非常に高いです．例えば，

1. 髄液からグラム陽性双球菌 ⇒ 肺炎球菌による髄膜炎
2. 関節穿刺液からブドウ球菌 ⇒ 化膿性関節炎，たぶん黄色ブドウ球菌
3. 壊死性筋膜炎患者の切開浸出液でレンサ球菌 ⇒ おそらくA群溶連菌による壊死性筋膜炎（例外あり）

といった具合です．

グラム染色の解釈が難しいことがあります．例えば，1の例だと，肺炎球菌だと思っていたらそれは見間違いで実はグラム陽性桿菌，*Listeria monocytogenes* だったなんてことがあります．肺炎球菌だと初期治療は

バンコマイシン＋セフトリアキソン

が定番なのですが，リステリアだとアンピシリンを使わねばならず，この間違いは問題です．

化膿性関節炎の大きな鑑別疾患に結晶性関節炎，例えば痛風とか偽痛風発作があるのですが，
　結晶性関節炎の存在
　は
　化膿性関節炎の非存在
を意味しません．両者は併存可能なのです．ぼくらもグラム染色でピロリ

ン酸結晶を見つけて「お，偽痛風かな」と思ったのですが，そこにグラム陰性菌を見つけて抗菌薬で治療したことがありました．

> 土井朝子，岩田健太郎，細川直登，他．Klebsiella oxytoca 化膿性関節炎，偽痛風に合併した1例．感染症学雑誌．2006; 200-6; 80: 750（会議録）．

　これは，さっきの喀痰検査も同様です．一見，心不全かな，と思っていても，グラム染色で菌が見つかることもあります．肺炎による心不全の増悪でして，

心不全がある＝肺炎はない……は間違い．

　このへんの**「認知の間違い」**をやらかさないことは，とても大事です．逆に，グラム染色が役に立たないこともあります．咽頭拭い液のグラム染色や培養……とくに大人の場合は常在菌，定着菌を見つけるだけで，「治療すべきか」の判断には寄与しません．感染徴候のない皮膚とか潰瘍をこすっても意味がありません．

　便のグラム染色はカンピロバクターを見つけるのには有用なことがありますし，沖縄県立中部病院の研修医は一所懸命探せ，とよく教えられたものでした．が，これはすべての医療者必須のスキルではないかもしれません．

　というか，カンピロバクター腸炎も全身状態がよければ抗菌薬なしで治療するのが原則なので，治療の判断には寄与しないんですね（ただし，擦れっ枯らしの感染症マニアは便からカンピロバクターのかもめの羽根……ガル・ウイングを見つけることに命をかけている人も多いので，これをやるな，とはぼくの口からは怖くて言えません……）．

　グラム染色は自分の目で見るのが大事で，たくさん見るのが大事だと言いました．

　心電図や胸部レントゲン写真と同様，「たくさん」何百枚も見ることが大事なのです．

　グラム染色は「陽性」「陰性」と二分できる検査ではなく，画像のパター

ン認識を行う検査です．「美人」「不美人」と女性の顔を二分できないように（男性でもいいですが）．

　人間の顔は実際に見て，たくさん見て「審美眼」を身に付けていきます（たぶん）．同様に，グラム染色もたくさん，たくさん，たくさん見て，その評価能力を徐々に高めていくのです．検査室の報告「GPC（Gram positive cocci）が見えます」だけで満足してはいけません．それは，他人が「ここに美人がいます」という報告を聞くようなもので……そんな報告を何回聞いても，あなたの「審美眼」は養われないのです．

　グラム染色は上手な人といっしょに見てもらい，所見を照合して実力を上げていくのがよいでしょう．だから，院内に細菌検査室があれば，ぜひ足しげく通って技師さんに所見を教えてもらいましょう．

　なんといっても，グラム染色の評価は細菌検査技師さんが（ぼくら感染症の医者よりも）確かな「審美眼」をお持ちです．もちろん，通常業務のジャマをしないよう，マナーを守るのを忘れないように．

　細菌検査技師さんのところに足しげく通う余得は沢山あります．ぜひ顔を覚えてもらって，微生物についていろいろな知識を教えてもらいましょう．適切な検体の出し方も教えてもらいましょう．**コメディカルとのコミュニケーションこそが，臨床現場の医師を鍛えてくれる最良の「教師」なのです（たぶん，患者さんの次に大切な）**．最近ではコメディカルと言わないようにしましょう，という話もあるようです．コメディーの派生語と間違えるかららしいのですが，そんなわけないやん，と思います．「抗生物質」の名をめぐるコラムでも述べましたが，「みんなが使っている言葉が正しい」のです．

　ときに，グラム染色は重症の新型コロナウイルス感染症（COVID-19）ケアでも有効です．ICUに入室した患者は熱は出てるし，呼吸状態はよくないし，レントゲンでは肺は真っ白だし，二次性細菌性肺炎（人工呼吸器関連肺炎，ventilator associated pneumonia：VAP）の診断は極めて困難です．よって，グラム染色．痰の肉眼的性状の変化と，グラム染色の変化から肺炎と診断したり，治療効果の判定をします．もっとも，気管の炎症（ventilator associated tracheitis：VAT）との区別が難しいために，ここは時間経過や他のパ

ラメータとの関連性など見ていかねばならず，言うほど話は簡単ではありません．簡単ではないのですが，グラム染色が非常に強力なツールなのは間違いないところです．グラム染色がすべての問題を解決するわけではない．が，大きな問題は解決するのです．

5 臨床的微生物の理解の方法

　では，グラム染色について概説したところで，臨床微生物の「理解の方法」を述べましょう．

　これはぼくが感染症フェロー（後期研修医）をしていたときに，指導医から教わったものです．

　臨床感染症学で大事なのは，特定の微生物に詳しいことではありません．患者を見て，**「どの微生物が関与しているのか」** を言い当てることです．

　もちろん，検査結果がこれを教えてくれることはあります．が，そのような受動的な態度だけではうまくいきません．

　通常の微生物検査は

培養検査

と

グラム染色

の 2 段構えの検査になっています．最近ではこれに，

質量分析（MALDI-TOF）

とか，

複数の微生物をまとめて調べる核酸検査
（マイクロアレイ法など）

なども加わりました．

　MALDI-TOF では検体から菌が検出されたあとのコロニーや，血液培養

陽性になった血培ボトルからの培養液を用いて即座に菌名を同定できますし，真菌や抗酸菌すらも同定できます．核酸検査も同様で，菌名や特定の薬剤耐性菌も検出できます．

> 臨床微生物質量分析計検査法ハンドブック．日本臨床微生物学会雑誌．2017. 27 Suppl 2.

　こうした「まとめて調べる」タイプの検査に加え，ピンポイントで特定の微生物を調べる方法もあります．これは各種抗体検査や，PCR のような遺伝子検査などで調べることが可能です．

　で，このような「ピンポイントで調べる」検査の場合は，その微生物の存在を事前に想定しておく必要があります．事前の想定がなければ検査はオーダーされず，オーダーされない検査は何ももたらしません．

　例えば，HIV 感染症を疑い，HIV 特定の検査（抗原，抗体検査や PCR など）を行わないと，HIV 感染症の存在はわからないのです．

　だからといって，世の中に存在する微生物をすべて片っ端から調べていく方法も問題です．検査には必ず偽陽性の問題があるからです．

　さっきの HIV が好例です．非常に感度，特異度が高い HIV 抗体検査ですが，HIV 感染の可能性がものすごく低い人にこの検査をしていると，偽陽性のリスクのほうが大きくなります．検査陽性でも感染は存在しないのです．同様に，通常の細菌検査でも，予測なしで検査を乱打していると，定着菌やコンタミの問題が大きくなるでしょう（定着菌とコンタミについては後述．6, 100 ページ）．

　というわけで，患者を見たときに，ある微生物の存在を「事前に予測」することが大事になるわけです．**予測なくして，事後の適切な検査結果の解釈はできません．**

　そして，この予測こそが何度も繰り返しているアセスメントなわけです．ときに，「予測」するためには事前にそのような感染症，そして微生物が存在することを知っておかねばなりません．知識がなければ予測もできないというわけです．

- 微生物検査がどんなに進歩しても，微生物の「予測」＝アセスメント，は大事．
- ということは，微生物の知識は必須．

とはいえ，世の中には数え切れないほどの微生物がいます．また，（悲しいことに）その微生物の名前は常に改名され続けています．百科事典的な記憶力の持ち主でも，こうした微生物すべてを暗記し続けることは困難です．ぼくみたいに人並な記憶力すら危うい（それも年齢とともに衰え続けている！）人ではなおさらです．

そこで，おすすめなのが「カテゴリー」でざっくり分類することです．まずは微生物を大きくグループで分類して，「細かい個々の名前はとりあえず気にしない」ってことです．

それはですね，微生物を小さいものから大きいものに並べていくやり方です．

微生物のカテゴリー

プリオン
ウイルス
小さい細菌（グラム染色で見えない．マイコプラズマやクラミジア，リケッチアなど）
スピロヘータ（グラム染色で（あまり）見えない）
グラム染色で見える細菌
　　ノカルジアやアクチノミセスなど（俗に higher bacteria と呼ばれるもの）
　　Nye RN. Classification of higher bacteria and fungus-like streptothrices. JAMA. 1933; 100: 277-8.
抗酸菌
真菌
原虫（単細胞の寄生虫）
蠕虫（多細胞の寄生虫）

まあ，厳密に正確にこれが大きさ順かというと，異論もあるでしょうが，あくまで「考え漏らしがない」ように，臨床的に覚えやすくするための方便

「絵でわかる感染症 with もやしもん」©石川雅之／講談社

です．このカテゴリーを把握しておけば，見逃しはしにくいってこと．

そう，察しの良い読者の方はお気づきかもしれませんが，これって臨床診断のときに使う VINDICATE と同じです．

あれも，疾患をカテゴリー別に分けてその頭文字を並べているわけで，血管の病気（vascular diseases）とか医原病（iatrogenic diseases）なんかを見逃さないようにしましょうねっていう工夫なんです．

(参照) コリンズの VINDICATE 鑑別診断法．東京: メディカルサイエンスインターナショナル．2014．

まあ，こういうのは要するに「役に立てばよい」のであって，別にこのよ

うなカテゴリー分類が必須なわけではありません．VINDICATEだと覚えにくい，という人もいて（ぼくもその一人），そういう人は別の覚え方をすればよいのです．同様に，微生物のカテゴリー分類も別のやり方もあるでしょう．でも，まあ便利なので参考にしてみてください．

　で，このカテゴリー分類は，慣れてくるともっと再分割もできます．例えば，

真菌を「酵母と糸状菌」に分ける．

カンジダみたいに「テラテラ」してるのが酵母，アスペルギルスみたいに「カサカサ」してるのが糸状菌です．いや，まじでそうです．

細菌を「グラム陽性菌，グラム陰性菌，嫌気性菌」に分ける．
蠕虫を「消化管の蠕虫とそれ以外」に分ける．

のように．このように枝分かれしていけば「マインドマップ」として覚えることができます．おっと，マインドマップは商標登録されているらしいので，「マインドマップっぽいもの」かな．ああ，メンドクサ．

　これで，発熱患者でリケッチアとか，ブルセラとか，マラリアとかを見逃さなくなる可能性は高まります．いずれも通俗的な検査だけでは見逃しやすい（よく見逃されている）ので，診断を思いつき，狙い撃ちで検査する必要があるのです．

　せっかくですので，グラム染色で見える菌のマインドマップ的な分類をやってみましょう．これ，一度やると結構スッキリしますよ．
　大事なのは，「臨床的に大事なものを真ん中に，重症性が低いか稀なものを端っこに」持っていくことで，菌の差別化を図ることです．何でもかんでも丸暗記はしんどいですから，大事な順に勉強していくのです．
　さて，では白い紙を1枚出しましょう．iPadとかでも構いませんが．では，右側の真ん中に，赤色ボールペンで，GPCと書いてください．

5 臨床的微生物の理解の方法

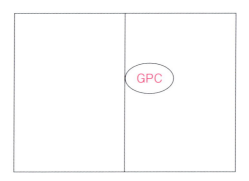

　GPC はグラム陽性球菌，Gram positive cocci の略です．次に，左側の真ん中に，対になるように黒のボールペンで，GNR と書いてください．

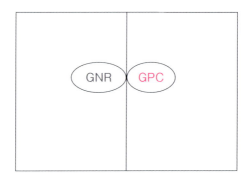

　これは，グラム陰性桿菌，Gram negative rod の略です．できましたか？さて，今度は GPC から 2 本，外に向かって線を引きます．右斜め上と，右斜め下に引きます．そしてその先に，それぞれ Cluster と Chain と書いてください．

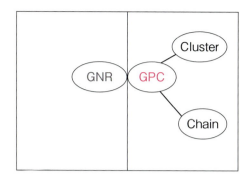

　Clusterというのは，房のように固まっていること．つまり，ブドウ球菌を指します．ブドウ球菌はグラム染色で青い〇に見えます．これが房状だから，Cluster，日本語ではブドウの房のようなのでブドウ球菌です．Chainというのは，レンサ球菌．鎖状に列になっているから，Chainなのですね．ClusterとChainはグラム染色で容易に判別がつきます．

　例えば，臨床現場で，ある患者さんの血液培養が陽性になる．グラム陽性球菌だった．ここまでは，たいていの検査室では報告してくれます．

　問題は，ここからです．「レンサ球菌ですか，ブドウ球菌ですか」と技師さんに質問してみましょう．時間に余裕があったら，自分で検査室に見に行きましょう．診療の質がぐっとアップするはずです．臨床現場ではすぐに菌名が出るわけではない．まずは形態からアプローチというわけです．

　さて，Clusterを今度はまっぷたつです．ブドウ球菌は，黄色ブドウ球菌と，そうでないものにまっぷたつです．これを，分けるのがコアグラーゼ試験．コアグラーゼ陽性なら，黄色ブドウ球菌です．陰性なら，その他のブドウ球菌，多くは *S. epidermidis*，皮膚ブドウ球菌のように病原性の低い菌になります．

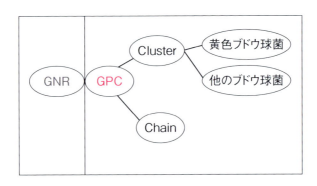

　今度は，黄色ブドウ球菌もまっぷたつ，βラクタムが効く MSSA（メチシリン感受性黄色ブドウ球菌）と MRSA（メチシリン耐性黄色ブドウ球菌）に分けられます．

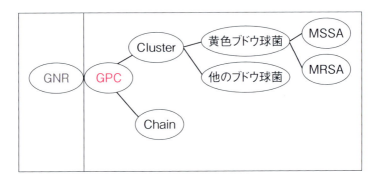

　さて，場を転じて，今度は Chain，レンサ球菌を見てみましょう．これも，まっぷたつです．肺炎球菌, *S. pneumoniae* と，「それ以外」に分けます．

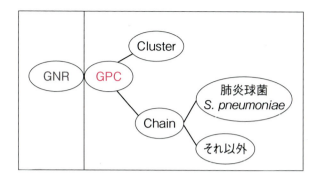

　理由は簡単．肺炎球菌は形態的に判別しやすいが，その他のレンサ球菌は困難であること（臨床のアプローチの順番に則っている！）と，肺炎球菌はとってもコモンで臨床医全てが知っておくべき重要な菌だからです．実のところ，肺炎球菌は微生物学的には「緑色レンサ球菌, viridans streptococci」に分類されるべきなのですが，臨床的には「激違い」なので，同類には扱いません．要は，分類なんて役に立てばいいんですよ．

　また，本当は，グラム陽性菌には桿菌が，グラム陰性菌にも球菌がいるのです．しかし，これらは臨床的に遭遇する頻度も重要性も「相対的に」低いので後回しです．
　繰り返しますが，私たちに与えられた時間はそう多くはない．大事なところから優先しないと，すぐ時間切れになります（時間と余裕のある人は，そこまで進んでもよい）．
　さて，次に左側に目を転じて，グラム陰性桿菌です．こいつもまっぷたつにします．

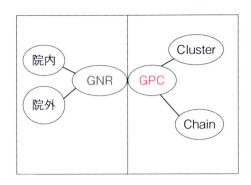

「院内」型のグラム陰性菌と,「院外」型,つまり市中感染でよく見るグラム陰性菌にまっぷたつです.それはなぜか?

グラム陰性菌の場合,院内と院外では菌のパターンが違うんです.

例えば,院内の感染でサルモネラが原因となることは珍しい.そんなことがあったら,病院管理の責任を問われて,院長や感染管理室長が記者会見しなくてはいけなくなるかも.一方,典型的な市中感染で緑膿菌やセラチアが原因となることはまれです.

このように,「院内」と「院外」では菌の種類が違う.そして,これは初診時に病歴聴取で比較的簡単に弁別できる.抗菌薬チョイスに強い影響を与えるわけです.「この患者さんは院内での下痢だから,サルモネラは考えなくてもいいな」とか,「この患者さんは典型的な市中肺炎だから,緑膿菌はカバーする必要はないな」というふうにね.

さて,院内のグラム陰性桿菌もまっぷたつです.これを「緑膿菌」と「それ以外」に分けます.

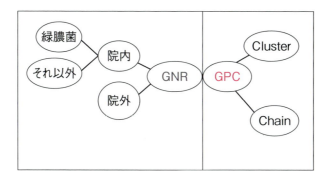

　理由は，簡単．「緑膿菌に効く抗菌薬」は特殊で，これは別に考えなくてはならないから．すなわち，院内感染の抗菌薬チョイスは，つまるところ「緑膿菌をカバーしているか，していないか」という大きな分け方をするのです．とても，臨床的でしょう？

● 緑膿菌に効く抗菌薬は分けて考えるのが大事．

　さて，こんなふうにして，どんどんまっぷたつにして細菌を細分化していきます．もちろん，ここに取り入れなかった菌も後から書き加えればいいし，生化学的な検査や形態学的特徴，典型的な臨床疾患，治療薬，などなどたくさんの知識を後からメモっても全然構いません．ここで大事なのは，まず臨床的なアプローチから大きな骨組みを作り，そこから枝分かれして細かい知識を得ていく，という方法論なのです．
　今回はこのメモリーツリーを細菌学の講義に応用してみましたが，ウイルス学に使ってもよいし，抗生物質の説明に使ってもいいです．

■ まとめ
● 抗菌薬の使用には，基礎医学の知識，とりわけ薬理学や微生物学の知識が欠かせない．
● が，薬理学や微生物学は単語の羅列で退屈な学問と考えられがち，メモリーツリーを使ってまずは大枠をつかみ，臨床に直結した頭を使って理解しよう．

抗菌薬の考え方,使い方 ver.5

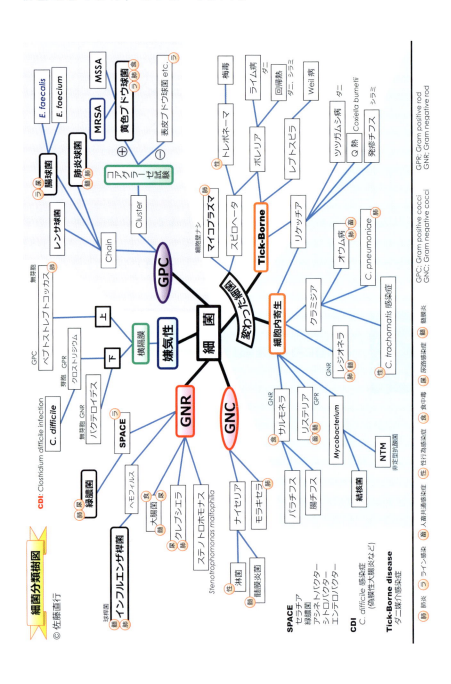

2012年時点で神戸大学医学部の学生だった佐藤直行先生（現・かりゆし会 ハートライフ病院 総合内科）が，当時独自のメモリーツリーを作ってくれました．ぼくが言ったのと若干異なりますが，それはそれで，もちろんかまいません．全ての分類は恣意的に行われますから，自分の理解しやすいよう，覚えやすいように作ったらよいのです．どうです？ これだと微生物学の勉強も楽しくなると思いませんか？

6 コンタミとコロニーの違い

　培養検査の解釈はなかなか難しいです．見つかる菌がすべて原因微生物とは限りません．

　よくあるのが，尿培養とか便培養とかで生えてきた菌を「どの抗菌薬使いましょうか．耐性菌なんですけど」と相談を受けるケースです．

　尿は，とくにカテーテルの挿入されている場合の尿は無菌でないことが多いのです．無菌でないところに菌がいても驚きではありません．患者さんに臨床症状がなければこうした菌を殺す必要はありません．

　抗菌薬は患者を治すためにあるので，**菌を殺すことは手段であって目的ではない**のです．たとえ見た目で尿が濁っていようとも，尿検査で白血球がたくさんいる白血球尿であろうとも．

　大事なのは，こういう質問をきっかけにしてできるだけ早く尿カテーテルを抜去することです．尿カテーテルの留置そのものが尿路感染のハイリスクだからです．治療と予防は連動しているのです．

　病気を起こしていないんだけど，尿培養が陽性になる．このように菌はいるけど悪さをしていないとき，それを「定着」といいます．ただ，定着という言葉もだいぶ臨床現場で定着してきました．英語ではcolonizationといいます．コロニーを作るからです．

　菌種によっても，コロニーと本物を区別することはある程度可能です．尿の場合，*Candida*や黄色ブドウ球菌が検出されたら，それは尿路感染の原因でない可能性が高いです．

　ただし，血流感染がもともとあり，その菌が「下に降りてきた」場合は尿

培養から検出された *Candida*，ブドウ球菌が「本物」ということもあります．これは臨床症状や血液培養との合致などから判断できます．やっぱ，血液培養，大事ですね．

　呼吸器検体の解釈は尿よりもさらに難しいです．まずは検体の妥当性がよいこと，つまり後述の Miller & Jones や Geckler & Gremillion といったマクロやミクロの検体の質がよいことを確認します．

　グラム染色で菌と白血球，ときに貪食像が同時に確認でき，培養からもグラム染色に矛盾しない菌が検出できれば，それは「本物」の可能性が高いです．MRSA 肺炎などはこうやって診断できます．

　逆に，*Candida* やコリネバクテリウムが呼吸器感染を起こすことはまれで，こういうときは「定着菌」と無視することが多いです．ただ，コリネバクテリウムの肺炎はまれに起きますので，臨床的なコンテクストの解釈は常に必要です．

　血液培養が陽性になったときも，注意が必要です．尿と違い血液は「無菌」が原則ですから，「定着菌」というものは存在しません．しかし，皮膚の菌が紛れ込んで「陽性」になることがあります．これを汚染，と言いますが，こちらの言葉は定着ほど定着しておらず，英語の contamination を縮めた「コンタミ」ということが多いです．

　コロニーはあるけど病気を起こしてない，コンタミはないので病気を起こしていない．

　ま，そういうことです．

- コンタミは，「ない」のに「ある」と勘違い．
- 定着菌は，「ある」けどほっといてよい菌．

　血液培養陽性，となったとき，コンタミと本物を区別するのはときに難しいものです．

いくつかのヒントがあります．

まずは，セット数．1セットだけだとコンタミ，2セットだと本物の可能性が高まります．ただし，1セットでも無視できないものもありますから，絶対的な基準ではありません．2セットならほぼほぼ本物と考えてよいですが，ときどき「1箇所から4本の血培をとる」というエゲツない行いをされる方がいて，混乱することはあります．

時間も大事です．採血翌日に生える菌は本物の可能性が高まり，5日目とかでやっと見つかる菌はコンタミの可能性が高まります．ま，これもあくまで程度問題ですが．

菌名も問題です．次の菌が血液培養から生えた場合は，たとえ1セットでも本物とみなすことが多いです．まあ，はっきりしないときは「本物」と捉えておいたほうがよいでしょう．「逆に間違う」よりはマシだと思います．

血液培養から生えたら「本物」の可能性の特に高い菌（上から順に）
- *Candida* などの真菌
- 抗酸菌
- グラム陰性菌
- 黄色ブドウ球菌（MRSA 含む）
- 肺炎球菌
- β-溶連菌
- 緑色レンサ球菌
- 腸球菌

いずれにしても，コンタミとコロニーの問題は，微生物検査で見つかった微生物と，患者に起きている病気のすり合わせは案外難しい，ということです．**「モノ」と「コト」をつなぐのは難しい**，と換言してもよろしい．

そして，どんなにテクノロジーが進歩して，精緻に迅速に遺伝子やらタンパク質やらを使って微生物を検出できたとしても，この本質的な「モノ」と「コト」のすり合わせの難しさは1ミリも緩和しないってことです．その本質的な難しさを理解できると，感染症診療のレベルはぐっとアップしますし，ここに気づかないといつまでも半ちくな診療しかできないのです．

7 臨床薬理学を考える

抗菌薬も薬ですから，薬理学的な知識はもちろん必要です．

従来は薬と菌の関係性が主に論じられてきました．どの薬が，どの菌を殺して，どの菌を殺さないか．もちろん，これはこれで，大事な概念です．

しかし，最近は**「人間の中でどうか」**という議論も重要視されるようになりました．すなわち，抗菌薬の薬物動態 pharmacokinetics（略して PK），薬理作用 pharmacodynamics（略して PD）です．2 つ合わせて，PK/PD，ピーケーピーディーと呼びます．

では，PK/PD とはなにか．

PK とは抗菌薬が感染部位に行き着くための薬理学，PD は感染部位で抗菌薬が細菌を殺す薬理学だと思ってください（む，この説明は我ながら上手だぞ）．

A まず PK から

■ バイオアベイラビリティ

例えばですね，A という経口抗菌薬を飲むとしましょう．これが消化管から吸収され，血中に至る量が服用量の 50％だとしましょう．投与量の半分くらいが血液中に入りますね．投与された薬剤中，血中に移行する薬の割合

を「バイオアベイラビリティ：bioavailability」と呼びます．
　点滴薬は直接血中に医薬品を入れますから，バイオアベイラビリティは基本100％です．当たり前ですよね．
　バイオアベイラビリティを減らしてしまう要因に初回通過効果（first-pass effect）というものがあります．これは経口薬が小腸で吸収された薬剤が門脈から肝臓に至る際に失われてしまう薬剤を指します．点滴薬，筋肉注射，坐薬，舌下薬では門脈を経由しないですから，このような初回通過効果を受けることがありません．経口薬と坐薬ってなんとなく「下からか，上からか」の違いのような感じで違いがないような印象を直感的に受けてしまいませんか？（ぼくは受けます）．でも，坐薬って初回通過効果をすっ飛ばす分，一般的に経口薬よりもバイオアベイラビリティがよいのですね．
　坐薬の抗菌薬ってあまりないのですが，感染症の世界で有名なのが，抗マラリア薬のアーテスネートです．経直腸的に投与しており，バイオアベイラビリティはなかなか良好であるといわれます．この薬，しばらく日本でも使われていたのですが，ぼくにはわからないなにかの理由で今は使われていません．

　　Karunajeewa HA, Manning L, Mueller I, et al. Rectal administration of artemisinin derivatives for the treatment of malaria. JAMA: Am J Med Asso. 2007; 297: 2381-90.

■ 尿中濃度・髄液内濃度とブレイクポイント

(1) ブレイクポイントとは

　大切なのは血中濃度だけではありません．尿路感染であれば尿中濃度，髄膜炎の治療であれば髄液内濃度が大切になります．
　アミノグリコシドなど多くの抗菌薬は血中濃度よりも尿中濃度が高くなります．したがって，（血中濃度を基準に決定する）最小阻止濃度（MIC）を基準にした「耐性菌」であっても尿路感染であれば効かないはずの抗菌薬で治療できてしまうことがあります．
　このため，米国には耐性菌の薬剤感受性の基準（ブレイクポイント）を規定する委員会があり，これをCLSI（シーエルエスアイと呼びます）といいます．Clinical and Laboratory Standards Institutesの略です．CLSIの他

にもヨーロッパのEUCAST（The European Committee on Antimicrobial Susceptibility Testing）が独自の感受性検査の基準を設けていますし，日本化学療法学会は敗血症，肺炎，尿路感染症という3つの異なる感染症に対する独自のブレイクポイントを設定しています．

日本化学療法学会抗菌薬ブレイクポイント委員会報告．抗菌薬ブレイクポイント一覧：呼吸器感染症・敗血症・尿路感染症．

ただ，国際的にはCLSIやEUCASTのほうがメジャーで，かつ日本の検査室は概ねCLSIのブレイクポイント基準に則っていることもあって，化学療法学会の基準は現在ほとんど臨床現場では使われていません．

とはいえ，最近ではCLSIも髄膜炎時の肺炎球菌のブレイクポイントを個別化したり，尿路感染での抗菌薬のブレイクポイントを別に設定したりしています．おお，化学療法学会のほうが数周進んでたりして（ま，そういうこともあります）．

CLSIのブレイクポイントはM100と呼ばれる書類にまとめられています．これはウェブサイトから無料で読むことができます．

　　（CLSIホームページ）

ちなみに，EUCASTのブレイクポイントは，以下で閲覧できます．

　　「EUCASTホームページ → clinical_breakpoints/」

(2) CLSIのブレイクポイントの見方

CLSIのブレイクポイントの見方を解説します．まずはフリーリソースのサイトに行きます．

　　「CLSIホームページ → standards → products → free-resources → access-our-free-resources/」

で，「Access M100 and M60 Free」をクリックします．ちなみにM60は抗真菌薬の情報です．

で,「Click here to use guest access」という右上の黄色をポチります.
　で,「CLSI M100 ED31:2021」をポチります（ここは,改訂されると名前が変わります）.
　で, TOC という左側にあるところをポチります. TOC は"Table of contents", 目次ですね.
　で, ここでは「Table 2A.Zone Diameter and MIC Breakpoints for Enterobacterales」というところをポチります. 腸内細菌科のブレイクポイントです. 尿路感染はほとんどが大腸菌などの腸内細菌科が原因ですから, ここをチェックするわけです.
　で, 表が出てきます. みるべきは左側の「Test/Report Group」です. ここに U と書かれてるのが, 尿路感染（Urinary tract infections）です. 個別のブレイクポイントが設定されていますね. セファゾリンやスルホンアミド, ホスホマイシン, ニトロフラントインといった薬の「尿路感染のための」ブレイクポイントが設定されています.

■ 感染部位に届く抗菌薬を選択する

　いくら正しい抗菌薬を選んでも, 問題の菌のいるところ（感染部位）に充分な量の抗菌薬が運ばれていなければ, 意味がありません.
　セファゾリン感受性の肺炎球菌 *Streptococcus pneunoniae* にセファゾリンは効果があるでしょうか. もちろん答えはイエスです. では, この菌が起こす髄膜炎にセファゾリンを選択してもよいでしょうか. 答えは, ペケ. セファゾリンは PK 的にみると, 脳脊髄液への移行がきわめて悪い抗菌薬だからです. 感染部位に届かない抗菌薬は, その効果を発揮できないのです. セファゾリンはよって, 脳膿瘍や髄膜炎には基本的に使えません.
　ペニシリン G も血液脳関門を通り抜けにくいのですが, 髄膜炎のように炎症が起きており, 血液脳関門が破綻した場合には治療に十分な量が髄液に移行します（よって, 髄膜炎には使える, というわけ）.
　感染部位での濃度も大事です. 例えば, キノロン系抗菌薬のレボフロキサシンは血中濃度の 67 倍, 尿中濃度が高いといいます. 一般に, 感染症が治癒するためには抗菌薬の血中最大濃度（C_{pmax}）が 12 倍だと成功しやすいと

言われています（$C_{pmax}/MIC≧12$）(Brunton LL, et al. Goodman & Gilman's The Pharmacological Basis of Therapeutics 12th ed. 2011)．しかし，レボフロキサシンのようなキノロン系の抗菌薬は尿中濃度が血中のそれよりもめっちゃ高くなるため，多少菌のMICが高くなっても臨床的にはバッチリ効いてしまいます．逆に，レボフロキサシンの皮膚内濃度は血中の4分の1しかありません．皮膚軟部組織感染症にレボフロキサシンを使うときは，若干の注意が必要です．

- PKは抗菌薬がどのように，感染部位にどのくらい届くか，を考える薬理学．
- セファゾリンは髄膜炎には使わない．髄液への移行性が悪いからである．

B Vdとタンパク結合能

　PKには他に，分布，分布容積（volume of distribution：Vd）やタンパク結合能などの概念もあります．

　分布容積は実際の容積ではなく，その薬がある濃度を達成しているときの概念的な容積を示します．成人でVdが5Lだと，その薬は循環系の中にしか存在しません．これが10〜20Lだと細胞外液の方まで薬は分布し，25〜30Lになると細胞内液に至ります．40Lとなれば，体中の体液に薬は分布していることになります．

　Vdが何百Lになることもあります（これは「理論的に」そのくらいの容積に薬が分布できることを意味しています．イメージしにくいですね）．

　PK, PDを考える上で，もう1つ大切な概念が，タンパク質への結合性です．血液内にはアルブミンをはじめ，たくさんのタンパク質が含まれています．抗菌薬の中にはタンパク質に強烈に結合するもの，あまり結合しないものがあります．

　タンパク質に結合している抗菌薬は，感染部位で作用しません．血液中の

抗菌薬の濃度は，タンパク質に結合しているもの，していないものを一緒に測定しています．

もし，タンパク質結合性が強い抗菌薬，例えば 90％の抗菌薬がタンパク質に結合している，としましょう．仮に 10 という抗菌薬が血液中に存在しても，実際に働いている抗菌薬の量はほんの 1 でしかない，という計算になりますね．

Vd とかタンパク結合能は薬理学的には重要な概念なのですが，「臨床的な使い方」があまりはっきりしていません．「この人の血中アルブミンが 2 に減ったから抗菌薬を半分にしよう」みたいなわかりやすい臨床応用の方法論が確立していないのです．ですから，この辺の概念はぼくみたいな臨床家は「お勉強」として知っておく程度でよいと思います（たぶん）．

■ 代謝と CYP

薬は肝臓で代謝されたり，その肝臓や腎臓から排泄されます．特に肝臓にはチトクローム P-450（CYP）システムがあり，この酵素が様々な医薬品を活性化させたり，逆に不活化したりします．この話は「相互作用」のところでやりました．

CYP にはたくさんの種類があり，3 つの記号で分類します．例えば，CYP3A4 なんて書き方をしますが，3 という群（ファミリー），A という亜群（サブファミリー），4 という分子種に属する酵素であることを示しています．

さらにややこしいことに，**多くの医薬品は CYP の活性を高めたり阻害したりします．**

例えば，抗結核薬のリファンピシンは強力な CYP2D6 の誘導体でして，この酵素が活性化され，多くの医薬品が代謝されて血中濃度が低くなります．ワルファリンとかステロイドとか……けっこう重要な薬の血中濃度も下がるので要注意です．

逆に抗 HIV 薬のリトナビルは CYP3A の活性を下げる能力があり，これに代謝される他のプロテアーゼ阻害薬（抗 HIV 薬の一種）の血中濃度を高めてくれます．リトナビルは副作用が多くて現在は抗 HIV 薬としては使われ

ていませんが，副作用が出ないくらいの少量使用で他の抗HIV薬の血中濃度を高めるために併用薬として用いられています．縁の下の力持ちすね．

他にも膜トランスポーターなど，代謝に影響を与えているものが次々と発見されています．これもすでに「相互作用」のところでやりました．

C PDとタイムキルカーブ，そして薬剤感受性

PKに対して，pharmacodynamics（PD）は，菌に対する抗菌薬の効果，作用を量るものです．何？　全然わかりにくい？

その前に，MICの話をしておきます．

■ MICの話

薬剤感受性試験を見たことがありますか？　あそこで出てくる2とか16とかいう数字がMICです．

MICとはminimum inhibitory concentrationの略，最小阻止濃度のことです．この濃度よりも抗菌薬の量が多ければ，細菌は増殖を止める．濃度以下ならば増殖する，という分水嶺です．厳密には，18〜24時間の培養時間で微生物が増殖するのを止めるような最小濃度をMICといいます．**MICが高くなればなるほど抗菌薬は効きにくくなります．**例えば，メチシリン耐性黄色ブドウ球菌（MRSA）にバンコマイシンを使いますが，MRSAのバンコマイシンに対するMICが0.5mg/Lだと治療成功率は61%，1.0mg/Lだと28%，2.0mg/Lだと11%でした（Moise-Broder PA, Sakoulas G, Eliopoulos GM, et al. Accessory gene regulator group II polymorphism in methicillin-resistant *Staphylococcus aureus* is predictive of failure of vancomycin therapy. Clin Infect Dis. 2004; 38: 1700-5）．

MICの数値は感染症治癒を予測する上で重要なことがあるのですね．

薬剤耐性菌とは，規定のMIC（ブレイクポイント）よりも高いMICを持っている菌だ，ととりあえずここでは覚えておいてください．感受性と耐性を区別する境界線を「ブレイクポイント」と呼びます．

まあ，何をもって規定のMICとするか，がけっこう面倒くさいのですが，

ここではそれは気にしない，気にしない．

　実際には感受性（S: sensitive），耐性（R: resistant）の間にはその中間（中等度耐性，I: intermediate）があることが多いです（ないこともあります）．

　MICはいろいろな方法で測定することができます．抗菌薬の量を倍倍で希釈していき，試験管の中で細菌の増殖をみる微量液体希釈法（microdilution method），固定培地に抗菌薬入りのディスクを乗せたディスク法（Disk methods, or Kirby-Bauer methods: K-B法），濃度勾配をつけた抗菌薬のテープを使ったEテストなどなど……．興味のある方は，実際に検査室に行って，まずはその目で見てみてください．

　また，最近では菌の同定と同時に機械的に感受性試験を行ってしまうことが多いようです．このような全自動の同定感受性検査システムは，基本的には希釈した抗菌薬のウェルを用いますから，原理的には微量液体希釈法と同じ方法で感受性をチェックしています．

●CLSIの規定で細菌はおのおのの抗菌薬に感受性，耐性，その中間のintermediateを示す．それぞれのカテゴリーを分けるMICをブレイクポイントと呼ぶ．

　で，ここでCLSIの愛の定義……じゃなかった……Iの定義です．

　I（Intermediate）は，厳密には

a category defined by a breakpoint that includes isolates with MICs or zone diameters within the intermediate range that approach usually attainable blood and tissue levels and for which response rates may be lower than for susceptible isolates; NOTE: The intermediate category implies clinical efficacy in body sites where the drugs are physiologically concentrated or when a higher than normal dosage of a drug can be used. This category also includes a buffer zone, which should prevent small, uncontrolled, technical factors from causing major discrepancies in interpretations, especially for drugs with narrow pharmacotoxicity margins.

と定義されています．血液や組織で得られる濃度では「中間 intermediate」な濃度であり，感受性株に比べると薬剤反応速度は低いかもしれない．で，薬剤濃度が高くなりやすいような部位での感染症や抗菌薬の投与量を増やした場合では「臨床効果がある」ことを内意（imply）しているのです．
Iとあると「使ってはダメ」と決めつける医療者は多いですが，「そうとは限らない」ということです．

I（Intermediate）の意味が伝わりにくい，誤解されやすい（概ね耐性と同義と捉えられる）こともあり，近年は SDD という概念も CLSI から提唱されています．これは I に似ていますが，以下のように定義されています．愛（あい）の意味は伝わりにくいんですね．

a category defined by a breakpoint that implies that susceptibility of an isolate is dependent on the dosing regimen that is used in the patient. In order to achieve levels that are likely to be clinically effective against isolates for which the susceptibility testing results (either minimal inhibitory concentrations [MICs] or zone diameters) are in the SDD category, it is necessary to use a dosing regimen (ie, higher doses, more frequent doses, or both) that results in higher drug exposure than the dose that was used to establish the susceptible breakpoint. Consideration should be given to the maximum approved dosage regimen, because higher exposure gives the highest probability of adequate coverage of an SDD isolate. The drug label should be consulted for recommended doses and adjustment for organ function; NOTE: The concept of SDD has been included within the intermediate category definition for antimicrobial agents. However, this is often overlooked or not understood by clinicians and microbiologists when an intermediate result is reported. The SDD category may be assigned when doses well above those used to calculate the susceptible breakpoint are approved and used clinically and for which sufficient data to justify the designation exist and have been reviewed. When the intermediate category is used, its definition remains unchanged. See Appendix F for additional information.

　要は，効くか効かないかは「投与量次第」．投与量を高めれば感受性ですよ〜という意味です．

　厳密には，SDDはIの中に入るサブカテゴリーです．Iを動物とすれば，SDDは犬って感じです．伝わる〜？　例えば，セファロスポリンのセフェピムの，腸内細菌科に対するブレイクポイントでこのSDDが設定されています．

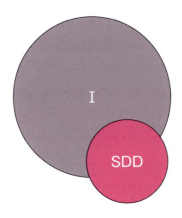

　あと，日本臨床微生物学会がCLSIのミーティングの様子をまとめて報告してくださっており，これも最新情報を得るのにとても役に立ちます．東京医科大学の大楠清文先生，東邦大学の舘田一博先生などが定期的に会合に参加，その内容を報告されています．ちょっと，コロナで最近はブレーキが掛かっていますが．

 日本臨床微生物学会.国際委員会

ブレイクポイントの設定は人体や抗菌薬，それぞれの細菌の特徴を考慮に入れて複雑な過程を経て決定されます．実験室内での薬理学的データだけでなく，臨床データも考慮に入れます．**新たな臨床データが加わったり，最近の感受性パターンに変化が生じると，ブレイクポイントが変わります．**

　というわけで，ブレイクポイントは定期的に改訂がなされています．

　CLSI が規定する「耐性」はあくまで血中濃度を基準にしたブレイクポイントです．ですから，他の部位の感染症では，このブレイクポイントが必ずしも有効とはなりません．

　例えば，尿路感染症でキノロン耐性の大腸菌が培養でみつかっても，キノロンで治ってしまうことがあります．これはキノロンの尿内の濃度は血液よりもずっと高くなるという性格があること，尿路感染症は尿の流れだけで（抗菌薬ゼロでも）治ってしまうこともある，といろいろな要素が絡んでいるため起きる現象です．

　逆に，たとえ感受性を示していても，例えばその抗菌薬の感染臓器移行性が悪ければ……届かない抗菌薬は効くわけないですから……感染症は治癒に至りません．

　もっとも，近年は CLSI も尿路感染に対するセファゾリンや肺炎球菌の髄膜炎に対するペニシリンやセフェムのように，臓器特異的な個別のブレイクポイントも設定するようになりました（前述）．

　PK を使えばある臓器に移行する抗菌薬の量を予測，計測することができます．例えば肺炎の場合は，肺に移行する抗菌薬の量を知ることができるわけですね．では，どのくらいの量があれば「肺炎に効く量」なのでしょうか．

　これを知るために必要なのが，PD なのです．以下のような指標がよく用いられています．

　　Peak（Cmax/MIC）
　　Area under the curve（AUC/MIC）
　　Time above MIC（T＞MIC）

PDでは実験室内での菌の量に様々な濃度の抗菌薬を投与し，それが時間とともにどのように細菌を殺していくかをプロットしていく，いわゆるタイムキルカーブを作ることで量ることができます．

　実際のタイムキルカーブは，こんな感じです．

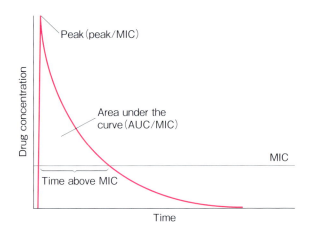

　Y軸には菌の量，X軸には抗菌薬投与後の時間が設定されています．

　最小阻止濃度MICと同じ濃度を達成する抗菌薬Aを1MICの抗菌薬としましょう．さて，実験室で，1MICの抗菌薬Aをあげました．あらら，時間とともに，菌の量はどんどん減っていきます．当たり前ですね．これをグラフにプロットすると，左上から右下に1本の斜めの線ができます．これがタイムキルカーブです．抗菌薬を投与して，時間が経過するとともに菌がどんどん殺されて，量が減っていくからです．皆さん，ついてきてますか？

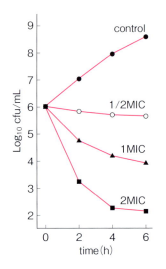

　次に，抗菌薬Aの量を半分にしましょう．1/2MICです．最小阻止濃度の半分の濃度の抗菌薬しか菌には与えられません．多少の菌は殺されますが，その量は，さっきの1MIC

に比べるとずいぶん減っています．タイムキルカーブは1MICに比べてなだらかです．

次に，MICの倍の量の抗菌薬Aを与えましょう．2MICですね．こうすると，菌の量は1MICのときよりもずっと早く減っていきました．タイムキルカーブは急傾斜を描きます．左上から右下に，ストン，と落ちていく感じです．

ところで，日本の医者はよく「切れのいい抗生剤」という言い方をされることがあります．ぼくの勘ですが，この切れのいい抗生剤というのは，おそらくタイムキルカーブが左上から右下にすとんと落ちる，そういう抗菌薬のことを指しているのではないでしょうか．フォークボールのようにすとんと落ちると，切れがいい．イメージ的には納得いく，と思いませんか？

さて，このようにして，実験系で様々な濃度の抗菌薬が，どのくらいのスピードで菌を殺していくかを調べていくと，感染部位でどのくらいの抗菌薬の濃度を達成すればいいのかがわかります．抗菌薬の量があまり少なすぎると，タイムキルカーブは横一線，つまり全然菌を殺さなかったり，ひどい時には上向きの線になったりします．Y軸は菌の量ですから，上向きの線というのは，菌が増殖してどんどん増えていることを意味します．こんな濃度では抗菌薬の効果は望めません．

● タイムキルカーブの傾斜が左上から右下に移っていく線がみられる場合，その濃度の抗菌薬は効果があると考えてよい．傾斜が急であれば急であるほど菌を早く殺していることを意味し，抗菌薬の効果はより高い，ということになる．

いわゆる静菌的抗菌薬の場合，MICを超えるような濃度の抗菌薬が感染部位に与えられると，原因菌は細胞分裂を止めてしまいます．静菌的抗菌薬をPD的にみてみましょう．タイムキルカーブをみてみると，左上から右下に落ちていかず，左から右に，水平線が描かれます．つまり，抗菌薬を与え

ても，原因菌は増えも減りもしないのです．

　細菌が減らないんだったら感染症の治療には役に立たないじゃないか，ですって？　ご心配には及びません．これはあくまで実験系での話．

　実際の人体内では強力な免疫能力が働いています．いったん細菌の爆発的な増殖能力を，その鼻面で抑えてしまえば，これが静菌的抗菌薬の役割です，増殖できない細菌はきれいに人間の免疫能力が殺してしまう，というわけです．

　そこで，殺菌性抗菌薬と，静菌性抗菌薬の話になるわけです．

D 殺菌か，静菌か

　皆さんは，**抗菌薬は殺菌性 bactericidal と，静菌性 bacteriostatic の 2 種類ある**，と薬理学の講義で教わったことはありませんか？

　殺菌性というのは，文字通り菌を殺してしまう作用を持つ，という意味です．静菌性というのは，その字からは咄嗟には意味が思いつきませんが，菌を殺しはしないが，分裂して増殖するのを抑える，という意味があります．微生物学的にこれを確認する方法は何種類かありますが，まあ，ここでは「そういうもの」とご理解いただければそれほど大きな問題はありません．

　「一般に」殺菌性といわれる抗菌薬には，ペニシリン，セファロスポリン，アミノグリコシド，バンコマイシン，ニューキノロン，リファンピシン，イソニアジド，メトロニダゾールなどがあります．

　静菌性の抗菌薬には，マクロライド，テトラサイクリン，サルファ，クロラムフェニコール，クリンダマイシンなどがあります．

　覚えるときには，**細胞壁に作用するものは殺菌性である場合が多く，タンパク合成に作用するものは静菌性であることが多い**，とこういうふうに傾向をおさえておけばよいでしょう．むろん，賢明な読者の皆様には，すでにこの例に当てはまらないものもいくつか発見された方もおいでかもしれませんが．

では，尿路感染症や市中肺炎にはニューキノロンを使ったほうが，サルファ剤やマクロライドを使った場合よりも効果が高い，といえるのでしょうか．殺菌性＞静菌性，といった法則がなりたつのか？

一見すると，「殺す」作用のある殺菌性抗菌薬のほうが，「静かな（？）」静菌薬よりも効果が大きいような印象を受けますね．さて，現実はいかがなものでしょう．

一般的な細菌検査室では，抗菌薬の効果をみるために最小阻止濃度 MIC を用います．これは静菌作用をみているわけですね．

殺菌作用をみるためには，MBC というのを使います．これは minimum bactericidal concentration の略で，99.9％かそれ以上の細菌を 18～24 時間以内に殺すことのできる抗菌薬の濃度，というふうに定義されています．この MBC の方は，細菌検査室ではルーチンで行われることはありません．なお，多くの「殺菌性」の抗菌薬は通常の使用でここまで菌を殺さないものも多く，「静菌性」の抗菌薬でも結構殺します．なんともややこしいのです．

> Pankey GA, Sabath LD. Clinical relevance of bacteriostatic versus bactericidal mechanisms of action in the treatment of gram-positive bacterial infections. Clin Infect Dis. 2004; 38: 864-70.

この辺に，殺菌作用と静菌作用，というものの臨床的な意味が隠されています．

MBC を測らないのは，計測が面倒くさい，という単純な理由もありますが，もっと大きな理由は，この数値が臨床的にあまり意味がないからです．言い換えるならば，殺菌作用を細かく測ろうが測るまいが，臨床上の決定行為には影響しない，ということもできましょう．

では，それはいったい何故なのでしょう．

人間の体が感染症を退治するのは抗菌薬の効果のみではありません．この事実をよくよく知っておく必要があります．

人間にはもともと感染症を自ら退治する免疫作用というものがあります．昔から人間は感染症に悩まされてきましたが，抗菌薬が開発される前だって，感染症にかかった人がみんな死んでしまう，ということはありませんでした．自分の免疫作用で感染症を克服できる場合もあるからです．現在でも多くの

ウイルス性感染症は，全く治療なしでも患者さんはよくなります．風邪や，ウイルス性腸炎がその好例です．

逆に，エイズ患者や化学療法時の免疫の弱った患者は，どんなに効果の高い抗菌薬を使用しても，治療がうまくいかないときもあります．

抗菌薬は，この素晴らしき人間の免疫力を後ろからちょっと後押しをしている，そういう存在なのです．

殺菌性の抗菌薬は，体内の細菌を殺します．患者さんはよくなります．静菌性の抗菌薬では，細菌は体内で増殖を停止します．残った菌はどうなるか？　心配いりません．体の免疫能力がそれらをうまーく処理してくれます．ほとんどの感染症の場合，殺菌性か静菌性かということで悩む必要がないのはそのためです．

製薬会社の方が，「イヤー今回の新薬は殺菌性の抗生剤でして……」と売り込んでも，その臨床的に意味するところはほとんどないわけです．

一応，感染性心内膜炎や好中球減少時の発熱時には殺菌性の抗菌薬のほうがベターと言われることもありますが，これを証明したデータは少ないようです．最近のシステマティック・レビューでも殺菌性の静菌性に対する優位性は臨床データからは見出されませんでした．

> Wald-Dickler N, Holtom P, Spellberg B. Busting the Myth of "Static vs Cidal": A Systemic Literature Review. Clin Infect Dis. 2018; 66: 1470-4.

それに，殺菌か静菌かの問題は，相対的な概念という側面もあります．少量投与では静菌的に作用する抗菌薬が，大量投与で殺菌的に作用したりするのです．

アンピシリンはβラクタム剤で，殺菌性の抗菌薬だと考えられます．ところが，腸球菌 Enterococci には静菌的に働きます．

細菌は細胞壁を作ったり壊したりしています．そうやって活発に生命活動を送ったり，分裂したりしているわけですね．この作るほうを阻害するのがβラクタム剤です．すると，細菌は細胞壁を壊すほうばかりに働いて，自壊してしまうのです．

興味深いことに，腸球菌は細胞壁を作るほうを阻害すると，自動的に細胞壁を壊すほうもストップしてしまいます．細胞壁は作られも壊されもせずに，そのままに残ってしまいます．つまり，βラクタム剤，アンピシリンは腸球菌には静菌的に働く，ということになります．

　ことほどさように，抗菌薬の殺菌性，静菌性というのはターゲットとなる細菌との相対的な関係によって決定されるのです．腸球菌による心内膜炎では，必ずペニシリン系の抗菌薬に加え，アミノグリコシドをかませるのはこれが理由です．

　というわけで，よく PK/PD といいますが，より臨床的に役に立つのは PK のほうでして，PD の直接の臨床応用方法というのはなかなか難しいところがあります．

　もちろん，「PD に意味がない」と主張しているのではありません．PD のもつ知見を臨床的なカテゴリーに翻訳する方法論が確立していないということなのです．PK の知見が直接臨床応用されているのとは対照的です．

●一般的に，抗菌薬の選択において殺菌性か静菌性かを気にする必要はない．

8 Inoculum effect とイーグル効果

A Inoculum effect

　Inoculum とは inoculate されたもの，「植え付けられたもの」という意味です（イノキュラムと読み，ノ，にアクセントがあります）．

　これが発見されたのはなんと 1940 年のことで，抗菌化学療法がメジャーになっていない時代の話です．最初は水銀の殺菌効果が低下するという発見に始まり，その後ドーマクが開発したサルファ剤で同じ現象が認められました（Brook I. Inoculum effect. Clin Infect Dis. 1989; 11: 361-8）．その後薬剤感受性試験の結果が，検査に使う菌量（inoculum size）に依存することがわかり，この名前が付けられたというわけです．

　例えば，A 群レンサ球菌による壊死性筋膜炎にあまり大量のペニシリンを使うと，臨床効果が落ちる，ということが言われています．そのため，壊死性筋膜炎の第一選択薬にペニシリンだけではなく，クリンダマイシンを加えることを勧めるわけです．

　クリンダマイシンは細菌の分裂に依存せずに細菌を殺し，また，壊死性筋膜炎の本態と考えられるタンパク合成そのものを阻害するからです．専門家によっては，ペニシリンは用いず，クリンダマイシンだけで治療，なんて方もいるようです．理屈としては理にかなっていますが，ちょっと怖いのでぼくは真似したことがありません．

Inoculum effect はその名が示すとおり *in vitro* で観察される現象です．問題は，それが臨床的にどのような意味があるか，という点です．

例えば，*K. pneumoniae* による膿瘍では，セファゾリンよりも inoculum effect を起こしにくい高次のセフェム（セフトリアキソンやセフォタキシム）のほうが合併症の発生率が低かったというデータがあります（Cheng H-P, Siu LK, Chang F-Y. Extended-spectrum cephalosporin compared to cefazolin for treatment of *Klebsiella pneumoniae*-caused liver abscess. Antimicrob Agents Chemother. 2003; 47: 2088-92）．とくに患者の APACHE III（まあ，要するに重症度のことです）が高い時やドレナージができていないときに，合併症発生率は高いのだそうです．よって，クレブシエラの膿瘍ではセフトリアキソンの方を優先させて使うべきか，という命題も導き出せます．

Inoculum effect と CEZ vs CTRX についての暫定的まとめ: ID CONFERENCE [Internet]. [cited 2022 Feb 6].

もっとも，*K. pneumoniae* による肝膿瘍でもセファゾリンでも高次セフェムに比べ死亡率は低くなかったという論文も後に発表されています（Lee SS-J, Chen YS, Tsai HC, et al. Predictors of septic metastatic infection and mortality among patients with *Klebsiella pneumoniae* liver abscess. Clin Infect Dis. 2008; 47: 642-50）．この問題，まだ決着がついていないというべきでしょう．

では，現実にはどうすればよいか．
これはですね，**ぼくの考えでは「患者さんを見て考えればよい」**のだと思います．
一般的に膿瘍性疾患は（それが，どのような菌が原因であれ）細菌性髄膜炎のような一分一秒を争う疾患ではありません．患者の全身状態が良ければ（たいていは悪くないのですが），確定診断，ターゲットを絞った治療をすればよいのです．MSSA やクレブシエラにも（感受性があれば）セファゾリンからスタートさせ，臨床効果をみて escalation が必要か判断すればいいわけで．

もちろん，膿瘍なのですから，適切なドレナージが最重要なポイントだと思います．多発膿瘍や菌血症，ショックなど合併症を伴い，患者の状態が悪ければ，原因菌の精査以前に広域抗菌薬による患者の安定化を目指します．

要するに，最初にやった「おきて」に従えばいいってことです．
おきて⑥ アセスメントを立てよう
おきて⑨ 患者がよくなっているか，悪くなっているか，どちらでもないのか確認しよう

最近の総説論文でも，Inoculum effect は基本的に *in vitro* の研究で観察される現象で，臨床試験でその影響が確認されたものはほとんどないことが指摘されています．
 Lenhard JR, Bulman ZP. Inoculum effect of β-lactam antibiotics. J Antimicrob Chemother. 2019; 74: 2825-43.

B Eagle effect

ところで，似たような現象に Eagle effect というものがあります．これはその名の通り Eagle さんが発見した現象で，ペニシリンのような細胞壁に作用する抗菌薬を大量に使うとかえって抗菌効果が落ちてしまう，というものです（Eagle H, Musselman AD. The rate of bactericidal action of penicillin in vitro as a func-tion of its concentration, and its paradoxically reduced activity at high concentrations against certain organisms. J Exp Med. 1948; 88: 99-131）．よって，壊死性筋膜炎のときなどに細胞壁以外に作用する抗菌薬，例えばクリンダマイシンなどを追加する，という戦略が生じます．

Eagle effect そのものは「そういう現象」であり，背後にあるメカニズムはいまだはっきりしていないようです．いくつかある仮説の一つに，大量の細菌に対する高用量ペニシリンで誘導されるβラクタマーゼの存在，つまり

inoculum effect が提唱されています．ややこしいですね．

　Eagle effect は細胞壁に作用し，分裂をあまりしていない大量の細菌に対して起きるとされていますが，inoculum effect はリボゾームに作用する抗菌薬でも作用部位の「飽和」のために起きうるそうですから，両者はオーバーラップする部分はあるものの，同じものとはいえません（Brook I. Inoculum effect. Clin Infect Dis. 1989; 11: 361-8）．

　もちろん，Eagle effect も *in vitro* で観察される「現象」に過ぎません．この現象が発見されてもう半世紀以上になりますが，いまのところ，これが臨床現場における我々のペニシリンの投与量や投与方法に与える指南は，ほぼほぼないのです．

9 ポストアンティビオティック エフェクト
(postantibiotic effect: PAE)

　静菌的抗菌薬にせよ，殺菌的抗菌薬にせよ，その効果を充分に発揮するには抗菌薬の濃度が感染部位で MIC 以上になる，ということが大事です．静菌的抗菌薬では MIC 以上の濃度で菌の増殖が止まり，後の菌は人間の免疫能力が処理してくれます．殺菌的抗菌薬では MIC 以上の濃度で菌がどんどん死んでいきます（厳密にいうと，4MIC くらいがいちばん適切であろう，といわれています）．

　では，MIC 以下の濃度の抗菌薬には何の意味もないのでしょうか．いえいえ，一寸の虫にも五分の魂（例えが違うか），**濃度の低い抗菌薬も立派に役目を果たすことがあります**．

　これが**ポストアンティビオティック エフェクト**（postantibiotic effect: PAE）です．

　PAE とは，抗菌薬が MIC 以下の濃度になっても臨床効果をもつ効果のことです．抗菌薬が投与されると，いったん血中濃度は上がり，だんだん様々な場所で代謝されて，濃度が下がっていきます．

　ところが，濃度が MIC 以下に下がった後にも感染症に対する臨床効果が観察されました．抗菌薬の濃度が下がった「あとで」の臨床効果だったので，ポストアンティビオティック エフェクトと名づけられたわけです．ポストというのは「あとで」という意味ですね．

　PAE はほとんどの抗菌薬で観察されています．しかし，この効果が特に長い時間みられるのは，タンパク質や核酸合成を阻害する抗菌薬です．タンパク質の合成を阻害するのはどんな抗菌薬でしたっけ．アミノグリコシド，

テトラサイクリン，クリンダマイシン，リファンピシンなんかがそうでしたね．核酸合成の阻害をするものには，例えばキノロンがあります．

一方，細胞壁に作用する抗菌薬，例えばペニシリンに代表される β ラクタム剤や，バンコマイシンなどですが，PAE の期間は短く（イミペネムを例外として），グラム陰性菌にはほとんど PAE がありません．グラム陽性菌には 2 時間ほどの PAE があるそうです．

さて，具体的に PAE をどう活用したらよいでしょうか．

例えばゲンタマイシンなどのアミノグリコシドです．アミノグリコシドは注意しなくてはならない毒性がありますから，そんなにたくさんいっぺんに投与はできません．そこで普通は 8 時間おきに投与する方法をとってきました．腎機能の正常な患者さんの場合，体重 1kg 当たり 1〜1.7mg のゲンタマイシンを 8 時間おきに投与し，後は血中濃度のモニターをすることで投与量を調節します．

ところが，体重 1kg あたり 5mg という比較的大量のゲンタマイシンを与えて，しかもこれを 1 日 1 回投与にしてもかなりの臨床効果が得られることがわかってきました．いくら量の多い抗菌薬を与えても，ゲンタマイシンの濃度は 1 日は保てず，24 時間以内に血中濃度はゼロになってしまいます．

せっかく殺した細菌も，抗菌薬を与える間隔が長すぎると再び増殖してしまいます．一般にグラム陰性桿菌，多くのレンサ球菌は 20 分で分裂してその数は倍になります．40 分で 4 倍，1 時間で 8 倍，2 時間では 64 倍，3 時間ちょっとで 1,000 倍以上になってしまいます．抗菌薬を与える間隔を伸ばしすぎ，効果のない時間が何時間もあると，細菌はこれだけの猛スピードでどんどん増えてしまうのです．普通の考え方では，これでは十分な抗菌効果が期待できません．

ここで PAE です．ゲンタマイシンは比較的長い PAE があり，グラム陰性菌に対しては 2〜6 時間はあると言われています．血中濃度が MIC より低くなっても数時間はその効果を維持できるのです．煩瑣な 8 時間おきの投与を，簡便な 1 日 1 回投与に変えることを可能にしたのは，ポストアンティ

9 ポストアンティビオティック エフェクト

ビオティック エフェクトのおかげ,といってもよいでしょう.看護師さんは大喜びです(大喜びってほどでもないか).

　PAEがなぜ起きるのか,その正確な機序はわかっていません.重症の感染症,例えば心内膜炎や化学療法後の好中球減少症時の発熱などでは,PAEに頼るのは不安,ということで通常の8時間おきの投与のほうがよいと推奨されています.

　ただ,最近では,「1日1回投与でPAEを活用してもいいんじゃないの?」という意見もあるようです.米国心臓協会(American Heart Association: AHA),英国抗菌療法協会(British Society for Antimicrobial Chemotherapy: BSAC),欧州心臓協会(European Society of Cardiology: ESC)はペニシリン感受性のレンサ球菌による自然弁の感染性心内膜炎(IE)の4週間治療ではペニシリン単独療法,2週間治療ではゲンタマイシンとの併用療法を推奨していますが,AHAは「1日1回でも3回でもええで.でも1日1回3mg/kgのほうがよりおすすめや」,ESCは「1日1回3mg/kgでええんちゃうか.筋注一回だけってのもありやで」,で,BSACだけ「1mg/kgを12時間おきどすえ」と独自路線です.同様に,AHAとESCはレンサ球菌のIEでペニシリンのMICが高まったときも最初の2週間は1日1回のゲンタマイシンの併用,BSACは2週間12時間おきです.
　腸球菌によるIEではペニシリンは静菌的にしか働かないこともあって,ゲンタマイシンの併用は治療期間全部をAHAでは1日1回もしくは3回,ESCは1日1回,そしてBSACは12時間おきの推奨です.もっとも,近年は長期のアミノグリコシドの併用療法よりはアンピシリンにセフトリアキソンの併用のほうが人気があるようです(セフトリアキソンのところで後述).
　同様にアンピシリン耐性の腸球菌ではバンコマイシンにゲンタマイシンを併用して治療期間ずっと併用しますが,これもAHAは1日1回もしくは3回,ESCは1回,BSACはやはり12時間おき投与です.このように英国はIEの治療方針でヨーロッパ諸国と意見が合わないため,あえなく欧州連合

(EU)を脱退したのでした(ウソ).

　ちなみに，従来は黄色ブドウ球菌（MSSA，MRSA）に対する（自然弁の）IEでもアミノグリコシドの併用をしていましたが，治療のエビデンスに乏しいということで併用療法はどの学会も推奨しなくなりました．唯一，MRSAのIEでBSACがゲンタマイシンの併用を推奨の選択肢に残しています，Oh, Brexit.

　ちなみにちなみに，人工弁にできたIEでは大きく治療方針が変わるのですが，話が長くなるので，ここでは割愛．

　　Sexton DJ. Antimicrobial therapy of native valve endocarditis. UpToDate. Last updated October 31, 2016.
　　Kauchmer AW. Antimicrobial therapy of prosthetic valve endocarditis. UpToDate. Last updated February 7, 2017.

- ポストアンティビオティックエフェクトは便利な効果．
  抗菌薬の長期効果が可能になる．

10 シナジー効果

　シナジーとは，複数の抗菌薬を用いると1＋1が4にも10にもなる，という<u>抗菌薬の相乗作用</u>を言います．人間社会にもありますね．気の合う相手と仕事をすると，別々に仕事をするよりはるかに効果が高く，いい仕事ができるのと同じですね．

　<u>抗菌薬では，黄色ブドウ球菌，腸球菌，緑膿菌にはペニシリン系抗菌薬とアミノグリコシドがシナジー効果を持つことが知られています</u>．トリメトプリムとサルファメソキサゾールは細菌の葉酸合成経路を「シナジスティックに」阻害して効果を発揮します．この2つが「ST合剤」となっているわけです．いつも一緒なこの2人，あなたなしでは生きていけないのよ……．もっとも，前述のように自然弁の黄色ブドウ球菌によるIEではアミノグリコシドの併用は「するべきではない should not be combined」となっており，ここでも *in vitro* と *in vivo* は違うんだよってことです．ザクとは違うんだよ，ザクとは．

　同様に，好中球減少時の発熱（febrile neutropenia）の患者でも緑膿菌に効果を持つ抗菌薬を複数併用することでシナジー効果がある，と言われてきましたが，これも後の臨床試験で「別に

「機動戦士ガンダム THE ORIGIN」©創通・サンライズ

1剤でも良くなくね？」というデータが増えてきたので，併用療法も特に必須ではなくなっています．いや，むしろ合併症や真菌感染が増えるのでよしておいたほうがよい，というメタ分析の報告もあります．

 Less is more とよく言いますが，薬を増やせば増やすほどよい，という素朴な「足し算の文化」は案外間違っているのです．

> Paul M, Dickstein Y, Schlesinger A, et al. Beta-lactam versus beta-lactam-aminoglycoside combination therapy in cancer patients with neutropenia. Cochrane Database Syst Rev. 2013; 6: CD003038.

併用療法がシナジー効果を臨床試験で示した例もあります．一番画期的だったのが，真菌のクリプトコッカス髄膜炎に対するアムホテリシンB（など）とフルシトシンの併用療法です．

> Day JN, Chau TTH, Wolbers M, et al. Combination antifungal therapy for *Cryptococcal meningitis*. N Engl J Med. 2013; 368: 1291-302.

あと，シナジーとは関係なく，長期治療の場合は耐性獲得の防止などを目的とした併用療法が行われています．結核や非結核性抗酸菌感染症，HIV，HCVの治療などでこのような戦略が取られています．HIVは本書では扱いませんが，その他の治療については後に扱います．

シナジー（1+1＞2）が仮になくても，少なくとも2剤めの抗菌薬が何がしかの効果を上乗せする，そう考えるのが人の常です．これをアディティブな効果 additive effects といいます．シナジーがなくても，2剤は1剤よりもまし，ということですね．この場合，1つの抗菌薬は別の抗菌薬に作用をもたらさないので「関係ない」(indifferent) と称されることもあります．

ところが，人間社会と同じで，抗菌薬にもソリの合わない奴ら，というのがいるんですよ．かならずしも2剤でもってよりよい効果が期待できないこともあるのです．

シナジーの反対の作用をアンタゴニズム antagonism といいます．例えば，殺菌性の抗菌薬であるペニシリンと静菌性の抗菌薬であるテトラサイクリン

を両方使うと,両方の効果がなくなってしまい,1+1が2以下になってしまうと言われます.他にもペニシリンとクロラムフェニコールなど,いくつかの「殺菌性抗菌薬＋静菌性抗菌薬」の組み合わせにアンタゴニズムがみられます.

　幸い臨床的に意味のあるアンタゴニズムというのはそんなにたくさん例がなく,文献も古いものがほとんどです.現在,臨床的に併用することで臨床効果が落ちる,と明らかになっているものはほとんどなくなっているように思います.なので,βラクタムとテトラサイクリン系の併用も市中肺炎などでよくやっていますし(マクロライド耐性マイコプラズマが増えたせいです),こうしたアンタゴニズムは「机上の空論」となっているのかもしれません.

〔参考〕

Jawetz E. Combined antibiotic action: some definitions and correlations between laboratory and clinical results. Antimicrob Agents Chemother. 1967; 7: 203.

11 時間依存性と濃度依存性

PD においてとても大切な概念，時間依存性，濃度依存性の話です．

A 濃度依存性の抗菌薬

濃度依存性の抗菌薬の代表選手に，**ゲンタマイシンなどのアミノグリコシド**があげられます．抗菌薬の特徴は簡単で，要するに抗菌薬の血液中濃度を上げれば上げるほど菌を殺す効果は高まるということです．どうです．当たり前すぎるような特徴でしょう？

濃度依存性の抗菌薬を使って，すでに学んだタイムキルカーブを描いてみ

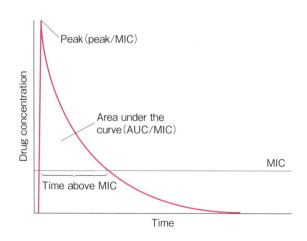

ましょう．アミノグリコシドを 1MIC，つまり最小阻止濃度と同じだけの濃度で投与します．時間とともに菌は死んでいき，左上から右下へ，というきれいなタイムキルカーブが描かれます．

次に濃度を4倍にして，4MIC 与えてみましょう．すると，タイムキルカーブは急になり，左上から右下に，すとんと落ちるようなカーブを描きます．4MIC のアミノグリコシドのほうが 1MIC のアミノグリコシドよりも菌をたくさん殺すからです．

したがって，アミノグリコシドの場合，高濃度になればなるほど殺菌効果は高くなるわけです．

じゃあ，アミノグリコシド大量投与をすれば，患者さんはすぐよくなるんじゃないか，ですって？

ちっちっち．あわててはいけません．アミノグリコシドにはたくさんの副作用があり，その副作用はあいにく濃度が高まれば高まるほどよくみられるようになります．腎不全，難聴などがその代表選手です．せっかく感染症を治療しても，患者さんの腎臓を悪くしてしまっては元も子もありません．

濃度依存性の抗菌薬の評価は，通常 AUC/MIC か C_{max}/MIC を用いて行います．AUC は Area under the curve（血中濃度曲線下面積）の略で，図の血中濃度を記した曲線と X 軸に囲まれた三角形（っぽい図形）の面積を示します．これを最小阻止濃度 MIC で割ったのが AUC/MIC です．C_{max} は図の三角形（っぽい図形）のてっぺんの濃度，最高血中濃度です．それを MIC で割ると C_{max}/MIC です．AUC や C_{max} が大きければ大きいほど，MIC が小さいほど濃度依存性の抗菌薬の効果は高まります．

AUC/MIC（厳密には 24 時間の AUC/MIC）と C_{max}/MIC の使い分けは，臨床的にはあまり重要でないとぼくは思います．というのは，AUC が上がればたいてい C_{max} も上がり，逆もまた真だからで，両者を分断して議論することは事実上困難だからです．Mandell (8th ed) にも，

C_{max} and AUC increase in proportion to the administered dose and are by consequence correlated（256p）

とあります．どちらかが上がれば，別の方も上がるってことです．**臨床的に濃度依存性抗菌薬を評価するときは，同じ抗菌薬の投与量や投与間隔をどうするか，というのが問題になり，異なる抗菌薬の濃度依存性を比較する，というシチュエーションはほとんどありません**．その場合は C_{max}/MIC も AUC/MIC も同じように動くわけで，意思決定にはほとんど関係ないってことです．伝わりますでしょうか．

いずれにしても，**濃度依存性の抗菌薬のパフォーマンスを最良にするには AUC/MIC や C_{max}/MIC を大きくすればよいのです**．

MIC は細菌の属性ですから，こっちで勝手に調整はできません．だから，AUC とか C_{max} を増やしてやります．そのためには，投与間隔は比較的伸ばしてやり，大量にいっぺんに投与するほうが合理的です．なので，アミノグリコシドやフルオロキノロンは，1日1回投与にすることが最近は多いです．これは前述した PAE（ポストアンティビオティック エフェクト）の作用も考えてのことです．

B 時間依存性の抗菌薬

時間依存性の抗菌薬の代表選手が**ペニシリンなどの β ラクタム剤**です．**時間依存性というのはある一定の濃度を超える時間がどれだけ長いか，により抗菌薬の効果が決まるというものです**．一定濃度を4時間超えるよりも，8時間超えるほうが効果が大きい，という意味です．

時間の評価は time above MIC（T ＞ MIC）を用い，MIC よりも高い濃度を，投与時間の何%満たしているか？　を示します．

以前は，投与時間の 40% を MIC を超える血中濃度を獲得すればいいと考えられていました．が，近年ではこの数値はもっと高いほうがよいのではないかと考えられています．50% とか 60%，とにかく高ければ高いほどよいという意見が多いようです．β ラクタム剤の中でもペニシリンやセファロスポ

リンはカルバペネムに比べて多くのT＞MICを必要とするようです．

では，T＞MICを高めるにはどうしたらよいでしょうか．抗菌薬の投与量そのものを上げてもあまりT＞MICには寄与しません．一つは頻回投与です．12時間おきに投与する抗菌薬を6時間おきにするだけで，T＞MICは高まります．

もう一つは，持続点滴用法です．持続点滴を行うと，T＞MICはかなり上がります（下図）．

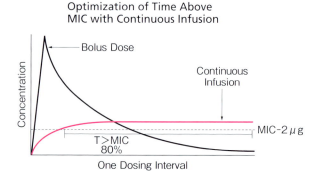

Vella-Brincat JW, Begg EJ, Gallagker K, et al. Stability of benzylpenicillin during continuous home intravenous therapy. J Antimicrob Chemother. 2004; 53: 675-7.
Baririan N, Chanteux H, Viaene E, et al. Stability and compatibility study of cefepime in comparison with ceftazidime for potential administration by continuous infusion under conditions pertinent to ambulatory treatment of cystic fibrosis patients and to administration in intensive care units. J Antimicrob Chemother. 2003; 51: 651-8.

ただし，抗菌薬はバッグ内で活性を失ってしまうものもありますから，ただ持続点滴ポンプに入れておけばよいというものではありません．特にペニシリンについては高温下で失活しやすいので，心内膜炎の治療でシリンジポンプに入れておいたら，実は入っていたのはただの食塩水だった（悲劇！）なんてことも起こり得るのです．温度依存で失活する抗菌薬にはセフタジジム，セフェピムなどのセファロスポリンがあります．メロペネムも時間が経つと失活してしまいます．逆にアズトレオナムは安定しており，持続点滴療

法が可能かもしれません．

> Vella-Brincat JW, Begg EJ, Gallagker K, et al. Stability of benzylpenicillin during continuous home intravenous therapy. J Antimicrob Chemother. 2004; 53: 675-7.

　その後も，ピペラシリン・タゾバクタム，カルバペネム，セフェピムなどを使った持続点滴療法や投与時間延長の効果を吟味した後ろ向き研究やそのシステマティックレビュー，メタ分析がなされてきました．

> MacVane SH, Kuti JL, Nicolau DP. Prolonging β-lactam infusion: a review of the rationale and evidence, and guidance for implementation. Int J Antimicrob Agents. 2014; 43: 105-13.
> Lodise TP, Lomaestro B, Drusano GL. Piperacillin-tazobactam for *Pseudomonas aeruginosa* infection: clinical implications of an extended-infusion dosing strategy. Clin Infect Dis. 2007; 44: 357-63.
> Bauer KA, West JE, O'Brien JM, et al. Extended-infusion cefepime reduces mortality in patients with Pseudomonas aeruginosa infections. Antimicrob Agents Chemother. 2013; 57: 2907-12.
> Falagas ME, Tansarli GS, Ikawa K, et al. Clinical outcomes with extended or continuous versus short-term intravenous infusion of carbapenems and piperacillin/tazobactam: a systematic review and meta-analysis. Clin Infect Dis. 2013; 56: 272-82.

など．

　こうした研究により，少なくとも持続点滴療法は安全で，患者の死亡率も場合によっては下げるかも，ということが示唆されてはいます．しかし，前向きランダム化試験による堅牢なエビデンスは十分とはいえず，シリンジポンプの準備などが面倒くさいこともあり，それほど臨床現場では普及していません．ぼくらもときどき患者さんによってはこういうやり方を選択することがありますが，ルーチンでは使用しません．

　ペニシリンを用いて心内膜炎を治療するときなどに持続点滴を（だいたい12時間おきくらいにすることが多いですが）行うときがあります．

　サンフォード・ガイド（App 版）には持続点滴療法の具体的な抗菌薬名と方法がリストアップされています．

真ん中下の，QUICK LINKS から
Drug Usage & Dosing
⇓
Continuous/Prolonged Infusion Dosing

に行けばわかります．抗菌薬の安定性は温度に依存するので，安定する温度に応じた投与法が示されています．

アンピシリン・スルバクタム（Ampicillin/sulbactam），セファゾリン（Cefazolin），セフェピム（Cefepime），セフタジジム（Ceftazidime），ドリペネム（Doripenem），メロペネム（Meropenem），ピペラシリン・タゾバクタム（Piperacillin-Tazobactam），バンコマイシン（Vancomycin）と Temocillin について記載があります．ただし，メロペネムなどは「ほとんど使われていない〈not used by most investigators〉」とか書かれているので，運用上はご注意ください．

12 MICの縦読みにはご用心

　MICというのは，最小阻止濃度のことでしたね．つまり，抗菌薬が細菌などの増殖を抑えるに至る濃度なわけです．だから，**MICは低ければ低いほどよい**，という一般論は正しい．**MICが高くなればなるほど，その抗菌薬は効きにくくなる**．これも正しい．

　しかし，ちょっと考えればわかることですが，細菌増殖の阻止というのはあくまでもその抗菌薬が体内で達成する濃度との相対的な関係から成り立っているのです．**MICの数字「だけ」では，その抗菌薬が，効果があるものなのか，はたまた効果がないものなのかはわかりません**．

　例えば，レボフロキサシン（クラビット®など）の通常投与量は1日500mg＝0.5gです．一方，ペニシリン系の抗菌薬は1日12gとかそれ以上投与することも珍しくありません．両者は濃度依存性と時間依存性という異なる属性を持った抗菌薬で，達成する血中濃度も異なります．よって，クラビット®のほうがたいていの菌におけるMICは低く出るのですが，それが「クラビット®のほうがペニシリンよりもよく効く」という結論には導かれないのです．ユーロとドルと円とルピーの数値を直接比較しても意味がないように，異なる抗菌薬のMICを直接比較するのはナンセンスです．

　このように，感受性検査のMICをざっと「縦に読んで」，MICが一番低い薬を探すプラクティスを**「MICの縦読み」**なんて呼ぶことがあります．縦読みはご法度です．

- MICの「縦読み」はご法度．

　というわけで，学生や研修医には，「MICの絶対値は基本的に読まなくてもいいよ．たしかに心内膜炎みたいな例外はあるけれど，一般的には感受性があれば（Sとなっていれば）大丈夫」と気軽に説明していました．

ところが．

　ここ数年，感受性検査の読み方に大きな変化が起きています．今まで通りのやり方ではうまくいきません．MICの数字そのものもかなり重要性が増してきました．そのことを次に説明したいと思います．

A　MICを気にしなければならない代表的な感染症

　一般的にはMICの数字そのものにあまり神経質にならなくても，感受性があり，正しい抗菌薬の投与量，投与間隔を守っていれば抗菌薬は妥当に使用できます．しかし，最近ではあれやこれやの問題があり，そう簡単にいかないケースも散見されます．ここでは，特にMICの数字をチェックしたほうが良い特殊な事例についてご説明します．

■ 1．肺炎球菌感染症とペニシリン

　肺炎球菌に対するペニシリンのブレイクポイントは近年大きく変化しました．このことは治療方針にも大きくインパクトを与えています．具体的には，髄膜炎か否かで大きく変わります．日本の検査室は今でもほとんど古い基準で報告していると思いますから，MICをしっかりみて判断しましょう．

表 肺炎球菌のペニシリンブレイクポイント新旧比較（CLSI 2008）

Standard	Susceptibility category MIC（μg/mL）		
	Susceptible	Intermediate	Resistant
以前の基準	≦0.06	0.12-1	≧2
新しい基準			
髄膜炎	≦0.06	—*	≧0.12
非髄膜炎（点滴ペニシリン）	≦2	4	≧8
非骨髄炎（経口ペニシリン）	≦0.06	0.12-1	≧2

*新しいペニシリンのブレイクポイントでは髄膜炎のカテゴリーに「I」はない．

　かつてはペニシリン耐性肺炎球菌（PRSP）の基準はMICが2μg/mL以上でした．日本でも諸外国でもPRSPは割と多く，肺炎球菌にペニシリンは使いづらい状況だったのです．しかし，今回の改訂で髄膜炎以外ではブレイクポイントは8μg/mL以上になりました．成人では（そしてたいていは小児でも）このような高いMICをもつ肺炎球菌はまれですから，肺炎など多くの感染症はペニシリンで治療が可能です．

　逆に髄膜炎であれば，これはMICが0.12になると耐性ですから，ペニシリンはそうは使えません．セフトリアキソンのような第三世代のセフェムやバンコマイシンを使用します．注意しましょう．

- 肺炎球菌による肺炎は原則ペニシリン．
- 逆に髄膜炎だとペニシリンは使えないことも多い．

Infectious Diseases Society of America. Penicillin's Back: FDA Raises breakpoints for S. pneumoniae pneumonia.（2008 Apr 1）．

2．レンサ球菌による感染性心内膜炎

　これは以前からそうだったのですが，MICが大切になります．かならず

チェックしましょう．

　心内膜炎は自然弁における心内膜炎と人工弁に生じた心内膜炎に分類します．後者のほうが（予想できると思いますが）治療は困難です．

　(A) 自然弁の場合
　MIC 0.12 μg/mL ≦ だと
ペニシリンG 1,200 － 1,800 万単位/日を 4 週間点滴
が基本的な治療になります．

　MIC ＞ 0.12 かつ ≦ 0.5 μg/mL のときは
ペニシリンG 1,200 － 1,800 万単位/日を 4 週間点滴に加え，ゲンタマイシン 3mg/kg/日を 1 日 1 回あるいは 2, 3 回に分けて 2 週間併用します．
　ゲンタマイシンを併用するのは「シナジー」を狙っているからです．

　MIC ＞ 0.5 μg/mL のときは
ペニシリンは使わない（たいていはバンコマイシンを用いる）ことが推奨されています．

　(B) 人工弁の場合
　MIC 0.12 μg/mL ≦ だと
ペニシリンG 2,400 万単位/日を 6 週間点滴

で，これに適宜ゲンタマイシン 3mg/kg/日を 2 週間加えるオプションがつきます．ペニシリンの投与量と投与期間が自然弁のときよりも多くなっていることに要注意です．

が基本的な治療になります．
　MIC ＞ 0.12 μg/mL のときは，

ペニシリンG 2,400万単位/日を6週間点滴に加え，ゲンタマイシン3mg/kg/日を6週間を併用することが推奨されています．（後述する）腸球菌による心内膜炎の治療のように，長く長くゲンタマイシンを併用するのでした．

> Baddour LM, Wilson WR, Bayer AS, et al. Infective endocarditis: Diagnosis, antimicrobial therapy, and management of complications: A statement for healthcare professionals from the committee on rheumatic fever, endocarditis, and Kawasaki disease, council on cardiovascular disease in the young, and the councils on clinical cardiology, stroke, and cardiovascular surgery and anesthesia, American Heart Association: endorsed by the Infectious Diseases Society of America. Circulation. 2005; 111: e394-434.

■ 3. 腸内細菌群に対するセファロスポリンなど

CLSIは腸内細菌科（Enterobactereciae）について，セファロスポリンのブレイクポイントを2010年に大きく変更しました（次頁表参照）．理由は，感受性があると思っても実は耐性になるというややこしいβラクタマーゼ（ESBL, AmpCなど）が増えたり，PK/PDの臨床データが充実してきたことなどが原因です．

これを受けて，米国では「もういちいちESBLとか調べんでもええわ．ブレイクポイントだけ見とき」となったのです．

> Heil EL, Johnson JK. Commentary: Impact of CLSI breakpoint changes on microbiology laboratories and antimicrobial stewardship programs. J Clin Microbiol. 2016; 54: 840-4.

しかしながら，日本ではESBL産生菌が多いこともあって，ESBL産生菌の確認検査を継続している施設が多いでしょう．

CLSIのM100にもバージョンがあって，昔はS20のような番号と，Update版でUをつけたりしていたのですが，現在は31st editionと版数で数えるようになり，外部から見て謎が少なくなりました．

改正 CLSI ブレイクポイント[†]

Drug (dosage)[‡]	MIC 新			MIC 旧			Disk 新			Disk 旧		
	S	I	R	S	I	R	S	I	R	S	I	R
Aztreonam (1g q8)	≤4	8	≥16	≤8	16	≥32	≥21	18-20	≤17	≥22	16-21	≤15
Cefazolin (2g q8)	≤2	4	≥8	≤8	16	≥32	≥23	20-22	≤19	≥18	15-17	≤14
Cefotaxime (1g q8)	≤1	2	≥4	≤8	16-32	≥64	≥26	23-25	≤22	≥23	15-22	≤14
Ceftazidime (1g q8)	≤4	8	≥16	≤8	16	≥32	≥21	18-20	≤17	≥18	15-17	≤14
Ceftizoxime (1g q12)	≤1	2	≥4	≤8	16-32	≥64	≥25	22-24	≤21	≥20	15-19	≤14
Ceftriaxone (1g q24)	≤1	2	≥4	≤8	16-32	≥64	≥23	20-22	≤19	≥21	14-20	≤13
Doripenem (500mg q8)	≤1	2	≥4	NA*			≥23	20-22	≤19	≥23	20-22	≤15
Ertapenem (1g q24)	≤0.25	0.5	≥1	≤2	4	≥8	≥23	20-22	≤19	≥19	16-18	≤15
Imipenem (1g q8)	≤1	2	≥4	≤4	8	≥16	≥23	20-22	≤19	≥16	14-15	≤13
Meropenem (1g q8)	≤1	2	≥4	≤4	8	≥16	≥23	20-22	≤19	≥16	14-15	≤13

† S, susceptible; I, intermediate; R, resistant
‡ Dosage used to establish breakpoints
* NA, not applicable
（ブレイクポイント設定時の投与量）

Wayne PA. Performance standards for antimicrobial susceptibility testing; Twenty-first informational supplement; M100-S21. Clinical and Laboratory Standards Institute. Clinical and Laboratory Standards Institute. 2011.

CLSIの細菌感受性を示すドキュメント，M100は以前は高額で閲覧も難しかったのですが，本稿執筆時点ではウェブ上で無料で閲覧できます（105頁参照）．真菌感受性を示すM60も無料閲覧可能です．しかも，本文中で2010年以降のドラスティックな変更点もすべてまとめてあるので，それを確認するのも容易になりました．例えば，セフェピムのブレイクポイントは2014年1月のM100-S24で変更しましたよ，ということがちゃんと書いてあります．

「CLSIホームページ → products → free-resources → access-our-free-resources/」

　昔のブレイクポイントで，すでに不採用になったものも，2010年以降のものはウェブ上でPDFを閲覧できます（M100内，CLSI Breakpoint Additions/Revisions Since 2010）．過去の経緯を確認できるのは素晴らしいです．この文書管理能力，どこぞの役所に教えてあげたいわ．

　あと，ついでながら，CLSIがすでに不採用にした検査方法も閲覧できます．例えば，カルバペネマーゼ産生の確認には改良ホッジテストを行ってきましたが，これは信頼度に劣るのと，より良い試験（CarbaNPやmCIM）があるため，すでに推奨されない検査法になっています．

「CLSIホームページ → media → 1899 → m100_archived_methods_table.pdf」

　日本の病院は（そして米国の病院でもそうだと伝え聞いていますが），必ずしもこのCLSIの最新版のブレイクポイントに合わせてアップデートしているのではなく，病院ごとに個別にブレイクポイントの更新を行っているようですが，概ねCLSIを基準にしていることに変わりはありません．

　2010年にCLSIブレイクポイントが急に変わったのは「車の走るスピードが変わったのではなく，制限速度の基準が変わったのだ」ということです．このたとえで伝わるかなー．2010年以前と以降で患者さんが急に死にやすくなったり，その逆が起きたわけでもなく，**過去のブレイクポイントを踏襲し**

ても治療効果はある程度期待できます．

　だから，臨床現場ではこうした「細かい違い」で診療で大失敗することはあまりありません．「MIC が高めなので（S だけど）この薬は使わない」みたいな意見もよく聞きますが，MIC が高めになるとその抗菌薬が使えないというエビデンスも乏しいので，あまり神経質になりすぎないことも大事です．すでに述べたように CLSI と EUCAST ではブレイクポイントが異なっているものもあります．

　「S なんだけど MIC が高めなので使わない」というのは，例えば泌尿器系がん患者の繰り返す尿路感染や，胆道疾患の繰り返す胆道感染で，「その抗菌薬を使い続けると，どんどん効かなくなっていく」ことが予想されるときに採用される戦略です．これは未来の患者像まで見通して，現在のクスリの使用法を考えているわけです．

　「MIC 高めだからセファゾリンを使わず，セフトリアキソンを使う」といった，耐性化が怖いから今から広域抗菌薬を使う，という戦略では本末転倒なことも多いです．そういうときは，多少 MIC が高めでも S ならばセファゾリンを使う，という方法も「あり」なのです．

　このように，臨床意思決定においては「なぜその決断に至ったのか」という理路がとても大事なのですが，初期研修医，後期研修医は「だれが何をやった」という行動主義的な判断基準を丸暗記しがちなので，「あのときイワタが MIC 高めなので違う抗菌薬使った」という「結果」だけに着目し，その結果を丸々そのまま真似しがちです．でも，これは「あのとき肺炎にゾシン®使ったので，次もゾシン®使う」みたいな悪しき経験主義，あるいはパターン認識に過ぎません．

本書が「抗菌薬の使い方」ではなく，「抗菌薬の考え方，使い方」なのもそのためなのです．

B ブドウ球菌

　ブドウ球菌のペニシリン感受性は，MIC を見ます．MIC $\leq 0.12\,\mu\mathrm{g/mL}$ な

らば感受性とみなします．

　ただし，βラクタマーゼ産生ブドウ球菌は MIC が低いのにβラクタマーゼでペニシリンをぶっ壊してしまうことがあります．よって，βラクタマーゼの有無を確認する検査を要することがあります．ゾーンエッジ試験などを行います．

　かような検査でβラクタマーゼの有無を確認しても，それでもやはりβラクタマーゼの存在を無視できない（検査偽陰性）のこともあります．その場合は耐性を司るβラクタマーゼの構造遺伝子，blaZ を PCR 検査などで調べることもできます．

　こういう話をすると，ちょっと勉強した研修医とかは「○○検査をしないと耐性の可能性は否定できない」とすぐに広域抗菌薬ドカン，と行きたがるのですが，そもそも感度，特異度が100％の検査なんてこの世には存在しないので，その原則に従えば，さして気にする問題ではないのです．

　可能性は否定できない

は100％正しい言葉ですが，それゆえに「意味のない」言葉です．問題は，その可能性はどのくらいあるか，という程度問題です．

　可能性が低く，患者さんの様態が安定していれば自信を持ってペニシリンでブドウ球菌感染症を治療してもかまいません．患者さんが不安定で少ない可能性も無視できない場合は，広域抗菌薬を使います．

　要は，細菌検査室の検査結果だけでは治療方針は決定できないってことです．常に患者の様態やリスクの多寡（リスクの有無，ではなく）を勘案して意思決定するのです．

■ 1．「感受性があっても」耐性と判断すべきとき

　感受性試験はオールマイティーな検査ではありません．検査のエラーは別にしても，「感受性あり」となっているのに，耐性菌と判断せざるを得ないときがありますので，要注意です．例えば，すでにあげたメチシリン耐性ブドウ球菌のβラクタム剤があります．例え S，と出ていても軽々しくβラク

タム剤を用いてはなりません．他には，

　MRSAなどのブドウ球菌やレンサ球菌でクリンダマイシン感受性があり．ただし，エリスロマイシンは耐性の場合，後述するD-テストを必要とします．

クリンダマイシンが感受性とは限りませんから要注意です．

■ 2. *Salmonella typhi, S. paratyphi*（腸チフス）に対するセフェムとキノロン

一般的に第一，第二世代のセファロスポリンは（アミノグリコシドも）感受性試験の結果にかかわらずサルモネラには効果がないと考えられています．もっと狭域のペニシリンの場合は，感受性があれば効きますから，不思議ですよね．セフェムを使うなら第三世代のセフォタキシムやセフトリアキソンを用いるのがよいでしょう（もちろん，耐性がなければの話ですが）．キノロンについては，シプロフロキサシンに対して低いMICをブレイクポイントとして用いるか，従来行われてきたナリジクス酸のスクリーニングは，信頼性が低いため，他の方法がない場合のみ行う，とされています．

> Humphries RM, Fang FC, Aarestrup FM, et al. In vitro susceptibility testing of fluoro-quinolone activity against Salmonella: recent changes to CLSI standards. Clin Infect Dis. 2012; 55: 1107-13.

C その他

仮に感受性が「ある」という検査結果が出ても，実際には「もともと耐性（intrinsic resistance）」だから効かないよ，といういわばネガティブリストをEUCASTが作っています．CLSIにも同様のリストがあります．

　「EUCASTホームページ → expert_rules_and_intrinsic_resistance」

例えばこれによると *Proteus mirabilis* 以外の腸内細菌科は概ねアンピシ

リンは耐性（R），*Citrobacter freundii* や *Enterobacter cloacae* はアンピシリン・スルバクタムなどは耐性（R），cefoxitin（セファマイシン）も（R）と書いています．*Stenotrophomonas maltophila* や *Elizabethkingia meningoceptica* はすべてのカルバペネムはRと解釈せよと書いています．*E. meningoceptica* や *Burkholderia cepacia complex* はコリスチンとかもRです．

- 感受性試験の結果に注意しよう．MICをチェックすべき例外にも要注意．
- EUCASTの内因性の耐性（intrinsic resistance）リストも活用しよう．

12　MICの縦読みにはご用心

EUCAST のグラム陰性菌の intrinsic resistance のテーブル
（2022 年 2 月 20 日閲覧）

Intrinsic resistance in *Enterobacterales* and *Aeromonas* spp. *Enterobacterales* and *Aeromonas* spp. are also intrinsically resistant to benzylpenicillin, glycopeptides, lipoglycopeptides, fusidic acid, macrolides (with some exceptions[1]), lincosamides, streptogramins, rifampicin, and oxazolidinones

Rule no.	Organisms	Ampicillin	Amoxicillin-Clavulanic acid	Ampicillin-sulbactam	Ticarcillin	Cefazolin, Cephalothin Cefalexin, Cefadroxil	Cefoxitin[2]	Cefuroxime	Tetracyclines	Tigecycline	Polymyxin B, Colistin	Fosfomycin	Nitrofurantoin
1.1	*Citrobacter koseri, Citrobacter amalonaticus*[3]	R			R								
1.2	*Citrobacter freundii*[4]	R	R	R		R	R						
1.3	*Enterobacter cloacae complex*	R	R	R		R	R						
1.4	*Escherichia hermannii*	R			R								
1.5	*Hafnia alvei*	R									R		
1.6	*Klebsiella aerogenes*	R	R	R		R	R						
1.7	*Klebsiella pneumoniae complex*	R			R								
1.8	*Klebsiella oxytoca*	R			R								
1.9	*Leclercia adecarboxylata*											R	
1.10	*Morganella morganii*	R	R	R		R			R		R		R
1.11	*Plesiomonas shigelloides*	R	R	R									
1.12	*Proteus mirabilis*								R	R	R		R
1.13	*Proteus penneri*	R				R		R	R	R	R		R
1.14	*Proteus vulgaris*	R				R		R	R	R	R		R
1.15	*Providencia rettgeri*	R	R	R		R			R		R		R
1.16	*Providencia stuartii*	R	R	R		R			R		R		R
1.17	*Raoultella* spp.	R			R								
1.18	*Serratia marcescens*	R	R	R		R	R	R	R[5]		R		R

1.19	Yersinia enterocolitica	R	R	R	R		R	R			
1.20	Yersinia pseudotuberculosis								R		
1.21	Aeromonas hydrophila	R		R							
1.22	Aeromonas veronii	R		R	R						
1.23	Aeromonas dhakensis	R		R			R				
1.24	Aeromonas caviae	R		R							
1.25	Aeromonas jandaei	R		R	R						

R = resistant

(注)
1) Azithromycin is effective *in vivo* for the treatment of typhoid paratyphoid fever and erythromycin may be used to treat travellers' diarrhoea.
2) Clinical breakpoints for cefoxitin have not been defined. *Enterobacteriaceae* species intrinsically resistant to this antibiotic produce a chromosomal inducible AmpC β-lactamase (AmpC) that is responsible for higher cefoxitin MIC values when compared with those from *Enterobacterales* species lacking production of this beta-lactamase.
3) Also includes *Citrobacter sedlakii*, *Citrobacter farmeri* and *Citrobacter rodentium*.
4) Also includes *Citrobacter braakii*. *Citrobacter murliniae*, *Citrobacter werkmanii* and *Citrobacter youngae*.
5) *Serratia marcescens* is intrinsically resistant to tetracycline and doxycycline but not to minocycline or tigecycline.

13 βラクタマーゼ

　ここで，MIC や感受性試験の理解に重要度が増しているβラクタマーゼについて概説します．βラクタマーゼ（beta-lactamase）は－ase とお尻に付いています．これは，酵素だよ，という意味です．βラクタム環を破壊する酵素だから，βラクタマーゼです．

　耐性メカニズムは染色体に入っている（他の菌に飛び移ったりしない）ものと，それ以外（例えば，他の菌に飛び移るプラスミドに入っているもの）もありますが，βラクタマーゼの場合はどちらの可能性もあります．

　βラクタマーゼには分類法があります．Ambler 分類と Bush-Jacoby-Medeiros 分類（BJM 分類）です．

　Ambler 分類ではβラクタマーゼは 4 種類に分けられ（表），それぞれ A, B, C, D と名前がつけられています．これは酵素の化学構造式に基づく分類です．一方，Bush-Jacoby-Medeiros 分類は破壊するβラクタムとか，βラクタマーゼ阻害薬（クラブラン酸など）への反応の程度によって分類されています．だから，臨床屋のぼくらにはこちらのほうがよりフィットする分類ですね．

　Bush-Jabocy-Mederios 分類は 1 から 4 に分けられ，さらにこれをアルファベットで細かく分け，2a, 2b のように表記し……みなさん，まだ起きてますか？

　まあ，こちらはほとんど現場では使いませんので省略してしまいましょう．

簡略版βラクタマーゼ分類

Ambler Class	Example Enzymes	Resistance Profiles	Inhibitors
A (serine)	Narrow-spectrum β-lactamases: TEM-1 & -2, SHV-1	Penicillins, narrow-spectrum cephalosporins	CA, SUL, TZB
A (serine)	Extended-spectrum β-lactamases: TEM-10, SHV-2, CTX-M-15	Penicillins, narrow- and extended-spectrum cephalosporins (but not cephamycins), aztreonam	CA, SUL, TZB, AVI, VAB, REL
A (serine)	Carbapenemases: KPC	All FDA-approved β-lactams	AVI, VAB, REL
B (zinc)	Metallo β-lactamases: NDM, IMP, VIM	Penicillins, cephalosporins, carbapenems (but not aztreonam)	(EDTA) No clinically-approved inhibitor
C (serine)	AmpC β-lactamases	Penicillins, cephalosporins (excluding 4th generation), cephamycins	(Boronic acid, cloxacillin) AVI, VAB, REL
D (serine)	Oxacillinases: OXA-1	Penicillins (especially oxacillin/cloxacillin), +/− cephalosporins	variable; no great clinically-approved inhibitor
D (serine)	Carbapenemases: OXA-48, OXA-181, OXA-232	Penicillins (especially oxacillin/cloxacillin), +/− cephalosporins, carbapenems	AVI (OXA-48)

　Ambler分類のA, C, Dは活性部位にセリンを含んでいるのでセリン・βラクタマーゼといいます．タイプBはメタロβラクタマーゼと呼ばれます．活性部位に亜鉛(Zn)などの「メタル」を含んでいるからです．

　後述するESBLはAmbler分類のクラスAに分類されます．クラスAのβラクタマーゼは古典的にはペニシリンを分解するのが特徴的ですが，ESBLは変わり種でして，セファロスポリンやアズトレオナムなど多様な抗菌薬を分解します．そして，KPCと呼ばれる特殊なESBL（これは*Klebsi-*

ella pneumoniae に検出されることが多いのですが)は,(通常の ESBL なら分解しない)カルバペネムも分解してしまいます.もともとは TEM とか SHV とかが多かったのですが,近年は CTX-M と呼ばれる ESBL が増加しており,こちらが一般的になっています.

　Ambler クラス B,つまりメタロβラクタマーゼは全てカルバペネムを含めたほぼ全てのβラクタム剤を分解することが特徴です.テクニカルにはアズトレオナムは分解されないじゃあないか,という声も聞こえますが,臨床現場では他の耐性機構の合併などあって結局は効かないことがほとんどです.

　クラス B は,日本では緑膿菌に見つかることが多く,問題です(ただし,この問題は大きな転機を見せたのでそれは後述).いわゆる「多剤耐性緑膿菌 MDRP」の相当数はメタロβラクタマーゼを産生します.

　Ambler クラス C(BJM グループ 1)は AmpC ともよばれます.これはアンピシリンやセファマイシンを含む第一〜三世代のセフェムを分解するのが特徴です.これは量依存性で,たくさん作られるといろいろな抗菌薬に耐性をもつようになります(後述).

　Ambler クラス D は OXAβラクタマーゼともよばれます.oxacillin の加水分解を起こしやすいので OXA とよばれます(安直なネーミングですね).βラクタマーゼ阻害薬が効かないのが特徴です.一部の進化した酵素はカルバペネムを分解する能力を獲得しており,特にアシネトバクターにおいてそれが大きな問題に(世界的に)なっています.

　まあ,βラクタマーゼの分類は,わかりづらいですね.むしろ,各論的に問題となるβラクタマーゼを理解したほうが早いかもしれません.次からは,特に日本の臨床現場で問題となる ESBLs,AmpC について考え,それからその他の多剤耐性グラム陰性菌について考えてみます.

Classification systems for beta-lactamases. In. Long: Principles and Practice of Pediatric Infectious Diseaess Revised Reprint, 3rd ed. Churchill Livingstone. 2009.

Nicasio AM, Kuti JL, Nicolau DP, et al. Current state of multidrug-resistant gram-negative bacilli in North America: extended-spectrum β-lactamase-producing Gram-negative bacilli. Pharmacotherapy. 2008; 28: 235-49.

Jacoby GA, Munoz-Price LS. The new beta-lactamases. N Engl J Med. 2005; 352: 380-91.

A　ESBLs

　ESBL は extended-spectrum beta-lactamase の略で，イーエスビーエルとよびます．ESBLs と複数形のsをつけることが多いのですが，それはESBL が単独のβラクタマーゼではなく，複数あるβラクタマーゼの総称だからです．日本語では基質特異性拡張型と訳します．うわ，漢字多くて，感じ悪一．

　基質が拡張するってちょっと意味がわかりにくいですね．どういうことでしょうか．

　ESBL はもともとペニシリンを分解するペニシリナーゼなのです．さっきでてきた Ambler 分類ではクラス A でしたね．ちなみに最後の e は extended spectrum の e です．

　ところが，分解するβラクタム（基質）があれやこれやのセファロスポリンにも「拡張していった（extended）」ので，基質拡張型．基質特異性拡張型，なんて長い名前にしなくても良いのに（特異性，はどこから来たの？）．

　基本的に，**ESBL はセフタジジム，セフトリアキソン，セフォタキシム，といったいわゆる第三世代のセファロスポリンを分解**します．また，**モノバクタムであるアズトレオナムも分解**します．これはどちらのβラクタムにもオキシイミノ側鎖がついており，これが ESBL のターゲットになっているからですね．しかし，βラクタマーゼ阻害薬で阻害され，またセファマイシンは分解できません．ここが後述する AmpC 型と俗に言われるものとの大きな違いです．

　ESBL が問題になるのは，特に大腸菌とクレブシエラ（*K. pneumoniae*）です．とはいえ，ESBL 産生遺伝子はプラスミド上にあるので，どんどん他の菌に耐性が広がっていくことが問題ですし，腸内細菌科（*Enterobacteriaceae*）（あと *Pseudomonas aeruginosa, Haemophilus influenzae, Neisseria gonorrhoeae*）であればどの菌でも ESBL 産生菌になることは（理論的に）可能です．

βラクタマーゼ

ESBL が最初に発見されたのはヨーロッパでした．1980 年代のことです．これは後に SHV-2 と名付けられました．その後，たくさんの ESBL が見つかっています．
　初期に有名だったのは，TEM と SHV とよばれる ESBL です．
　TEM というのはこの酵素が発見された大腸菌を持っていた患者の名前が語源だそうです．ギリシャの Temoniera さんというのが患者さんの名前だったので，TEM というわけ．SHV は sulfhydryl（スルフヒドリル基）が語源で，ここが SHV の作用に関連していると考えられていたのでした．ところが 1989 年になると TEM でも SHV でもない CTX-M-1 というタイプが発見されるようになりました（当時は TOHO 型とよばれていました）．セフォタキシムを好んで加水分解するのでこのような名称が付いたのです．現在では，主流な ESBL はむしろ CTX-M，という話はすでにしました．
　ESBL を臨床現場で疑うきっかけになるのは，多くの場合，第三世代のセフェムやアズトレオナムのうちどれかが耐性であったり，あるいは MIC が高くなっている場合です．「おや？」と思います．次に，かつセフメタゾールのようなセファマイシンの感受性を見ます．セファマイシンには感受性がある場合，ESBL の存在を強く疑います．
　もし ESBL を疑ったら検査室に ESBL があるかどうか，確認してもらいます．すでに CLSI は ESBL 確認は推奨しない，と言っていますが，ぼくはこの酵素の有無の確認は診療的に意味が大きいと思います．
　まず，*in vitro* では β ラクタマーゼ阻害薬は ESBL を阻害します．実際，ESBL の存在を一般の検査室で調べるもっとも簡単な方法は，セフォタキシムなどの高い世代のセファロスポリンのディスクを培地において，一方にクラブラン酸のディスクを置いて行います（ディスク法）．同様の原則で微量液体希釈法を用いることも可能です．ただし，セファロスポリナーゼ（AmpC など）を同時に産生しているとうまく検出できません．そのため，アモキシシリン・クラブラン酸のディスクの周りに第三世代セフェムや，安定なセフェピム（第四世代セフェム）のディスクを用いた Double disk synergy test を活用することも可能です．
　（日本臨床微生物学会.多剤耐性菌を判別するための各種検査法とその注意点:1)ディスク法．）

さらにはESBLの存在を直接検知する遺伝子検査（PCRなど）もあります．

ESBL産生菌感染症の治療で一番歴史が長いのはカルバペネム系抗菌薬です．よって，臨床的にESBLを疑う場合や重症感染症ではこれがファーストチョイスになります．

アミノグリコシド，フルオロキノロン，ST合剤にも耐性を示していることが多いですが，もし感受性があれば使うことができるかもしれません．また，チゲサイクリン，ホスホマイシンなどはたいていESBL産生菌に感受性を残していますが，後述の代替薬があるために「わざわざ」使う薬ではありません．

また，ピペラシリン・タゾバクタム，アンピシリン・スルバクタムのようなβラクタマーゼ阻害薬入りの抗菌薬（BLBLIs）,の効果も検討されています．海外では臨床試験もあり，カルバペネムを使わない戦略（carbapenem sparing agents）としてはよい判断かもしれません．

> Muhammed M, Flokas ME, Detsis M, et al. Comparison between carbapenems and β-lactam/β-lactamase inhibitors in the treatment for bloodstream infections caused by extended-spectrum β-lactamase-producing enterobacteriaceae: A systematic review and meta-analysis. Open Forum Infect Dis. 2017; 4: ofx099.

ただし，Inoculum effectなどの理論的な懸念があるため，BLBLIsの使用に消極的な意見もあります．とくに，MERINO studyが出てからはBLBLIをESBLに使うことは推奨されなくなっています．

MERINO studyはESBLや後述のAmpCを想定する *K. pneumoniae* や *E. coli* 菌血症に対してピペラシリン・タゾバクタムとメロペネムを比較したものです．死亡率はそれぞれ12.3%, 3.7%（P＝0.002）でまあ，メロペネム勝利，という結論でした．ただし，この多施設研究で患者が一番エントリーされた国はシンガポールで，シンガポールで最も検出されるESBL遺伝子はSHVなので，日本にそのままもってこれるかはわかりません．

> Harris PNA, Tambyah PA, Lye DC, et al. Effect of piperacillin-tazobactam vs meropenem on 30-Day mortality for patients with *E coli* or *Klebsiella pneumoniae* bloodstream infection and ceftriaxone resistance: a randomized clinical trial. JAMA. 2018; 320: 984-94.

基本的に ESBL 産生菌にはセファロスポリンは推奨できないのですが（感受性の有無にかかわらず），一つだけ例外があります．
　それがセファマイシン．**日本にあるのはセフメタゾールです．**
　セファマイシンは ESBL に安定性があります．特に日本にある CTX-M タイプでは複数の臨床試験があり，カルバペネムと同等の治療効果が示唆されています．最近の総説論文でもセファマイシンはカルバペネムを使わない戦略として捉えられており，特に尿路感染では選択肢としてよいかも，とされています（Rodríguez-Baño J, Gutiérrez-Gutiérrez B, Machuca I, et al. Treatment of infections caused by extended-spectrum-beta-lactamase-, AmpC-, and carbapenemase-producing enterobacteriaceae. Clin Microbiol Rev. 2018; 31: e00079-17．ぼくらの論文も引用されてます！　イエイ！）．

　現在，ぼくらはセフメタゾールの治療効果の確度を高めるために，前向き比較試験を企画しています．が，現在の実際の臨床ではすでに，ESBL 産生菌の治療にはぼくらは積極的にセフメタゾールを使用して，カルバペネムの乱用を回避する大きな戦略としています．
　フロモキセフのようなオキサセフェム系の有効性を示唆する多施設研究もありますが，我々自身の経験値が高くないのと，コストの問題から，ぼくらはフロモキセフは使っていません（フロモキセフ 1g が 1,286-1,616 円，セフメタゾール 1g が 439-441 円（後発品含む），本稿執筆時点）．

　で，セフメタゾールを使えば良いときにわざわざ緑膿菌まで殺すピペラシリン・タゾバクタムを使用する意味もないですから，結局このような BLB-LIs も「ESBL を目指しては」使いません．混合感染のときに治療をシンプルにし，かつカルバペネムを避けたいときは，患者の症状が改善していることを確認した上で使うことはあります．
　逆に言えば，ESBL ならセフメタゾールを使う（感受性があれば），という判断基準をもっておけば，たとえ病院の検査室で AmpC が心配だったり，Double disk synergy test ができなかったり，ESBL の遺伝子検査ができなくても「正しい判断」は可能です．

臨床医にはこうした戦略的な判断が必要なのです．

Doi A, Shimada T, Harada S, et al. The efficacy of cefmetazole against pyelonephritis caused by extended-spectrum beta-lactamase-producing enterobacteriaceae. Int J Infect Dis. 2012.

Fukuchi T, Iwata K, Kobayashi S, et al. Cefmetazole for bacteremia caused by ESBL-producing enterobacteriaceae comparing with carbapenems. BMC Infect Dis [Internet]. 2016 Aug 18 [cited 2018 Mar 14]; 16.〈https://www.ncbi.nlm.nih.gov/pmc/articles/PMC4991070/〉

Matsumura Y, Yamamoto M, Nagao M, et al. Multicenter retrospective study of cefmetazole and flomoxef for treatment of extended-spectrum-β-lactamase-producing Escherichia coli bacteremia. Antimicrob Agents Chemother. 2015; 59: 5107-13.

（その他参考文献）

Paterson DL, Bonomo RA. Extended-spectrum β-lactamases: a clinical update. Clin Microbiol Rev. 2005; 18: 657-86.

Patterson JE. Extended spectrum beta-lactamases: a therapeutic dilemma. Pediatric Infectious Disease Journal. 2002; 21: 957-9.

Paterson DL. Extended-spectrum beta-lactamases: the European experience. Current Opinion in Infectious Diseases. 2001; 14: 697-701.

Harada S, Ishii Y, Yamaguchi K. Extended-spectrum beta-lactamases: implications for the clinical laboratory and therapy. Korean J Lab Med. 2008; 28: 401-12.

Thomson KS. Extended-Spectrum-β-Lactamase, AmpC, and Carbapenemase Issues. J Clin Microbiol. 2010; 48: 1019-25.

中村竜也．基質特異性拡張型β-ラクタマーゼ．〈http://www.bdj.co.jp/safety/articles/ignazzo/hkdqj2000007g44v.html〉．耐性菌検査法ガイド．日本臨床微生物学会雑誌．2017; Vol. 27 Supp 3.

B AmpC βラクタマーゼ量が大事

　ESBLと対になって議論されることが多いのがAmpCです．**両者の区別が大切だからでもあり，また両者が同居していることも多いからです．**

　AmpCもセファロスポリン，特に第三世代のセファロスポリンに耐性を示すのが特徴でそこはESBLと似ているのですが，セファマイシン（セフメタゾールなど）を分解するのと，*in vitro* ではクラブラン酸で阻害されないのが特徴です．臨床現場ではそこでESBLと区別します．

　AmpCのポイントは，量が大事，ということです． ESBLはあるかないかが大切なのですが，AmpCはあるかないか，だけではだめなのです．今からこれについて説明しますね．

　AmpCというのは歴史的には面白いです．実は1940年にペニシリンを分解する酵素が初めて見つかったのですが，それが後のAmpCβラクタマーゼでした．1960年代になり，AmpAとAmpBという遺伝子が見つかり，そのAmpAのうち，耐性の程度が「低い」ものをAmpCと名づけたのです．その後こういったAmpという遺伝子の名称はどんどん廃れていきましたが，なぜかAmpCだけは生き残っていました．AmpCの遺伝子配列は1981年にわかります．セリンが活性部位にあり，Ambler分類ではクラスCに属するβラクタマーゼだとわかりました．BJM分類ではグループ1に属します．AmpC遺伝子はたくさんの細菌から見つかっていますが，特に臨床的に問題になるのはESBL同様，腸内細菌科です．

　とはいえ，腸内細菌科はAmpCを普段少量しか作っていないのです．βラクタムもあまり壊しません．なんだ，じゃ問題ないじゃん，と思ってはいけません．

　じつはAmpCはβラクタム剤の曝露をうけると誘導され，大量にAmpCを作るようになるのです．

　そうすると抗菌薬を分解する能力が高まり，臨床的にも耐性を示すように

なるのです．ちくちくいじめられると，逆ギレしちゃって手がつけられなくなるいじめられっ子みたいな感じです．

というわけで，臨床的に問題になるのはAmpC産生菌というより，AmpC過剰産生菌と呼ぶべきなのです．

AmpCが染色体上にあり，大量にAmpCを作ることがあります．特に問題になることが多いのが，*Enterobacter, Citrobacter, Serratia, Morganella*などです．また，（ESBLと違い）ほとんどの腸内細菌科（*Klebsiella, Proteus mirabilis* を除く）染色体上にもAmpC遺伝子があって，やはり大量にAmpCを作るようになることもあります．また，大腸菌も染色体上にAmpCを持っていますが，現実にはこれが発現することはほとんどありません．

確認方法としては三次元拡散法，ボロン酸法，AmpC/ESBL鑑別ディスク，遺伝子検査などがありますが，詳細は割愛．抗菌薬使用（つまり治療）という観点からは，こうした検査をあまり気にする必要はありません．理由はこれから述べます．

抗菌薬によってAmpC産生の誘導の仕方は異なります．例えば，ペニシリン，アンピシリン，セファゾリンなどはAmpCを良く誘導します．セファマイシンやイミペネムも誘導しやすいです．逆に，セフォタキシム，セフトリアキソン，セフタジジム，セフェピム，アズトレオナム，メロペネム，βラクタマーゼ阻害薬などはAmpCをあまり誘導しません．

ところが，ひとたびAmpCが誘導され，大量産生されると，各抗菌薬に対するMICが，ばんと上がり，薬剤耐性を示すようになります．つまり，最初は効いていても，あるいは当初の感受性試験では感受性があっても，急に効かなくなってしまうのです．これは臨床屋としては怖いことです．他にも，遺伝子突然変異で急にAmpCが大量生産されるようになる脱抑制という現象も起きることがあります．抗菌薬曝露時には，そのような耐性菌が選択されて，急に耐性化したように見えます．まあ，臨床的，現象的には同じことが観察されます．

さて，AmpC を「誘導する抗菌薬」と，誘導後に使う AmpC 用の「治療に使う抗菌薬」は分けて考えなければなりません．

例えば，**ペニシリンは AmpC を良く誘導**します．なので，感受性検査をしたときも，すでに耐性を示していることが多いです．だから，どっちみち誘導の有無は問題にはなりません．

一方，**イミペネムも AmpC を良く誘導**します．が，これはどのみち AmpC 過剰産生菌にも効果が高いので，そのまま治療できます．「誘導するけど，誘導したって大丈夫」なのです．

一方，**セフォタキシムなどの第三世代のセフェムはあまり AmpC を誘導しません**が，ひとたび間違って AmpC が過剰産生されるようになると，分解されて効かなくなってしまいます．カルバペネムと異なり「誘導しにくいけど，1回されるとダメになる」のです．ちなみにセフェピムは AmpC 過剰産生菌でも効果を示し，こういう菌に対する事実上のファーストチョイスになっています．

おわかりいただけましたでしょうか．AmpC については，「誘導」と「臨床効果」を分けて考えなくてはならないのです．

もっとぶっちゃけて言うならば，**AmpC を考えるべきなのは第三世代のセフェムを使うときだけ**，と大胆に換言しちゃってよろしいです，まじで．これでずっとわかりやすくなったかな．

- AmpC を誘導しやすいのはペニシリン，セファゾリン，セファマイシン，イミペネムなど．
- ただし，カルバペネムは AmpC 過剰産生菌でも効果あり．
- AmpC を誘導しにくいのは第三世代セフェム，セフェピム，アズトレオナム．
- ただし，いったん誘導されると効かなくなるのは第三世代セフェム．
- 要するに，第三世代セフェム使うときだけ，AmpC は臨床的な議論となる．

クラブラン酸などのβラクタマーゼ阻害薬も AmpC の誘導を促しますが，阻害効果はありません．ここも ESBL との大きな違いです．要するに，**βラクタマーゼ阻害薬は AmpC 過剰産生菌の治療には適さない**ってことです．

AmpC を誘導するかどうかは，やってみなければわかりません．そこで，AmpC を持っている可能性が高い *Enterobacter*，*Citrobacter*，*Serratia*，*Morganella* などが見つかったら，最初から第三世代のセフェムを使用しないでもっと広域の抗菌薬を用いる，という専門家もいます．

ただ，そうしてしまうと広域抗菌薬の使用がかなり増えてしまうのが問題です．ジレンマですね．

実際，*Enterobacter* や *Citrobacter*，*Serratia* に第三世代セフェムを使っても耐性化が起きるのはごく一部の事例だけです．大多数のケースでは治癒してしまうのです．そして，*Morganella* などの場合は，第三世代セフェムを使っても耐性化が起きないことがほとんどです．

AmpC 過剰産生菌に対してはセフェピムは安定なのでいけるだろうと考えられています．フルオロキノロンも感受性が残っていれば使えるかもしれません．カルバペネムは ESBL 産生菌同様，信頼できる抗菌薬ですが，こいつを乱用するのも憚られますし「必然性」がないのでわざわざ使うことはありません．

というわけで，ぼくがどうしているかというと，**「患者さんの状態を見て」**判断しています．なんだ，またかよ．

患者さんの状態がよい場合は，*Enterobacter* や *Citrobacter* であっても感受性があれば第三世代のセフェムなどを使用して様子を見ます．ただし，AmpC 過剰産生により急に容態が悪くならないよう，注意しながら「びくびくして」見ます．

MIC がすでにけっこう高かったり耐性を示している場合はセフェピムを用います．最重症でこれを逃すと死んでしまいそうな患者さんなら（他の耐性機構や菌が隠れていることも考え），カルバペネムを用います．

いろいろごちゃごちゃと難しいことを言いましたが，要するにポイントとしては

- *Enterobacter, Citrobacter, Serratia, Morganella* などでは AmpC 過剰産生が問題.
- 安定しているのはセフェピム
- 他のセフェム（セフトリアキソンなど）でもたいていは大丈夫．よく患者を診ること．

だけ知っとけばいい．いや，まじで．

Jacoby GA. AmpC β-Lactamases. Clin Microbiol Rev. 2009; 22: 161-82.
西村 翔．よくわかっているようでよくわかっていない AmpC のハナシ①. J-IDEO. 2018; 3; 343-50.
耐性菌検査法ガイド．日本臨床微生物学会雑誌．2017; Vol. 27（Supp 3）.

2021 年 11 月に米国感染症学会（IDSA）はグラム陰性菌薬剤耐性菌治療のガイドラインを出しています．

IDSA Guidance on th0eatment of Antimicrobial-Resistant Gram-Negative Infections: Version 2.0

「米国感染学会ホームページ → practice-guideline/amr-guidance-2.0/」

ここで，AmpC についても述べているのですが，セフトリアキソンを侵襲性の感染には使わないよう「提案（suggest）」しています．ただし，根拠となるデータは堅牢ではなく，あくまでも「提案」にとどまっているので「推奨」とか「すべし」といった強い言葉が使われていません．

米国の医療は入院期間が非常に短いのが特徴で，菌血症患者など重症患者でもすぐに退院して家庭での抗菌薬治療（OPAT といいます）に移行します．そういうやり方は良し悪しなのですが，こと AmpC が懸念される場合は丁寧なモニターで患者の状態を観察することがセフトリアキソンを継続できる「根拠」となるので，ここは日本のシステムのほうが便利かなあ，と思いますね．

14 カルバペネム耐性腸内細菌科 (CRE)

　カルバペネム耐性腸内細菌科（carbapenem-resistant *Enterobacteriaceae*: CRE）は日本ではメロペネムなどに耐性な腸内細菌です．

　で，CRE にはカルバペネマーゼという β ラクタマーゼを作るもの，そうでないものと薬剤耐性機序は複数あります．ちなみに，**カルバペネマーゼを作る菌を CPE（carbapenemase producing *Enterobacteriaceae*）といいます．**ややこしい．

　CPE には Ambler クラス A に属する KPC，クラス B に属するメタロ β ラクタマーゼ（NDM, VIM, IMP など），クラス D に属する OXA（特に多いのが OXA-48）などがあります．ああ，もう嫌になった人が 9 割くらいでしょうか．

　海外では KPC, VIM, NDM, OXA-48 が特に多く，日本で多いのは IMP です．

　日本で使える抗菌薬としてはコリスチン（ポリミキシン E），チゲサイクリン，ホスホマイシン，そしてセフトロザン・タゾバクタムがあります．ただし，セフトロザン・タゾバクタムは 2021 年 12 月現在，ロットの問題から回収されていて使用できません．ただ，2021 年 12 月 10 日のマイケル・カシアス先生（PharmD）の Twitter によると，Zerbaxa の供給は再開されるとのこと．最近の医学・医療情報入手は Twitter が一番便利ですね．ときに PharmD とは臨床薬剤師の専門職学位で，米国では臨床現場の抗菌薬使用に感染症専門薬剤師ががんがん介入してきます．たいていの医者よりも抗菌薬の使い方に詳しいです．ぼくが米国でトレーニングを受けていた 1990 年

代くらいから PharmD は現場で活躍しだしました．日本の感染症診療は 30 年（かそれ以上）遅れです．日本でも早くこういうマンパワーが充実してほしいと思う今日このごろです．

本書の前版の「ver.4」では，CRE のメカニズムはあんまり気にしなくていいよ，とにかく感受性見てコリスチン使うとかでいいよ，とシンプルな説明をしていましたが，レパートリーが増えたせいで……じゃなかった……おかげで……色々考えなくてはならなくなっています．

新しい CRE 対抗薬が海外では次々承認されています．ま，それは CRE が多いから，という切実な問題があるからなのですが，βラクタマーゼの種類によって抗菌薬を選択します．また，コリスチンは毒性が強いのと，最近はコリスチン耐性菌も出現しているため，二番手，三番手などに格下げされています．

■ セリンβラクタマーゼ（KPC や OXA-48 など）の場合

推奨されているのは，

Ceftazidime-avibactam

Meropenem-vaborbactam

イミペネム・シラスタチン・レレバクタム

Cefiderocol

などの新しい薬です．イミペネム・レレバクタム以外は日本では承認されていませんが，これから入ってくるかもしれません．で，こういう薬が使えないときはコリスチンのようなポリミキシンとかが使われます．

ですが，こうした抗菌薬はメタロβラクタマーゼで失活します．

■ メタロβラクタマーゼの場合

Ceftazidime-avibactam

Cefiderocol

に加えてアズトレオナムの併用が推奨されます．これは，アズトレオナムがメタロβラクタマーゼに活性があるからです．単剤ではだめだったのです

が，併用で復活したね！（**13**, 152 ページ）

で，次善の策として

コリスチン

が選択されます．世界ではコリスチンはアウト・オブ・フェイバーだ，ということは知っといてください．チゲサイクリンや eravacycline も二番手以降です．ホスホマイシンが尿路感染などには考慮されます．日本にもあるセフトロザン・タゾバクタムはカルバペネマーゼに効果がないので，いずれの場合も選択肢にはなりません．

> Criscuolo M, Trecarichi EM. Ceftazidime/avibactam and ceftolozane/tazobactam for multidrug-resistant gram negatives in patients with hematological malignancies: Current Experiences. Antibiotics（Basel）[Internet]. [cited 2022 Feb 6].

また，ホスホマイシンやチゲサイクリンは十分な血中濃度を獲得できず，菌血症を伴うような重症感染症の臨床効果には不安があります．

> Rodríguez-Baño J, Gutiérrez-Gutiérrez B, Machuca I, Pascual A. Treatment of Infections Caused by Extended-Spectrum-Beta-Lactamase-, AmpC-, and Carbapenemase-Producing Enterobacteriaceae. Clin Microbiol Rev. 2018; 31: e00079-17.
> 四学会連携提案　カルバペネムに耐性化傾向を示す腸内細菌科細菌の問題（2017）―カルバペネマーゼ産生菌を対象とした感染対策の重要性― [Internet]. [cited 2022 Feb 8].

コラム　CRP，プロカルシトニン，そしてプレセプシン．バイオマーカーについて

CRP は急性炎症が起きたときに肝臓から作られる急性期タンパク質（acute phase protein）の 1 つです．日本では感染症の診断や治療効果判定に使われる非常にポピュラーな検査です．一方，米国など諸外国では赤沈（ESR）などのほうが歴史的には使われてきました．

現在の日本感染症界は主に米国でトレーニングを受けた人達（とその教

14 カルバペネム耐性腸内細菌科

え子）が主流になり，そのあり方に大きな影響を与えています．一方，こうした「米国流」を忌み嫌う守旧派な人達もまだたくさんいます．
　両者の違いはいろいろあるのですが，特に CRP の使い方は注目されました．前者は CRP なんぞ要らん，派で，後者は CRP こそ大事だ，派でして，その見解は真っ二つだったんです（〔臨床賛否両論〕CRP，本当に要るのか CRP を使った感染症診断，どうするか．m3.com．

　まあ，こういう「役に立つ」「立たない」というイエス・ノーな議論，二元論は命題の立て方そのものが問題なのかもしれません．
　大切なのはどのくらい役に立つか，です．「程度問題」に置き換えるのが大事なんですね．

　では CRP ってどのくらい役に立つのでしょう．
　全身炎症反応症候群（SIRS のある患者での敗血症診断に関するメタ分析によると，CRP のプールされた感度，特異度はそれぞれ 75％, 67％でした．ぱっとしませんね（Liu Y, Hou J, Li Q, et al. Biomarkers for diagnosis of sepsis in patients with systemic inflammatory response syndrome: a systematic review and meta-analysis. Springerplus ［Internet］. 2016; 5 [cited 2022 Feb 5].
　HIV 感染者など，免疫抑制者の細菌感染の診断に関するメタ分析では，プールされた CRP の感度と特異度はそれぞれ 70％ と 74％（de Oliveira VM, Moraes RB, Stein AT, et al. Accuracy of C‐Reactive protein as a bacterial infection marker in critically immunosuppressed patients: A systematic review and meta-analysis. J Crit Care. 2017: 129-37）．新生児の敗血症診断についての感度，特異度は，それぞれ 71％と 86％でした（Shabuj KH, Hossain J, Moni SC, et al. C-reactive protein（CRP）as a single biomarker for diagnosis of neonatal sepsis: A Comprehensive meta-analysis. Mymensingh Med J. 2017; 26: 364-1）．まあまあ，といえばまあまあですが，やはりぱっとしないといえば，ぱっとしません．
　要するに，CRP を根拠に敗血症のような重症感染症を除外したり，確定したりするのは危険だということですね．敗血症を疑う患者で CRP が高い場合は「まあ，そうだろうな」と思うでしょうし，CRP が低い患者でも「やっぱ，それでも敗血症なんじゃないか」と考えるべきなのでしょう．
　敗血症など感染症を疑わない患者で CRP がやたら高いときは，いったいなにが起きているのでしょう．
　そういうときは，感染症以外の疾患，例えば自己免疫疾患のような全身炎症を伴う疾患を考えます．病棟で多いのは，肺塞栓のような血栓・塞栓に伴う炎症や，Crowned-dens syndrome を含む結晶性関節炎（痛風，

偽痛風）などですね．
　高齢者であれば，リウマチ性多発筋痛症（PMR）や側頭動脈炎（巨細胞性動脈炎，GCA）といった慢性疾患の表現型だったりします．以前のCRPの値がわかっていないとき，こういうエラーが起きやすいです．「入院時高いCRP」が，実は入院前から高かったCRPだったというわけです．本書で繰り返し申し上げていますが，**検査値「そのもの」はオンセットや急性，慢性の区別をしてくれません．**「点」の検査でいろいろ決めつけてはいけないんです．ま，言い古されたことではありますが，適切な病歴聴取なしに，CRPだけでものを決めちゃあかんってことですね．

　最近は，プロカルシトニン（PCT）という新しいバイオマーカーも使えるようになりました．

　プロカルシトニンは，甲状腺から分泌されるカルシトニンの前駆物質です．カルシトニンは甲状腺髄様がん診断のバイオマーカーとして研究されていたのですが，その過程でPCTも見つかったのです．1990年代から，熱傷や外傷患者でPCTが多く検出される事がわかり，後に敗血症や敗血症性ショックとの関連が指摘されるようになりました（Bohuon C. A brief history of procalcitonin. Intensive Care Med. 2000; 26 Suppl 2: S146-7）．
　メタ分析によると，敗血症の診断におけるPCTのプールされた感度，特異度は79%と78%でした（前掲，Liu Yら）．CRPよりはいい．でも，そんなによくもない．
　というわけで，**PCTは「ちょっとましなCRP」**なのだといえます．敗血症をはじめとする感染症の診断にPCTはあまり使えないし，ぼくも診断にはPCTを使っていません．

　ただし，PCTは抗菌薬適正使用の観点から，最近注目されています．PCTを根拠に抗菌薬を中止する戦略を用いると抗菌薬使用日数が減り，また短期の死亡率が下がることがメタ分析で示唆されたのです（Huang H-B, Peng J-M, Weng L, et al. Procalcitonin-guided antibiotic therapy in intensive care unit patients: a systematic review and meta-analysis. Ann Intensive Care [Inter-net]. 2017; 7 [cited 2022 Feb 7]．
　また，このメタ分析でも採用されているあるランダム化比較試験では，PCTによる抗菌薬中止群のほうが，PCTを使わない群よりも28日後の死亡率が低かったのでした（20% vs 25%, P=0.0122）．そして，1年後の死亡率でも両者の差は残ったままだったのです（36% vs 43%, P=0.0188）（de Jong E, van Oers JA, Beishuizen A, et al. Efficacy and safety of pro-calcitonin guidance in reducing the duration of antibiotic treatment in critically ill

patients: a randomised, controlled, open-label trial. The Lancet Infectious Diseases. 2016; 16: 819-27).

　ちなみに，このスタディーでは PCT 群とそうでない群で死亡率に差が出たのですが，両群の CRP には全く差が見られませんでした．**つまり，CRP は患者の予後予測には役に立たない**ということなのです．

　ただし，本研究では研究参加した主治医の半数以上が推奨された抗菌薬中止のプロトコルに従っていませんでした．これは同様の検証を下気道感染に対して行った先行研究と同じ瑕疵です（Christ-Crain M, Jaccard-Stolz D, Bingisser R, et al. Effect of procalcitonin-guided treatment on antibiotic use and outcome in lower respiratory tract infections: cluster-randomised, single-blinded intervention trial. The Lancet. 2004; 363: 600-7）．

　とくに下気道感染や敗血症のときは，プロカルシトニン陰性をもって抗菌薬投与をせず，そのまま繰り返し PCT を測定して上昇がないことを確認する，という戦略が提唱されています．逆に，プロカルシトニンが高い場合は抗菌薬を始め，これも繰り返し測定して PCT が陰性化したら抗菌薬を止める．

　ただし，臨床症状との乖離がないことが大事でして，そこは譲れない．結局ベッドサイドが大事やんけっていう，当たり前〜な話です．

　あと，日本ではプロカルシトニン測定は月一回しか保険で算定できないので，現実的にはこの戦略は日本の診療現場では使いにくいのも難点です．ここで紹介した Sager らも「PCT は繰り返し測定しなければならない」と主張しています（Sager R, Kutz A, Mueller B, et al. Procalcitonin-guided diagno-sis and antibiotic stewardship revisited. BMC Medicine. 2017; 15: 15）．CRP もそうですが，連続変数を扱うときは「時間」を込みにした患者評価が大事ってことです．

　さて，プレセプシンは 2004 年に発見された新しいバイオマーカーです．敗血症のときに検出されるエンドトキシン（グラム陰性菌細胞壁にあるリポ多糖（LPS）の可溶性受容体サブタイプです．

　ただし，メタ分析によるとプールされた研究の感度，特異度はそれぞれ 78% と 83% であり，各研究の異質性も高かったのでした（Wu J, Hu L, Zhang G, et al. Accuracy of presepsin in sepsis diagnosis: A systematic review and Meta-Analysis. PLoS One [Internet]. 2015; 10 [cited 2022 Feb 8]）．現時点ではプレセプシンは海のものとも山のものともわからない存在で，今後のデータがまたれるところです．とはいえ，まあかなり楽観的な評価をすることができたとしても「ベターな PCT」くらいに留まる可

能性が高いんじゃないかなあ.

　ちなみに本稿執筆時点でのCRP，PCT，プレセプシン（すべて定量）の保険点数はそれぞれ16点，320点，320点です．プロカルシトニンとプレセプシンを同時に測定するとどちらか片方の算定となります．

　ところで，このようなメタ分析はいずれも連続変数である数値をdi-chotomousな二値の問題として感度，特異度（など）を計算しています．しかし，すでに述べたように，世の中を二元論で語るのは無理があるんじゃないでしょうか．特に連続変数についてはそうなのです．

　すでに述べたように，CRPが5mg/dLなのと，30mg/dLなのとでは，全くその持つ意味合いが違いますよね．前者であれば，ウイルス感染や治癒した感染症でもよくある値です．患者の状態がよければそう気にする必要はありません．けっこう，こういうCRPの低い値をめっちゃ気にするドクターがいますが，気になるのなら測定しないほうがよいですよ．無視，無視です．
　しかし，さすがにCRPが30だったら，無視も放置もできませんよね．もちろん，この数字だけで感染症と断定できるわけではないのですが，いずれにしても「何かが起きている」ことは間違いありません．このことは「掟」のところでも申し上げました．
　問題は，CRPにせよ，他のバイオマーカーにせよ，正確に「何が起きているのか」を教えてくれない（特異度が低い）ことです．
　よって，これらのバイオマーカーは答えを教えてくれるのではなく，「これからどう考えようか」という問いを立てるために有効なことがあるんですね．
　CRPが役に立つかと言えばもちろん役に立ちます．しかし，大切なのは「使い方」です．CRPが低値でちょろちょろしている，を理由に抗菌薬を続けたり，とっかえひっかえ取り替えたり，という事例はよく見ます．CRPが上がっていない，で敗血症の治療が遅れることも見ます．使い方を間違えれば，どんな検査でも間違えます．CRPが良い悪い，じゃなくて「使ってる人が正しいのか？」と問うべきなんですね．

14 カルバペネム耐性腸内細菌科

15 ビギナーとの違いがビビッ．抗菌薬の使い方が上手になる中級編の10のステップ

　すでに述べたものもありますが，改めて抗菌薬使用のレベルをぐぐっと上げるポイントをここに10個まとめておきましょう．ビギナーレベルでここまでできる必要はありませんが，「感染症に強い，抗菌薬が得意」と呼ばれる医療者を目指すならばこのへんは絶対必要なスキルです．

ステップ①　ESBL産生菌にはセフメタゾールを使おう
ステップ②　抗菌薬の終わり方をイメージしよう
ステップ③　経口第三世代セフェムを使うのは止めよう
ステップ④　治療効果判定のためのグラム染色
ステップ⑤　エスカレーションをマスターしよう
ステップ⑥　患者のパラメーターに齟齬が生じたときの対応法を学ぼう
ステップ⑦　抗菌薬が「効いてない」ときの対応法を学ぼう
ステップ⑧　エコノミカルな抗菌薬を選ぼう
ステップ⑨　ローカルファクターを活用しよう
ステップ⑩　最良の抗菌薬を選ぼう．モナドロジーのすすめ

ステップ①　ESBL産生菌にはセフメタゾールを使おう

　大腸菌やクレブシエラなど，ESBL産生菌は非常にコモンな微生物です．

特に尿路から検出されることが多いですが，多くは定着菌であり，治療の必要はありません（なら，培養するなよ，という突っ込みもありますが）．

重症感染症ではまずエンピリカルな治療で確実に治療効果を発揮しておく必要があり，感受性がわかっていない段階では，特にカルバペネムが重宝します．その患者がESBL産生菌のキャリアだとわかっている場合は特にそうです．

しかし，いざ感受性がわかり，セフメタゾールが使えそう（日本で見つかるESBLはたいていそうですが）とわかった時点で，セフメタゾールにde-escalationしましょう．エンピリカルな治療がうまくいっていれば患者も落ち着いていますから，主治医も落ち着いて，カルバペネムの乱用を回避します．その理路と臨床データについてはESBLのところで解説しました（⑬-A, 153ページ）．

ステップ②　抗菌薬の終わり方をイメージしよう

戦争の終え方を考えずに，「とりあえず，開戦じゃ」と戦争をおっぱじめるのは稚拙な国家と言えましょう．同様に，抗菌薬も「とりあえず抗菌薬」と始めてから，「さて，いつまでやるんだっけ」と考え出すのは稚拙な診療です．

やはり大事なのは診断です．肺炎なのか，尿路感染なのか．臨床診断を明確にし，感染部位からの培養検査もしっかり採っておきます．あとでde-escalationに使うためです．

例えば，カテ感染（CRBSI）を想定した時は，血液培養を複数回採り，バンコマイシンをエンピリカルに始めます．患者が安定しているときはあえて原因菌としてはややマイナーなグラム陰性菌や真菌をカバーする必要はないでしょう．あと，カテは通常抜去が必要です．これはカテーテル周囲にある菌が作るバイオフィルムに抗菌薬が到達できず，内科的治療だけでは治癒が期待できないからです．

ちなみに，カテーテル抜去ができないときにカテ内腔内に抗菌薬を充填す

るいわゆる「ロック療法」というものもあります．カテーテル内の抗菌薬濃度が血中濃度よりも 40〜120 倍まで上がるために，バイオフィルムも凌駕できる，というのがその理論的根拠です．病原体にもよりますが，バンコマイシンやシプロフロキサシンなどが用いられますし，エタノールを用いたロック療法もあります．詳しい投与法は ABX guide（App 版）を開いて，

> 検索
> ⇩
> Lock

と調べると，

> Antibiotic lock therapy

という選択肢が出てきます．ここを押せば

> Vascular Catheter-Associated Infection

の項に飛び，下の方に

> Antibiotic lock solutions

という項目があります．ご参照ください．Lock ですよ．Rock，と入力するというロックなことをするとうまくいきません．

さて，血液培養で MRSA が検出されたら，持続性菌血症（感染性心内膜炎，IE）がないかどうか，もう一回血液培養を採ります．CNS（コアグラーゼ陰性菌）ならば 7 日程度の治療でよいでしょうか．感受性のある MSSA ならセファゾリンに de-escalation して，やはり IE の除外をします．**このようなプランニングを「治療初日」に行っておくことが大事です．**

尿路感染ならば，経過が良ければ途中で経口薬にスイッチするかもしれません．ならば，スイッチしやすい ST 合剤やキノロンで治療を開始するのも一法です．経口薬のバイオアベイラビリティが良くない第三世代セフェムで治療を開始するならば，感受性試験でセファゾリンに de-escalation，さら

に経口セファレキシンにスイッチ，合計2週間の治療，といったシナリオを考えておきます．これもDay 1にやっておくのが大事です．

　もちろん，患者さんは生き物です．微生物もまた，生き物です．だから，こちらの予測通りになるとは限りません．予想が外れることもあります．予想が外れたら，こちらの想定を修正して，別のプランを立て直せばよいのです．

　もう少しレベルが上がると，複数の仮説を同時に立てて，その仮説「すべて」に適切に対峙できるプランを立てます．

　例えば，肺炎5割，尿路感染3割，CRBSI 2割のアセスメントを立てた場合，**肺炎と尿路感染（院内）にゾシン®（ピペラシリン・タゾバクタム）**．培養結果と感受性を見てde-escalation，肺炎なら7日間，尿路感染なら14日治療予定．

　CRBSIは可能性としてはあるけれども，患者も安定しているから血液培養陽性ならバンコマイシン追加など検討．

　とこれも最初からプランニングし，**すべての想定されるシナリオに対して妥当な対応ができる**ように準備しておきます．
　これがゲーム理論です．

　例えば，長期抗菌薬，経口薬にスイッチを最初から想定している場合，ピペラシリン・タゾバクタムのような「同じクラスの経口薬が存在しない」抗菌薬をエンピリカルに使うのは間違っています．また，カルバペネムのように「バイオアベイラビリティがよい同じクラスの経口薬が存在しない」薬を始めるのも賢明とはいえません．だから，エンピリカルには両薬を使わない
　（培養検査が陽性になる確率が高い場合はその限りではありませんが）のが正しい，となります．

- 正しい診断
- 誤診のリスクを回避するための必要十分な仮説生成
- ゲーム理論を駆使した妥当な治療薬選択

- de-escalation のための正しい培養
- 経口薬へのスイッチの見通し
- これらを全て想定した「治療終了へのシナリオ」を初日に描く

　ここまでやると感染症診療のクオリティはぐっと上がります．場当たり的な検査，場当たり的な治療とは格段の違いですよ．これができたら「中級編合格」といってもよいくらいに．

ステップ③　経口第三世代セフェムを使うのは止めよう

　セファロスポリンのところで書きましたが，**経口第三世代セフェムは使わないほうが良い**です．使い道がないからです．以下，拙著『99.9％が誤用の抗生物質』（光文社新書）からの引用です．これをご覧いただければ「使わない」理路は明らかだと思います．

　日本の外来でよく用いられているのは，フロモックス®，メイアクト®，バナン®，セフゾン®，トミロン®といった「第三世代」セフェムです．歯科でもよく用いられています．こうした第三世代経口セフェムは，ものすごくたくさん使われています．が，その大多数は誤用なのです．

　フロモックス®は世界のセファロスポリンのマーケット全体（点滴薬含む）の 2.4％（年商 2.5 億ドル），メイアクト®は 1.9％（年商 2 億ドル）を占めており，両者は経口セファロスポリンでダントツの 1 位と 2 位の売上です（2010 年データ．Visiongain. Antibacterial Drugs: World Market Prospects. 2012-22）．

　さて，フロモックス®もメイアクト®もほとんど日本で独占的に売られている抗菌薬で，外国での市場はごくわずかです．フロモックス®は塩野義製薬が出しているセファロスポリン（セフカペン・ピボキシル）ですが，すでに日本では特許が切れており，ジェネリックも販売されています．実際のセフカペン・ピボキシルはもっと使われているということです．

では，世界でほとんど使われていないフロモックス®とメイアクト®が，なぜ世界のマーケットの1位と2位を独占しているのか．なぜ，それが日本でだけ使われているのでしょうか．こういう話をするとすぐに「日本人独特論」が出てきますが，先天的に日本人がフロモックス®やメイアクト®を欠乏（かつ渇望）しているとは思えません．

では，このような経口第三世代セフェムは，どういう場合に医療現場（歯科含む）で使われているのか．

たとえば，「かぜ」に対してです．

しかし，そもそもかぜに抗菌薬を用いることは正当化できません．メタ分析では，成人でも小児でも，かぜに抗菌薬を出した群と出さない群を比較した時，症状の改善には差が見られません．また，成人の場合は抗菌薬を出されたほうが倍以上副作用が出る確率が高かったのです（Cochrane Database Syst Rev. 2005; CD000247）．別のメタ分析では，抗菌薬はかぜの症状を抑えるのに少し役に立つが，薬の副作用（多くは消化器症状）に苦しむ人が増えてしまう，という結論でした（BMJ. 2006; 333: 279）．近年では，抗菌薬使用で肺炎の入院を減らせるというコホート研究も出ていますが（Ann Fam Med. 2013; 11: 165-72），その NNT (number needed to treat) は1万人以上と，あまり割に合わない数字になっています．副作用で苦しむ人のほうが多そうです．

下気道感染である急性気管支炎も同様で，抗菌薬の効果はプラセボと差がなかったというエビデンスが繰り返し報告されています（Lancet. 2002; 359: 1648-54, Lancet Infect Dis. 2013; 13: 123-9）．

つまり，こういう理由で第三世代セフェムを使用するのは不適切，ということになります．

急性中耳炎や急性副鼻腔炎についても多くは抗菌薬なし，対症療法で治療できます．また，もし抗菌薬を使うにしてもアモキシシリンのようなペニシリン系の抗菌薬が第一選択になります．フロモックス®やメイアクト®の出番はありません（Pediatrics. 2013; 131: e964-99, Clin Infect Dis. [Internet]. 2012.）．

急性咽頭炎もウイルス性なら抗菌薬は使いませんし，細菌性ならペニシリ

ンが選択肢になります．すでに紹介したようにアメリカ感染症学会（IDSA）は細菌性急性咽頭炎にセファロスポリンを使用しないよう推奨しています〔Shulman ST, Bisno AL, Clegg HW, et al. Clinical practice guideline for the diagnosis and management of group A streptococcal pharyngitis: 2012 update by the Infectious Diseases Society of America. Clin Infect Dis. 2012; 55: 1279-82〕．

歯科領域でも予防や治療に抗菌薬がよく用いられています．しかし，アメリカ心臓協会が出したガイドラインでは，ほとんどの歯科の診療では予防的な抗菌薬は出さないよう推奨しています〔Wilson W, Taubert KA, Gewitz M, et al. Prevention of infective endocarditis: Guidelines from the American Heart Association: a guideline from the American Heart Association Rheumatic Fever, Endocarditis, and Kawasaki Disease Committee, Council on Cardiovascular Disease in the Young, and the Council on Clinical Cardiology, Council on Cardiovascular Surgery and Anesthesia, and the Quality of Care and Outcomes Research Interdisciplinary Working Group. JADA. 2008; 139 (suppl 1): 3S-24S〕．また，用いるとしてもアモキシシリンのようなペニシリン系抗菌薬が推奨されています．

口の中の細菌はグラム陽性菌が多く，グラム陰性菌に強い第三世代のセファロスポリンを用いるメリットはほとんどありません．歯肉炎の治療は歯科治療や局所の抗菌薬療法が推奨され，「飲み薬」は一般には必要ないとされています．また，重症例に対しては口腔内のグラム陽性菌に効果があるアモキシシリンなどが推奨されるようです〔Wilder RS, Moretti AJ. Gingivitis and periodontitis in adults: Classification and dental treatment. UpToDate. Last updated Nov 7. 2012〕．

歯周病に抗菌薬を用いるかどうかについては議論の余地があるようですが，これまでに臨床研究があるのはアモキシシリンやメトロニダゾールくらいで，ここでもフロモックス®やメイアクト®などの第三世代セファロスポリンの出る幕はありません〔山本浩正．歯周抗菌療法．クインテッセンス出版．2012〕．

毛嚢炎，丹毒，蜂窩織炎といった皮膚・軟部組織感染症（skin and soft tissue infection: SSTI）などの感染症にもフロモックス®やメイアクト®といった第三世代セファロスポリンがよく用いられていますが，こういった感染

症もほとんどがブドウ球菌やレンサ球菌といったグラム陽性菌が原因で，第三世代セファロスポリンは理にかなっていません．「トビヒ」などは抗菌薬など飲まなくても局所療法で治ることがほとんどです．

■ 1. 薬理学的にも不適切

そもそも，第三世代セフェムは 100mg を 1 日 3 回みたいな使い方が多く，投与量がものすごく少なく，かつ消化管からの吸収がとても悪いのが特徴です．

本書 ver.3 に，筆者はこう書きました．

「セフジニル（セフゾン®）のバイオアベイラビリティはたったの 25％，セフポドキシム（バナン®）は 50％，セフチブテン（セフテム®）は Kucers' には「わからない」(not been determined) と書いてありました．セフカペン（フロモックス®），セフテラム（トミロン®）に至っては記載すらなし（抗菌薬サークル図ではバイオアベイラビリティ不明とあり）．セフジトレン（メイアクト®）はなんと 14％しかありません」

フロモックス®についてはバイオアベイラビリティのデータに乏しいですが，小児にフロモックス® 3mg/kg を 1 日 3 回飲ませた時の最大血中濃度が 0.784μg/mL でした（砂川慶介, 西村忠史, 本廣孝, 他. 小児感染症患者における cefcapene pivoxil 小児用細粒の有効性, 安全性および薬物動態の検討. 日化療会誌. 2006; 54: 465-77）．ちなみにバナン®（セフォポドキシム）の標準投与における最大血中濃度が 2.18μg/mL ですから（Kucers' The Use of Antibiotics, 6th Edition. Hodder Arnold, 10/2010），フロモックス®があまり体内に入っていないだろうことは容易に推測されます．

吸収されない抗菌薬は感染部位には到達できません．感染部位に到達できない抗菌薬は効きません．

■ 2. 第三世代セフェムにも副作用はある

　さて，第三世代のセファロスポリンは体内への吸収が非常に悪いことを指摘しました．体に入らない抗菌薬，感染部位に届かない抗菌薬はぜったいに効きません．

　それでも第三世代セファロスポリンが臨床的に問題じゃないかのような印象があるのは，それはほとんどのケースが抗菌薬なしで自然治癒するケースであり，第三世代セフェム「ですら」患者さんが良くなってしまっているからです．「使っタ，治っタ，だから効いタ」というのをサンタ論法と言いますが，こういった因果関係と前後関係の取り違いをしてしまっているのです．

　さて，治療効果もないが害にもならないと考えられがちな第三世代セファロスポリンですが，さにあらず．

　例えば，偽膜性腸炎．第三世代セフェムは腸内のグラム陰性菌……つまり大腸菌のような菌を（無意味に）殺してしまいます．そうすると，*Clostridium*（*Clostridioides*）*difficile*（ディフィシル菌）という耐性菌が腸で増えて，腸炎を起こします．昔は第三世代のセフェムはそんなに危険ではない，と言われてきましたが，現在ではクリンダマイシン，そしてニューキノロン製剤とともに，第三世代セフェムはディフィシル菌による腸炎の最大のリスクです．

　ピボキシルのリスクについても付言しておきましょう．

　第三世代のセファロスポリンの多くにはピボキシル基が付いています．フロモックス®はセフカペン・ピボキシル，メイアクト®はセフジトレン・ピボキシル，トミロン®はセフテラム・ピボキシルなのです．

　第三世代セファロスポリンの多くは消化管からの吸収が良くないので，少しでも良くするために，ピボキシル基がついているのです．吸収された後は元のセファロスポリンとピバリン酸が生じます．

　問題はこのピバリン酸です．これはカルニチン抱合を受けてピバロイルカルニチンになり，尿中へ排泄されます．そうすると血液の中にあるカルニチンが消費され，低下してしまうのです．

カルニチンは細胞の中にあるミトコンドリアの脂肪酸β酸化に必要な因子です．体内の糖が足りないときは，脂肪酸β酸化によって糖が作られます．したがって，カルニチンが低下し，脂肪酸β酸化が行われなくなると，糖新生が行えません．糖の補給が充分でないときは低血糖発作が起きる可能性があるのです．

すでに日本では，第三世代セファロスポリンでピボキシル基があるもの（フロモックス®，メイアクト®，トミロン®など）で，低カルニチン血症による低血糖の事例が報告されています．特に小さい子供に多く，1歳児では20例も報告されています〔(独) 医薬品医療機器総合機構 PMDA からの医薬品適正使用のお願い　ピボキシル基を有する抗菌薬投与による小児等の重篤な低カルニチン血症と低血糖について〕．

また，経口カルバペネムのオラペネム®にもピボキシル基があります（テビペネム・ピボキシル）．

経口カルバペネムの使い道も臨床現場ではない，というのが筆者の意見ですが，安全性にも問題ありなのです．

第三世代のセファロスポリンは副作用が少なく安全に処方できると信じている医者は多いです．患者さんも気軽に飲める抗菌薬だと誤解しています．副作用のリスクが存在しない抗菌薬はこの世にはありません．こういうリスクをよく理解して，必要な時だけ使うことが大事なのは，そのためです．

さて，神戸大学病院では経口第三世代セフェムの使用が激減し，ついには採用薬からも外れました．大学病院でもここまでできるのです．もちろん，診療の質は全く落ちていません．

> Uda A, Kimura T, Nishimura S, et al. Efficacy of educational intervention on reducing the inappropriate use of oral third-generation cephalosporins. Infection. 2019; 47: 1037-45.

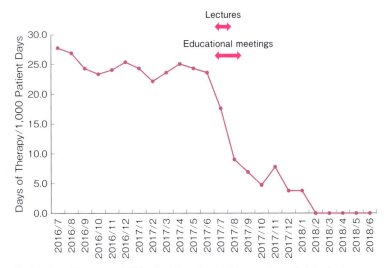

Monthly days of therapy per 1,000 patient days of oral third-generation cephalosporins in inpatients. The time at which each measure of educational intervention was implemented is shown in the figure. Oral third-generation cephalosporins have been removed from the formulary for inpatients in our hospital since January 2018

■ 3. 第一世代を使うべし

　このように第三世代のセファロスポリンは，臨床現場での使われ方ではほとんどのケースで誤用されています．他の抗菌薬同様，第三世代のセファロスポリンには副作用の問題がついて回ります．患者さんには有害なものになりえるのに，得る利益はほとんどありません．だから，臨床現場での使い道もほとんどないのです．

　世界でも突出して使用の多いフロモックス®やメイアクト®のような第三世代の経口セファロスポリンは，抗菌薬の誤用が多い日本の象徴のような存在なのです．99.9%の経口第三世代セファロスポリンが誤用である，とぼくは新書で書きましたが，少しも誇張が入っていないのです（『99.9%が誤用の抗生物質』．光文社新書．2013）．

　では，経口セファロスポリンには全く使用価値がないかというと，そんなことはありません．古い第一世代，例えばセファレキシン（ケフレックス®など）を用いればよいのです．

　セファレキシンはグラム陽性菌に（ほぼ）特化した抗菌薬ですから，SSTI

にも良い選択肢です．消化管からの吸収も極めて良いので，第三世代セフェムよりもはるかに経口薬として利点があります．偽膜性腸炎も起こしにくいです．

「大原則」で述べたように，抗菌薬はできるだけ古く，そして狭い抗菌薬を優先するのが原則です．セファレキシンはまさにその代表格なのです．

ステップ④　治療効果判定のためのグラム染色

グラム染色というと感染症の診断によく用いられますが，ぼくはむしろ**治療効果の判定に有用**だと思っています．とくに肺炎と尿路感染では，有用です．

とくに ICU で挿管されている重症患者の場合，肺炎の治療が「うまくいっているか」を確認するのは難しいです．

まず，頼りにするのは前述のように「血圧」ですね．使っていた昇圧剤がどんどん減らされていれば，抗菌薬は効いていると判断できる．

しかし，もともと血圧はそこそこ安定している患者の場合は難しいことがあります．呼吸状態？　心不全や ARDS，肺塞栓，肺胞出血，無気肺，胸水など，重症患者の呼吸状態を悪化させたり，画像所見を悪くする病態は山のようにあります．血液検査も同様で，いろいろな理由で白血球や CRP は上がります．

そこで，グラム染色です．グラム染色は感度に乏しいため，診断で見逃しのリスクはありますが，ここで「時間の観念」を加味してやります．もともと見えていたグラム陰性菌，後に緑膿菌と判定，ピペラシリンで治療していたが酸素化は今ひとつ……しかし，見えていたグラム染色での陰性菌は消えている……．

この場合，抗菌薬は「効いていない」のではなく，効いているんだけど他の理由で酸素化が悪いまま，と判断できます．

間違ってはいけないのは，ここで**「喀痰培養」をフォローに使ってはいけ**

ないこと．培養だと，定着している耐性菌が検出されてしまいますから，「なんだかよくわからない状態」の無限地獄に陥ってしまいます．もちろん，新たな感染症の勃発などを検証する場合は培養を含めたワークアップは必要ですが．

● 感染症の経過をみるのにグラム染色は有用．培養でフォローはダメ．

ステップ⑤　エスカレーションをマスターしよう

　De-escalation も大事ですが，こちらはわりとオートマチックにできるんです．何回かやったら，すぐ慣れます．

　むしろ難しいのは，「最初は狭くして，必要に応じて広くする」エスカレーション（escalation）です．

　例えば，比較的安定した蜂窩織炎であれば，まずは狭いセファゾリンで治療してみる，ということが望ましいかもしれません．そして数日たっても治療効果が芳しくないときに，初めて広域のバンコマイシンの選択を検討します．

　なぜかというと，蜂窩織炎の場合，血液培養の陽性率も高くなく，原因微生物がわからないままのことが多いからです．

　最初からバンコを使ってしまうと，修正できない可能性が高い．しかし，セファゾリンで治療しておけば，もしうまくいけばそれでよし，ダメならば広げてエスカレーションということが可能になります．

　これを可能にするためには，「抗菌薬のスペクトラム以外の問題」をすべてクリアしておかねばなりません．よくある失敗のパターンです．

　例えば，セファゾリンの投与量がそもそも少ない場合．例えば，患肢の十分な挙上と浮腫の軽減ができていないとき，などです．よく見ます．

こういう問題をすべて払拭して，かつセファゾリンで改善しない場合，初めてバンコに広げようか，という話になるわけです．

エスカレーションの発想は，「最初からすべてうまくいくとは限らない」「いかせなくてもよい」という発想です．しかし，ゲーム理論的には最適解なのです．間違った広域抗菌薬のコラテラル・ダメージもやはり大きいですから．

あるいは，患者が急転直下では増悪しないであろうことが予想される慢性感染症などで，エスカレーションが有用なことがあります．例えば，慢性骨髄炎，あるいは膿瘍などです．ただ，この場合は適切な培養を採って，確定診断を付けてから治療，のほうがベターなことが多いとも思います．

ステップ⑥　患者のパラメーターに齟齬が生じたときの対応法を学ぼう

「抗菌薬が効いていて，かつ効いていない」ということはありません．なので，熱は下がってるんだけど呼吸状態は良くない．血圧は安定したんだけど熱は下がらない，などパラメーターに齟齬が生じた場合は，

何か他の問題が併存している

と考えるべきです．肺塞栓とか，薬剤熱とか．

よって，こういうときに抗菌薬を変える，とか加える，というのは愚の骨頂で，まずは

齟齬が生じている原因検索

ということになります．なににおいてもアセスメントこそがすべて．アセスメントが正しければ，次のアクションだって正しくなるのです．

ステップ⑦　抗菌薬が「効いてない」ときの対応法を学ぼう

というわけで，一見「抗菌薬が効いてない」と思っていても，実はそうではないことはよくあります．

しかし，それでも抗菌薬が効いてない，と判断する場合はどうしたらよいか．

まずは，やはりアセスメントとなります．見逃している微生物は何なのか．この場合，患者はどんどん悪くなっている可能性が高いです．安定しているのなら，感染症が原因でない合併症を考えます．

前述のように（**1**- おきて⑨，43 ページ参照）患者が不安定なら，抗菌薬を「足す」のが肝心です．変えてはいけません．

例えば，

ゾシン®

　で良くならないから，

メロペン®

　に変えて良くならないから，

セフェピム

　に変えて良くならないから，

ドリペネム

みたいなパターンをよく見ます．アセスメントがないし，戦略性もありません．

ゾシン®を

メロペン®

に変えて特殊な耐性菌に対峙する，というのは気持ちはわかりますが，では，

ゾシン®でカバーできずにメロペネムでカバーできる菌

がいくつあるかというと，そんなにないのです．例えば，多くのESBL産生菌をゾシン®はカバーしますし．

ならば，むしろ真菌とか抗酸菌とか，βラクタムが効きにくい*Stenotrophomonas*などを

足していく

ほうが合理的なことが多いです．こういう方法はICUの重症患者や好中球がほとんどない血液疾患患者，移植後などでときどき経験します．
いずれにしても，

今，自分は何を治療していて，何を治療し損なっているか

を考え続けることが大事なのです．

ステップ⑧　エコノミカルな抗菌薬を選ぼう

2つの抗菌薬よりも1つの抗菌薬のほうがエコノミカルです．これはわかりますね．だから，先程

抗菌薬を足していく

と申しましたが，それは非常時（原因がわかっていない時，かつ患者が増悪している）の場合の奥の手でして，普段は禁じ手でもあるのです．

また，
MSSAを殺せばよいのにMRSAも殺す
とか，
緑膿菌カバーは必要ないのに緑膿菌を殺す
もエコノミカルではありません．耐性菌増加を助長し，常在菌のバランスを保つためにも，

狙った菌だけを殺す

狭い抗菌薬にこだわるのもそのためで，よってこれもエコノミカルなのです．

ステップ⑨　ローカルファクターを活用しよう

　ESBLの日本固有の事情を申し上げました．**日本で見つかる ESBL 産生菌なら，たいていはセフメタゾールで治療可能です．**

　アシネトバクターについても，日本ではカルバペネムが必要なことはまれで，たいていはアンピシリン・スルバクタムが最適解です．輸入例をのぞけばカルバペネム耐性アシネトバクターはほぼ考えなくてもかまいません．

　こうした日本固有の事情に加え，もっと細かく考えることも大事です．地域や医療機関の固有の事情です．

　例えば，MRSA の検出率には施設によって大きな差があります．かつて，神戸大学病院では見つかる黄色ブドウ球菌の 7 割以上が MRSA でしたが，様々な感染対策，抗菌薬適正使用プログラムの徹底のおかげで本書執筆時点で 50.6％にまでこれを落とすことに成功しています（2020 年）．ならば，MRSA 治療薬のエンピリカルな使用ニーズもその分下がるわけです．

　己を知る．は戦いの初歩的基本です．自らが働いている医療環境を十分に理解することで，診療の質はぐっと上がります．

ステップ⑩　最良の抗菌薬を選ぼう．モナドロジーのすすめ

　ライプニッツは『モナドロジー』のなかで，「A が A である」ためには，B でも C でも D でもない，「A でなければならない根拠」が必要だと述べています．これは，診断においても治療においても重要なコンセプトです．

肺炎に矛盾しない

は，肺炎である，と結論付けるには不十分な根拠です．**尿路感染でも胆道感染でも皮膚軟部組織感染でも，あるいは非感染症でもない**と示した後に，ようやく

　肺炎である

といえるのです．

　治療薬も同じです．
　バンコマイシンを使う．だって，バンコにはこんないいことや，あんないいことがあるから．

では不十分です．**なぜ**，セファゾリンを使わないのか．**なぜ**，リネゾリドではないのか．**なぜ**，テイコプラニンではないのか．**なぜ**，ダプトマイシンではないのか．**なぜ**，抗菌薬を使わないというオプションは取らないのか．

　こうした問い全てに答えて，初めて

　バンコマイシンを使う

という言説の正当性がモナドロジー的に示されます．
　ということは，抗菌薬を選ぶ，ということは「（それ以外の）抗菌薬を選ばない」という意味でもあるのです．
　ということは，抗菌薬のすべてのパッケージの十分な知識と理解がないと，Aという抗菌薬は選べないってことです．
　製薬メーカーの説明会では抗菌薬を「使える」知識が得られないのはそのためです．Aという薬に対して十全な知識が提供されても，B, C, D, E……という薬を選ばない根拠も知らなければ，Aは選べないのです．

　最近は，製薬メーカー主催の講演会では「他社の製品との比較をしてはい

けない」「他社製品との比較をした論文やデータも出してはならない」などと演者が要求され,スライドもいちいちチェックされています.日本製薬工業協会の「医療用医薬品プロモーションコード」が厳しくなったためです.たしかに,あからさまに自社製品をヨイショしたり,他社製品をクサすような露骨な利益誘導は下品ですが,かといって「一切比較しちゃ駄目」はやりすぎです.

　これは臨床医学のことが何もわかってない人が制度設計しているからです.日本製薬工業協会に臨床医学を理解する人がいないのでしょう（私見です）.薬を学ぶ,とは常に相対比較の形でしか行えないのです.

　ま,近年はメーカーさんもぼくに講演を頼むことはあまりありませんし,ぼくもこの手の講演はまずまず参加しません.仮に講演する場合でも,ぼくはスライドを使わずウェブのデータを直接供覧しているので,このような検閲は完全にスルーします.講演でもバンバン,他社の製品との比較,しています.ただし,フェアに.仮にその会社の不利になったとしても（そりゃ,呼ばれないわな）.

　この問題については,以下の論説が参考になります.

医薬品のプロモーション規制「必要な情報届かない」―神奈川県内科学会「知の羅針盤」が目指す"真の学術講演会" | AnswersNews［Internet］. 製薬業界の転職サイト Answers（アンサーズ）.［cited 2022 Feb 8］.

16 抗菌薬の「変え方」

　抗菌薬は始めるのは簡単です．止めたり，変えたりするのが難しいです．ビギナーは基本的に de-escalation 以外は抗菌薬を変えないほうがいいんじゃないか，と思うくらいです．

　では，抗菌薬を「変える」のが正当化されるのは，どういうときか．1つめは，**de-escalation**．これはもう述べました．
　2つ目は，**点滴薬から経口薬への変更**です．
　患者の症状が改善しており，経口摂取が可能であれば変更できます．ただし，菌血症を伴っている場合や重症感染症（例，心内膜炎）の場合は，一般論として，点滴抗菌薬のままで治療を完遂したほうがよいです．
　例外としては，経口薬でも点滴治療と同じくらいの血中濃度を確保できる，バイオアベイラビリティの良好な抗菌薬があります．例としてはフルオロキノロンがあります．この場合は菌血症を伴うなどの重症感染症でも経口スイッチは安全にできるでしょう（ただし，基礎疾患その他のために消化管からの吸収が低下している場合はダメ）．
　経口薬への変更をすれば，点滴ラインを保持しなくてよくなりますから，局所の静脈炎や血流感染といった院内合併症のリスクを下げることができます．基本的に患者さんにくっついているデバイスはできるかぎり取り除くよう努力するのが医療者の務めです．
　また，経口薬にスイッチすれば，患者さんも早期退院が可能になります．患者さんが退院すればDPC的には病院経営上も健全ですし，患者さんや家

族は（大抵は）喜んでくれます．なによりもあなたの担当患者が一人減り，その分遊ぶ……いや，勉強する時間が作れます．

経口薬へのスイッチにはいくつかのコツがあります．

■ 1．できるだけ点滴薬と同じ系統の抗菌薬を用いたい．

典型的には，

アンピシリン・スルバクタム → アモキシシリン・クラブラン酸

のような．新しい系統の抗菌薬を使うと，新たな副作用が生じるリスクが（多少は）生じる．リスクは少なければ少ないほど，よい．

ちなみに，日本の成人用アモキシシリン・クラブラン酸（オーグメンチン®）はクラブラン酸の配合比が高すぎて，大量に使うと下痢しやすくなる欠点があります．小児用のクラバモックス®は適正な配合比なのでこのリスクが少なくなっています．よって，サワシリン®カプセルのようなアモキシシリンを足すことでこのリスクをヘッジします．

典型的には，

オーグメンチン®錠1錠＋サワシリン®2カプセル，を1日2回経口

みたいに使います．

オーグメンチン® 250RS錠にはアモキシシリン250mgとクラブラン酸が125mg入っています．サワシリン® 1カプセル（250mg）を2カプセルで，合わせてアモキシシリン750mgとクラブラン酸125mgです．米国で使われるAugmentinは750mg/125mgを1日2回というのが主流で，最近は徐放剤で1,000mg/62.5mg 1日2回というのも出ています（Augmentin XR）．

これを我々の業界では俗に「オグサワ」と呼んでいます．この使い方で疑義照会をしてくるかどうかで，薬剤師さんが抗菌薬を「わかってくれている」かどうかも判定できます（嘘……でもちょっとホント）．

Kucers'によると，「オグサワ」は日本独自のアイディアではないらしく，大量投与を必要とする場合はオーグメンチン® 625mg錠（アモキシシリン

500mg とクラブラン酸 125mg）にアモキシシリン 500mg を足し（1,000mg/125mg），これを 6 時間おきに使う方法もあるそうです．

■ 2. できるだけバイオアベイラビリティのよい抗菌薬にスイッチする．

　経口薬にスイッチしても薬効が担保されるには，口から入った抗菌薬がちゃんと吸収されて感染部位に届く必要があります．よって，バイオアベイラビリティの良さが重要になります．バイオアベイラビリティが極めて良好で，かつ投与量が点滴薬と同じな場合（例，フルオロキノロン），経口薬で点滴治療の代替にすることすら可能です．このことはすでに申し上げました．

バイオアベイラビリティが極めてよい（> 90％）抗菌薬としては，
　　アモキシシリン
　　セファレキシン
　　クリンダマイシン
　　キノロン系抗菌薬
　　クロラムフェニコール
　　トリメトプリム・サルファメトキサゾール（ST 合剤）
　　ドキシサイクリン，ミノサイクリン
　　メトロニダゾール
　　リネゾリド
　　テディゾリド
などがあります．

バイオアベイラビリティが「まあまあ」なものには，
　　セフィキシム（セフスパン®）
　　セフポドキシム（バナン®など）
　　セフチブテン（セフテム®）
　　セフロキシム（オラセフ®）
　　マクロライド系抗菌薬
　　セファクロル

Nitrofurantoin

などがあります．

バイオアベイラビリティが悪い抗菌薬としては，
セフジニル（セフゾン®）
セフジトレン（メイアクト®）
セフカペン（フロモックス®など）
ホスホマイシン

などがあります．

〔Cunha CB, et al. Antibiotic Essentials 2017. 2017, 青木洋介『セフェム系抗菌薬の使い方』抗菌薬適正使用生涯教育テキスト改訂版．日本化学療法学会; 2013 より改変〕

経口第三世代セフェムは一般にバイオアベイラビリティが悪く，口さがない若手感染症医から「DUドラッグ」なんて呼ばれていますが（大体，うんこの意味），セフポドキシムのようにバイオアベイラビリティの悪くないものもあるので，なんでも過度の一般化は危険ですね．

いずれにしてもバイオアベイラビリティの悪い経口抗菌薬にスイッチするのは基本的に避けたほうが賢明です．

17 治療期間の問題

抗菌薬を始めるのはそんなに難しくない．難しいのは「いつ，止めるか」のタイミングを見計らうことです．

肺炎の治療に抗菌薬を使い，治った患者のスタディーがあります．「治癒して抗菌薬を中止している」患者なのに，1ヵ月後の胸部レントゲン写真に異常陰影が残っている人は4割以上に上りました．さらにそのなかにはCRPが高いままになっている人が結構いました．

> Bruns AHW, Oosterheert JJ, Prokop M, et al. Patterns of resolution of chest radiograph abnormalities in adults hospitalized with severe community-acquired pneumonia. Clin Infect Dis. 2007; 45: 983-91.

肺炎の治療が終了し，抗菌薬をやめ，患者が元気になっていてもレントゲンの異常やCRPは残っていることがあるのです．

- 解熱，CRP陰性化が得られなくても，抗菌薬を中止してよいことも多い．

たしかに，抗菌薬の効果と解熱，CRPの低下は連動する「ことが多い」ので，このような判断でうまくいく「こともある」のです．でもそれは，あ

くまで「そういうこともある」にすぎません．過度の一般化は失敗の元なのです．

では，抗菌薬の使用期間はどれくらいが適切なのだろう？　という疑問が湧いてきます．実はここは難しいところでして，たいていは専門家の経験則によっています．もちろん，中にはエビデンスがある程度強固なものもあります．例えば，**単純性膀胱炎の治療はたいていは3日間でOKです**．1日では短すぎるし，7日間は必要ない．

> Milo G, Katchman EA, Paul M, et al. Duration of antibacterial treatment for uncomplicated urinary tract infection in women. Cochrane Database Syst Rev. 2005; CD004682.

腎盂腎炎なら14日のことが多いです．7日間だと治療失敗例が多いからです（ただし，これには例外がありますがややこしいのでここでは割愛します）．

> Jernelius H, Zbornik J, Bauer CA. One or three weeks, treatment of acute pyelonephritis? A double-blind comparison, using a fixed combination of pivampicillin plus pivmecillinam. Acta Med Scand. 1988; 223: 469.

院内肺炎（HAP）や人工呼吸器関連肺炎（VAP）の治療はたいていは1週間程度でOKです．緑膿菌による肺炎だとかつては再発率が高いため2週間程度の治療が推奨されていましたが，その後のスタディーで「短くてもそう変わらん」ことがわかり，現在では我々も1週間程度の治療にしています．軽症例であればMRSAやアシネトバクターなどでもやはり1週間程度でよいようです．患者の基礎疾患や治療への反応の良し悪しで伸ばすことはありますが，基本的にはそんな感じです．

> Torres A, Niederman MS, Chastre J, et al. International ERS/ESICM/ESCMID/ALAT guidelines for the management of hospital-acquired pneumonia and ventilator-associated pneumonia: Guidelines for the management of hospital-acquired pneumonia（HAP）/ventilator-associated pneumonia（VAP）of the European Re-

spiratory Society (ERS), European Society of Intensive Care Medicine (ESICM), European Society of Clinical Microbiology and Infectious Diseases (ESCMID) and Asociación Latinoamericana del Tórax (ALAT). European Respiratory Journal. 2017; 50: 1700582.

感染性心内膜炎のような**血管内感染，骨髄炎や化膿性関節炎のような感染症，膿瘍などは最低 4 週間**という長い治療期間が設定されることが多いです．

これらの感染症ではなかなか原因微生物を殺し尽くすことができず，再発しやすいからです．

ちゃんと診断をつけない抗菌薬使用にはこのようなたくさんのピットフォールがついて回ります．診断をきちんとつけることが適切な抗菌薬使用の大前提なのですね．

- スローな患者，軽症の患者なら慌てて抗菌薬を使わずにまずは診断．
- 急性発症，重症患者なら，必要な検体をとって「エンピリック」に治療．

サンフォード・ガイドの代表的な感染症の代表的な治療期間です．アルファベット順に書いてあります．

Bacteremia〔菌血症，（ラインのような）感染巣は除去可能で心内膜炎がない〕	
	10 日内外
Bone（骨）	
成人急性骨髄炎	42 日
成人慢性骨髄炎	赤沈が正常化するまで　しばしば 3 カ月以上 椎体炎なら 6 週間

CNS Meningitis（髄膜炎）	
N. meningitides	7日
H. influenzae	7日
S. pneumoniae	10〜14日
L. monocytogenes, Streptococcus, 桿菌	21日．免疫抑制者ならこれ以上
Ear（耳）	
滲出性中耳炎	2歳未満は10日 2歳以上で5〜7日
Gastrointestinal（消化器）	
赤痢（*shigellosis*）や旅行者下痢症	1回投与だが，反応がなければ最大3日
腸チフス（*S. typhi*）	
アジスロマイシン	5〜7日
セフトリアキソン	7〜14日
フルオロキノロン	7〜10日
クロラムフェニコール	14日
H. pylori	14日
C. difficile	10日
Genital（生殖器）	
骨盤炎症性疾患（PID）	14日
Heart（心）	
自然弁心内膜炎	
Viridansレンサ球菌	14〜28日
腸球菌	28〜42日
黄色ブドウ球菌	（右心なら14日）あるいは28日
心外膜炎（膿性）	28日か，症状徴候が治り，バイオマーカーが正常化するまで

Joint（関節）	
化膿性関節炎（非淋菌性）	成人 14 ～ 28 日 S. aureus とグラム陰性菌 21 日 Streptococci・インフルエンザ等 14 ～ 21 日
播種性淋菌性関節炎	7 日
Kidney（腎）	
急性膀胱炎	フルオロキノロンまたは ST 合剤 3 日か，ニトロフラントイン 5 日，フォスマイシン 1 日
急性腎盂腎炎	10 ～ 14 日か，シプロフロキサシンまたはレボフロキサシン 5 ～ 7 日
Lung（肺）	
肺炎球菌による肺炎	最低 5 日 かつ解熱 3 ～ 5 日
市中肺炎　好気性グラム陰性桿菌，S. aureus，レジオネラ属の場合は治療期間を延ばすのがよい	最低 5 日 かつ解熱後 2 ～ 3 日
腸内細菌科，緑膿菌の肺炎	いろいろだがバイオマーカーが正常化するまで 21 日 しばしば 42 日
ブドウ球菌の肺炎	いろいろだがバイオマーカーが正常化するまで 21 ～ 28 日
レジオネラ，マイコプラズマ，クラミジア肺炎	菌によって，使う抗菌薬のクラスによって違う． 長い場合，ドキシサイクリンやフルオロキノロンで 7 ～ 10 日 短ければアジスロマイシンで 5 日
肺化膿症	28 ～ 42 日（など） 解熱後 4 ～ 5 日で経口薬にスイッチしてよい．

17 治療期間の問題

Muscle（筋）	
ガス壊疽（クロストリジウム属による）	10日だが，重症度によりまちまち
Peritoneum（腹部）	
腸管常在菌の腹膜炎	免疫抑制がなく軽症中等症でソースコントロールがしっかりしているときは4日
Pharynx（咽頭）	
レンサ球菌 　A，B，G群	A群だとペニシリン10日 アジスロマイシンや経口セフェムなら5日 G,Cなら経口セフェムもOK 5日
ジフテリア（偽膜）	ペニシリンかエリスロマイシン．14日 キャリアならペニシリン1回 エリスロマイシンなら7〜10日
Prostate（前立腺）	
慢性前立腺炎	ST合剤30〜90日 フルロキノロンなら28〜42日
Sinus（副鼻腔炎）	
使う抗菌薬や重症度による	5日 重症例でβラクタムなら10〜14日がよい レスピラトリーキノロン（gemifloxacin, レボフロキサシン750mg, アジスロマイシンなど）では5〜7日も効果的 ST合剤またはアジスロマイシンなら最短3日
Skin（皮膚）	
蜂窩織炎	急性炎症が消えてから3日たつまで
Systemic（全身）	
ブルセラ症　感染部位による	42日間
ロッキー山脈紅斑熱	解熱後2日たつまで
野兎病　重症度による	7〜21日

これは App 版の最新（2021年5月）のサンフォード・ガイドによります（Tables & Tools → Duration of Therapy で出てきます）。

実は治療期間問題は，現在わりとホットな問題で，次々と新しい研究結果が出ています．抗菌薬適正使用の観点から，「もっと使用期間短くできませんか」というニーズに応えようとしているのです．今後も治療期間はどんどん変じてくると思うので，ここは最新版のマニュアル，要チェックです．

有名なのは，前述の腹膜炎の治療期間4日，なんていうのも近年のランダム化比較試験の結果を受けての推奨です．

> Sawyer RG, Claridge JA, Nathens AB, et al. Trial of short-course antimicrobial therapy for intraabdominal infection. N Engl J Med. 2015; 372: 1996-2005.

ぼくらも菌血症を伴う急性胆管炎の治療期間はドレナージさえできてれば6日程度でいいんじゃないの，という後ろ向き研究を発表しました．菌血症は従来10〜14日の治療というのがデフォルトだったのですが，ようやくこれに対する反証がでたというわけです．今後の追試も必要と思いますが，少なくとも血液培養陽性なら10〜14日，と決めつける必要はなく，場合によっては短くするオプションはあるのだと思います．

> Doi A, Morimoto T, Iwata K. Shorter duration of antibiotic treatment for acute bacteraemic cholangitis with successful biliary drainage: A retrospective cohort study. Clinical Microbiology and Infection. Clin Microbiol Infect. 2018; 24: 1184-9.

治療期間の短縮については，以下のまとめが便利です．ご参照を．

Stewardship: Shorter = Better				
Diagnosis	Short (d)	Long (d)	Result	# RCT
市中肺炎	3-5	5-14	Equal	12
人工呼吸器関連肺炎	8	15	Equal	2
腎盂腎炎	5 or 7	10 or 14	Equal	7
腹腔内感染	4	10	Equal	2

グラム陰性桿菌菌血症	7	14	Equal	2*
蜂窩織炎	5-6	10	Equal	4**
慢性骨髄炎	42	84	Equal	2
糖尿病足骨髄炎	21	42	Equal	1†
化膿性関節炎	14	28	Equal	1
整形外科インプラント除去後	28	42	Equal	1
慢性気管支炎急性増悪と副鼻腔炎	≤ 5	≧ 7	Equal	> 25
発熱性好中球減少症	AF×72h	+ ANC > 500	Equal	1
潜在性結核	1-4 mo	6-12 mo	Equal	8
P. vivax マラリア	7	14	Equal	1

68 RCTs

*GNB bacteremia also in UTI/cIAI RCTs; **3 cellulitis RCTs equal, 1(low dose oral flucox) ↑relapses 2°endpoint; †all patients debrided (but with residual osteo); refs at Dr. Brad Spellberg. HP.

コラム　震災と感染症について

　2016年の熊本地震のときに，4月21日にネットに上げた内容を再掲します（神戸大学都市安全研究センターHP）．現地に赴く医療者の役に立つように書きました．一般的な災害時の感染症診療としても役に立つと思うのでご参照ください．

熊本地震に医療支援に行く医師のための，感染症診療のポイント

　本稿は個人の見解であり，所属先の見解とは限りません．また，個々の事例全てにこのブログの内容が当てはまるという保証はございません．ご留意ください．

　熊本地震で尽力されている九州の医療者の皆様，支援に赴かれている各

地の皆様，ご苦労さまです．

まだまだ余震も続き，外傷その他，様々な医療問題があります．長期化する避難生活での感染症もその一つです．

我々は東日本大震災時の石巻市での医療支援を，診療録情報を用いて分析しました．当時の感染症診療の問題点が明らかになりましたので，それを踏まえて熊本地震での感染症診療のポイントとして紹介します．詳しくは今年の日本プライマリ・ケア連合学会総会で発表し，その後論文としても発表する予定です（注．これは論文化されました．Iwata K, Fukuchi T, Hirai M, et al. Prevalence of inappropriate antibiotic prescriptions after the great east Japan earthquake, 2011. Medicine（Baltimore）. 2017; 96: e6625）．

まず第一に，災害時の感染症というと破傷風やレジオネラ肺炎といったトピックが注目されやすいですが，こうした事象は（重要ではありますが）マレです．日常的な感染症のほうがずっと頻度が高いです．

震災現場での診療は普段の診療とは大きく異なります．患者背景が異なることは多いですし，通常でしたら容易にできる検査も困難，あるいは不可能です．搬送判断も重要になります．

検査が困難なため，普段の診療同様，あるいはそれ以上に病歴聴取が重要になります．

東日本大震災では抗菌薬の不適切処方が非常に目立ちました．例えば，咳に対して抗菌薬を処方するのですが，毎週毎週入れ替わりの異なる医師から異なる抗菌薬が出され続けたケースなどがそうです．

診療時は主訴のみでなく，必ず時間情報（いつから）が重要になります．

診療録や患者さんへの問診で週単位で持続する症状（咳，微熱，鼻汁など）があるとわかれば，抗菌薬処方で治療する一般感染症ではない可能性が極めて高いです．例えば慢性咳嗽の原因だと喘息，肺気腫，心不全，喫煙など多様な原因が考慮されます．

リソースの乏しい場所で抗菌薬を安易に処方し，アレルギー反応その他の副作用が生じた場合は対応が極めて困難になります．明らかにウイルス性と考えられる感冒，インフルエンザ，あるいは上記の慢性症状などに対して抗菌薬を安易に処方しないよう，くれぐれもよろしくお願い申し上げます．過去の抗菌薬処方記録は必ず参照してください．

高熱を伴わない下痢症でも，抗菌薬は役に立たないか，かえって下痢を悪化させる可能性があります．急性発症の下痢症では抗菌薬は無益か有害なことが多いので，補液などを優先させ，抗菌薬は回避したほうが無難でしょう．

併用薬も詳しくチェックしてください．普段の診療とは異なる基礎疾患をお持ちの患者さんもいるかもしれません．

例えば，よく使われるクラリスロマイシン（クラリス®）はCYP3A4の基質，かつ強力な阻害薬で，多くの医薬品の血中濃度を高めてしまいます．また，クラリス®などマクロライド自身が心電図異常（QT延長），突然死の原因になることもよく知られています．複数の薬を出されている患者，心疾患やそのハイリスクの患者には処方を避けるのが賢明です．最近はスマホのアプリで薬の併用を調べることが容易にできますので，わからない時はアプリ（ePocratesなど）で調べるか，同伴の薬剤師さんと確認するのが大切です．
　消化管からの吸収が悪い（bioavailabilityが悪い）経口抗菌薬は，モニタリングが困難な被災地ではとくに使用を避けてください．典型例が，フロモックス®，メイアクト®といった第三世代セフェムです．サワシリン®（アモキシシリン）やケフレックス®（セファレキシン）といった古い，しかし消化管からの吸収率が高い抗菌薬のほうが，被災地では役に立つでしょう．
　抗菌薬をみだりに使うのは危険ですが，必要な場合はしっかり使うのが大事です．
　被災地でとくに役立つのがクラビット®（レボフロキサシン）です．コモンな軟部組織感染症（蜂窩織炎），尿路感染，肺炎などいろいろな感染症に用いることができ，経口薬なのに点滴薬に近い効果を期待できます．なお，似たようなキノロンもいろいろありますが，シプロ（シプロフロキサシン）は肺炎に使いにくく，アベロックス®（モキシフロキサシン）は尿路感染には使えません．注意しましょう．
　ただし，クラビット®は結核診断や治療の邪魔になりますので，慢性咳嗽や微熱，体重減少の患者には用いないようにしてください．結核の除外が必要なら，避難所からの搬送が必須になりますので感染対策チームに連絡してください．日本の結核患者の多くは高齢者で，過去の感染が免疫低下で再活性化して発症します．避難所での結核アウトブレイクは甚大な被害をもたらしますので，早期発見が重要です．
　同様に，問診のときに必ず「似たような症状」の患者を確認してください．インフル，下痢症など感染症アウトブレイクが起きれば，特別な感染対策が必要ですので専門家チームに連絡をお願いします．
　高齢者の急性感染症に注意してください．とくに肺炎と尿路感染が重要になります．咳嗽や排尿時痛といったフォーカスを示す症状がなく，単純に急性発症の意識障害，しかも熱が出ないということはしばしばあります．肺塞栓（エコノミークラス症候群の合併症）なども同様なプレゼンをしますので，いずれにしても「高齢者の急性発症」には要注意です．意識障害を伴う感染症は多くは重症感染症なのでしかるべき医療機関への緊急搬送が望ましいです．

（中略）

被害が一日でも早く収束するよう心からお祈りするとともに，当方もこちらでできることを一所懸命に取り組み，みなさまのお役に少しでも立てるよう尽力いたします．

 文責 神戸大学都市安全研究センター，医学部附属病院感染症内科
   岩田健太郎

本稿は転載自由です．その際は出典をお示しいただき，全文を掲載して頂ますようお願い申し上げます．

18 ペニシリン
すべての基本はここにあり

　さて，いよいよ具体的な抗菌薬について，もっと詳しくみていくことにいたしましょう．
　まずはペニシリンです．これが全ての基本です．
　フレミングがアオカビからペニシリンを発見した逸話はよくよく知られています．1928年のことでした．そして翌年の1929年にこの大発見を発表したのです．そのカビの名は *Penicillium notatum* といったわけで，ペニシリンの名の由来になっているのですね．
　ときに，現在臨床的に問題になる *Penicillium* といえば，タイなどで免疫抑制者に疾患を起こす *P. marneffei* ですが，最近これは *Talaromyces marneffei* と改名してしまいました．使い慣れた呼称をどんどん改名していく悪名高き微生物業界です．*Talaromyces* なんて名前，つけなかったらよかったのに．
　フレミングのこの大発見から，実際に臨床の現場にペニシリンが使われるようになるまで実に10年以上の歳月を要しました．第二次世界大戦中，1940年代のことでした．フローリーとチェーンが1941年にその偉業を達成したのでした．これにより，フレミング，フローリー，チェーンの3名はノーベル賞を受賞したのでした．

A ペニシリンの作用とは？

　ペニシリンはβラクタムの仲間の抗菌薬です．βラクタム剤には，大きく分けるとペニシリンの仲間，セファロスポリンの仲間，そしてカルバペネムの仲間，の3種類に分けられます．

　もともと，フレミングが発見したころのペニシリンはいろいろな種類のペニシリンの混成物でした．ペニシリンFとかGとかXとかKとか．そのうち，ペニシリンG（ベンジルペニシリン）だけをとり出したのが，現在のいわゆるペニシリンです．なんでこれだけとり出したかっていうと，最も臨床効果が高かったからです．

　化学式を書くと，**βラクタム環という部分があるのが，この仲間の抗菌薬の特徴ですね**．例えばペニシリンGの場合は，こんな形をしています．

$$\text{ベンゼン環}-CH_2-CO-NH-\underset{O}{\overset{}{\bigg|}}\underset{N}{\overset{S}{\bigg|}}\underset{COOH}{\overset{CH_3}{\underset{CH_3}{}}}$$

　左にあるのはベンゼン環ですが，右にみえる炭素3つと窒素1つのワッカがβラクタム環です．

　えっ？　もう頭が痛くなってきた？　まあまあそういわずに．まだまだ話は端緒についたばかりです．

　βラクタム環こそが，ペニシリンなどのβラクタム剤の秘密です．ここが殺菌効果を司っているのです．環のまわりにあちらこちらについている側鎖は，どの菌に効果があるか，そういったいわゆる「スペクトラム」を保証しているといわれます．

　ペニシリンはカビが作る「天然の」抗菌薬ですが，最近では合成のペニシリンもできています．黄色ブドウ球菌に効果のあるmethicillinやその仲間たち，アミノペニシリンであるアンピシリンなんかがそうです．また，ペニシリン耐性菌に対抗すべく，βラクタマーゼ阻害薬をかませることも，よく

あります.

　このようにペニシリンの種類は時代とともに増えていきまして，それとともに医者のほうも混乱がみられるようになってきました．「この」ペニシリンと「あの」ペニシリンってどう違うの？　どう使い分けるの？　さまざまなペニシリンのさまざまな特徴は，さまざまな選択権を与えてくれます．選ぶ自由はかえって我々を大いに苦しめます．まるで，人生のようですね．

B ペニシリンの薬理作用

　ペニシリンが細菌を殺すことができるのは，βラクタム環があるからです．これはすでに説明しました．

　ペニシリンは，細菌のペニシリン結合タンパク（penicillin binding protein: PBP）にくっつきます． では，PBPって何でしょう．これ，実は酵素なんですね．思い出してください．酵素は触媒でして，すべての酵素はタンパク質でした．PBPもそうした酵素の1つなのです．

　おっと，1つ，といったのは厳密には間違いでして，本当はたくさんの種類のPBPがあります．だから，英語の文献では複数形で，PBPsと書かれています．PBPs……これらは細胞壁を作るのに必要な酵素なのです．そして，PBPにペニシリンがくっつくとPBPはもはや細胞壁を作る仕事をやめてしまいます．細胞壁はこれ以上新しく作られなくなってしまいます．細胞壁の構成要素，ペプチドグリカンの部分が，ペニシリンが作用する部分です．細胞壁がこれ以上作られなくなると，細菌は自ら崩壊して，死んでしまうのです．あるいは死なない場合もこれ以上分裂できなくなって，あとは自らの免疫細胞がきれいに料理してくれます．

　皆さん，まだついてきていますか？　もう少しがんばりましょう．
　PBPにはいろいろ種類があり，その分子量の大きい順番に並べられています．PBP1, PBP2, PBP3……といったように．
　さて，ややこしいことこの上ないことに，PBP1や2も後の研究が進んで

実は単独のタンパクではないことがわかってきました．そのため，さらにPBP2aとか，PBP2bといった細分化が進んでいます．

まあパソコンソフトでバージョン1.2とか5.5とかいった細かな分類があるのと一緒です．うーん．我ながらたとえが悪い．

さて，こうしたたくさんのPBPのうち，PBP2aは黄色ブドウ球菌の恐ろしい耐性菌，MRSAの原因になっています．いずれにしても，PBPにはたくさん種類がある，ということだけここでは覚えておいてください．

- ペニシリンはPBPにくっついて作用する．
- PBPは細菌が細胞壁を作るのに必要な酵素である．
- PBPには多くの種類がある．

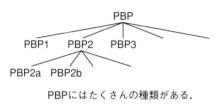

PBPにはたくさんの種類がある．

C おそるべし，βラクタマーゼ

突然ですが，なぜ，ペニシリンは黄色ブドウ球菌に効かなくなってしまったのでしょう．昔はよく効いていたのに．

それは，黄色ブドウ球菌がβラクタマーゼを作るようになってしまったからです．

なぜ，ペニシリンはたいていの嫌気性菌に効くのに，お腹の中の嫌気性菌ナンバーワン，*Bacteroides fragilis* に効き目があまりないのでしょう．

それは，*B. fragilis* がβラクタマーゼを作るようになってしまったからです．

⚠CAUTION おそるべし，βラクタマーゼ

ラクタマーゼ，というくらいですから，βラクタマーゼは酵素です．そして，ペニシリン結合タンパクPBPの仲間です．PBPはみんな酵素だったのでしたね．

細胞膜にくっついているPBPは細胞壁を作るのに役に立ちます．βラクタマーゼは例外的に細胞膜にはくっついておらず，フリーの状態で分泌されます．細胞壁を作る仕事はしておらず，逆にペニシリンにくっついて，これを壊してしまいます．厳密にいうと，加水分解を促す酵素として働きます．PBPの，βラクタム環にくっつく能力を利用しているのです．なんと賢い細菌たちでしょう．敵ながらあっぱれではありませんか．

細胞膜にあるPBPにペニシリンがくっついてしまえば，細胞壁の構築は妨げられ，最終的には細菌の死に至ります．しかし，遊離しているβラクタマーゼがまるでデコイ（囮）のようにペニシリンにくっついていけば，細胞膜にあるPBPにはペニシリンはくっつけません．そして，βラクタマーゼはペニシリンにくっついて囮の役を果たすだけでなく，加水分解を促す酵素として働き，この抗菌薬を壊してしまうのです．

⚠CAUTION おそるべし，βラクタマーゼ

- βラクタマーゼは遊離しているがPBPの一種であり，ペニシリンに結合する．
- βラクタマーゼはペニシリンを壊してしまう酵素でもある．
- βラクタマーゼ，おそるべし！

世の中にはいろいろなβラクタマーゼがあります．例えばESBLみたいな．これらβラクタマーゼの各論についてはすでに説明しました．

D ペニシリンの分類を試みる

さあ，ここでペニシリンをグループ分けしましょう．

1. 普通のペニシリン
2. βラクタマーゼ阻害薬入りペニシリン
3. 黄色ブドウ球菌（MSSA）に効く特殊なペニシリン
4. 緑膿菌に効くペニシリン

これは薬理学的な分類ではなく，あくまで臨床上の「使い方」からの分類です．

もっとも，オーバーラップもありまして，例えばよく使われるピペラシリン・タゾバクタムは2のβラクタマーゼ阻害薬入りペニシリンでもあり，かつ4の緑膿菌に効くペニシリンでもあります．ヤヤコシイ．

あと，アンピシリン・スルバクタムは2のβラクタマーゼ阻害薬入りペニシリンに分類されますが，実は多くのMSSAにも効くので「それって3じゃないの〜」とツッコむことはできなくはありません．

ありませんが，うるせー！ そういうこと言われるとわけわかんなくなっちゃうんだよー！ 要は使えればいいんだよ！ とちょっと逆ギレしたところで，必要十分条件を満たしたキレイな分類ができなくてスミマセン！

■ 普通のペニシリン

ここに属するのは，いわゆるペニシリンたるペニシリンです．

注射薬なら，
　　注射用ペニシリンGカリウム
　　アンピシリン (ビクシリン®など)

経口薬なら，
　　ベンジルペニシリンベンザチン水和物 (バイシリン® G)
　　バカンピシリン塩酸塩
　　アモキシシリン (サワシリン®など)

ベンジルペニシリンは胃酸に対して不安定なため，海外では酸に安定性のある penicillin V という経口薬を好んで用います．これが日本にないため，代替薬としてアモキシシリンを用いざるをえないのが現状かと思います．ただし，アモキシシリンのようなアミノペニシリンは EB ウイルスによる伝染性単核球症時に処方すると皮疹を起こしやすいので要注意．喉が腫れて熱が出ている，というだけでアモキシシリンを出すのは危なっかしいのですね．この伝染性単核球症時の皮疹はアジスロマイシンなど，他の抗菌薬でも起きるのですが，やはりアミノペニシリンで起きやすいようです．ただし，昔に比べると近年はその発生頻度が下がっているかもしれない，というデータもあります．

> Thompson DF, Ramos CL. Antibiotic-induced rash in patients with infectious mononucleosis. Ann Pharmacother. 2017; 51: 154-62.

　ときに，ペニシリン G はなぜか重さ，mg とかでなく，「単位」で量を表記する習慣があります．1 単位のペニシリンはペニシリン G ナトリウムの重さ $0.6\mu g$ に相当します（Kucers' より）．ええと，100 万単位のペニシリン G なら 600mg ってことですね．神経梅毒や感染性心内膜炎のときなどは 1 日投与量は 2400 万単位になりますが，計算すると 14.4g になります．4 時間おきの投与なら，1 回 2.4g．ま，点滴抗菌薬なら「これくらいかな」という量になります．

　『抗菌薬が効かなくなる』（Dame Sally C. Davies. 忽那賢志, 監訳. 丸善）によると，ペニシリンの「単位」とはオックスフォード単位のことで，直径 1 インチの空間で黄色ブドウ球菌の発育を阻止するペニシリンの最小量のことなのだそうです．現在では耐性ブドウ球菌が増えたので「使えない」定義かもしれませんが．

　医学，医療は数字に満ちています．検査値とか．血中ナトリウムとかクレアチニン値の正常値や，異常の異常っぷりの把握には「慣れ」が必要です．ナトリウム 150mEq/L は高ナトリウムではありますが，ひっくり返るほどではない．170 になると，「ひえ〜，どうしよ！」という異常値になります．

こうした感覚は「慣れて覚える」しかない．

　抗菌薬の量もどのくらいが普通で，どのくらいが無茶苦茶かは，添付文書などで記憶するだけでなく，その感覚を得ておくことが大事です．しかも正しい感覚を．「抗菌薬多すぎじゃない？」と聞かれる量が案外，そうでもないことはしばしばあります．

E　ペニシリンG（点滴薬）の使い方

　ペニシリンGはすべての抗菌薬の基本です．なので，この使い方をまずマスターしましょう．

　まずは，こういう菌の感染症ではペニシリンGは使い勝手が良いです．

- 溶連菌感染
- 感受性のある肺炎球菌感染
- 緑色レンサ球菌感染（viridans streptococci）
- （一部の）ブドウ球菌
- 嫌気性グラム陽性菌の多く
- 髄膜炎菌などナイセリア（*Neisseria*）の一部
- ごく一部のグラム陰性菌
- 梅毒などのスピロヘータ

では，順番に見ていきましょう．

■ 1．溶連菌

　溶連菌とはβ溶血するレンサ球菌の総称です．β溶血というのは，めちゃめちゃ溶血して血液寒天培地が透明に抜けるような溶血を言います．あまり溶血しないものをアルファ溶血と言い，その場合は溶血領域が緑色に見えます．アルファ溶血するレンサ球菌を緑色レンサ球菌（viridans streptococci）と呼ぶのはこのためです（後述）．アルファ溶血する菌は，通常「溶連菌」とは呼びません．このへんは業界の決まり事なので，つべこべ言わんと納得

してください．え？　だれもつべこべ言ってないって？

溶連菌はランスフィールドという分類法でさらに細分化します．基本的には，

　　A群
　　B群
　　その他（CとかG）

で覚えます．これが簡単でいい．

(A) GAS

A群溶連菌（*Streptococcus pyogenes*, group A *streptococcus*: GAS）は非常に重要な菌で，いろんな病気を起こします．例えば，

急性咽頭炎
丹毒（皮膚の感染）
蜂窩織炎（皮膚と皮下の感染）
壊死性軟部組織感染（壊死性筋膜炎など）
トキシックショック症候群リウマチ熱
糸球体腎炎

いやー，なんてバラエティに富んだレパートリー．

本書は抗菌薬の解説本なので各疾患には深入りしません．薬的なポイントだけ，申し上げておきます．

① **GAS（ガス，と読む）はほぼ100％ペニシリンに感受性あり！**
よって第一選択薬はこの薬となります．

② **GASによるトキシックショック症候群（toxic shock syndrome: TSS）は菌血症を伴うことが多いので抗菌薬で治療．もちろん，選択薬はペニシリン！**
すぐ後で述べる壊死性筋膜炎と同じ理由（毒素産生を抑える意味）でクリンダマイシンをかますことが多いです．

ちなみに，黄色ブドウ球菌（*Staphylococcus aureus*）も TSS を起こすことで知られていますが，こちらが菌血症を伴うことはまれです（5%くらい）．基本，TSS は毒の病気なので菌血症を伴ったりしなければ理論的には抗菌薬はなくても支持療法で治ると思いますが，やっぱ気持ち悪いので（？）ブドウ球菌の TSS も抗菌薬で治療します．点滴免疫グロブリン療法を併用することも提唱されていますが，エビデンスは量質ともに少なく，標準的治療とはいえません．また，日本で承認されている治療量では足りないと考えられます．

〈GAS の TSS 治療例〉
ペニシリン G400 万単位 4 時間おき点滴
＋クリンダマイシン 900mg 8 時間おき点滴を 14 日間

（参考）

〈*S. aureus* による TSS 治療例〉
バンコマイシン 1g 12 時間おき
＋クリンダマイシン 900mg 8 時間おき点滴を 14 日間（MRSA に）
　セファゾリン 2g 8 時間おき
＋クリンダマイシン 900mg 8 時間おき点滴を 14 日間（MSSA に）

あと，まれですが *Clostridium sordelli* や *C. perfringens* という嫌気性菌が TSS を起こすこともあります．ガス壊疽に合併することが多いようです．

（参考）

〈*Clostridium* による TSS 治療例〉
ペニシリン G400 万単位 4 時間おき点滴を 2 週間
＋クリンダマイシン 600-900mg 8 時間おき点滴を 14 日間

そう，後述しますが多くのグラム陽性嫌気性菌にもペニシリン G は（たいてい）効いちゃうんす．クリンダマイシンの使用量は教科書によってまちまちですが，要は「言い値」のようでして，寿司屋の時価みたいなものだと思ってください（違うか）．

③ GAS による壊死性筋膜炎（あるいは軟部組織感染）は毒素産生を抑えるために，ペニシリンに加えてクリンダマイシンを加える．

クリンダマイシンはリボゾームに作用するためタンパク合成を阻害します．単に殺菌するペニシリンに加えて毒素産生を抑えるという効果を期待します．細胞壁に作用するペニシリンにはこのような効能は期待できません．

　もっとも，壊死性筋膜炎の場合，緊急の切開ドレナージが重要でして，これがないと治療効果は心もとない．抗菌薬だけでなんとかなるわけではないんです．壊死組織がなくなるまで繰り返すのが大事です．

>Stevens DL, Bryant AE. Necrotizing soft-tissue infections. N Engl J Med. 2017; 377: 2253-65.

- A 群溶連菌による壊死性筋膜炎の治療でいちばん大事なのは，一刻も早い外科的治療である．
- 抗菌薬はタンパク合成を抑えるクリンダマイシンをペニシリンにかませることが多い．

　壊死性筋膜炎の原因は，時に嫌気性菌（*Clostridium septicum, C. perfringens* など）だったり，グラム陰性菌（*Aeromonas* や *Vibrio vulnificus*）だったりします．血液培養から A 群溶連菌がみつかっている場合は自信を持ってペニシリン・クリンダマイシン療法が使えますが，もし原因菌がはっきりしない場合はカルバペネムなど嫌気性菌やグラム陰性菌をカバーする広域抗菌薬を躊躇なく使わなければいけません．ときに MRSA も壊死性筋膜炎を起こしますので，バンコマイシンなどを併用することすらあります．

　カルバペネムをいきなり使ってしまうのは日本の医師の悪い癖ですが，壊死性筋膜炎はその例外の 1 つです．一歩間違えれば文字通り死に至ってしま

う，待つことのできない重症感染症．このようなときこそ，「エンピリック」に広域の抗菌薬を迷わず使うべきときなのです．

④ 糸球体腎炎は抗菌薬で治らないし，予防もできない（リウマチ熱は一次，二次予防を抗菌薬で行う）

糸球体腎炎は溶連菌感染後の免疫学的な現象と考えられますが，抗菌薬で治療も予防もできないとされています．一方，同じ免疫学的現象であるリウマチ熱は抗菌薬で予防が可能です．また，リウマチ熱発症者が再度溶連菌感染を起こすとリウマチ熱の再発，重症化が起きやすくなるため，長期の二次予防も抗菌薬で行います．ただし，日本ではリウマチ熱はとてもまれですし，基本的に小児に多い病気なので本書では詳しいことは割愛します．

よく，溶連菌感染後に尿検査をするプラクティスがありますが，上記のように糸球体腎炎は予防できず，不顕性の疾患なら治療も不要なので，ぼくは浮腫などの症状のない方のルーチンの尿検査はしません．

(B) GBS

Group B *streptococcus*（GBS, *S. agalactiae*）もよく見る菌で，消化管や膣などに常在しています．A群溶連菌は「ガス」と言いますが，GBSはこういう読み方はしづらいので「ジービーエス」と言います．

以前は妊婦，新生児に起きる感染症として注目されてきましたが，現在は糖尿病患者や高齢者など幅広いセッティングで感染症を見ます．敗血症，糖尿病足感染，髄膜炎などがよく見る疾患ですね．

GBSもGAS同様，ペニシリンで治療できるのですが，GASと違い，まれにペニシリンに感受性が低い菌が存在します．とはいえ，ほとんどはペニシリンで治療可能といっていいでしょう．

GBSはまあ，GASほど毒性は強くなく，暴れまわるような重症感染症は起こしにくいっちゃあ，起こしにくいのですが，ホストである患者がなんらかの免疫抑制を持っていることが多いので，相対的には予後が悪くなりやすい．感染症は菌とホストの両方を見なきゃいかん，という大事な教訓を思い

出させてくれるぜ，GBS.

(C) その他

ランスフィールドでいうと，C 群，G 群，F 群，R 群溶連菌が「その他」になりますが，臨床現場でよく見るのが C 群と G 群.

実はランスフィールドの C や G 抗体に反応していたのは同じ菌で，*Streptococcus dysgalactiae* 亜種 *equisimilis* です．というわけで，最近は C とか G とか言わんと，「ディスガラクティエ」と呼ぶことが多くなりました．これは基本弱毒菌ですが，様々な免疫抑制者が増えた現代社会ではこうした菌の感染症は珍しくありません．だいたいペニシリンで治療できます.

なお，F 群溶連菌は昔言われた *S. milleri* グループ，現在の *S. anginosus* グループに属しましたが，こうした菌が β 溶血しなかったり，F 抗体に反応しなかったりするので，もう溶血とかランスフィールドとか言うのやめませんか？　っていうくらいレンサ球菌の分類は混迷を極めています.

とにかく，**ペニシリンはたいてい効きます．それだけ知ってりゃいい.**

■ 2.　感受性のある肺炎球菌感染

現在，肺炎球菌の感受性は「髄膜炎か」「それ以外」で区別します．これは髄液に移行しにくいペニシリンなどの抗菌薬効果が，同じ肺炎球菌を狙っていても髄膜炎の場合は低くなってしまうためです．菌と抗菌薬の関係だけでなく，患者，あるいは感染部位を勘定に入れねばならないわけです.

で，髄膜炎のときの肺炎球菌のブレイクポイントは低いために，なかなかペニシリンで治療するのは困難です．逆に，髄膜炎以外の場合，例えば肺炎とかならばペニシリンで治療できる可能性が高い．例えば，市中肺炎でそれほど状態が悪くなく，グラム染色で肺炎球菌がバッチリ見えたらペニシリン G 単剤でエンピリカルに治療することだって可能です.

- 肺炎球菌による肺炎は原則ペニシリン
- 逆に髄膜炎だとペニシリンは使えないことも多い．

Infectious Diseases Society of America. Penicillin's Back: FDA Raises Breakpoints for S. pneumoniae Pneumonia.

■ 3. 緑色レンサ球菌感染（viridans streptococci）

　たいていの緑色レンサ球菌にもペニシリンは効きます．前述のようにアルファ溶血をするものをコロニーの色から「緑色」と呼ぶわけですが，この中には前述の S. anginosus（S. milleri）グループもいて，とはいえ，こいつらはβ溶血することもあり，膿瘍を作りやすいなど臨床的な特徴も違うので，別扱い．S. sanguis, S. mutans, S. mitis, S. salivarius などが「いわゆる」ビリダンス，と我々が呼ぶところの口腔内の菌でして，歯科治療後の感染性心内膜炎の原因になることで有名です．S. anginosus グループも心内膜炎を起こすといえば起こしますが，いわゆるビリダンスに比べると珍しい．

　ビリダンスではペニシリン耐性菌はまれなのですが，その MIC（最小阻止濃度）が問題になります．基本的に，ほとんどの感染症では MIC の数字そのものは気にする必要はなく，感受性あり（S）か，そうでない（R）かだけを気にしてくれればよいのですが，これは数少ない例外に当たります．このことは MIC のところでも説明しました．

　具体的には，感染性心内膜炎〔infective endocarditis: IE（「アイイー」と読む）のときで，ビリダンスが原因．治療法は 12-A-2，139 ページに示しました．MIC や人工弁の有無などに応じてペニシリンの投与量や投与期間，併用するアミノグリコシドの使用方法が決定されます．

　ところで，このビリダンスの IE 治療方針を全く踏襲するレンサ球菌が 2 種類あります．それは，

Streptococcus gallolyticus

です．なにそれ？　聞いたことない，という人も多いかもしれません．

S. gallolyticus は以前，*S. bovis* と呼ばれていた菌です．菌名をコロコロ変えるのはこの業界独特の陰湿なイジメなのであきらめてください．しかも，スペルも発音もどんどん難しくなる傾向にあります．*S. bovis* は大腸癌などの悪性疾患との関連が以前から知られており，この菌の菌血症，IE を見つけたら大腸内視鏡などのワークアップが必要と考えられています．

　ところが，*S. bovis* が *S. gallolyticus* と改名されたのですが，その *S. gallolyticus* にも 3 つの亜種があり，大腸悪性疾患と関連するのはその亜種のうち，

S. gallolyticus subsp. *gallolyticus*

だけだとわかりました．同じ名前を連呼するのです．プリンセス・プリンセスとか，ハンマ・ハンマとか，まあ，世代と趣味に合わせて連想しやすい方法で覚えてください．

> Corredoira-Sánchez J, García-Garrote F, Rabuñal R, et al. Association between bacteremia due to Streptococcus gallolyticus subsp. gallolyticus（Streptococcus bovis I）and colorectal neoplasia: a case-control study. Clin Infect Dis. 2012; 55: 491-6.

　ちなみにちなみに，*S. gallolyticus* の残り 2 つの亜種は

S. gallolyticus subsp. *pasteurianus*

S. infantarius

といいます．*S. infantarius* はすでに原型をとどめていなくて，なんで亜種やねんって感じですが，さらにこれは

S. infantarius subsp. *infantarius*

と

S. infantarius subsp. *coli*

に細分化されて混迷を深めています．なお，これらは胆道感染との関係が注目されており，とくに *S. galllolyticus* subsp. *pasteurianus* は新生児や高齢者の髄膜炎との関連も指摘されており，「なにそれ，それってリステリア

じゃね？」(←違) みたいなハナシになっています．

次に NVS のハナシをします．

■ 4. 栄養要求性レンサ球菌（nutritionally variant streptococci: NVS）

これはなかなか生えにくいレンサ球菌の総称で，発育に L- システインやビタミン B6 を必要とします．有名なのは

Abiotrophia defectiva

で，他にも

Granulicatella spp

Gemella spp

があり，もはやレンサ球菌には全然見えない名称が泣かせます．チョコレート寒天培地で発育するなど，微生物学的には面白い特徴がありますが，そんなことは本書では割愛して，とにかくビリダンスと同じように治療しましょうってことです．

NVS による IE の場合は腸球菌と同様に（ビリダンスで MIC 0.5 ＞ と同様に），ペニシリンとアミノグリコシドで長期治療します．ただし，腸球菌にはセフェムは原則効きませんが，NVS の場合はセフトリアキソンとアミノグリコシド併用療法などで治療することも可能です．ああ，ややこし．

■ 5.（一部の）ブドウ球菌

従来，黄色ブドウ球菌にせよ，コアグラーゼ陰性菌にせよ，ブドウ球菌はペニシリンでは原則治療しない，というのが一般的でした．

しかし，そもそも昔はブドウ球菌感染症だって全部ペニシリンに感受性があったのです．だから，感受性があれば，ペニシリンで治療してはいけないってことはありません．**実は，日本のブドウ球菌は案外ペニシリン感受性なのです**（歴史的にこれまでペニシリンを使ってこなかったためかもしれませんが）．MSSA の 4 割弱がペニシリン感受性と考えられています（MRSA は基本，βラクタム全部効きませんから，もちろん耐性です）．

ペニシリン耐性ブドウ球菌はペニシリナーゼ産生菌です．逆に言えば，ペニシリナーゼを作らなければ，感受性菌と言えるかもしれません．

　その確認方法は，まず MIC を見ます．MIC $\leqq 0.25\,\mu g/mL$ なら，まずは第一関門通過です．

　しかし，MIC が低くてもペニシリナーゼ産生株が混じっていることがあるため，これだけでは安心できません．検査室に頼んで，ペニシリナーゼ産生の有無を確認します．これには

　ニトロセフィン法や

　ゾーンエッジ試験があります．

　ただし，両検査の感度は十分とはいえないので，さらに遺伝子検査 blaZ PCR 法をやるという方法もあります．

　　耐性菌検査法ガイド．日本臨床微生物学会雑誌．2017. Vol. 27 Supp 3.

　もっとも，これでもまだペニシリン耐性株を見逃すこともあります．まあ，医療機関によってできる検査が限られていることも多いでしょう．

　よって，大切なのは

検査の確度

と

臨床的な見通し

（狭い抗菌薬で良くなりそうか，もし反応が悪いときに方針転換できるほど患者が安定しているか）

ということになります．これは検査がどんなに進歩しても変わらない，普遍的な原則です．大事なのはベッドサイド．ベッドサイドを無視した微生物検査はかならずどこかで失敗します．このことは MIC についての概説でも述べました（**12**, 137 ページ参照）．

　あと，コアグラーゼ陰性菌で黄色ブドウ球菌並みに毒性が強いとされるものに *S. lugdunensis* があります．やっかいなのですが，これが案外ペニシ

リン感受性菌が多いのも特徴です．強い，弱いと耐性の有無は必ずしも同義ではない，の一例です．

■ 6. 嫌気性グラム陽性菌の多く

よく，嫌気性菌は横隔膜より上か，下かで区別します．**横隔膜より上の（つまり口の中の）嫌気性菌はグラム陽性菌が多く，ペニシリンが効きやすい．**横隔膜から下の菌はグラム陰性菌が多く，バクテロイデスに代表されるように β ラクタマーゼ産生菌が多くて，ペニシリンが効きにくい，という一般法則があります．

Peptococcus, Peptostreptococcus，**嫌気性レンサ球菌はだいたいペニシリンに感受性があります．**もっとも，国や地域によっては耐性菌が増えたと報告があるので，過度の一般化は危険かもしれません．口腔内には *Prevotella* というグラム陰性嫌気性菌がいて，β ラクタマーゼを作るため，ペニシリンなどいろいろな β ラクタム剤に耐性を示します．

> 金坂伊須萌, 他. 歯性感染症から分離した Prevotella 属が産生する β-lactamase と ceftriaxone 耐性に関する検討. 歯薬療法, Oral Therap Pharmacol. 2015; 34: 100-5.

ところがですね．

実際に口腔内の感染症で耐性 *Prevotella* が関与している場合でも，膿瘍などの切開排膿がちゃんとされていれば，ペニシリンで十分に患者は治るのです．

> Warnke PH, Becker ST, Springer ING, et al. Penicillin compared with other advanced broad spectrum antibiotics regarding antibacterial activity against oral pathogens isolated from odontogenic abscesses. J Craniomaxillofac Surg. 2008; 36: 462-7.

基本的に嫌気性菌感染は複数菌の混合感染です．その一つひとつの菌をすべて几帳面に殺すべきかについては諸説あります．が，臨床的には検出される菌を全部殺さなくても，ざっくりと大体の菌を殺す抗菌薬で患者は治ってしまうことが多いです．

ここが *in vitro* と *in vivo* の違いであり，「人間は試験管ではない」という

ところでもあると思います．また，嫌気性菌は基本的に空気に（酸素に）晒せば死んでしまいますから，抗菌薬とは関係なく，空気に晒していれば嫌気性菌は死ぬ，という意味にもなりましょう．

　ぼくは口腔内の感染症や，その口腔内の菌が起こしているであろう**誤嚥性肺炎とかではしばしばペニシリンで治療します**．嫌気性菌だからクリンダマイシン，アンピシリン・スルバクタムのようなβラクタマーゼ阻害薬，という気持ちもわからんではないですし，実際にそういう薬も使いますが全例で使うのはやりすぎな感じです．

　少なくとも，「臨床的に良くなっている口腔内嫌気性菌感染症」で菌が検出された，耐性が確認されたからといって，抗菌薬を広域に変えるのは本末転倒です．

　いつも言うことですが，我々が治療すべきは患者です．菌を殺すのは手段であって，目的ではありません．

　グラム陽性嫌気性桿菌の感受性はまちまちです．ざっくり言えば，

ペニシリン感受性菌はペニシリン
だめならバンコマイシン

というルールで，だいたいOKです．

ペニシリン感受性のあるグラム陽性桿菌としては

① *Corynebacterium diphtheriae*

があります．ジフテリアの原因菌ですね．予防接種のお陰で国内でジフテリアが発生することはありませんが，海外ではまだときどき流行しています．

　近年ではミャンマーから逃げ出して難民化したロヒンギャの間で流行しました．基本，ジフテリアは「毒」の病気なので抗毒素が必要になりますが，同時にペニシリンで除菌します．

② 破傷風

　さて，破傷風です．2011年3月11日の地震・津波以来，一般にも有名に

なった**破傷風は *Clostridium tetani* という嫌気性菌（グラム陽性桿菌）が原因です．破傷風免疫グロブリンで毒素をブロックして治療**しますが，残った菌を殺すために通常は抗菌薬も用います．ペニシリンかメトロニダゾールを使うことが多いですが，メトロニダゾールは神経毒性の副作用があり，ペニシリンはGABA刺激作用のために良くない，とどちらも一長一短です．時代によって，「ペニシリンのほうがいい」「いやいや，メトロニダゾールのほうがいい」という意見が行ったり来たりしていましたが，最新版のSanford guideを読むと「controversial」と書かれているので，この問題は決着がついていません（ちなみに，ドキシサイクリンを使う，という流派もあるようです）．ま，流派の問題って多いですよね，抗菌薬界．

　同じように毒素が疾患を起こすボツリヌス症（*C. botulinum*）でも抗毒素とともにペニシリンを使うことが提案されています．

③ *Bacillus anthracis*（炭疽菌）

　炭疽菌もペニシリン感受性があります．本菌はバイオテロに使われることがある菌で，薬剤耐性化している可能性もあるので，ペニシリンを無批判に使うのは難しいかもしれません．

　炭疽菌による感染症は2001年，世界中で大きな話題となりました．バイオテロの原因として有名です．バイオテロに使われる炭疽菌について，詳しくは拙著『バイオテロと医師たち』（著者名：最上丈二，集英社新書．2002）を読んでいただきたいですが（できれば買って読んでください）．

　ペニシリンGは一般的に炭疽菌感染症に使えます．ただし，バイオエンジニアリングによってペニシリン耐性菌を作った国もあるという報告もありますから，第一選択薬としては使えません．バイオテロに遭遇したとき，ペニシリンをすぐ使ったりはしませんが，患者さんによっては使うかもしれない，と頭の隅に残しておけばよいでしょう．

④ アクチノマイコシス

　アクチノマイコシス（*actinomycosis*）というのは，マイコ，とついてい

るくらいですから，真菌感染症かと思ってしまいますが，実は細菌による感染症です．俗に higher bacteria といわれている細菌の一種で，グラム陽性，繊維状の細ーい細い桿菌です．顕微鏡上で sulfargranule と呼ばれる顆粒がみられるのが特徴です．呼吸器，消化器，軟部組織，女性の生殖器と様々な器官に感染症を起こします．こんなのがいるから，臓器別だけでない，感染症科という専門分野が成り立つのですね．ゆっくりと「腫瘤」を作るのが特徴で，よくがんと間違えられて手術や化学療法を受けてしまうという，割と臨床的には重要な感染症です（知らないと，絶対に診断できないのです！）．

ペニシリン G は第一選択薬の1つで，1,000万〜2,000万単位という1日投与量で4〜6週間点滴で治療します．その後は経口のアモキシシリン（など）で半年，時に1年といった長期治療を必要とします．アクチノマイコシスは進行が遅い感染症ですが，治療もとても長くかかります．長ーく患者さんと付き合いつつ，治療してください．

⑤ その他のペニシリン感受性菌

Listeria monocytogenes

もペニシリン感受性があります．本菌はセファロスポリンが効かないのが特徴なのですが，習慣的には後述のアンピシリンを使うことが多いです．他にも

Clostridium perfringens
C. septicum
C. sordelli

なんかはペニシリン感受性です．

豚丹毒について．丹毒とは皮膚の感染症ですが，豚丹毒は豚と人との人獣共通感染症で，*Erysipelothrix rhusiopathiae* というグラム陽性桿菌が原因となります．まあ，人では丹毒のような症状が出ます．治療は丹毒同様，ペニシリンです．豚との接触歴を聞かないと診断できないですね．ちなみにぼくはこの病気，ずっと「ぶたたんどく」と読むと思ってましたが，実は「と

んたんどく」と読むのでした．とんだ勘違いでした．ちなみに，似たような病名に「豚コレラ」というのがありますが，「コレラ」という名前が示唆する病気とは異なり，実はウイルス感染症です．紛らわしいので（？）最近，病名が変わりました．豚熱 (classical swine fever: CSF) といいます．読み方は「とんこれら」から「ぶたねつ」に変わったのだそうです．なぜ？　動物の感染症はよくわかりません．

■ 7. 髄膜炎菌などナイセリア（*Neisseria*）の一部

　N. meningitidis（髄膜炎菌）は基本的にペニシリン感受性と言われてきましたが，耐性菌の報告もあるようです（トルコなどで）．日本でもときどき髄膜炎を起こしています．

　STD（性感染症）の原因と知られている *N. gonorrhoeae*（淋菌）はたいていペニシリン耐性菌で日本での調査によると感受性菌は今やほとんどないそうです．

> Hamasuna R, Yasuda M, Ishikawa K, et al. The second nationwide surveillance of the antimicrobial susceptibility of Neisseria gonorrhoeae from male urethritis in Japan, 2012-2013. Journal of Infection and Chemotherapy. 2015 1; 21: 340-5.

■ 8. ごく一部のグラム陰性桿菌

　グラム陰性桿菌でペニシリンで治療できる，というものはほとんどありません．上述のように，**口腔内の嫌気性菌は結構ペニシリン感受性です．*Bacteroides melaninogenicus* や *B. oralis*，*Fusobacterium*（咽頭炎や化膿性血栓性静脈炎の原因として有名！），などがペニシリン感受性**のことが多いです．あと，犬や猫に噛まれたときに問題になる *Pasteurella multocida* もペニシリンに感受性があります．ま，多くの場合は口腔内嫌気性菌もカバーするために後述のアンピシリン・スルバクタムなどを用いるのですが．

　また，前述のようにペニシリン耐性の *Prevotella* のような嫌気性菌であっても，混合感染ならば，臨床的にペニシリンで治療する，というオプションはありです．

脾摘後の重症感染で問題になることがある *Capnocytophaga canimorsus* **は多くはペニシリン感受性**です．de-escalation は可能かもしれません．グラム陰性菌で感染性心内膜炎を起こしやすい *Eikenella corrodens* や *Cardiobacterium hominis* **もペニシリン感受性**のことが多いです．

HACEK の残りの菌（なんでしたっけ～？）はペニシリン耐性のことが多い．

> ※ HACEK（ヘイシェックとかハシェックと読みます）と略される感染性心内膜炎を起こすグラム陰性菌（*Haemophilus parainfluenzae*, *Aggregatibacter actinomycetocomitans*, *Cardiobacterium hominis*, *Eikenella corrodens*, *Kingella kingae*）はペニシリン感受性があり，これで治療できることがあります．特に Eikenella と Cardiobacterium は感受性を持つことが多いです．HACEK 初期治療はセフトリアキソンなんかを使うことが多いのですが，de-escalation 可能なこともあるのです．

> *Aggregatibacter actinomycetocomitans* はかつて *Actinobacillus actinomycetocomitans* という名前でした．三谷幸喜の TV ドラマ「古畑任三郎」シリーズで主演の田村正和がこの菌を連呼してギャグにしていました．2021 年にお亡くなりになりました．ご冥福をお祈りします．明日からの診療に少しも役に立たない豆情報でした．

○ 鼠毒

Streptobacillus moniliformis や *Streptobacillus minus* というグラム陰性桿菌による比較的珍しい感染症が rat-bite fever，日本名を鼠毒（そどく）といいます．その名のとおり鼠に咬まれて起きる感染症で，熱とともにさまざまな全身症状がみられます．

アメリカ人にも鼠毒の名は知られており，「ソドークウ（ドにアクセント）」と呼ばれています．全身にさまざまな形態の皮疹がみられるのも特徴的です．治療の第一選択薬はペニシリンで，点滴で 10 ～ 14 日間治療します．

■ 9．梅毒などのスピロヘータ

梅毒の治療は基本的にペニシリンで行い，この菌の耐性菌はいないと考えられます．あと，鼠毒の原因菌やボレリア，レプトスピラなどもペニシリン感受性のことが多いです．スピロヘータもいろいろありますね．

○ 梅毒

ペニシリンGが真価を発揮する感染症に，スピロヘータ感染症があります．特に，梅毒．梅毒治療最大最強の武器は，ペニシリンGに他なりません．

 梅毒の分類，皆さんご存知ですか．

そう，梅毒は3分割されます．初期, 2期, 3期（primary, secondary, tertiary）の3種類で，感染してからこの順番に疾患は進行します．また，これとは別に，症状はないけれども梅毒感染の証拠がある場合は，潜伏梅毒（latent syphilis）として，分類します．1期梅毒は chancre と呼ばれる陰部潰瘍が特徴です．全身に皮疹がみられるのが2期梅毒，血管炎などの循環器系が侵されるのが，3期梅毒です．いわゆる，神経梅毒, neurosyphilis は3期梅毒に位置することも多いのですが，実際には2期梅毒，あるいは1期梅毒であっても神経梅毒を合併することもあります．

梅毒については，今はこれくらいでいいでしょう．抗菌薬的アプローチとしては，このステージごとに異なる治療法が行われる，というふうに覚えてください．

1期梅毒, 2期梅毒の治療法はおんなじでして，**1回の benzathine penicillin を筋注するだけでよいのです．240万単位を筋注で1回**．それでおしまいです．ペニシリンにアレルギーのある患者さんなら，ドキシサイクリンを 100mg を 1日 2回，これで2週間治療します．

ところが，この benzathine penicillin，日本ではすでに手に入らない薬となっていました．

ところがついに！ 2021年に筋注用ベンザチンペニシリンが承認され，日本でも「標準治療」が可能になりました！！

すでに述べたように，梅毒にはペニシリンは最大最強の武器なのです．ドキシサイクリンも悪くはないが，できればペニシリンを使いたいところです．

青木眞先生は，苦肉の策として，(1期, 2期の梅毒の場合)**アモキシシリン 2～3g を 1日 2回，これにプロベネシド 1g を 1日 1回．これを 14日間**，という治療を提案されています（『レジデントのための感染症マニュアル第3版』医学書院, 984頁）．近年，このようなプラクティスを検証した後ろ向き研

究も日本から発表されています（多くでは 3g のアモキシシリンと 0.75g の
プロベネシドで治療されていました．ただし，HIV 感染者限定のデータ）．

> Tanizaki R, Nishijima T, Aoki T, et al. High-dose oral amoxicillin plus probenecid Is highly effective for syphilis in patients with HIV infection. Clin Infect Dis. 2015; 61: 177-83.

　プロベネシドは痛風に使う薬ですが，尿細管からのペニシリンの排出を抑制し，血中濃度を高める作用があるため，経験の多い感染症科医はペニシリンにかませて使うことがあります．なぜ経口ペニシリンではなくアモキシシリンかというと，これは日本には経口で吸収のよいペニシリン V がなく，吸収に勝るアモキシシリンのほうがよい，と青木先生は判断されたのだとぼくは想像しています．

　ちなみに，プロベネシドには効能のところに「ペニシリンの血中濃度維持」というのがあります．堂々とこの目的のために使ってもよいのでした．もっとも，保険審査では切られることも時々ありますから，その都度説明しなければならない，うーむ．

　さて，入院患者では点滴薬のペニシリン G も用います．特に神経梅毒，特に特に HIV 感染を合併した神経梅毒では，経口薬やほかの薬（テトラサイクリンなど）では効果が不十分だとされています．最近では「いわゆる」第三世代のセフェムに分類されるセフトリアキソンが神経梅毒に使われることがありますが，やはりペニシリン G のほうが，歴史の差で，経験値がはるかに高い．というわけで，ペニシリン G がファースト・チョイスになります．

　そこで，**神経梅毒の治療は，1,200 万〜 2,400 万単位のペニシリン G を 1 日量とし，これを 4 〜 6 時間おきに点滴投与します．投与期間は 10 〜 14 日間．**

- 神経梅毒の治療は，原則として点滴ペニシリンGで行う．

質問．患者さんにペニシリンアレルギーのある場合はどうするんだ？

　いい質問です．他の感染症の場合，ペニシリンにアレルギーのある患者さんでも，たいていは代替薬が存在します．したがって，そのような次善の策をとればよいのです．

　ところが，神経梅毒に関しては，ペニシリン以上の治療薬がありません．したがって，このような患者さんの場合はペニシリンの脱感作を行う必要があります．脱感作は，アレルギー反応が怖いですから，きちんと患者さんのモニターができる環境，例えば集中治療室などで行うのがよいでしょう．

　症状のない，潜伏梅毒の場合，コトは困難です．実際的には，この場合ベンザチンペニシリンによる筋注による治療を1週間おきに3回，3週間治療する必要があります．これに代わる治療法は，ドキシサイクリン100mgを1日2回，28日間という治療になります．

　さて，梅毒の患者さんをみたら，必ず他の性感染症，STDの存在を疑わなくてはなりません．トレポネーマだけを感染させるようなセックスは存在しないからです．特に，HIV感染は免疫の抑制により，梅毒そのものの治療に影響を与えるので，注意が必要です．

- 梅毒をみたら，HIVを疑え．HIVをみたら，梅毒を疑え．
- ひとつSTDを見つけたら，必ず他のSTDもワークアップ．

HIV 感染がある場合，ドキシサイクリンはおそらく効きがよくないのではないか，と考えられています．ですから，HIV 感染があり，ペニシリンアレルギーのある場合，ドキシサイクリンによる治療は一般的に選択されません．そのため，このような患者さんはたとえ無症状でもペニシリン脱感作を行い，改めてペニシリンにて治療する必要があります．あとは，交差反応がなければセフトリアキソンを使う，という手もあります．

- HIV 感染のある梅毒患者の場合，治療はペニシリン系で行うべきである．ペニシリンアレルギーのある場合は，脱感作を行う．あるいはセフトリアキソン．

　脱感作の方法にはいろいろありますが，点滴薬で少しずつ量を増やしていくやり方と，経口薬で量を増やしていくやり方と，大きく分けると2種類あるそうです．ペニシリン以外の他のβラクタム薬でも応用できるそうです．これは ICU のなかで，緊急対応ができるような状況で行うべきで，できればペニシリン脱感作に慣れたアレルギーなどの専門家が関与したほうがよいでしょう．

> Ross J, Chacko MR. Rapid drug desensitization for immediate hypersensitivity reactions – UpToDate Last updated, 2018.

　ペニシリンは梅毒トレポネーマのほかにも，レプトスピラとかボレリア（ライム病の原因となる），らせん菌（スピロヘータ）の多くに感受性があり，よい選択になります．

- ペニシリンアレルギーには脱感作が可能．
- ペニシリンはあれやこれやのらせん菌（スピロヘータ）にたいてい効く．

F ペニシリン G が第一選択となりやすい病原体（マニアックなもの含む）

Actinobacillus actinomycetemcomitans
Actinomyces
Arachnia
Bacteroides melaninogenicus
Bacteroides oralis
Bacillus anthracis and most other *Bacillus* spp.（not *B. cereus*）
Bifidobacteria
Bordetella pertussis
Borrelia burgdorferi
Borrelia hermsii
Capnocytophaga canimorsus
Cardiobacterium hominis
Clostridia except some strains of *C. perfringens*, tertium, and butyricum
Corynebacterium diphtheriae and many other coryneforms（not JK）
Eikenella corrodens
Erysipelothrix rhusiopathiae
Eubacteria
Fusobacterium necrophorum
Fusobacterium nucleatum
Haemophilus influenzae（beta-lactamase-negative strains）*Kingella kingae/indologenes*
Lactobacillius
Leptospira
Leuconostoc
Listeria monocytogenes
Moraxella spp.（not catarrhalis）

Neisseria lactamica
Neisseria meningitidis（but reduced susceptibility in some countries）
Pasteurella multocida
Peptococci and anaerobic streptococci
Prevotella melaninogenica
Propionibacterium spp.
Spirillum minus
Streptobacillus moniliformis
Streptococcus agalactiae
Streptococcus pneumoniae
Streptococcus pyogenes（group A）
Streptococcus spp.（α-and β-haemolytic streptococci）
Trepomerna pallidum
Veillonella spp.

> Grayson ML, Crowe SM, McCarthy JS, ed. Kucers' The Use of Antibiotics, 6th Edition. Hodder Arnold, 10/2010. p.5.

　そうそう，よく聞かれる質問について．ペニシリンGは4時間おき投与ではちょっと頻回すぎて使えない，という指摘があります．だったら，持続点滴をすればいいじゃないか，という発想が当然出てきますね．どうでしょうか．

　ペニシリンGは残念ながら長期間おいておくとバッグのなかで失活してしまう可能性が高いようです．特に高温環境下ではそうです．

> Vella-Brincat JW, Begg EJ, Gallagher K, et al. Stability of benzylpenicillin during continuous home intravenous therapy. J Antimicrob Chemother. 2004; 53: 675-7.

　持続点滴（continuous infusion）は高温という環境下では使いにくいですが，そのような欠点を理解して用いると看護師さんには喜んでもらえるかもしれません．ぼくは12時間でシリンジを交換するような形で使うことが多いです（持続点滴療法については**11**-B, 133ページ参照）．

G 筋注用ペニシリン（特に benzathine penicillin について）

これもペニシリン G なのですが，ちょいと工夫をしているので，点滴用のペニシリンと区別します．

普通のペニシリン G を筋肉注射しますと，あっという間にペニシリンは血流に乗って広がってしまい，あっという間に体からなくなってしまいます．

ペニシリンの半減期は 30 分と短く，そう長くは体に残らないのです．

そこで，工夫がなされました．体内にゆっくりペニシリンが出て行き，効果が長期的に効くような工夫です．そのためのペニシリンに，**benzathine penicillin と procaine penicillin** があります．**前者は 1 期，2 期梅毒のファーストライン治療薬**です．

前述のように，この筋注用のペニシリンは 2021 年ようやく薬事承認がなされ，日本でも使えるようになりました．パチパチパチ．日本臨床感染症界もゆっくりとですが世界のスタンダードに近づきつつあるのです．

持続性ペニシリン製剤「ステルイズ（R）水性懸濁筋注シリンジ」の製造販売承認を取得〜早期梅毒に対し単回投与*で治療〜［Internet］．［cited 2022 Feb 9］．

H ペニシリン系抗菌薬の副作用

抗菌薬を知る，とはその効果と同時に副作用も知ることを意味します．副作用をきちんと想定し，つねにその薬効と天秤にかけて使用の価値があるかどうかを吟味します．

それでは，ペニシリンの副作用についてみてみましょう．

■ 1．アレルギー反応

ペニシリンの副作用で最も多いのがアレルギー反応です．たくさんの患者

さんが,「私はペニシリンにアレルギーがあって……」と言います.
　さて,ペニシリンにアレルギーがある,という患者さんに最初にすることは,本当にペニシリンアレルギーがあるのかを確認することです.
　「イヤー薬飲んだら下痢しちゃって」というのはよくある話です.これはアレルギー反応ではありませんね.患者さんにアンケートをとると,15%くらいの人が「私はペニシリンにアレルギーがあって」と言ったそうですが,実際には5%くらいの人しかペニシリンアレルギーはなかったのだそうです.

　次にやらなくてはならないのは,どういうアレルギー反応があったか,です.古典的な分類をしますと,**アレルギーには4種類**ありました.**クームスの分類**ですね.
　いちばん気をつけなければならないのが,タイプI,つまりアナフィラキシーです.投与してまもなく起きる反応で,頻脈,気道閉塞,低血圧という諸症状が起きます.死亡率が10%に至るという怖い反応ですから,これには気をつけなくてはいけません.医学生の皆さんは記憶に新しいと思いますが,アナフィラキシーはIgEを介した免疫反応ですね.IgEがマスト細胞や好塩基球にくっつき,それらの細胞がヒスタミンなどの物質を放出します.
　ところが,です.
　ペニシリンアレルギーの頻度がだいたい5%ですが,アナフィラキシーの起きる確率は,10万人当たり1〜50人と,結構まれな現象です.そうそうしょっちゅう起きているわけではないのです.むろん,アナフィラキシーには注意が必要ですが,羹(あつもの)に懲りて膾(なます)を吹くようにむやみやたらとペニシリン系の抗菌薬を怖がる理由にはならないようです.

　ちなみに,昔は日本ではどこでも抗菌薬投与前に「皮内反応」を見てから薬を投与していました.しかし,ペニシリンの場合は,その代謝産物に対するアレルギー反応が主だったりすることもあり,皮内反応自体はあまり役に立たず,また現場では面倒くさいこともあって,「やめましょう」ということになりました.かくいうぼくも「やめましょう」と主張していた一人です.あ,まだ日本に帰ってきたばっかりの頃やな.亀田の部長代理でした(お試

し運転中．その後部長になった……）．

「亀田総合病院は，いかにして抗菌薬皮内テスト廃止に至ったか」

ところが，この皮内検査．現在，海外では復活の兆しがあります．ただし，全例にやるのではなく，アレルギーの既往のある人だけです．これは，「アレルギー」という既往があっても，実はアレルギーがなくて，安全に抗菌薬を投与できる人が案外多いぜ，薬を使わないのはもったいないぜ，という観点から出てきたプラクティスです．一周回って復活しました，皮内検査．

> Jeimy S, Ben-Shoshan M, Abrams EM, et al. Practical guide for evaluation and management of beta-lactam allergy: position statement from the Canadian Society of Allergy and Clinical Immunology. Allergy, Asthma & Clinical Immunology. 2020; 16: 95.

まあ，事前確率があまりに低い人は偽陽性の問題があるし，事前確率がめっちゃ高い（アナフィラキシー起きましたー）人は，怖いので皮内検査陰性でも信用できません．なので，そこそこの事前確率のある人オンリーでこれは役に立ちそうです．ま，コロナのPCR同様，ほとんどの検査と同じ原理原則をここでは活用します．

次に，タイプIIのアレルギー反応です．**これは免疫グロブリンが自己臓器を傷害する**ものでした．

典型的な例が間質性腎炎です．これは免疫グロブリンが自己である腎臓という臓器を攻撃することで起きるものです．通常，症状はペニシリンを投与してから1週間くらいで起きるのが一般的です．タイプIのようにすぐには発症しないのですね．

所見としては当然腎機能の低下がみられますが，その他にも発熱，発疹，血尿がみられたりします．血液や尿中に好酸球の増加がみられることもありますが，これは必ずしもみられる所見ではありません．

典型的に間質性腎炎を起こすといわれているペニシリン系抗菌薬にmethicillinがあります．えっ．methicillinなんて使ったことないですって？　そ

れはそうです．なにしろ methicillin はこの間質性腎炎がたくさんみられる，ということが理由でマーケットからはずされてしまったのですから．

　Methicillin といえば，MRSA というのは methicillin 耐性黄色ブドウ球菌のことですよね．本当は MRSA は「汎βラクタム耐性黄色ブドウ球菌」という名称をつけるのが正しいのですが，歴史的に methicillin 耐性が初めて問題になったので，今でも MRSA という名をつけてよばれています．まあ，定着してしまった名前というのはあまり変えないほうが大人の態度なのかもしれません．

　タイプⅡのアレルギー反応は赤血球に作用して溶血性貧血を起こしたりもします．比較的珍しい副作用ですが．

　ところで，ペニシリンは頻回に，大量に投与します．ペニシリン G だと重症感染症では 400 万単位を 4 時間おき，アンピシリンなら 2g を 4 時間おき，ピペラシリンでも 2g を 4〜6 時間おき，といった具合です．こういうと，泡を吹いてひっくり返ってしまう（というのはちょっと大げさ……）先生がいます．

> ⚠ CAUTION 「岩田先生，そんなに大量に抗生剤を入れたら，腎機能悪くなりますよ」

　ペニシリンを投与して，腎機能が悪くなるか？　なります．確かに，まれではありますが，なります．ただし，これは用量依存の腎毒性，後述するアミノグリコシドなんかが起こす腎毒性とは別なんですね．タイプⅡのアレルギー，間質性腎炎なわけです．したがって，「大量の」ペニシリンだから起きる副作用ではありません．もし，間質性腎炎を起こしたのだったら，その人はたとえ 12 時間おき投与であっても間質性腎炎を起こした可能性が高いのです．いずれにしてもペニシリンによる腎機能障害，間質性腎炎はまれな事象です．患者さんの腎機能が悪くなった場合，それはほとんどは別の理由でして，例えば重症感染症による腎血流の低下だとか，サイトカインによる多臓器不全なんかが原因になることが圧倒的に多いのです．大量ペニシリ

ンのせいではありません.

でも，腎機能の悪い患者さんではペニシリンの投与量を調節し，減らします．あれ？　言ってることが矛盾してない？

もちろん，矛盾していません．ペニシリンは腎臓から排泄されることが多いので，腎機能が落ちると，その分投与量を下げてやるわけです．排泄が減るので，薬の半減期が長くなります．頻回投与は必要なくなり，通常投与量でいってしまうと血中濃度が高くなりすぎてしまうのです．血中濃度があまりに高くなると，けいれんなどの副作用が出る可能性があるのです．だから，投与量を減らすのです．

「腎機能が悪い」→「投与量を減らす」→「腎毒性がある」

と，思わず連想してしまいがちです．が，実は，これは論理的な思考過程ではないのです．

「腎機能が悪い」→「血中濃度が高まりすぎてしまう」→「投与量を減らす」

なんですね．

- 腎機能が悪い患者ではペニシリンの量を減らす．
- が，大量ペニシリンが原因で腎機能が悪くなることはほとんどない．

タイプⅢのアレルギーは免疫複合体によるものです．血液中の抗原に抗体がくっつき，免疫複合体ができます．これに補体がくっつき，各臓器にくっついて悪さをするのでした．

タイプⅢの特徴は，症状が出現するのが遅いことです．問題となる薬を飲んでから，症状が出現するのに7〜10日くらいかかります．いわゆる血清病のような症状が起き，吐き気，めまい，腹痛，熱，関節炎といった症状がよくみられます．なぜかセファロスポリンの一つ，セファクロル（ケフラール®）でこの反応が出ることが多いのです．要注意ですね．

タイプⅣはTリンパ球を介するもので，例としては接触性皮膚炎があります．いわゆる遅延性の反応ですね．抗菌薬の投与に限っていうならば，これは比較的マイナーなアレルギーの原因です．このタイプⅣの反応を利用したテストに，結核の皮内テスト，ツベルクリン反応がありますね．

実は，このほかにも薬の副作用はたくさんあります．必ずしもクームスの分類では説明できない副作用ですが，免疫学的な作用で起きるのでは，と考えられているものです．

例えば，アモキシシリンやアンピシリンなどの**アミノペニシリンは，EBウイルス（EBV）感染のときに使うとひどい皮疹を起こす**ことが知られています．このお話はしましたね．理由はよくわかっていません．いずれにしても，EBウイルスで喉が腫れている場合に，安易にアモキシシリンを投与すると，とんでもない目に遭うことがあるわけですね．

スティーブンス－ジョンソン症候群（SJS）も，抗菌薬が原因で起きることがあります．ペニシリンでも起きますが，もっと有名なのはST合剤など，サルファ剤ですね．これもよく原因のわかっていない症候群です．マイルドなものを多形滲出性紅斑 erythema multiforme（EM），深部の皮膚組織を侵し，重症なものを TEN（toxic epidermal necrolysis）といいますが，これら3つは同じ病気の異なる表現形なのかもしれません．皮膚だけでなく，粘膜組織を襲うのが特徴的です．なお，EM, SJS, TEN の場合は脱感作できないことが知られており，発症したらそのクラスの薬は再使用しないのが妥当です．

梅毒やライム病の原因になるボレリアにペニシリンなどの抗菌薬を投与すると，数時間後に高い発熱，悪寒，筋肉痛，頻脈といった症状がみられることがあります．**これが Jarisch-Herxheimer 反応です．** また，全然関係ないですが，フィラリア症の治療でも似たような反応がみられることがあります．これは，抗菌薬によって壊された菌体が起こす反応だと考えられています．

自然に症状は消失しますし，アナフィラキシーのように死に至るような重

篤な副作用ではありません．症状軽減のために NSAIDs のような抗炎症薬や，時にはステロイドを使用する医師もいます．

対症療法が効果的ですし，いわゆるアレルギー反応ではない，ということで，大切なのは治療を中断しないことです．アナフィラキシーと異なり，投与直後に起きないことが鑑別のポイントですね．

この他，ペニシリンはまれに溶血性貧血を起こしたり（タイプⅡのアレルギーによるものと，そうでないものがあります），好中球減少症を起こしたりすることがあります．気をつけてください．

大量に，本当に大量にペニシリンを投与すると，痙攣などの神経症状をきたすこともあります．これもまあまれな副作用ですが，特に腎機能が悪い患者さんでは要注意です．この話は，しましたね．投与量の調節をして，適切な治療をしてください．腎機能が悪い場合の抗菌薬の調節法は，**1**-おきて④，16 ページで説明しています．

- ペニシリンの副作用はアレルギー以外は比較的まれ．とにかくアレルギーがどのような症状を示すか，よく覚えておくこと．

ペニシリン G の点滴薬でマイナーですが，しかし割としょっちゅうある問題があります．それは血管痛．これを回避するために希釈液を多めにしたり点滴をゆっくり落としたりしますが，それでもだめなときもあります．そういうときは，あっさり諦めて後述のアンピシリンを用います．では，アンピシリンってどんな薬？

I アミノペニシリン

　アミノペニシリン，というくらいですから，アミノ基がついています．忘れてしまった方のために，アミノ基はNにHが2つのNH₂です．**アミノペニシリンにはアンピシリンやアモキシシリンがあり**，日本でもおなじみの抗菌薬です．
　アミノペニシリンは基本的に普通のペニシリンに性格がよく似ています．

　基本的に，ペニシリンから離れていくと，だんだんグラム陽性菌に対する活性がなくなってきます．
　また，基本的に，ペニシリンから離れていくと，だんだんグラム陰性菌に対する活性が強まってきます．
　これは，他の抗菌薬についても同様で，時代を追い，新しい抗菌薬が開発されるに従って，グラム陽性菌から離れ，グラム陰性菌に移行していく傾向があるのです．セファロスポリン然り，マクロライド然り，です．
　というわけで，アミノペニシリンは *Streptococcus pyogenes*（A群溶連菌），*Streptococcus pneumoniae*（肺炎球菌），*Streptococcus agalactiae*（B群レンサ球菌）などへの活性が，若干ペニシリンに比べて落ちます．A群溶連菌についてはペニシリンを使うのが原則である．これは何度も出てきましたね．

　ところが，例外は常につきものでして，アミノペニシリンは *Enterococci*（腸球菌）に対しては若干ペニシリンよりも活性が高いのです．*Enterococcus faecalis* にはこれがファーストチョイスです（もう一個の腸球菌，*E. facium* はペニシリン耐性です）．なんだか面倒くさいですね．腸球菌感染症の第一選択薬は（耐性がない限り）アミノペニシリン，例えばアンピシリンになります．
　さて，注意すべき点として *Listeria monocytogenes* があります．これはグラム陽性桿菌でして，食中毒の原因になります．潜伏期が異様に長いのと，他の食中毒と違い全身症状が前面に出るのが特徴です．特に免疫の弱い方は，

髄膜炎を起こすことでも知られています．リステリアの場合，これは明らかにアミノペニシリンのほうが普通のペニシリンよりも活性が高いことが知られています．したがって，**リステリア感染症の第一選択薬は，アミノペニシリン**ということになります．

- 感受性のある腸球菌感染症に，アミノペニシリンはよい選択である．
- *E. faecalis* 感染症の第一選択薬はアミノペニシリンである．
- リステリア感染症の第一選択薬はアミノペニシリンである．

　アミノペニシリンは，普通のペニシリンに比べて「ちょーっとだけ」グラム陰性菌への活性が高いことは話しました．例えば *Neisseria gonorrhoeae*（淋菌）や，*Haemophilus influenzae*（インフルエンザ桿菌），*E. coli*（大腸菌）なんかです．発売当初は，このグラム陰性菌への活性が，アミノペニシリンの「売り」でした．

　ところが，最近はより多くのグラム陰性菌をカバーする抗菌薬が出てきたこと，淋菌やインフルエンザ桿菌にβラクタマーゼをつくるものが増え，もはやペニシリン系の抗菌薬が第一選択に選ばれにくくなったこともあり，このような性質はアミノペニシリンの売りでもなんでもなくなってしまいました．抗菌薬の世界は，芸能界顔負けの競争の激しさで，ちょっと油断するとすぐ後発の新人にその座を奪われてしまいます．その新人も程なく新たな新人に……以下同文．

　現在では，アミノペニシリンを「グラム陰性菌を狙って」投与することはほとんどなくなりました．とほほ．

　ぶっちゃけ，点滴のアンピシリンはペニシリンとほぼほぼ交換可能だと思いますし，使いやすいですし，経口アモキシシリンは日本にあるバイシリン®よりも PK 的に有利なので，経口ペニシリン製剤のデファクト・スタンダードと言い切ってもいいとすら思います．

■ 1. アンピシリン

点滴薬のアミノペニシリンがアンピシリンです．経口薬もありますが，後述するアモキシシリンに事実上取って替わられてしまったので，ここでは取り上げません．

点滴では，通常の感染症だったら1g 4時間おき，重症感染症なら2g 4時間おき，というふうに大量投与します．ペニシリン類は大量投与することが多いのですね．すでに述べたように，添付文書上は上限がないので，きっちり使いましょう．

● ペニシリンの仲間は大量投与，頻回投与を行う．特に，重症感染症ではこれが必要になる．

アンピシリンがよく使われるパターンとしては，
① リステリア感染症
　すでに述べたようにリステリアにはアンピシリンはとても活性が高いのでこれが第一選択です．髄膜炎など疑ったら当然大量投与です．
② 腸球菌感染症（*E. faecalis*）
③ その他，ペニシリンと相互交換して使用
という感じだと思います．どなたか他にも提案があれば教えてください．

■ 2. アモキシシリン

アモキシシリンとアンピシリンはその性格はほとんど一緒．構造もほとんど一緒で，単にベンゼン環の端っこにOHがくっついているだけです．

で，あんまり変わらないのですが，これは経口投与時にとても吸収がよいのが特徴です．したがって，**アモキシシリンといういい薬がある以上，アンピシリンの経口薬を，ぼくは使いません．**

アモキシシリンは外来でとても使い勝手のよい抗菌薬です．上気道の感染症，急性副鼻腔炎，中耳炎なんかにはよい適応です．咽頭炎にはEBV感染

症のリスクを考えると，ちょっと使用を躊躇してしまいます．尿路感染症や肺炎にも使うことができますが，昨今の耐性状況を考えると第一選択にはなりにくくなっています．

　また，歯科治療時の心内膜炎予防にはアモキシシリンが使われます．しばしば，歯科領域は「第三世代」と呼ばれるセファロスポリンの使用が見られますが，口腔内のグラム陽性菌，嫌気性菌ならたいていアモキシシリンでカバーできますから，やたらにグラム陰性菌をカバーする第三世代セフェムはちょっと too much です．

　「でも，重症の心内膜炎を予防するためですからやはり広域で……」なんて言われることもありますが，重症であろうが，軽症であろうが，カバーすべきをきちんとカバーしていればよいのです．この辺，「広い抗菌薬」と「強い抗菌薬」の混同が見られます．セフェムはそもそも消化管からの吸収が悪いので，効果の面では落ちるのではないかと思います．

- アモキシシリンは腸管吸収がよい以外はアンピシリンと変わりがない．
- 経口のアンピシリンはアモキシシリンに取って替わられたため，これといったとりえがない．

■ 3．アモキシシリン（サワシリン®など）の具体的な使い方

　一般の外来診療でとても使い勝手が良いのがアモキシシリンです．こんなに古くて安い薬なのですが，まだまだ使い道は多いのです．では，どんな状況でアモキシシリンは使ったらよいのでしょう．

（A）細菌性急性咽頭炎

　急性咽頭炎はウイルス性と細菌性に分けることができます．年齢が下がれば下がるほど細菌性の可能性が高まりますが，新生児などでは逆に細菌性の可能性は低いです．年齢が上がるとウイルス性の可能性が高まり，45歳を過ぎると，細菌性の咽頭炎の可能性はきわめて低くなります．細菌性，ウイルス性の区別にはいろいろな方法があります．ここでは有名な Centor の基準

というのをご紹介します．

> **Centor の基準**
> ・咳がない
> ・前頸部のリンパ節腫脹（圧痛あり）
> ・発熱
> ・咽頭に白苔べったり

　このうち3つが陽性なら，細菌性咽頭炎の可能性40〜60％（陽性的中率），1つしか満たさなければ（4つのうち3つ陰性であれば）細菌性咽頭炎「でない」可能性が80％（陰性的中率）です．有名なCentor基準ですが，なんだかぱっとしない数字ですね．

　というわけで，今は溶連菌感染迅速診断キットがあり，咽頭をこすって検査することができます．細菌性急性咽頭炎であれば，ほぼ全例A群溶連菌（*Streptococcus pyogenes*）が原因なのです．だから，溶連菌の迅速診断キットを使えばたいていの細菌性急性咽頭炎を診断することができます．咽頭培養を使ってもよいですが結果が出るまで数日かかるなど，面倒くさいことが弱点です．また，残念ながら日本の保険診療では迅速キットと咽頭培養の両方を同時に検査に出すことができないので，これもマイナスポイントです．いずれにしても，A群溶連菌は100％ペニシリン製剤に感受性があることがわかっていますから，培養・感受性検査の結果は必ずしも必要ありません．迅速キットが使われるもう一つの理由です．

　典型的な使用法としては，

アモキシシリン 500mg 1日3回（1日量1,500mg）を10日間

　アモキシシリンのようなアミノペニシリンは，同じくのどが腫れて熱が出る伝染性単核球症の患者に投与すると全身皮疹の原因になります．年に数回このようなアクシデントを目にします．ですから，

・急性咽頭炎は臨床診断だけは禁物．迅速診断キットなどで微生物学的診断を，

- **のどが腫れて熱がある，という理由だけで抗菌薬を使うと裏目に出ることが！**

は大切な知識ですから，しっかりおさえておきましょう．すでに述べたように，このような問題を避けるために，アミノペニシリンではないペニシリン G 細粒を用いるという手もあります．

そうそう，伝染性単核球症というと EB ウイルスと思われがちですが，しっかり他の病原体も原因になります．特に重要なのは HIV．HIV 感染が伝染性単核球症や急性咽頭炎として現れることはしばしばあります．可能性があれば，HIV 検査（PCR も一緒に）をやるのがよいでしょう．

もしペニシリンにアレルギーのある患者さんだったら？　そうですね．このときはいろいろなやり方があると思いますが，ぼくだったらグラム陽性菌によく効いて耐性菌も作りにくいクリンダマイシン（ダラシン®）などをよく用いていました．ただし，近年耐性菌が増えてきたのでケースバイケースです．

セファレキシンのようなセファロスポリンを使う，という手もありますが，ペニシリンとの交差反応は 1 割程度の患者さんで見られる可能性があるので，リスクを考えず，手放しで使用するのはよくないかもしれません．小児であればクラリスロマイシン（クラリス®など）のマクロライド製剤に慣れている先生が多いでしょうから，このような薬を用いてもよいと思います．ただし，ペニシリンに 100％感受性のある溶連菌ですが，マクロライド耐性菌は増えています（後述）．だから，この方法も若干のリスクを背負っていることは理解しておく必要があります．自分の使う薬がどの菌をターゲットにしていて，耐性率はどのくらいあるか……こうしたことも考えながら抗菌薬を処方するのが肝心です．

(B) 急性中耳炎

小児に多い中耳炎ですが，成人にも発生します．

まず，急性中耳炎に抗菌薬は必須ではありません．経過観察や対症療法も可能です．ただし，抗菌薬を使うという決断を下しても構いません．そのと

きのファーストチョイスがアモキシシリンです．米国小児科学会（AAP），米国家庭医学会（AAFP）のガイドラインが参考になります．

 AAFPホームページ. Antibiotics for Otitis Media. [cited 2022 Feb 6].

　日本からも中耳炎のガイドラインが出ており，色々参考になりますが，抗菌薬の使い方はあまり感心しません．経口キノロンやカルバペネムなどが「臨床効果がある」という根拠で推奨されています．
　抗菌薬は「効く」だけではだめで，その必然性を詰めなければいけないのですが，そこが甘いな，と思います．ウェブで読めますので，興味のある方は皆様ご自身で確認してみてください．

 日本耳科学会, 日本小児耳鼻咽喉科学会, 日本耳鼻咽喉科感染症・エアロゾル学会. 小児急性中耳炎診療ガイドライン 2018 年版. 東京: 金原出版; 2013.

（C）急性副鼻腔炎

　鼻づまり，鼻炎，前頭部の痛み，頭を前屈みにすると痛みが増す……というのが典型的な急性副鼻腔炎のゲシュタルト（直観的な全体像）でしょうか．
　急性副鼻腔炎の考え方は，基本的に急性中耳炎のそれと同じです．軽症例には抗菌薬を出さず，重症例・難治例にのみサワシリン®です．対症療法だけで大多数の患者は良くなってしまいます．

> アセトアミノフェン（カロナール®など）
> プリビナ点鼻薬（ただし，3日以上は使わない）
> フルナーゼ

　対症療法なので，漢方薬なんかもいいかもしれません．例えば葛根湯加辛夷川芎（2番）とか，排膿散及湯（122番）とか．拙著，『つまずきから学ぶ漢方薬（中外医学社）』もよろしくね．

> **副鼻腔炎で細菌性を示唆する所見**
> 1. 症状が7日以上経過して軽快しない
> 2. 発熱，顔面痛，顔面の腫脹・発赤
> 3. 歯痛，口息の悪臭など，歯の感染を示唆するもの

〈治療の例〉
アモキシシリン（サワシリン®）250〜500mg を1日3回，10〜14日間
ペニシリンアレルギーなどあれば
ST 合剤（バクタ®）2〜4錠 分2 10〜14日間

こういうとき，むやみに広域抗菌薬，アモキシシリン・クラブラン酸（オーグメンチン®），クラリスロマイシン（クラリス®），アジスロマイシン（ジスロマック®），第三世代のセフェム（セフゾン®，フロモックス®，メイアクト®など），キノロン（シプロキサン®，クラビット®，ジェニナック®など）を用いないのが，肝心です．広域抗菌薬は自然治癒しない，命に関わる，重症感染症限定に使うのが原則です．中耳炎のときも，考え方は同じです．

慢性副鼻腔炎は感染症・非感染症などいろいろな原因が絡み合い，難治性のことが多いです．このときは抗菌薬の長期処方もしばしばされますが，その効果もちょっと不明です．慣れていなければ専門家に紹介するのも一手かもしれません．

(D) グラム染色（など）で肺炎球菌による肺炎（軽症）とわかっている場合
この場合の治療もアモキシシリンで OK です．

アモキシシリン 500mg 1日3回経口（1日量 1,500mg）を最低5日間，かつ解熱後 2，3日まで．

抗菌薬を出す場合，アメリカのガイドラインでは後述のアモキシシリン・クラブラン酸が第一選択です．これは臨床試験の結果を受けてのものですが，

この結果が日本の臨床現場で使うべきかは現段階では不明です．日本の推奨薬は現段階ではアモキシシリンです．

 IDSA Clinical Practice Guideline for Acute Bacterial Rhinosinusitis in Children and Adults | Clinical Infectious Diseases | Oxford Academic [Internet]. [cited 2022 Feb 9].

 日本鼻科学会, 編. 急性鼻副鼻腔炎診療ガイドライン 2010 年版. 日鼻誌. 2010; 49: 143-98.

 日本鼻科学会.急性鼻副鼻腔炎診療ガイドライン追補版（2013）.

(E) 梅毒

諸外国では Benzathine penicillin で治療する梅毒ですが，日本にはないので，1 期，2 期，潜伏梅毒を外来で治療するときには（仕方なく）アモキシシリンを使うことが多いです．プロベネシドと併用するのでした．これは 18-E-9, 227 ページですでに述べました．もうすぐこのプラクティスも変わることでしょう．

(F) 心内膜炎予防

2007 年にアメリカ心臓学会（AHA）が心内膜炎予防のためのアモキシシリンの適応をかなり狭くしました．単に「弁膜疾患」があるだけでは抗菌薬は必要なくなったのです．もちろん，歯科治療の後では *viridans streptococcus* の一過性菌血症が起き，それは心内膜炎のリスクなのです．

しかし，調べてみると普通に歯磨きをするだけでけっこう菌血症が起きていることがわかりました．毎日の歯磨きのほうが，たまに行う歯科治療よりもはるかにはるかに大きな心内膜炎のリスクになってしまうのです．しかし，歯磨きをするたびに抗菌薬を飲んでいたら，今度は抗菌薬のリスク……それは副作用，耐性菌の出現，そしてコスト（お金がかかる）の 3 つのリスクなのですが……が相対的に大きくなってしまいます．

というわけで，歯科治療の際のアモキシシリン内服は多くの方にとって「意味はあるんだけど，割に合わない」という理由で推奨されなくなってしまいました．

意味があるか，ないか．ぼくらはそういう問いの立て方をよくします．「そんなの意味あるの？」「これって意味ないじゃん」．意味は，「エビデンス」という言葉にも置き換えることが可能です．しかし，意味があるかないかというイエス，ノークエスチョンにはあまり「意味がありません」．大事なのは，「どのくらい意味があるか」です．

自分の預金残高をチェックするのは「意味のあること」でしょう．しかし，5分ごとに預金残高をチェックするようなニューロティックなふるまいは，むしろ「割に合いません」．日常生活にかえって支障も出ちゃいそうです．同様に，歯科治療の際のアモキシシリンは歯磨きのリスクを積算すると微々たるものになり，そしてそのリスクを全部抗菌薬で払拭するのは「割に合わない」ということになるのです．

というわけで，AHA のガイドラインを受けて多くの国ではほとんどの歯科侵襲処置時に「抗菌薬は必要ない」と述べました．ぼくも「ver.3」ではそう書きました．

ところが，後に英国イングランドで，このような抗菌薬予防を止めたあとでの心内膜炎増加が報告されたのです．

> Dayer MJ, Jones S, Prendergast B, et al. Incidence of infective endocarditis in England, 2000-13: a secular trend, interrupted time-series analysis. Lancet. 2015; 385: 1219-28.

英国の NICE はこれをうけて，ガイドラインを改訂しました．やはり IE リスクの高い方は，抗菌薬予防しましょうってことになったのです．この問題，まだデータが不足していることもあって，完璧には決着が着いていません．

> Prophylaxis against infective endocarditis: antimicrobial prophylaxis against infective endocarditis in adults and children undergoing interventional procedures Guidance and guidelines | NICE [Internet]. [cited 2022 Feb 9].

アモキシシリンの予防投与量は 2g と大量です．手技の 30～60 分前に投与します．ペニシリンアレルギーがあれば，第一世代のセファレキシン 2g

かクリンダマイシン 600mg，あるいはアジスロマイシンもしくはクラリスロマイシンといったマクロライドを 500mg 内服します．点滴薬が必要なら，セファゾリンなどを 1g 点滴，あるいはクリンダマイシンを 600mg 点滴静注か筋注します．手技の後では抗菌薬は不要です．

- 心内膜炎予防の抗菌薬はほとんどの人には必要ない．効果はあるが，「割に合わない」．……だがしかし？
- 「観血的な」歯科手技，呼吸器，皮膚の手技などで適応になる．消化器，泌尿器系の手技では不要．
- 手技 30 〜 60 分前にアモキシシリン 2g 経口がファーストチョイス．

(G) ピロリ菌

あと，胃癌や胃潰瘍などの原因となるピロリ菌（*Helicobacter pylori*）の除菌にもアモキシシリンは使います（クラリスロマイシンの項もご参照ください）．クラリスロマイシンとプロトンポンプ阻害剤などの胃薬で 3 剤併用というのがメインですが，メトロニダゾールを用いることも可能です．

日本にはこれらを組み合わせた商品も出ています（ボノサップ®，ラベファイン®，ラベキュア®，ボノピオン®）．3 種類の薬がパッケージされていて，飲み忘れしにくいようになっています．以前あったランサップ®やランピオン®は販売中止になっています．ボノプラザン（タケキャブ®）ベースのレジメンのほうが除菌率が高い，というランダム化比較試験が発表されていて，プロトンポンプ阻害薬ベースのレジメンが販売中止になった，という話のようです．

> Maruyama M, Tanaka N, Kubota D, et al. Vonoprazan-based regimen is more useful than PPI-Based one as a first-line helicobacter pylori Eradication: A randomized controlled trial. Can J Gastroenterol Hepatol. 2017; 2017: 4385161.

ピロリ菌はクラリスロマイシン耐性が増えていて問題なのですが，アモキシシリン耐性も時に見られます．日本では 0 〜 8.8% 程度のピロリ菌が耐性

だったという報告があります（Watanabe, et al. Helicobacter. 2005; 10:4-11）．地域によりますが，より高い耐性率も報告されています．

> Kageyama C, Sato M, Sakae H, et al. Increase in antibiotic resistant *Helicobacter pylori* in a University Hospital in Japan. Infect Drug Resist. 2019; 12: 597-602.

ピロリ菌の診断，治療については，米国消化器学会ガイドラインでは，無症状患者にはルーチンの検査，治療は推奨していません．

他方，日本ヘリコバクター学会のガイドラインは *H. pylori* 陽性の「萎縮性胃炎」（たいていは無症状）での積極的な除菌を推奨しています．が，エビデンスの吟味がかなり弱いとぼくは思っています．作成委員の利益相反の開示も不十分で，どの委員がどの会社とどのような関係があるかはこのガイドラインを読んでもわかりません（あかんやろ）．

> Treatment of Helicobacter pylori Infection | American College of Gastroenterology [Internet]. [cited 2022 Feb 9].
> 日本ヘリコバクター学会ガイドライン作成委員会. H. pylori 感染の診断と治療のガイドライン 2016 年改訂版. 2016.

ピロリ菌研究の第一人者にして感染症のエキスパート，マーティン・J・ブレイザー（あの「マンデル」の監修者！）は『失われてゆく，我々の内なる細菌』（みすず書房）で，ピロリ菌感染は胃癌など人体に害を及ぼす一方で，その感染が胃食道逆流や喘息の予防に寄与していると指摘しています．

ぼくのブログにも紹介していますが，スクリーニングや予防的治療には功罪があり，そのよい側面ばかりに注目するのは理性的な考え方ではありません．ピロリ菌除菌が大きな恩恵をもたらす患者がたくさんいることには全く異論はありませんが，拡大解釈してなんでもかんでも除菌，というのは理にかなっていないとぼくは思います．

これって，びまん性細気管支炎（DPB）の治療に少量マクロライドがよいからといって，慢性呼吸器疾患のあれやこれやにマクロライド使いまくる，と同じ構図だと思いますよ．ほんと．

(H) サルモネラ

後述する「第一世代と第二世代」のセフェムは効きにくいグラム陰性菌のサルモネラですが，意外にもアミノペニシリンは効果があります．チフス菌（S. typhi）ですら，効果を示すことがあります．感受性があれば耐性パターンは国によって違います．南米では7%弱ですが，トーゴでは80%近くがアミノペニシリン耐性菌です（Kucers' 7th ed による）．日本のサルモネラ症の多くは輸入感染症なので，感受性パターンを予測するのは困難ですね．感受性試験をしないでアミノペニシリンを用いるのは困難でしょう．

(I) 黄色ブドウ球菌に効くペニシリン

海外では oxacillin や nafcillin といったペニシリン系がこのカテゴリーに入ります．日本ではなぜか，クロキサシリンがアンピシリンとの合剤（1：1の割合で）で使用されます（ビクシリン®S）．まあ，若干合剤で使いにくいので，ぼくは使ったことがほとんどありません．

昔はセファゾリンよりもこうしたブドウ球菌に活性のあるペニシリンのほうが黄色ブドウ球菌感染症にはベター，と考えられていました．しかし，近年の研究ではむしろセファゾリンのほうが有効性，安全性ともにベターであると考えられています．以前ほど，これらのペニシリン系の不在を嘆く必要はないのかもしれません．

> McDanel JS, Roghmann MC, Perencevich EN, et al. Comparative effectiveness of cefazolin versus nafcillin or oxacillin for treatment of methicillin-susceptible Staphylococcus aureus infections complicated by bacteremia: A nationwide cohort study. Clin Infect Dis. 2017; 65: 100-6.
> Li J, Echevarria KL, Traugott KA. β-lactam therapy for methicillin-susceptible Staphylococcus aureus bacteremia: A comparative review of cefazolin versus Anti-staphylococcal penicillins. Pharmacotherapy. 2017; 37: 346-60.

とはいえ，中枢神経に合併症を起こした黄色ブドウ球菌感染症では今でもこうしたペニシリンの有用性はあります．セファゾリンは届かないですからね．

ただ，昔はそれほど信用されていなかった第三世代セフェムのセフトリア

キソンが「案外」MSSA感染症によいことがわかって，中枢神経移行性がよいこの抗菌薬を使用することが多くなってきました．まあ，以前はこの目的でメロペネムとか使う医療機関もありましたから，それに比べれば抗菌薬適正使用という観点からも随分合理的になったように思います．

> Lowe RA, Barber KE, Wagner JL, et al. Ceftriaxone for the treatment of methicillin-susceptible Staphylococcus aureus bacteremia: A case series. J Pharmacol Pharmacother. 2017; 8: 140-4.
> Lother SA, Press N. Once-daily treatments for methicillin-susceptible Staphylococcus aureus Bacteremia: Are They Good Enough? Curr Infect Dis Rep. 2017; 19: 43.

とはいえ，最近ではセファゾリン感受性，セフトリアキソン耐性のMSSAも見つかっています．もっとも，この臨床的な意義は不明なのですが．ああ，ややこし．

> NEJM Journal Watch: Summaries of and commentary on original medical and scientific articles from key medical journals [Internet].

で，この論文ですが，検査方法のエラーのためにあとでretraction（論文撤回）になったとか．さらにややこしー．

> Retraction: Common occurrence of ceftriaxone-resistant, methicillin-sensitive Staphylococcus aureus at a community teaching hospital. Clin Infect Dis. 2014; 59: 72.

J 緑膿菌に効果のあるペニシリン

ウレイドペニシリンはとても広域スペクトラムのペニシリンです．アシルアミノペニシリンともいい，アミノペニシリンを修飾しています．

■ 1. ピペラシリン

グラム陽性菌に対しては，ペニシリンGやアミノペニシリンよりはやや活性が落ちます．グラム陰性菌に対しては強い効果があります．

しかし，わざわざ腸内細菌科の細菌を殺すのにピペラシリンを用いるのは理にかなっていないでしょう．よって，**本薬の目的は「緑膿菌感染」のみ**，と断言してしまってよいのです．じゃじゃーん．

もっというならば，ピペラシリンはエンピリカルな治療薬としても使い勝手がよくありません．緑膿菌が検出され，感受性もあるとわかった段階でのde-escalationの道具として使います．典型的には4g 4回，1日 16gを使います．以前は2g 12時間おきという薬理学的にはトホホな添付文書でしたが，現在ではとても使いやすくなりました．

ところが，近年，このピペラシリンの使用は世界的に減少しています．米国などでは販売中止になり，もはや使われていません．より広域なピペラシリン／タゾバクタムにとって変わられてしまったためです．

しかし，広域抗菌薬＝ベターな抗菌薬とは限りません．緑膿菌の場合，βラクタマーゼ産生菌はまれです．よって，ピペラシリン・タゾバクタム感受性菌なら，ほぼ全例，ピペラシリン感受性菌なのです．後者を使ったほうが合理的でしょう．

K βラクタマーゼに対抗する：βラクタマーゼ阻害薬

ペニシリンなどのβラクタム剤にとって，ニッキ敵ともいえるのが，細菌が作るβラクタマーゼです．遊離している酵素で，ペニシリンにくっついて分解してしまうのでしたね．

> ⚠CAUTION　おそるべし，βラクタマーゼ

人類はペニシリンの形を変えることで，βラクタマーゼに対抗してきました．例えば，methicillinなどの抗黄色ブドウ球菌効果をもつペニシリンはペニシリナーゼ（βラクタマーゼの一種）をもつ黄色ブドウ球菌に対しても効果をもっています．自然にあるペニシリンの構造を変えてやることで，酵素の加水分解効果に抵抗性をもつようになったのですね．

しかし，βラクタマーゼと一口にいっても，たくさんの種類があるのです．ペニシリンの構造を変えるだけでは対抗できなくなってきました．細菌が広域なβラクタマーゼを作るようになってきたからです．

広域なβラクタマーゼとは，いろいろな種類のβラクタム剤にも対抗できる酵素のこと．広域になってきているのは抗菌薬だけではありません．敵たる細菌も広域なβラクタマーゼを作っているわけです．

そこで，考えられたのがβラクタマーゼ阻害薬です．このβラクタマーゼ阻害薬はβラクタマーゼにくっついて酵素を不活化してしまいます．βラクタム剤と組み合わせて使えば，晴れて敵のいなくなったβラクタム剤は自由に細菌を攻撃することができます．

■ 1．クラブラン酸

さて，たくさんのβラクタマーゼ阻害薬がありますが，ここではその代表として，クラブラン酸について解説してみましょう．その他のβラクタマーゼ阻害薬，例えばスルバクタムやタゾバクタムなども，基本的にはクラブラン酸を理解しておけば同様に活用できます．

スルバクタムやタゾバクタムといったβラクタマーゼ阻害薬が合成されてできたものなのに対し，クラブラン酸は自然界から抽出されました．*Streptomyces clavuligerus* という放線菌が作っていたのです．そこからついたのですね，この名前．

実は，クラブラン酸はそのままではβラクタマーゼ阻害薬ではありません．βラクタマーゼに結合した後に活性化され，そのあとβラクタマーゼを阻害します．つまり，βラクタマーゼは自らクラブラン酸を阻害薬に変えているのですね．自滅です．地雷踏んでます．意外に間抜けです，βラクタマーゼ．

そのため，クラブラン酸のことを suicide inhibitor，自殺型阻害薬と呼ぶものもいるくらいです．

すでにピペラシリンのところでもちょっと触れましたが，βラクタマーゼ阻害薬も一種の抗菌薬でして，それそのものに抗菌作用があります．特にこの作用で有名なのが，後述するスルバクタムです．

クラブラン酸はしかし，すべての種類のβラクタマーゼを阻害できるわけ

ではありません．プラスミドではなく，AmpC のような染色体由来の遺伝子から誘導されてできたβラクタマーゼ（これはセファロスポリンを分解するセファロスポリナーゼ）には効果がありません．また，本来であれば ESBL に対してはβラクタマーゼ阻害薬を含む抗菌薬は十分効果があるはずなのです．AmpC など他のβラクタマーゼを伴っていることも多く，実際には ESBL 産生菌にはβラクタマーゼ阻害薬は使いづらいのが現状で，第一選択とはなっていません（ESBL のところで付記しましたが，臨床的に使える，というデータも出てきています．13-A, 153 ページ参照）．検査室では感受性があったとしても，です．

> ❓ さて，スルバクタムも，タゾバクタムもクラブラン酸と同じような性質を持ったβラクタマーゼ阻害薬です．でも，これらとクラブラン酸には決定的な違いがあります．それはいったい何でしょう．

　一つは，クラブラン酸が自然界で得られるβラクタマーゼ阻害薬であるのに対して，スルバクタムやタゾバクタムが合成であること．もう一つ，こちらのほうが重要なのですが，クラブラン酸は肝臓から主に排出されることです．
　ペニシリン系の抗菌薬は主に腎臓で排出されることが多いのですが（例外もあります．さて何でしょう），もし腎不全の患者さんの場合，これは困ったことになる可能性があります．なぜなら，腎不全の場合はクレアチニンクリアランスに応じて，ペニシリン系の抗菌薬を減量しなくてはなりません．あまり血中濃度が高くなると，ペニシリンは痙攣などの神経症状を起こすことがあるのです．
　でも，減量したペニシリン系・クラブラン酸合剤では，クラブラン酸は通常通り肝臓から排出されますから，減量した分だけ効果が衰えやすい，ということになります．すると，βラクタマーゼ産生菌を対象にして治療している場合，ペニシリン系は悪い腎臓のために長らく血中に残っているのに，少量しか与えられなかったクラブラン酸はとっととなくなってしまう，という事態が起こりかねません．

タゾバクタムや，スルバクタムではこうした心配をする必要がないのです．これらは主に腎臓から排出されますから．

■ 2．スルバクタム

次に**半合成βラクタマーゼ阻害薬であるスルバクタム**です．通常，アンピシリンと合剤で点滴薬として用いられます．いろいろなジェネリックの商品名が付いていてややわかりづらいです．あと，セフォペラゾンという第三世代のセフェムとの合剤もでています（セフォペラゾン・スルバクタム，スルペラゾン®）．

スルバクタムはペニシリン結合タンパク（PBP）に結合し，これ単独で抗菌効果をもたらします．特に有名なのがアシネトバクターに対する抗菌効果です．他にも，*Neisseria* 属に対しても効果を発揮します．

アンピシリン・スルバクタムはβラクタマーゼを産生するグラム陰性菌や嫌気性菌の感染症によく用いられます．MSSA に対しても効果があります．通常は 3g，アンピシリン 2 に対してスルバクタムは 1 なので，アンピシリン 2g とスルバクタム 1g を 6 時間毎の投与というのが標準的な使用法です．

スルバクタムはアシネトバクターに効果があるのが特徴なので，アシネトバクター感染症といえば，アンピシリン・スルバクタム！

サンフォード・ガイドでも以前はアンピシリン・スルバクタムがアシネトバクター感染症に対する第一選択薬でしたが，いつのころからかファーストチョイスはカルバペネムに変わってしまいました．

ところがぎっちょん．抗菌薬適正使用が進んできた米国では，カルバペネムの乱用と耐性菌の増加が問題視され，この問題に振り子の揺り戻しが来ています．

手元の App 版サンフォード（2021 年 5 月参照）によると，多剤耐性菌率が高い地域では重症例にアンピシリン・スルバクタムとメロペネムを併用するよう推奨しています．6g のアンピシリンに 3g のスルバクタムを 4 時間かけて点滴，それを 8 時間おき投与します．メロペネムは 2g を 3 時間かけて投与し，これを 8 時間おき投与です．持続点滴療法，米国では普及している

のですかね．これに耐性菌対策に Polymyxin B をかませます．さらに耐性菌の場合は Polymyxin B や Cefiderocol となります．ちなみに，感受性があればアンピシリン・スルバクタムでも大丈夫．日本の場合は耐性菌は（幸い）ほとんどいないので，これで大丈夫．海外から持ち込まれない限り（時々持ち込まれてるけど）．

■ 3．タゾバクタム

ピペラシリンと同時に用います．スルバクタムに構造は似ています．特にピペラシリンとのシナジーはないそうです．

■ 4．アモキシシリン・クラブラン酸の使い方

これは経口薬ですが，かなり使えます．

βラクタマーゼ阻害薬が入っているおかげで多くのグラム陰性菌（緑膿菌など除く），嫌気性菌に効果があります．そこで，これらが原因となる腹部の感染症によく用いられます．とはいえ，外来で治療する腹部の感染症というと，憩室炎など限定された感染症になってしまいますね．

あと，動物咬傷．人も含め，動物に噛まれた場合は全例抗菌薬使用となります．ネコなどではパスツレラなどが問題になります．このときも，アモキシシリン・クラブラン酸が第一選択薬です．

ときに，最近のサンフォード・ガイドは非常によくできていて，ぼくが研修医の頃とは隔世の感があります．数十年前，ぼくが研修医のときはサンフォードガイドは非常に薄っぺらく，紙質も悪くて，手作りの同人誌みたいでした．それでも，日本にあるどの教科書よりも実践的で役に立ったので，沖縄県立中部病院の研修医たちはアメリカからまとめて購入していました（まだ，青木眞先生の『マニュアル』が出る前の時代です）．

で，今はアプリに入っているサンフォード．とてもコンテンツリッチで，多種多様な内容が盛り込まれており，すでにポケット本のレベルを超えています．で，動物咬傷なのですが，すごいバリエーションなのです．

「Syndrome → Skin and Soft Tissue → Bites」と入ります．

すると，あるわ，あるわ．コウモリ，スカンク，クマ，ラクダ，人（！），コモドドラゴンまで（なんやそれ?!）．

でも，どの動物を選んでも，大抵の選択抗菌薬はアモキシシリン・クラブラン酸（笑）．

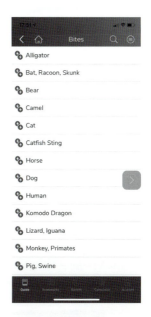

あとは，サワシリン®でうまく治療できなかった難治例の治療に選択的に用いるかもしれません．急性中耳炎や副鼻腔炎，軽症の肺炎などですね．

日本のアモキシシリン・クラブラン酸のうち，オーグメンチン®はクラブラン酸の配合比率が高すぎて（アメリカの倍！），下痢などの副作用を起こしやすいのが欠点です．それを克服するため，サワシリン®と併用してやると，ちょうどよい比率になります．

アメリカの 875mg 製剤（アモキシシリン 750mg とクラブラン酸 125mg）を作るには，オーグメンチン® 250mg 製剤（クラブラン酸 125mg）にサワシリン® 250mg を 2 錠併用すればよいのです．これを 1 日 2 回使えば，アメリカと同じ治療法になります．これを「オグサワ」と呼んでいるのでした．

なお，小児用のクラバモックス®はクラブラン酸の配合比率が低いので，下痢の副作用が少なくて済みます．「適応症例」には要注意で，例えば中耳炎にクラバモックス®，なんてよく言われますが，すでに述べたとおり中耳炎には「抗菌薬なし」が原則，次がサワシリン®で，**クラバモックス®はあくまで「第三の男」**です．ご留意ください．

採点表 ペニシリン系のまとめ

Dr.Iwata's Summary and Score of Medicines

それでは日本で使われているペニシリン製剤の採点表です．採点アイテムは，

凡例 Symbol Legends

臨床的重要度
- A 🐾🐾🐾 …… とても高い
- B 🐾🐾 ……… まあまあ高い
- C 🐾 ………… そんなに高くない
- × ……………… なくても困らない

使用頻度
- A 🐾🐾🐾 …… とてもよく使う
- B 🐾🐾 ……… まあまあ使う
- C 🐾 ………… ほとんど使わないが たまに使う
- × ……………… 全く使わないし，今後もおそらく使わない

というぶっちゃけな評価です．わかりやすいでしょ．
では，発表です．じゃじゃーん．

注射用ペニシリンGカリウム
- 臨床的重要度　A 🐾🐾🐾 …… とすべての抗菌薬の基本！
- 使用頻度　B 🐾🐾

血管痛など使いにくいところもあり，アンピシリンという代替薬もあるため，頻度は落ちる．

アンピシリン（ビクシリン®など）
- 臨床的重要度　A 🐾🐾🐾 …… 実に重要
- 使用頻度　A 🐾🐾🐾

アンピシリン・クロキサシリン配合（ビクシリン® S）

臨床的重要度 C 🐰

使用頻度 C 🐰

　気持ちはわかるが，セファゾリンのほうが使いやすい．アンピシリンがなければよかったのに．しかし，中枢神経合併感染では一縷の望みで使う，という選択肢はある．

アンピシリン・スルバクタム（ユナシン®-S など）

臨床的重要度 A 🐰🐰🐰

使用頻度 A 🐰🐰🐰

　非常に使い勝手がよい優等生．呼吸器感染症に使え，皮膚軟部組織感染症に使え，腹部感染に使え，使うべきシチュエーションは非常に多い．逆に尿路感染とかには使う理由がない，ということも知っておくべき．

ピペラシリン（ペントシリン®）

臨床的重要度 B 🐰🐰

使用頻度 B 🐰🐰

　緑膿菌感染症とわかったときのピペラシリン・タゾバクタムからの de-escalation に．米国ではすでに販売されていないそうだが，短見だ．

ピペラシリン・タゾバクタム（ゾシン®など）

臨床的重要度 B 🐰🐰

使用頻度 B 🐰🐰

　広域抗菌薬であり，かつカルバペネム・スペアできる抗菌薬としての意義は大きい．ESBL 産生菌ならセフメタゾールがあるので本剤を使う必然性は乏しい．同じ理由で尿路感染に使う理由もない．添付文書が臨床的に作られていない典型例（複雑性膀胱炎に適応があるが，この目的でゾシン®を使うなんてありえない）．重要性は高いが，乱用もされやすい．

ベンジルペニシリンベンザチン水和物（バイシリン®G）
臨床的重要度 C 🔥
使用頻度 C 🔥

　構造式的にはよいのだが，バイオアベイラビリティが悪いのが欠点．細菌性急性咽頭炎と伝染性単核球症のどちらかで迷ったらサワシリン®に優先させるか……あまりないけど，そういうシチュエーション．

バカンピシリン塩酸塩
臨床的重要度 C 🔥
使用頻度 ×

　アンピシリンのプロドラッグということで消化管からの吸収を高めているとのことだが，アモキシシリンに比べてのアドバンテージがゼロで，ポジショニングが得られない．つまり，こういう患者にはバカンピシリンを使いたい，というイメージが持てない．薬理学的にどんなに優れた属性を持っていても，ポジションのない薬は使えない．また，Kucers' にも言及がなく，臨床データもほとんどない．食道潰瘍の副作用報告あり．馬などの動物には使えるかも……らしい．

> Béchade D, Desramé J, Raynaud J-J. [Oesophageal ulcer associated with the use of bacampicillin]. Presse Med. 2005; 34: 299-300.

アモキシシリン（サワシリン®など）
臨床的重要度 A 🔥🔥🔥
使用頻度 A 🔥🔥🔥

　経口抗菌薬の超優等生．PK/PD 的に優れ，薬剤耐性菌を惹起しにくく，値段も安い．

アンピシリン・クロキサシリン配合（ビクシリン®S）
- 臨床的重要度　C 🌶
- 使 用 頻 度　×

　気持ちはわかるが，経口薬であればセファレキシン以上の利点はゼロ．よって使い道がない．

アンピシリン・スルバクタム錠（ユナシン®）
- 臨床的重要度　C 🌶
- 使 用 頻 度　×

　アモキシシリン・クラブラン酸を上回る特徴がない．

アモキシシリン・クラブラン酸（オーグメンチン®）
- 臨床的重要度　A 🌶🌶🌶
- 使 用 頻 度　A 🌶🌶🌶

　申し分がない薬だが，必ずアモキシシリンと併用して「オグサワ」にすること．

特別編

ベンザチンペニシリン（筋注）
- 臨床的重要度　A 🌶🌶🌶
- 使 用 頻 度　？

　まだ日本では使ったことがないけど，これから梅毒治療の「標準」になります．

19 セファロスポリン

ほとんど誤用されてます(涙).正しく使えば強力な武器!

A セファロスポリンの魔

　セファロスポリンには長所も多いのですが，日本の場合，むしろ誤用，乱用が多いのが問題です．**日本で一番間違った使い方がされているのがセフェムとも言えましょう．**逆に，ここでしっかり正しいセフェムの使い方を学んでおけば，それだけで抗菌薬の使い方はめちゃくちゃ上手になります．本章だけでも読む価値は高いというものです（うそ，本章以外も読んで下さい）．

　まず，**間違えやすいのが，例の「○○世代」というやつです**．
セファゾリンは第一世代セフェム，セフロキシムは第二世代，セフトリアキソンは第三世代，というふうにセファロスポリンは世代で分類するのが習わしになっています．
　あれってちょっと，気をつけたい．
　「世代」とはなにか．これは，当該セファロスポリンが発見されたり開発された時期のことなんですね．時期でグループ分けしているんです．
　つまり，いちばん最初に開発されたセファロスポリンは第一世代で，その後開発されたのが第二世代，さらに第三世代，第四世代，と続いていくのです．最近では，第五世代のセファロスポリンもあります（日本では未承認）．
　なぜ，セファロスポリンだけ（他の抗菌薬と異なり），「世代」で薬の分類をするのか．

これはおそらくは，セファロスポリンの「世代」と薬理学的な特徴の違いがうまくパラレルになって動いていたからじゃないかと思います．すなわち，第一世代セフェムはグラム陽性菌によく効く．第二世代だとグラム陽性菌への効きが若干落ちてきて，そのかわりグラム陰性菌への活性がベターになる．第三世代になるとその傾向がさらに著明になる，というわけです．

しかし，セファロスポリンの特徴を区別するのに，この「世代」による分類は非常に誤解を招きやすい．なぜなら，同じ世代のセファロスポリンでも全く性格の異なるものも数多くあるからです．

例えば，「第三世代」のセファロスポリンの代表選手2つを考えてみましょう．セフタジジムとセフトリアキソンです．

前者は緑膿菌（*Pseudomonas aeruginosa*）までカバーするグラム陰性桿菌をメインにターゲットにする広域抗菌薬です．一方，グラム陽性球菌はあんまりカバーしません．黄色ブドウ球菌や肺炎球菌といった菌をターゲットにする場合，セフタジジムはよくない選択です．

一方，セフトリアキソンは多くのガイドラインで市中肺炎の第一選択薬になっているほど肺炎球菌にはよく効く抗菌薬です．一方，この抗菌薬は緑膿菌は全くカバーしません．

セフタジジムとセフトリアキソン．両者はぜんぜん似ていないのですが，「第三世代」とひと括りにまとめられています．一緒にすると，肺炎球菌の肺炎にセフタジジムを使ってしまったり，緑膿菌感染症にセフトリアキソンを使ってしまいかねません（実際使ってるの，見たことあるし）．アメリカでも，「世代」は「ファースト・ジェネレーション」「セカンド・ジェネレーション」と呼びますが，やはり研修医がときどき間違えます．

それから，第二世代も問題です．第二世代は「普通の」セファロスポリン（例，セフォチアム）と「セファマイシン」（例，セフメタゾール）に大別されます．前者は嫌気性菌をカバーしませんが，後者はカバーします．また，セファマイシンは薬剤耐性菌のESBL産生菌に活性があります．結果的に両者は臨床的には全然違う使い方をするのです．

そもそも，第一世代はグラム陽性菌，世代が進むとグラム陰性菌……の一般法則も最近は怪しくなってきました．第四世代のセフェムであるセフェピ

ムなどは黄色ブドウ球菌などグラム陽性菌にも活性が強いです．まあ，これを称して「四世代は1+3（世代）」なんて覚え方もありますが，これが第五世代になるとMRSAにも効果がある．だんだん一般法則が通用しなくなっているのです．

そんなわけで，第〇世代で丸暗記……には要注意なのです．

じゃ，どうすればいいんだ？　って話になるのですが，岩田は以下のような分類と整理をしています．

① 黄色ブドウ球菌やレンサ球菌に主に使えるセファロスポリン（俗にいう第一世代）．

- ・代表経口薬
    セファレキシン（ケフレックス®など）
- ・代表点滴薬
    セファゾリン（セファメジン®など）

② ペニシリン耐性の肺炎球菌，多くのグラム陰性菌をカバーし，市中肺炎や尿路感染症に使い勝手がよいセファロスポリン（俗にいう第二世代と，第三世代の一部）．

- ・代表経口薬
    セフポドキシム（バナン®など）
- ・代表点滴薬
    セフォチアム（パンスポリン®など）
    セフトリアキソン（ロセフィン®など）
    セフォタキシム（セフォタックス®など）

③ 嫌気性菌をカバーし，腹部骨盤系の感染症に使いやすいセファロスポリン（第二世代のうちのセファマイシン）．

- ・代表薬
    セフメタゾール

④ 多くのグラム陰性菌に加え，緑膿菌に効果のあるセファロスポリン

- ・代表薬
    セフタジジム（モダシン®など）

セフェピム（マキシピーム®など）

⑤ その他　新しいタイプのセフェム

セフトロザン・タゾバクタム
　　ceftazidime/avibactam
　　ceftizoxime
　　ceftobiprole
　　ceftaroline
　　cefiderocol

　これは，開発時期といった歴史的な分類ではなく，対象となる微生物と適応となる感染部位を考慮に入れた分類です．もっとも，セフェピムなんかは黄色ブドウ球菌にも活性があるのでこれも完璧な分類法とはいえませんが……まあ，臨床的には黄色ブドウ球菌を狙ってわざわざセフェピムを使ったりはしないので，それなりの合理性は担保できているんです．臨床的に「使える」ことが大事なので．とにかく，このグループ分けだと3種類しかないわけで，覚えやすいでしょ，えっへん．とはいえ，⑤については新しいタイプのセフェムをごった煮にしてまとめてしまいました．これは日本の臨床現場で使うであろうものがほとんど存在しないからで，ま，お勉強程度にここでは読んでおいてください．

　さあ，これからこの分類にのっとって各セファロスポリンについて解説していくのですが，その前にちょっとお約束の薬理学が入ります．

B　セファロスポリンの基礎

　セファロスポリンの発見は1945年のことでした．地中海の島のサルディニアでジュゼッペ＝ブロッツという方が発見したのです．
　下水は海に垂れ流しになっている．海からはたくさんの微生物が検出される．しかし，下水の排泄口の近くでは，微生物の繁殖が周囲よりもずっと少ない．これは下水溝に別の微生物がいて，他の微生物の繁殖を制御している

のではないだろうか．ジュゼッペ＝ブロッツは考えたのでした．そして見つけた真菌が *Cephalosporium acremonium* です．この菌が作っていたのが後にセファロスポリンと呼ばれる物質だったのです．あれやこれやで，セファロスポリンが実用化され，マーケットに出るにはそれから10年以上を必要としました．発売されたのは，1964年のことです．案外，セフェムのデビューは遅かったのです．

　セファロスポリンも，ペニシリン同様βラクタム環をもつβラクタム薬です．代表的なセファロスポリンであるセファゾリンの構造を示します．

$$\text{構造式：テトラゾール}-CH_2-CO-NH-\text{セフェム環}-CH_2S-\text{チアジアゾール}-CH_3, \quad COOH$$

　βラクタム環の隣がペニシリンでは5つの元素からなる輪からなっていました．これが6つあるのがセファロスポリンの特徴です．ちなみに，ペニシリンにもセフェムにもこの輪は炭素のほかにひとつのS，つまりイオウ sulfur がついています．これが炭素 carbon に置き換わったのが「カーボンが置き換わった」，「カルバ」ペネムです．

　例によってもう少し脱線しますと，イオウの sulfur はサルファ剤の sulfa とは異なるものです．サルファ剤（スルホンアミドの別名）にもイオウ（S）がついているし，実はサルファ剤の語源はイオウなので，思わず混乱しそうですが．まちがってもサルファアレルギーのある患者さんにはセフェムやペニシリンは禁忌，なんて思わないでくださいね．

　さらに「ちなみに」なのですが，ループ利尿薬のフロセミドなど，非抗菌薬でも「サルファ剤」はあるのですが，「サルファアレルギー」がある患者さんでも非抗菌薬のサルファ剤で反応を起こすことはほとんどありません．

　　　Ponka D. Approach to managing patients with sulfa allergy. Can Fam Physician. 2006; 52: 1434-8.

スルホンアミド（サルファ剤）の基本構造

話をセフェムに戻します．セファロスポリンもβラクタム剤ですから，その作用機序はペニシリンに同じく，ペニシリン結合タンパク（PBP）にくっついて細菌の細胞壁の構築を阻害することです．すでに述べたように細菌は様々な異なるPBPを産生しており，これに対応する抗菌薬の反応も様々です．ですから，ペニシリンには耐性のPBPもセファロスポリンには感受性があったり，その逆だったりするわけです．緑色レンサ球菌（ビリダンス）なんかは，案外ペニシリン感受性，セフェム耐性だったりしますので「後発の薬のほうが耐性じゃない」と決めつけるのは禁物です．

想像に難くありませんが，セファロスポリンの耐性獲得のメカニズムもペニシリンのそれに酷似しています．つまり，①PBPの変異とその親和性の低下，②βラクタマーゼ（セファロスポリナーゼ）の産生，③細胞壁の透過性の低下，といったところです．

この中で注目されるのは，何といっても②のβラクタマーゼです．

⚠CAUTION　おそるべし，βラクタマーゼ

って，もうしつこい？　特にセファロスポリンの場合，ESBLやAmpC過剰産生と，いろいろなβラクタマーゼが出現してぼくらを悩ませています．このことは基礎論で触れました．

さ，それでは岩田が分類したセフェムをグループごとに解説いたしましょう．

C 黄色ブドウ球菌やレンサ球菌に使えるセファロスポリン

では，第1のグループ，「黄色ブドウ球菌やレンサ球菌に使えるセファロスポリン」です．

そんな変な名前を付けず，なんでもっと簡単に「グラム陽性菌」に効くセファロスポリン，とかいう名前にしないの？　という素朴な疑問があるかもしれません．

よくぞ訊いてくださいました．

そう，これではだめなのです．なぜかというと，**腸球菌（*Enterococcus*）やリステリア（これもグラム陽性桿菌でしたね！）にはセファロスポリンが効かないのでした**．

- 腸球菌とリステリアにはセファロスポリンは効果が（ほとんど）ない．

前にも書いたように，セファロスポリンは投与の比較的容易な抗菌薬で，割と何も考えずに出せてしまいます．ですから，こういう落とし穴に要注意なのですね．腸球菌の尿路感染にセファロスポリンを使っていて，治療がうまくいかない，なんてことがあります．

では，腸球菌やリステリアにはどのような抗菌薬がよいでしょう．そう，例えばアンピシリンなんかはよい選択肢でしたね〔18-I-1. アンピシリンの項（242ページ）〕，耐性がなければの話ですが．一般に，*Enterococcus faecalis* であればアンピシリン感受性があり，*E. faecium* だと耐性のことが多いです．*E. faecium* に対してはバンコマイシンがファーストチョイスになります．また，リステリアの髄膜炎を疑う時は，セファロスポリンに加えて必ずアンピシリンを加えるのでしたね．妊婦さんや高齢者，新生児，HIV 感染

のある患者さんの髄膜炎には要注意です（これらはリステリア髄膜炎のリスクの高いグループなのです）．

ま，というわけで「レンサ球菌やブドウ球菌に効くセファロスポリン」は，こうとしか呼びようがないのですねえ．

このグループには俗にいう「第一世代」のセファロスポリンが入ります．その代表選手は，例えばセファゾリンですね．ここではセファゾリンを使って説明していくことにしましょう．

このグループのセファロスポリンは主に黄色ブドウ球菌，レンサ球菌をターゲットに使います．ただ，よく誤解されますが，感受性さえあれば大腸菌，プロテウスといったグラム陰性菌にもセファゾリンは効くのです．ですから，まあ例えば，寝たきりの高齢者で軟部組織の感染症があって，同時に感受性のある大腸菌の尿路感染がみつかって……というシナリオでは使えるでしょう．大腸菌をカバーするためにセファゾリンに新たに抗菌薬を加える必要はありません．

事実，2016年のCLSIからはセファゾリンのブレイクポイントに「単純性尿路感染」のブレイクポイントというのが加わりました．尿路感染の時は異なるMICの基準を適応するわけで，まるで日本化学療法学会の基準を援用しているようなのですが（興味深いですね，こういう歴史的流れは），まあここで何を申したいかというと，セファゾリンを尿路感染に用いるのは全然OKだってことです．

とはいえ，**セファゾリンがよく使われる**のは，その対象菌からも容易に想像がつくように以下のようなものです → **各種軟部組織感染症，化膿性関節炎 septic arthritis，骨髄炎，心内膜炎**，などなど．

要はグラム陽性菌（レンサ球菌，ブドウ球菌）が起こす感染症たちです．

セファゾリンは組織移行性がきわめて良いので，筋肉，皮下組織，関節内液，骨など，狙ったところにはうまーく行ってくれます．ですから，こういった感染症では良い選択といえましょう．

おっと，ここで安心は禁物です．モノには必ず例外というものがございます．

残念ながら，セファゾリンなど，このグループのセファロスポリンは**髄液への移行性が悪い**のです．ここが弱点です．たとえ髄膜が炎症を起こしていて（髄膜炎），透過性が良くなっていても，セファゾリンは髄液に移行しません．したがって，髄膜炎にセファゾリンは，ペケな選択です．脳膿瘍にも通常は用いません．

● セファゾリンを髄膜炎に使ってはいけない．

　また，**セファゾリンは皮膚にいるレンサ球菌，ブドウ球菌に活性があることから，術後の創部感染（surgical site infections：SSI）の予防に用いられます**．この場合は術中の創部の抗菌薬濃度を最大化するため，術直前（切開60分以内）に投与することが望ましいとされます．ちなみに，耐性菌やアレルギーの問題でセファゾリンが使えないときはバンコマイシンやフルオロキノロンを用いますが，血中濃度を最大化するのに時間がかかるため，術前2時間前から抗菌薬を投与します（Classen DC, Evans RS, Pestotnik SL, et al. The timing of prophylactic administration of antibiotics and the risk of surgical-wound infection. N Engl J Med. 1992; 326: 281-6）．

　セファゾリンはMSSAに対しては，ペニシリン系（nafcillinやoxacillin）に劣る，と従来言われてきましたが，近年の研究ではそんなことはない，むしろ毒性が少なくてより優れた優等生だ，と言われています．抗菌薬の評価は時代とともに変わるのです．今，評価が高くないあなた，頑張れ！（頑張るのはお前だって？　はい，頑張ります）．

> McDanel JS, Roghmann MC, Perencevich EN, et al. Comparative effectiveness of cefazolin versus nafcillin or oxacillin for treatment of methicillin-susceptible *Staphylococcus* aureus infections complicated by bacteremia: a nationwide cohort study. Clin Infect Dis. 2017; 65: 100-6.

軽症感染症では経口薬も使えますし，点滴薬から開始して，臨床的に落ち着いたところで経口薬にスイッチする，という手もあります．そのとき使うとすれば，

セファレキシン（ケフレックス®）

となります．スペクトラムとしてはこれがセファゾリンに相当しますし，バイオアベイラビリティは「ほぼ完璧に吸収される almost completely absorbed」と Kucers' にあり，極めて優等生です．

ところで，日本ではセファクロル（ケフラール®など）が「第一世代セフェム」と分類されていますが，米国などではセファクロルは「第二世代」と分類されています．

もちろん，あくまでも「世代」は開発時期による分類なのでどちらが正しい分類，ということはありません．ぼくは第二次ベビーブーマーですが，では何年生まれまでをベビーブーマーと呼ぶか，その境界線をすっきりすっぱり引くのは難しく，「グレーゾーン」にいる人もいるでしょう．「ゆとり世代」も同様かな？　とにかく，セファクロルは世代的には一から二の間ってことです．

ただ，ぼくはこのような「世代」による分類はそもそも医学的，あるいは臨床的ではないと主張しているので，日米どっちが正しいか，議論には興味がありません．**大事なのはセファクロルは，セファレキシンと比較してどう違うか，です．**

Kucers' によると，セファクロルはセファレキシンに比べてレンサ球菌により活性があり，黄色ブドウ球菌には逆に活性が低いとあります．また，セファレキシンに比べるとよりグラム陰性菌に対する広い活性があります．例えば腸内細菌科のグラム陰性菌です．

腸内細菌科のグラム陰性菌に活性があるのを，ぼくはアドバンテージとは考えません．むしろ欠点だと思います．それは後述する「グラム陰性菌を目指す」セフェムに任せればよいのですから．レンサ球菌にはペニシリンという合理的な抗菌薬があり，黄色ブドウ球菌にはセファレキシンのほうが有利です．

さらに，PK 的に言えばセファクロルは食事とともに服用すると濃度が下がってしまいます．また，セファレキシンよりも血清病様反応を起こしやすいことも知られています．

　よって，セファレキシンのほうがセファクロルよりもベターな薬とぼくは判断します．セファクロルの臨床的な使い道はないのです．

　ちなみに，前述のようにアメリカではセファクロルは「第二世代」と目されて呼吸器感染症に主に用いられてきました．しかし，Cunha の「Antibiotic Essentials」によると，本薬は呼吸器組織への移行性が悪いことが指摘されています．帯に短し，タスキに長し．この目的でもセファクロルは使いにくい抗菌薬なのです．

● セファレキシンの利点を考えると，セファクロルの臨床的な使い道はない．

　なぜか皮膚軟部組織感染症に経口第三世代セフェムを使うプラクティスをよく見ます．これはいろんな意味で間違っています．

　一つには，そもそもカバーしなくてよい腸内細菌科などのグラム陰性菌を殺してしまっていること．薬剤耐性菌や，*C. difficile* 感染症（CDI）などのリスクが増します．「菌を殺せばよい抗菌薬」というのは前世紀的な間違った考え方です．

　さらに，バイオアベイラビリティも問題です．後述しますが，経口第三世代セフェムは総じてバイオアベイラビリティが悪いものが多く，消化管から吸収されにくい．感染部位に届かない抗菌薬は絶対に効かないのです．いくら「試験管の中で」菌を殺しても，人間は試験管じゃない．

　というわけで，セファクロルや第三世代セフェムは皮膚軟部組織感染症などの治療に使う価値はありません．あらゆる点から見てセファレキシンのほうがベターなのです．このカテゴリーの経口抗菌薬はこれだけ覚えておけば良いってことですから，便利ですね．

D 肺炎球菌，尿路感染を狙うセファロスポリン

　このグループに入るセファロスポリンには「いわゆる」第二世代のセフォチアムや，「いわゆる」第三世代のセフトリアキソン，セフォタキシムが入ります．最初のグループ（セファゾリンなど）がほとんどグラム陽性菌，例えば黄色ブドウ球菌やレンサ球菌をターゲットにしていたのに比べ，このグループはグラム陰性菌をよりカバーしているのが特徴です．

　肺炎の原因である肺炎球菌，インフルエンザ菌，モラキセラ・カタラーリス（*S. pneumoniae, H. influenzae, M. catarrharis*），それから尿路感染の主な原因である大腸菌（*E. coli*）は，（耐性菌でなければ）このグループの抗菌薬で治療できます．

　とはいえ，セフォチアムの出番は少なくなりました．ぼくが内科研修医になった1990年代はcefuroximeという（いわゆる）第二世代のセフェムが肺炎や尿路感染の第一選択薬（エンピリックな治療薬）で，セフトリアキソンを使おうと思ったら感染症フェローの承認を得なければ使えませんでした．感染症フェローはたいてい知識があって，議論がうまくて，性格にやや難ありな人が多いので（例外あり），彼らを論破してでもセフトリアキソン使用の正当性を認めさせるのはとても面倒くさ……じゃなかった，とても大変だったのです．

　しかし，ぼくが内科研修を終え，感染症フェローになった2000年代ではもうアメリカではあらかたセフトリアキソンがファーストチョイスになってしまい，「第二世代」の出番は激減してしまいました．アメリカも激しい耐性化の波に揉まれていたのです．

　というわけで，現在セフォチアムはエンピリカルに使うことはまずなく，感受性試験を確認してからの使用がほとんどです．逆に，セフォチアムを使えるシチュエーションでは積極的にセフォチアムを使い，セフトリアキソンのような貴重な抗菌薬の使用を回避するのが，1990年代からの変わらぬ賢明な態度です．

セフォチアムは大腸菌（E. coli）に効くと言いましたが，他にも Klebsiella にも効果が期待できます．Proteus mirabilis にも効果がありますが，その効果は落ちます．

さらに一点知っておくべきは，セフォチアムは以下の菌には効果が期待できません．

(mirabilis 以外の) Proteus
Serratia marcessens
Enterobacter aerogenes
Citrobacter freundii
Morganella morganii

Salmonella
淋菌（N. gonorrhoeae）

サルモネラの多くはアモキシシリンのようなペニシリンには感受性を残していますが，セフォチアムはダメです．ペニシリン＜セフェム，と単純に考えていると失敗します．
　院内感染で有名になったセラチアは水のあるところに巣くうことの多い，「オミズ系」のグラム陰性菌です．**「オミズ系」のグラム陰性菌を総称して「SPACE」とぼくらは呼びます．**

Seratia
Pseudomonas
Acinetobacter
Citrobacter
Enterobacter

の頭文字をとって SPACE です．セフォチアムは（もちろん）緑膿菌（P. aeruginosa）には効果がなく，よって，SPACE はほぼ全滅ってことです．

- SPACE はオミズ系

もっとも，最近，*E. aerogenes* は *Klebsiella* と改名されてしまったので，この覚え方も若干ややこしくなってきましたが．めんどくせー．

また，こうした抗菌薬は腸内細菌科の多くに効果があるのも特徴です．もっとも，すでに述べた ESBL 産生菌や AmpC 過剰産生菌などの耐性菌のためにその使用はより難しく，またトリッキーになっていますが．とはいえ，やはりちゃんと感受性を残していれば使いようはあるわけで，要するに使い方が大切ってことです．

このセフェムは嫌気性菌にはあまり効きません．が，口腔内のグラム陽性嫌気性菌にはたいてい効果があるので，例えば誤嚥性肺炎か市中肺炎か，どっちかはっきりしないときとかは，セフトリアキソンだけで治療する（クリンダマイシンをわざわざ足さなくてもたいてい大丈夫）ということもあります．できるだけ少ない薬で病気を治療するのは薬剤の副作用や相互作用を回避するためにはとても大切です．足し算だけでなく，引き算も大事．Less is more のスローガンです．

あと，**大切な使用法としては淋病の治療（*N. gonorrhoeae*）があります**．
ペニシリンのところでも書きましたが，現在淋菌の耐性化が問題となっており，信頼できる治療薬がセフトリアキソンくらいしかなくなっています．そういう意味でもこのクラスの抗菌薬を上手に使うことが大切です．

大切に使う，といえば経口薬．**このクラスのセフェムは経口薬のバイオアベイラビリティが悪いのが特徴なのでした**．よって臨床的には使えない薬が多いです．また，広域セファロスポリンは CDI を惹起しやすいのも問題なのでした．

ぼくは経口第三世代セフェムを実臨床で使いません．2017 年度に神戸大学病院は経口第三世代セフェムを採用薬からすべてはずしてしまいました

(179 ページ参照).

 ●経口「第三世代」セフェムは医療現場で(ほぼ)必要ない.

ときに,セフトリアキソンは細菌性髄膜炎に効果を発揮する「第一選択薬」です.日本のガイドラインでは髄膜炎にカルバペネムを推奨していますが,

間違い

です.カルバペネム耐性肺炎球菌の存在のためです.もっとも,セフトリアキソン耐性肺炎球菌もいるので,エンピリックにはバンコマイシンもかませなければいけません.

肺炎球菌による細菌性髄膜炎の治療 (ペニシリン MIC 0.1-1 μg/mL,かつセフトリアキソン MIC ＜ 1 μg/mL のとき)

セフトリアキソン 2g 12 時間おき (1 日 4g)

あるいは

セフォタキシム 2g 4 時間おき (1 日 12g)

もちろん,ペニシリンの MIC が 0.1 μg/mL 未満のときはペニシリンを使用可能です.ペニシリンは基本中の基本,セフェムは次善の策ってことです.

また,ペニシリンの MIC が 2 μg/mL 以上あるいはセフトリアキソンの MIC が 1 μg/mL 以上の時はバンコマイシンをセフトリアキソンに併用します (MIC が高くってもセフトリアキソンは使うってのが大事です).

また,セフトリアキソンの MIC が 2 μg/mL を超えた場合は,バンコ＋セフトリアキソンに加え,中枢神経に移行がよいリファンピシンを追加します (600mg/ 日).ややこちいですね.

さて，このグループのセファロスポリンは薬物動態的には大変よくできています．体中隅々までいきわたり，セファゾリンとは異なり，髄液移行性も抜群です．したがって，セフォタキシムやセフトリアキソンは髄膜炎にはよいチョイスなのですね．

上述のような細菌を考えると，臨床的にこれらの**セファロスポリンを使うのは**，以下のようなものがあります → **細菌性髄膜炎，市中肺炎，尿路感染症，特発性細菌性腹膜炎 spontaneous bacterial peritonitis（よく SBP と略します）** などなど……．

SBP は，肝硬変などに伴う腹水に細菌が入って起きる腹膜炎で，腸管破裂による腹膜炎とは全く性格を異にします．外科的ドレナージがほぼ必須な二次性腹膜炎と異なり，SBP は抗菌薬「だけ」でたいてい良くなるのです．

原因は大腸菌などのグラム陰性菌や，なぜか肺炎球菌です．

慣行的にセフォタキシムを使うことが多いです．

セフトリアキソンは肝排泄性で，肝機能の悪い肝硬変患者ではやや使いにくいからです．もちろん，肝不全の患者さんで腎不全を合併している方も多いのですが，腎機能が悪い場合は投与法を調節できます．肝機能が悪い場合は調整法が確立していないのでした．

ちょっとマニアックな話をすると，セフトリアキソンはグラム陰性菌によるまれな心内膜炎（いわゆる HACEK group，**18**-E-8，225 ページ）の治療にも使われます．ただし，ペニシリンでもよいことが多いことは前述しました．

また，このセファロスポリンはスピロヘータ，例えば梅毒やライム病の原因菌であるボレリアにも効果があることがわかっています．

さ，そういうわけで，セファロスポリン第 2 のグループ，どのように使うかイメージが湧いてきましたでしょうか．

E 第3のグループ，セファマイシン（セフメタゾール）

　さて，セファロスポリンの分類のうち，①と②を解説しました．次に第3のグループについて解説します．

　第3のグループは特徴があります．何といっても嫌気性菌をカバーするのですから．たくさんあるセファロスポリンでも，腸内嫌気性菌をきちんとカバーするのはこのグループだけです．
　このグループは，俗にセファマイシンと呼ばれるものです．構造的には他のセファロスポリンとはちょっと異なるのですね．

セフメタゾール

　βラクタム環の水素原子の代わりにメトキシ基，OCH_3 がついています．真菌から得られたセファロスポリンと異なり，セファマイシンは *Streptomyces lactamdurans* という放線菌目のグラム陽性菌から得られました．セファロスポリウムから得られた抗菌薬とその仲間をセファロスポリンというのに対し，ストレプトマイセスから得られた抗菌薬は厳密にはセファマイシンというのです．別の仲間ですが，構造上は似ているので一般にはどちらもセファロスポリンに入れてしまっています．俗にいう第二世代に入ります．
　もっとも，このセファマイシン，同じ第二世代でも前述のセフォチアムとは大きく性格を異にします．だから世代で分けてはいけないのですね．おさらいです．

● セファロスポリンを世代で分類するのは誤解のもと．

このセファマイシンの仲間には，最初にストレプトマイセスからとられた cefoxitin の他に，cefotetan，セフメタゾールなどがあります．日本にあるのはセフメタゾールですね．

あと，フロモキセフ，ラタモキセフといったオキサセフェム系セファロスポリンも Kucers' ではセファマイシンに分類されています（ただし，ラタモキセフに関する言及はなし）．商品名ではそれぞれフルマリン®，シオマリン®です．

オキサセフェムはその名の通りセファロスポリン環のSがOになっています．両者の違いは特に Kucers' では言及されていません「抗菌薬サークル図」でスペクトラムを調べてみましたが，「臨床的に意味のある」菌についてはフロモキセフもラタモキセフもセフメタゾールも特に違いはありませんでした．

さて，セファマイシン（およびオキサセフェム）．その特徴は**グラム陰性菌をよくカバーすること**です．多くのグラム陰性菌はたいていこれでカバーします．これはβラクタム環にあるメトキシ基のおかげでβラクタマーゼに安定なためといわれています．大腸菌，プロテウス，クレブシエラなんかには最適です．

次の特徴は**嫌気性菌のカバー**です．同様に，βラクタマーゼ産生菌，きわめつけは *Bacteroides fragilis* ですが，これにもある程度の活性をもっています．もっともこの菌に対する耐性もすでに発見されており，バクテロイデスに対してセファマイシンはファーストチョイスにはしにくくなっています．

やはりメトロニダゾールとか，βラクタマーゼ阻害薬入りのペニシリン（例えばアンピシリン・スルバクタム）がよいでしょう．

日本のデータだと，半数以上の *B. fragilis* はセフメタゾールやクリンダマイシンに耐性です．ちなみに，嫌気性菌に効くキノロンとして知られるモキシフロキサシンも耐性菌が多いです．なので，ぼくは「お腹の感染症」にモキシフロキサシン（その他のキノロン）を優先的に選んだりはしません．

> Takesue Y, Kusachi S, Mikamo H, et al. Antimicrobial susceptibility of pathogens isolated from surgical site infections in Japan: Comparison of data from nationwide surveillance studies conducted in 2010 and 2014-2015. J Infect Chemother. 2017; 23: 339-48.

　一般的にはメトキシ基がついているとグラム陽性菌への付着が悪くなります．セファマイシンのグラム陽性菌への活性は薬によっていろいろみたいです．

　ただし，グラム陽性菌を「狙って」セファマイシンを使うことはまずありませんから，ここはあまり気にしなくてよいとぼくは思います．しつこいようですが，腸球菌には活性ゼロですから，気をつけてください．

　ESBL のところで述べたように（13-A, 153 ページ），セファマイシンは ESBL 産生菌に活性があります．よって，ぼくらはカルバペネムの無駄遣いを避けるためにも，積極的にセフメタゾールを使っています．特に臨床的に安定している患者さんであれば，ぜひ de-escalation すべきです．

　セフメタゾールは米国で使っていないこともあってあまり使用法のデータがないのですが，ジョンズ・ホプキンスの ABX ガイドによると，

セフメタゾールは 1～2g を 6～12 時間おき
に点滴で使用するよう書かれています．

　日本の添付文書だと，
1 日 1～2g（力価）を 2 回に分けて静脈内注射または点滴静注する．小児には，セフメタゾールナトリウムとして，1 日 25～100mg（力価）/kg を 2～4 回に分けて静脈内注射または点滴静注する．なお，難治性または重症感染症には症状に応じて，1 日量を 4g（力価），小児では 150mg（力価）/kg まで増量し，2～4 回に分割投与する．

と書かれています．ぼくらは添付文書上の使用が必須ではない DPC の病院では **2g 8 時間おき，そうでない場合は 1g 8 時間おき**（重症感染症ってことで！）で使っています．**セフメタゾールは時間依存性のβラクタム剤なので，その血中半減期は 1.2 時間です．よって，12 時間おき投与は薬理学的には間違っている**のですが，日本の添付文書はしばしば間違っているのです．（特に昔の薬は）．はやく薬理学的に正しい量に直してほしいなあ．

　ちなみに，フロモキセフやラタモキセフについても添付文書上の投与法はセフメタゾールと同じ（1〜2g を 2 回に分割云々）．そして ABX ガイドには言及がありません．添付文書上，フロモキセフの血中半減期は 40〜73.4 分，ラタモキセフは 1.64-3.6 時間です．フロモキセフを 12 時間おき投与は理にかなっていませんが，ラタモキセフは 12 時間おき投与は薬理学的に正当化できるかもしれません．

　フロモキセフに関する臨床研究では，ESBL 産生菌による菌血症でカルバペネムに比肩する，というものと，（とくに MIC の比較的高い株では）カルバペネムに劣る，というものがあります．

> 効く，という日本のスタディー（セフメタゾールとともに検証）
>> Matsumura Y, Yamamoto M, Nagao M, et al. Multicenter retrospective study of cefmetazole and flomoxef for treatment of extended-spectrum-β-lactamase-producing Escherichia coli bacteremia. Antimicrob Agents Chemother. 2015; 59: 5107-13.

> カルバペネムがベターだった，という研究．いずれも後ろ向き．
>> Lee C-H, Su L-H, Chen F-J, et al. Comparative effectiveness of flomoxef versus carbapenems in the treatment of bacteraemia due to extended-spectrum β-lactamase-producing *Escherichia coli or Klebsiella pneumoniae* with emphasis on minimum inhibitory concentration of flomoxef: a retrospective study. Int J Antimicrob Agents. 2015; 46: 610-5.

　さて，ラタモキセフについては ESBL 産生菌に効果があるのでは，というモンテカルロシミュレーションが発表されています．

Ito A, Tatsumi Y, Wajima T, et al. Potent antibacterial activities of latamoxef（moxalactam）against ESBL producing Enterobacteriaceae analyzed by Monte Carlo simulation. Jpn J Antibiot. 2014; 67: 109-22.

　フロモキセフ（フルマリン®）の薬価は 1g 1,263-1,587 円，ラタモキセフ（シオマリン®）1g が 1,208 円，セフメタゾール 1g が（ジェネリック含め）246-456 円です．

　現段階では，エビデンスの質量と価格，それと我々の経験値の多さから，ぼくはセフメタゾールを使用しており，セフメタゾール以上の付加価値が見られず，価格も高いフロモキセフ，およびラタモキセフは使用していません．もちろん，将来新たなエビデンスが生じれば評価が変わる可能性はあります．

■ セファマイシンの使い方

1. ESBL 産生菌感染症
2. 腹腔内感染症で，*B. fragilis* などの耐性菌や腸球菌などもともと効果がない菌が関与していない場合．かつ，セフメタゾール以上の「ベターな選択肢」がない場合（つまり，かなり消極的な選択）

　2 の使い方では，アンピシリン・スルバクタムなどのほうがベターでしょう．アンピシリン・スルバクタムは経口へのスイッチ（オグサワ，16-1, 190 ページ）もできるため，さらにアドバンテージがありますから，セフメタゾールの使用価値はやや落ちます．

　あと，マニアックな使い方としては rapid grower と呼ばれる迅速発育する抗酸菌（*Mycobacterium fortuitum* と *M. abscessus*．ただし，*M. chelonae* はたいてい耐性）の治療レジメンの一つとしてかますことがあります．この場合はアミカシンのようなアミノグリコシドやマクロライドなどと併用して治療します．ただ，このような使用はかなりマニアックなので感染症のプロに相談したほうがよいと思います．

Wallace RJ, Brown BA, Onyi GO. Susceptibilities of Mycobacterium fortuitum biovar. fortuitum and the two subgroups of *Mycobacterium chelonae* to imipenem, cefmetazole, cefoxitin, and amoxicillin-clavulanic acid. Antimicrob Agents Chemoth-

er. 1991; 35: 773-5.
Wallace RJ, Silcox VA, Tsukamura M, et al. Clinical significance, biochemical features, and susceptibility patterns of sporadic isolates of the *Mycobacterium chelonae*-like organism. J Clin Microbiol. 1993; 31: 3231-9.

F 第4のセファロスポリン ― 緑膿菌をたたけ！

　これは**緑膿菌をカバー**するのが特徴です．あと，セフェピムは AmpC 過剰産生菌に対する第一選択薬でもあります．
　なにしろ，緑膿菌は免疫抑制のかかった患者さんには天敵です．おまけに院内感染で常に耐性菌が問題になるときている．緑膿菌に対抗するオプションはできるだけたくさんあったほうがいいのです．
　このグループに入るセファロスポリンの代表選手が，従来の「第三世代」にはいるセフタジジムやセフォペラゾン（さらに合剤のセフォペラゾン・スルバクタム）と，「第四世代」ともいわれるセフェピムです．ともに緑膿菌をはじめとするグラム陰性菌をよくカバーします．

緑膿菌に効果のあるセファロスポリン
　セフタジジム（モダシン®）
　セフェピム（マキシピーム®）
　セフピロム（ブロアクト®やケイテン®）
　セフォゾプラン（ファーストシン®）
　セフォペラゾン・スルバクタム（スルペラゾン®）

　このうち，セフォペラゾン・スルバクタムは日本では特殊な使われ方をしているので，後述します．

　これらのセファロスポリンたちは，かなりの広域抗菌薬ですから，使うのはもっぱら重症患者さんが対象です．外来でぴんぴんしている人に使う抗菌薬ではありません．

たとえば，化学療法後の好中球減少時の熱です．これは数ある感染症エマージェンシーの一つで，即座に抗菌薬を投与しなくてはなりません．必ず緑膿菌をカバーします．

　以前は必ず2剤の併用を行いましょう，となっていましたが，最近の研究では1剤も2剤もアウトカムに変わりはないよ，ということで，1剤投与のほうがメインになっています（⑩, 128ページ）．

　ただし，緑膿菌は耐性を作りやすいこと，使っている抗菌薬が耐性だと困るという理由から，重症感染症では2剤を投与することも考慮します．この場合，原則としては，βラクタムにアミノグリコシドやフルオロキノロンを併用します．

- 好中球減少時の熱は感染症エマージェンシー．直ちに対応すること！
- 緑膿菌をカバーすること！

　他にも，院内感染や，熱傷の患者さんでは緑膿菌をカバーしなくてはなりません．こういう場合はこのグループのセファロスポリンがよい適応となります．他によく使うのが，脳室シャントをもった患者さんでシャント感染を起こした場合ですね．多くのセファロスポリン同様，セフタジジムは髄膜をよく通過するので，重宝します．

　一方，セフェピムは「セフェピム脳症」という中枢神経合併症を起こすことが知られており，特に腎機能が悪い患者さんで起きやすいです．よって，中枢神経に基礎疾患があったり，中枢神経感染症のときにはちょっと使いたくない薬です．

　　　Fugate JE, Kalimullah EA, Hocker SE, et al. Cefepime neurotoxicity in the intensive care unit: a cause of severe, underappreciated encephalopathy. Crit Care. 2013; 17: R264.

⚠CAUTION さて，よく間違われやすい点を一つ．

　セフタジジムもセフェピムもグラム陰性菌には等しくよく効きますが，セフェピムがグラム陽性菌にはよく効くのに対して，**セフタジジムは全然，といっていいほど効きません**．おなじ「第三世代」のセフトリアキソンなんかと混同してはいけませんよ．

- **セフタジジムはグラム陽性菌には効果がない．**
- **セフェピムは対照的に黄色ブドウ球菌やレンサ球菌には効果がある（でもリステリアや腸球菌は他のセフェム同様だめなのでした）．**

　以前は好中球減少時の熱といえばその原因はグラム陰性菌，とりわけ緑膿菌と相場が決まっていました．
　ところが，1990年代後半ころから，この傾向に変化が生じてきています．グラム陽性菌，とくに皮膚ブドウ球菌（*Staphylococcus epidermidis*）や黄色ブドウ球菌がよく培養で検出されるようになり，**現在では皮膚ブドウ球菌こそがこの手の熱の最大の原因菌となっています**．
　おそらくは中心静脈ラインやポートなど，がん患者さんが皮膚にいろいろなデバイスをつけるようになったせいと，ある程度のコンタミネーションが多くなったせいではないかと推測します．
　そうすると，皆さんはこう考えるかもしれません．セフェピムはブドウ球菌をカバーする．セフタジジムはしない．じゃあ，好中球減少時の熱には等しくセフェピムを使うべきで，セフタジジムの出る幕はもうないんでないかい？　と．
　ちっちっち．話はそう簡単ではありません．
　この問題を解くには，なぜ，**「好中球減少時の熱は感染症エマージェンシーなのか？」**という根本的な問題を考えてみる必要があります．

? 好中球減少時の熱．原因で一番多いのは現在皮膚ブドウ球菌をはじめとするグラム陽性菌です．では，グラム陽性菌に効果のあるセフェピムを選択しても，グラム陽性菌に効かないセフタジジムは使うべきではないのではないか？　これが命題でした．

では，**好中球減少時の熱 (febrile neutropenia: FN) で何が問題なのか？**
FNにおける死亡はなんといってもグラム陰性菌，特に緑膿菌が原因になるのです．最近はきちんと抗菌薬を早めに投与しますからそういうケースをみることは少なくなりましたが，FNの患者さんで緑膿菌による細菌血症があった場合，治療もせずにほったらかしておいたらどうなるでしょう．

患者さんは死んでしまいます．それも，数時間，というスパンで．あっという間です．

「だから」FNは感染症エマージェンシーなのです．

これが，皮膚ブドウ球菌だったらどうでしょう．熱が出ます．好中球は低い．血液培養を採ります．結果が返ってきます．グラム陽性球菌がブドウ状に鈴なりになっています（これをクラスター clusterと呼びます．レンサ球菌だったら「鎖＝chain」にみえます）．おもむろにバンコマイシンを始めます．

これは皮膚ブドウ球菌が毒性がきわめて弱い細菌だからなのですね．問題となるカテだけ抜いて治療する人もいるくらいです（好中球減少の時は，さすがにしないけど）．

あっという間に患者さんを殺してしまう緑膿菌とは怖さが全然違う．

グラム陽性菌はFNの患者さんをすぐに殺したりはしません．だから，培養を採ってから結果を待つ余裕があります．これは，他の熱の原因，例えば真菌やウイルスについても同様です（ただし，この辺については新しい知見が増えており，異論もあります）．

さて，そうすると質問の答えはおのずと出てきます．FNで怖いのはグラム陰性菌，特に緑膿菌です．だからそれさえカバーしておけば，あとは原因検索の結果に応じて対応していけばよいのです．ですから，緑膿菌という部分に着目する限り，セフタジジムを使おうが，セフェピムを使おうが，ぼく

はどちらでもよいと思います．

　緑膿菌に着目する限り……？　なんだ？　その菌にものが挟まったような煮え切らない言い方は？

　はい，そうなんです．確かに，緑膿菌に関する限り，セフタジジムもセフェピムも大差ないと思います．が，近年はそうも言っていられなくなりました．というのは，総論で議論した AmpC 過剰産生菌が問題になってきたからです（⓭-B，161 ページ）．シトロバクター，エンテロバクター，セラチアなどで **AmpC 過剰産生菌を考えるとき，セフェピムは使用可能なことが多く，セフタジジムではダメなことが多いです**．この点は要注意ですね．

　さて，そのセフェピムですが，実は「好中球減少時の発熱に使うのはよくないのではないか」という議論が起きました．セフェピムを単剤で用いると，セフタジジム，ピペラシリン・タゾバクタム，カルバペネムなどに比べて死亡率が高まるのではないかというメタ分析が発表されたためです．

   Paul M, Yahav D, Fraser A, et al. Empirical antibiotic monotherapy for febrile neutropenia: systematic review and meta-analysis of randomized controlled trials. Antimicrobial Chemothe. 2006; 57: 176-89.

　また，セフェピム全体で評価した場合もやはりほかの抗菌薬に比べて死亡率が高いというメタ分析も出たのです．

   Yahav D, Paul M, Fraser A, et al. Efficacy and safety of cefepime: a systematic review and meta-analysis. Lancet Infect Dis. 2007; 7: 338-48.

　ところがところが，さらに精緻なメタ分析が行われ，セフェピムは死亡率を上げない，という反駁が最近行われました．

   Kim PW, Wu Y-te, Cooper C, et al. Meta-analysis of a possible signal of increased mortality associated with cefepime use. Clin Infect Dis. 2010; 51: 381-9.

　というわけで，セフェピムは現在のところ，他の抗菌薬に遜色ない……というのが立ち位置となっています．2021 年現在も，FN に対してセフェピム

はよく使われていますし，サンフォード・ガイドでもハイリスクグループの FN で，セフェピムは第 1 選択薬のままです．

セフェピム　　2g 8 時間おき

という大量投与が推奨されており，カルバペネムよりも上位に位置づけられています（カルバペネムの乱用を避ける目的だと思います）．

ときに，セフピロム，セフォゾプランという日本でよく用いられる「第四世代の」セフェムではこのような厳密な検証が行われていません．というか，臨床試験自体ほとんど行われていません．

　本書の ver. 3 を出した頃，2011 年 7 月 27 日に PubMed で cefpirome のヒトのランダム化コントロール試験を探すと 10 あることがわかりました．cefozopran は 1 個だけでした．2018 年 4 月 3 日に PubMed の Clinical queries で治療目的の論文を検索したところ，cefpirome については 2011 年以降出された論文は 1 本，膿瘍に対する薬理学的研究でした．

> Sauermann R, Feurstein T, Karch R, et al. Abscess penetration of cefpirome: concentrations and simulated pharmacokinetic profiles in pus. Eur J Clin Pharmacol. 2012; 68: 1419-23.

　Cefozopran については小児の FN 患者でセフェピムと比較して差がなかった，というスタディーがあります．

> Sarashina T, Kobayashi R, Yoshida M, et al. A randomized trial of cefozopran versus cefepime as empirical antibiotic treatment of febrile neutropenia in pediatric cancer patients. Pediatr Blood Cancer. 2014; 61: 1992-5.

　それから，日本の研究でいくつかの抗菌薬の効果を吟味した研究もありました．FN の初期治療について調べたオープンラベルのランダム化比較試験で，セフォゾプランは，メロペネム，イミペネム，そしてセフェピムと反応において有意差がなかったという結果でした．

> Nakane T, Tamura K, Hino M, et al. Cefozopran, meropenem, or imipenem-cilas-

ta-tin compared with cefepime as empirical therapy in febrile neutropenic adult patients: A multicenter prospective randomized trial. J Infect Chemother. 2015; 21: 16-22.

ただ，この論文ではすべての抗菌薬が薬理学的には適切とはいい難い 12 時間おき投与をしていました．また，研究のアウトカムは治療への反応性だったのですが，セフォゾプラン群で 30 日後の死亡率が最も高かったです（$6/87 = 6.9\%$，セフェピムが $4/87 = 4.6\%$，イミペネムが $1/89 = 1.1\%$，メロペネムが $1/92 = 1.1\%$）．

元論文にはないですが，もっとも死亡率が高かったセフォゾプラン群ともっとも死亡率が低かったメロペネム群を手元にある R という無料統計ソフトを使い，フィッシャーの正確検定で比較すると $P = 0.059$ と差がある傾向が見られました．

というわけで，セフォゾプランを FN およびその他の感染症で，他の抗菌薬に優先させて使う根拠としては弱いかな，とぼくは思います．

ただ，マウスの実験ではセフォゾプランは，セフェピムなど他のセフェムに比べて一番けいれんを起こしにくかったそうです．安全性と有効性に関するヒトを対象としたデータが蓄積されれば，将来的には使い道が，あるいはセフェピムよりも有意な抗菌薬としての立ち位置が得られるかもしれません．

Sugimoto M, Uchida I, Mashimo T, et al. Evidence for the involvement of GABA（A）receptor blockade in convulsions induced by cephalosporins. Neuropharmacology. 2003; 45: 304-14.

■ MRSA に効果があるセファロスポリン

世の中はどんどん変わっていきます．かつては「βラクタム薬は MRSA には効かないんだよ」と教えていたのですが，「効かないことがほとんどなんだけど……ね」と留保条件を付けなきゃいけなくなりました．MRSA に効果があるセファロスポリンが登場したためです．これが ceftobiprole と ceftaroline です．

セフトビプロール（ceftobiprole）というどこかへ飛んでいってしまいそうな名前のセフェムは史上初の MRSA に効く βラクタム薬です．欧州やカナ

ダで承認されていますが，米国では未承認です．

　ceftaroline は ceftaroline fosamil というプロドラッグの代謝産物です．こちらは米国で承認されています．

　両者は MRSA に特徴的な PBP2a（mecA）に強く結合します．というわけで，βラクタム薬が一般的に効かない MRSA にも効果を発揮するというわけです．MRSA, VISA（vancomycin intermediate *S. aureus*），VRSA（vancomycin resistant *S. aureus*）を含む多くの**グラム陽性菌に効果があり**ます．ただし（他のセフェム同様）腸球菌に対する効果はあまりよくないと言われています．

　また，グラム陰性菌にも効果があり，多くの腸内細菌もカバーします．さらに，両者はある程度，嫌気性菌もカバーしますが，Bacteroides などには活性が弱く，この目的には使いにくいそうです．また，ceftaroline は緑膿菌などの非発酵菌はあまりカバーしません．また，AmpC 過剰産生菌にはセフェピムのように安定していますが，ESBL 産生菌などには効果が期待できないようです．

　臨床試験は限定されていますが，両者は皮膚軟部組織感染症において臨床効果はバンコマイシンと引き分け，ceftaroline は市中肺炎においてセフトリアキソンと引き分けでした．院内肺炎においては ceftobiprole の治癒率はリネゾリド・セフタジジムの併用と比べて遜色なかったという研究があります（Basilea（2007）. Press release: Basilea announces positive top-line data from phase III study of ceftobiprole in hospital-acquired pneumonia（Basel, Switzerland, October 9, 2007）. なんか微妙？

　さて，この「第五世代の」セファロスポリン……実際に現場ではどのように使ったらよいのでしょうか．

　正直言って，よくわかりません．バンコマイシンで治せる MRSA 感染にグラム陰性菌までカバーするブロードな抗菌薬を使う「必然性」がないですし，セフトリアキソンでもいける市中肺炎に MRSA までカバーするセフェムを使うのもなんだかなあ，です．抗菌薬はブロードであればよいというものではないのです．

近年，リネゾリド，ダプトマイシンなど MRSA に効く抗菌薬は増えてきました．選択肢が増えるのは一般的にはよいことですが，その「ポジショニング」をしっかりすることが大切です．

一番よくないのは，「効くから使う」「広いから使う」という安直な発想です．日本にも早晩入ってくるであろうこれらのセフェム，今のうちに使い方をよーく考えておく必要がありそうです．

> Saravolatz LD, Stein GE, Johnson LB. Ceftaroline: a novel cephalosporin with activity against methicillin-resistant Staphylococcus aureus. Clin Infect Dis. 2011; 52: 1156-63.

■ 耐性グラム陰性菌などを狙った新しいセファロスポリン

もうすこし，「最近の」セファロスポリンについて追加しておきましょう．

- セフトロザン・タゾバクタム
- ceftazidime-avibactam
- cefiderocol

です．

セフトロザン・タゾバクタムはやはり緑膿菌に効果があり，かつ ESBL 産生菌にも効果があります．ブドウ球菌などには効果がありません．AmpC の一部には効果があるようです．やはり米国では尿路感染や腹部感染に適用があります．不思議なことに嫌気性菌には効果が乏しいため，腹部感染に使うときはメトロニダゾールなどとの併用が必要です．

まあ日本の場合，ESBL 治療薬（セフメタゾール）や AmpC 対応薬（セフェピム）があるので，この目的でセフェム・βラクタマーゼ阻害薬コンビネーションに使いみちがあるかというと，ちょっと疑問です．

むしろ，多剤耐性緑膿菌などにコリスチン以外の選択肢として使えるかもしれません．ただし，カルバペネマーゼ産生菌（メタロβラクタマーゼ含む）には効果がないので，ここは要注意．

ただし，本稿執筆時点ではセフトロザン・タゾバクタム（ザバクサ®）はロットの問題からメーカーの自主回収となり，供給が途絶えています．多剤

耐性緑膿菌感染でコリスチンで腎機能が悪化したときなど，「ああ，ザバクサ®があれば……」と嘆息したりしています．なくなって初めてわかる薬の価値．字余り，季語なし．もうすぐ復活するとも聞いていますが……（163 ページ）．

　ceftazidime-avibactam は緑膿菌にも効くセフタジジムに，βラクタマーゼ阻害薬の avibactam を組み合わせたものです．尿路感染や腹腔内感染への使用が米国 FDA に承認されています．ただし，後者にはセフトロザン・タゾバクタム同様，メトロニダゾールの併用が必要です．ESBL や AmpC に安定性があり，かつカルバペネム耐性菌のうち，KPC や OXA の一部にも安定性があるため，こうした耐性菌には効果があります．セフトロザン・タゾバクタムはカルバペネマーゼ産生菌に効果がなかったので，ここが両者の大きな違い，と考えてもいいでしょう．

　逆に，βラクタマーゼ以外の耐性機序によるセフタジジム耐性菌には効きません（当たり前ですね）．日本に多いメタロβラクタマーゼでは加水分解を受けてしまいます．

　前述のように，アズトレオナムはメタロβラクタマーゼに効果があるため，ceftazidime-avibactam とアズトレオナムの併用療法というのも試みられています（164 ページ）．

> Falcone M, Daikos GL, Tiseo G, et al. Efficacy of ceftazidime-avibactam plus aztreonam in patients with bloodstream infections caused by MBL-producing Enterobacterales. Clin Infect Dis. 2020.

　cefiderocol は siderophore cepharosporin と呼ばれる新しいタイプのセファロスポリンです．鉄とくっついて外膜上にある鉄トランスポートシステムから菌内に取り込まれる，というかなり新しいメカニズムを持っています．メタロβラクタマーゼやカルバペネム耐性アシネトバクターなどかなりの多剤耐性グラム陰性菌に活性があります．米国では人工呼吸器関連肺炎など院内感染に承認されています．日本の塩野義製薬とグラクソ・スミスクラインが 2015 年に開発しました．日本にも入ってくるでしょうか？

さて，セファロスポリンの項ももうすぐおしまいです．最後にこの比較的使いやすい抗菌薬の大弱点について触れたいと思います．それはセファロスポリンの将来にかかわる大問題です．

セファロスポリンが世に出始めたころ，この抗菌薬は副作用が少ないのが「売り」でした．使いやすい抗菌薬としてたくさんの医師が（おそらく深く考えることなく）この薬を投与したのです．

さて，そのツケが回ってきました，21世紀の今日この頃，です．

それは偽膜性大腸炎（*Clostridium*（*Clostridioides*）*difficile infection*：CDI）です．院内感染の一種で病院内でどんどん広がっていきますから，感染症コントロールがイイカゲンだったり，手洗いが徹底していない病院ではこの菌を（厳密にはそのトキシンを）よくみることになります．

この偽膜性大腸炎は抗菌薬の投与と深い関係があることがよく知られています．古典的には，クリンダマイシンが偽膜性大腸炎にもっとも関係が深いと考えられてきました．ところが，実はセファロスポリンがクリンダマイシンと同じくらい偽膜性大腸炎を起こしやすいことがわかってきたのです．

> Schwaber MJ, Simhon A, Block C, et al. Factors associated with nosocomial diarrhea and Clostridium difficile-associated disease on the adult wards of an urban tertiary care hospital. Eur J Clin Microbiol Infect Dis. 2000; 19: 9-15.
> Bartlett JG. Clinical practice. Antibiotic-associated diarrhea. N Engl J Med. 2002; 346: 334-9. Review.

- セファロスポリンは偽膜性大腸炎を起こしやすい．とくに広域（古典的な分類では第三世代）のものが危険が高い．

19 セファロスポリン

G 胆道移行性？ セフォペラゾン・スルバクタムの立ち位置とは

　日本ではセフォペラゾン・スルバクタム（スルペラゾン®）がしばしば用いられています．これは第三世代のセファロスポリンに分類され，腸内細菌群に効果を発揮します．また，緑膿菌に対しても中等度から高度の効果を示すのも特徴です．

　興味深いことに，スルバクタムとともに用いられるセフォペラゾンは，セフェムの中ではβラクタマーゼに安定性があるのだそうです．なんとなく，面白いですね．スルバクタムを加えると，アシネトバクターへの効果も得ます（スルバクタムに抗アシネトバクター効果があるので，当たり前といえば当たり前ですね）．ただし，クラスCのβラクタマーゼ（AmpCなど）に対してはスルバクタムの効果も小さいようです．

　あと，セフォペラゾンは E. faecalis に効果を発揮する稀有なセファロスポリンです（Cunha BA. Antibiotic Essential, 17th ed. 2017）．

　もっとも，この属性を臨床的にどう役立てるかというと，あまりないのですが．だって，シンプルにアンピシリンを使えばいいのですから．抗菌薬は「効く，効かない」で決めてはダメで，「必然性」や「ポジショニング」が大事なのでしたね．E. faecalis を狙ってセフォペラゾンを使ったことはありませんし，今後も使うことはないでしょう．モナドロジーじゃあ．

　さて，Kucers'ではセフォペラゾンの投与量は1〜2gを12時間おきと記載されていますが，**日本でよく用いられている用法だとスルペラゾン® 1gが12時間おきです．スルペラゾン® 1gというのはセフォペラゾン500mg，スルバクタム500mg**ですから，国際的な投与量の半分ということになります．ちょっと足りないですね．

　スルペラゾン®といえば「胆道移行性がよい」が売りとされています．これについては，拙著『目からウロコ！　外科医のための感染症のみかた，考えかた』（中外医学社）にまとめたので，ここで引用します．結論は，「胆管炎にスルペラゾン®は使わんでいい」です．

ところで，胆管炎と言えばスルペラゾン®（セフォペラゾン・スルバクタム）だと思っている先生がたは多いことと思います．確かに，セフォペラゾンは胆汁に濃縮されやすく，胆汁 / 血清比が 4 倍以上あります．もっとも，これはピペラシリンなどにも見受けられる現象で，スルペラゾン®だけが胆汁移行性がよいわけではありません．また，アンピシリンやトリメトプリム，メトロニダゾールやクリンダマイシンも胆汁 / 血清比は 1 〜 4 倍と良好です．こうした抗菌薬も十分に使うことができます．ちなみに，メロペネムなどのカルバペネムは胆汁移行性は悪く，胆汁 / 血清比は 0.25 程度です（Matsumoto T, Muratani T, Nakahama C, et al. Clinical effects of 2 days of treatment by fosfomycin calcium for acute uncomplicated cystitis in women. J Infect Chemother. 2011; 17: 80-6）．

あれ？　スルペラゾン®でも治らない場合は，必殺のメロペン®，とお考えの先生は多いのではないでしょうか．胆汁移行性がどれほど重要なのか．案外そんなに臨床的には重要ではないのかもしれませんね．というか，多分大抵の場合，メロペン®を使うくらいなら，ゾシン®（ピペラシリン・タゾバクタム）を使ったほうが，薬理学的には理にかなっていると思います．

　もっというとスルペラゾン®は移行性云々以前の大きな問題があります．あれは，1g 12 時間おきとかで出されることが多いのですが，そのうちセフォペラゾンは 500mg しか入っていません．全部で 1g しかない抗菌薬がたとえ高濃度で胆汁に移行しても，大量の抗菌薬にはとても追いつきません．

　だから，神戸大学感染症内科の市中胆管炎の第一推奨薬はユナシン®（アンピシリン・スルバクタム）です．胆汁移行性がよいアンピシリンを大量に投与するのです．すでに述べたように，アメリカでは耐性菌が多くてユナシン®単剤では推奨されていませんが，日本，少なくとも神戸近辺ではこれで大丈夫です．みなさまの地域の感受性も，是非確認してみてください．

　なお，肝機能が低下するとすべての抗菌薬の胆汁移行性は低下し，総胆管が完全に閉塞していると，（どれを選んでも）抗菌薬は全く胆汁に移行しなくなります．やはり，物理的に閉塞を解除してあげることが最重要，というわけです．

岩田の雑感では，胆管閉塞さえ解除してしまえば，胆管炎は抗菌薬が間違っていても8割は治ります．投与量が圧倒的に少ないスルペラゾン®でも，胆汁移行性が悪いメロペン®でも．逆に，閉塞が解除できない腫瘍性の胆管炎などではどんなにまっとうな抗菌薬を使ってもよくならないことが多いです．

　じゃ，胆道感染では抗菌薬の使い方は適当でもよいってこと？　という声も聞こえてきそうです．もちろん，そんなことはありません．たしかに，8割の胆管炎はどんな抗菌薬でも，もしかしたら抗菌薬なしでも治ってしまうように思います．

　しかしながら，逆にいえば2割の患者さんは，抗菌薬の適切な使用が決め手になるわけです．EBMにお詳しい方にはご案内ですが，2割増しの治療効果ということはNNT（number needed to treat）は5というわけです．内科医的にはNNT＝5のプラクティスとはとてもよいプラクティスです．

　ERCPや胆摘が適切に行われれば，胆道感染は打率8割です．それはなかなかによい打率です．しかし，2割の取りこぼしを防ぐためには，やはり抗菌薬は妥当に用いるべきです．もちろん，血液培養や胆汁培養はきちんと採り，de-escalationをしっかり行うのも大事です．胆道感染において検出菌だけをカバーすればよいのか，嫌気性菌カバーは残したほうがよいのかについては十分なスタディーがありません．今後の課題だと思います．

　　Dooley JS, Hamilton-Miller JM, Brumfitt W, et al. Antibiotics in the treatment of biliary infection. Gut. 1984; 25: 988-98.

　あと，抗菌薬は治療期間も大事でした．我々がやった傾向スコア分析を用いた後ろ向き研究では，血液培養陽性の急性胆管炎でも，胆道閉塞さえ解除できていれば5, 6日程度の短い抗菌薬で治療が可能であることが示唆されています．これも前述しました．

　　Doi A, Morimoto T, Iwata K. Shorter duration of antibiotic treatment for acute bacteraemic cholangitis with successful biliary drainage: a retrospective cohort study. Clin Microbiol Infect. 2018; 24:1184-9.

採点表 セフェム系のまとめ

凡例 Symbol Legends

臨床的重要度
- A 🐾🐾🐾 …… とても高い
- B 🐾🐾 ……… まあまあ高い
- C 🐾 ………… そんなに高くない
- × …………… なくても困らない

使用頻度
- A 🐾🐾🐾 …… とてもよく使う
- B 🐾🐾 ……… まあまあ使う
- C 🐾 ………… ほとんど使わないが たまに使う
- × …………… 全く使わないし，今後もおそらく使わない

注射薬

セファロチンはセファゾリンに非常によく似た注射薬ですが，セファゾリンのほうが血中濃度が高く，半減期も長い（Kucers'より）ので「セファロチンがセファゾリンよりベターな理由」がありません．特に欠点もないのですが，ポジショニング的に使い道がないのです，残念！（ギャグ，古すぎ）

セファゾリン（セファメジン®など）
- 臨床的重要度 A 🐾🐾🐾
- 使用頻度 A 🐾🐾🐾

ブドウ球菌（MSSA）に対して替えの効かない必須薬．Nafcillinらペニシリンよりも評価が高まり，さらに高評価．

セフォチアム（パンスポリン®など）
- 臨床的重要度　B
- 使　用　頻　度　C

　決して悪い薬ではなく，肺炎や尿路感染の de-escalation で使うことがあります．

セフメタゾール（セフメタジゾン®など）
- 臨床的重要度　A
- 使　用　頻　度　A

　ESBL 産生菌に対するカルバペネム・スペアリング・エージェントとして極めて重要な存在．従来の嫌気性菌を含む腹部感染にもときどき使うが，そちらの存在感はやや下がっている（耐性菌が多いため）．

セフミノクス（メイセリン®）
- 臨床的重要度　×
- 使　用　頻　度　×

　セファマイシン系注射薬だが，Kucers' ではホスホマイシンとシナジーがある，という記載があるのみ．PubMed で臨床試験を調べたら，腹部感染でメトロニダゾール＋ゲンタマイシンと引き分け，と複雑性尿路感染でセフォタキシムと引き分け（ただし小規模），という微妙な感じです．使ったことがないですが，将来データが蓄積されれば存在意義が生じるかもしれません．

> Torres AJ, Valladares LD, Jover JM, et al. Cefminox versus metronidazole plus gentamicin intra-abdominal infections: a prospective randomized controlled clinical trial. Infection. 2000; 28: 318-22.
> Gastón de Iriarte E, Cárcamo Valor P, Diez-Enciso M, et al. [Cefminox versus cefotaxime in the treatment of complicated urinary tract infection]. Actas Urol Esp. 1995; 19: 635-41.

フロモキセフ（フルマリン®）
臨床的重要度 C 🔫
使用頻度 ×

本文に書いたように ESBL 産生菌に使えるかもしれません．が，セフメタゾールを上回るアドバンテージがありません（コスト含めて）．

セフォタキシム（クラフォラン®，セフォタックス®）
臨床的重要度 B 🔫🔫
使用頻度 B 🔫🔫

セフトリアキソンの腎排泄型，と理解したらよく，肝機能が悪い患者，セフトリアキソン使用中に肝機能が悪くなった，結石が見つかった，などでこれに替えることがよくあります．

セフォペラゾン・スルバクタム（スルペラゾン®）
臨床的重要度 C 🔫
使用頻度 ×

本文で述べた通りで，「腸球菌に効く」とか「胆汁移行性」といったウリ文句はほとんど本薬の取り柄になっていないのです．

セフォペラゾン（セフォペラジン®など）
臨床的重要度 C 🔫
使用頻度 ×

上に同じです．

セフメノキシム（ベストコール®）

臨床的重要度　C 💉

使用頻度　×

　すごい商品名！　セフトリアキソン，セフォタキシムと同系統の抗菌薬ですが，臨床データに乏しい．80年代の古い研究しか見つかりませんでした．

セフトリアキソン（ロセフィン®など）

臨床的重要度　A 💉💉💉

使用頻度　A 💉💉💉

　第三世代セフェムの雄．半減期が長くて病院，外来，在宅など使い勝手が非常によいのも特徴．臨床データも非常に豊富．コモンな感染にもまれな感染にも使い道が多い．逆に乱用されすぎ，の感も．経口第三世代セフェム使用が減り，耐性菌が減れば，もっと「使える」抗菌薬になるだろう．

セフタジジム（モダシン®など）

臨床的重要度　B 💉💉

使用頻度　B 💉💉

　緑膿菌に効果があるのが売りのセフェム．神戸大学病院では院内尿路感染などによく使っている（アンチバイオグラム上，使いやすいので．これは施設によります）．

ラタモキセフ（シオマリン®）
臨床的重要度 C 🐾
使用頻度 ×

　嫌気性菌にも効果があり，ESBL 産生菌にも活性があるが，フロモキセフ同様，セフメタゾールを越えるアドバンテージがない．臨床データも古いものしか見つからない．

セフピロム（セフピロム）
臨床的重要度 C 🐾
使用頻度 ×

　第四世代セフェム．セフェピム以上のアドバンテージがない．臨床データがもっとあれば，使い道もできるか．

セフォゾプラン（ファーストシン®）
臨床的重要度 C 🐾
使用頻度 ×

　やはり第四世代セフェム．安全性のデータが集まれば，脳症が懸念されるセフェピムの代替薬になれるか……．

セフェピム（マキシピーム®など）
臨床的重要度 B 🐾🐾
使用頻度 B 🐾🐾

　第四世代セフェムで，FN などによく使う．脳症の問題や死亡リスクが高まる懸念もあり，いいとこばかりとはいえない．ま，たいていの抗菌薬が「いいとこばかりとはいえない」のだが．

経口薬

セファレキシン（ケフレックス®など）
臨床的重要度 A 💊💊💊
使 用 頻 度 A 💊💊💊

経口薬のセファゾリン的存在．バイオアベイラビリティも良好で非常に優等生．値段が安すぎて薬局においてもらえないのが欠点？　日本で最も過小評価されている抗菌薬の一つ．

セファクロル（ケフラール®）
臨床的重要度 C 💊
使 用 頻 度 ✕

本文で書いたとおり，セファレキシンを上回るアドバンテージがなく，ポジショニングが得られない．持続性製剤であるL－ケフラール®も同様．

セフロキシム（オラセフ®）
臨床的重要度 C 💊
使 用 頻 度 ✕

理論的には使い道はあるが，使わない．帯に短く，タスキに長い．バイオアベイラビリティも35〜45％とそんなによくない（Kucers'より）．

セフジニル（セフゾン®など），セフチブテン（セフテム®），セフジトレン（メイアクト®など）セフィキシム（セフスパン®など），セフテラム（トミロン®など），セフカペン（フロモックス®など）
臨床的重要度 C 💊
使 用 頻 度 ✕

本文で何度か書いたとおり，経口第三世代セフェムの使い道は（後述のバナン®を除き）ほとんどありません．

セフポドキシム（バナン®など）

臨床的重要度 C 🔥

使用頻度 C 🔥

バナン®はバイオアベイラビリティがまあまあなので，まれに（10年に数回）使うことがあります．

セフトロザン・タゾバクタム（ザバクサ®）

臨床的重要度 B 🔥🔥

使用頻度 C 🔥

コリスチンが使えないほどの腎機能低下，かつ多剤耐性菌で，これしか使えないときに検討します．が，本稿執筆時点では入手困難……．

20 カルバペネム・アズトレオナム

A カルバペネム

　日本でも海外でも「切り札」的に使われている広域抗菌薬ですが，逆に誤用，乱用が多いのも特徴です．しっかり「考え方，使い方」をマスターしましょう．
　カルバペネムには，現在注射薬としては以下のようなものがあります．

イミペネム・シラスタチン（チエナム®）
パニペネム・ベタミプロン（カルベニン®）
メロペネム（メロペン®）ビアペネム（オメガシン®）
ドリペネム（フィニバックス®）
ertapenem
イミペネム・シラスタチン・レレバクタム（レカルブリオ®）
meropenem-vaborbactam

　また，ファロペネムとテビペネム・ピボキシルという経口薬もあります．ファロペネムは厳密に言うとカルバペネムではなく，ペネム系と分類されますが，Kucers'ではカルバペネムに分類されていました．構造上もカルバペネムに特徴的な硫黄（S）がついていません．後述するように他の緑膿菌にも効果がなく，臨床的にもあまり似ていません．1997年に日本で承認されました．そして，世界でも日本でだけ使われる抗菌薬だそうです．バイオアベ

イラビリティは20〜30％とよくありません．

　では，どうやって使うのかというと，Kucers'には「current clinical role is uncertain and it's recent excessive use in some regions（日本のこと）is a cause for concern」と書かれています．使い方，よくわからん，ということです．

　ちなみに2006年に米国FDAは本薬の非承認を決定しました．また，（他のカルバペネム同様）結核菌に活性があるため，肺炎などに安易に使うと診断が遅れてしまうリスクすらあります．岩田はファロペネム，使ったことがありません．

　テビペネム・ピボキシルは世界初の経口カルバペネム！　という宣伝文句で2009年に日本で承認・発売されました．ピボキシル基が付いているプロドラッグで，これは消化管からの吸収が悪いです．

　ertapenemは日本にはないカルバペネムです．**緑膿菌に効かない**のが特徴で，アメリカなどで腹腔内感染症などに好んで用いられています．通常の腹腔内感染症では緑膿菌カバーは不要なのですね．前項であつかったセフォペラゾン・スルバクタムの存在，立ち位置がおかしいやん，の根拠がここにあります．てなわけで，抗菌薬の考え方はあちこちでつながっているんですね．

　2021年にイミペネム・シラスタチン・レレバクタムが承認されました．

　他にも日本にないカルバペネムとしては，meropenem-vaborbactamなどがあります．これらについては後述します．

　さて，カルバペネムは（他の多くの抗菌薬がそうであるように）土壌から発見されています．放線菌である*Streptomyces cattleya*が産生しているのでした．1976年のことでした．ちなみにこの抗生物質をチエナマイシン（！）と言います．安定性を増したイミペネムが開発されましたが，腎臓にある分解酵素，デヒドロペプチダーゼⅠ（DHP-I）に分解されてしまうのが問題でした．

　そこで，DHP-I阻害剤であるシラスタチンを配合することで，体内で安

定した血中濃度を獲得したのでした．イミペネム・シラスタチンの誕生です（チエナム®）．これが史上初の実用化されたカルバペネム．1987 年のことでした．カルバペネムってけっこう新しい抗菌薬なのですね．

　セフェムでは S（硫黄）であったところに C（カーボン）が入っているのでカルバペネムです．イミペネムは比較的不安定なので，持続点滴などには向いていません．通常量は 0.5g を 6 時間おきですが，緑膿菌に対しては 1g 6〜8 時間おき投与に増量することが推奨されています．

　イミペネムは *E. faecium* には効果が期待できませんが，*E. faecalis* には効果があるとされています．

　とはいえ，アンピシリンが大抵使える *E. faecalis* にわざわざイミペネムを使う必然性がないので，この話題はあまり臨床的とはいえません．あと，イミペネムはけいれんの副作用があるので，けいれん患者には一般には推奨されません．また，けいれんのリスクは腎機能が悪いときに特に増しますので要注意です．中枢神経疾患，腎不全で使いにくい薬としてはセフェピムもありましたね．一緒に覚えておきましょう．

　バルプロ酸の血中濃度を下げるのはメロペネムで有名ですが，イミペネムなど，他のカルバペネムも血中濃度を下げることがわかってきました．基本的にバルプロ酸使用者にはカルバペネムはどれも使わないのが賢明だと思います．またけいれんが起きやすくなるためガンシクロビルとの併用には注意を要します．

　そのメロペネムですが，日本で開発されたカルバペネムです．多くの医療機関で，イミペネムよりもよく使われています．使いやすいからでしょうね．一般にイミペネムよりもグラム陰性菌への活性が（*in vitro* で）高く，グラム陽性菌には逆に弱いとされていますが，臨床的にはほとんど差がないと思います．

　また，DHP-1 に安定性があるのでイミペネムのようにシラスタチンは必要ありません．あと，前述のようにバルプロ酸との併用は禁忌です．イミペネムに比べてけいれんは起こしにくいです（Kucers' によると 0.07%）．1g 8 時間おきが標準的な使用法ですが，髄膜炎のときは 2g 8 時間おきまで増量

できます．また，3〜5分程度の急速点滴ができるのも取り柄で，敗血症など急いで治療したいときに利点になります．

パニペネム・ベタミプロン（カルベニン®）は日本で開発された初めてのカルバペネムです．1993年に日本で発売されましたが，米国では承認されていません．

ベタミプロンはパニペネムの腎障害を軽減するため，トランスポーター阻害剤として作用しています．日本では髄膜炎に適応のある抗菌薬として有名ですが，臨床データに乏しく，国外でも韓国と中国など一部の国でのみしか用いられていません．

日本で成人の肺炎球菌による髄膜炎への使用について，他のカルバペネムと比較した後ろ向き試験があります．パニペネムが使用された17人において死亡率が12％で，他のカルバペネム使用者の死亡率44％より低かったというものでした．他のカルバペネムの死亡率が不自然に高すぎるように思いますし，患者数も少なすぎるのでなんとも言い難いと思います．

> Suzuki H, Tokuda Y, Shichi D, et al. A retrospective cohort study of panipenem/betamipron for adult pneumococcal bacteremia at three teaching hospitals in Japan. J Infect Chemother. 2013; 19: 607–14.

いずれにしても，前述のように（19-D, 275ページ），日本の肺炎球菌はカルバペネム耐性菌がいるため，細菌性髄膜炎のエンピリックな治療（そしてde-escalation後の治療）としてもカルバペネムを使うべきではありません．

推奨するガイドラインは日本のものだけ，というガラパゴス状態でして，妥当な内容のガイドラインとはいえません．

ビアペネム（オメガシン®）もまた他のカルバペネムとの差別化が得られず，使い道がわからない抗菌薬です．

ドリペネムも2005年に日本で販売されました．米国では2007年に承認されましたが，人工呼吸器関連肺炎（VAP）の治療試験で，イミペネムよりも死亡リスクが高いと判断されて試験が中止されており，米国では肺炎に承認が取れませんでした．ヨーロッパでは2008年に一度承認されていますが，

商売的に売上が芳しくなかったそうで，2014年に販売中止になりました．

　カルバペネムの共通した特徴は，グラム陽性菌，グラム陰性菌（特に緑膿菌），そして嫌気性菌全てに抗菌活性のあるスーパー・ブロードな広域抗菌薬なことです．ESBL産生菌やAmpC過剰産生菌といった多くの薬剤耐性菌にも効果があります．

　カルバペネムで殺せる菌ではなく，「殺せない」菌を理解することです．
カルバペネムでなんでも退治できるわけではないんだよ，という理解が大切です．以下，典型的なものを．

- カルバペネムの効かない / 効きにくい細菌

　　MRSA
　　E. faecium
　　バンコマイシン耐性腸球菌（VRE）
　　Stenotrophomonas
　　Corynebacterium jeikeium
　　Nocardia brasiliensis
　　Chryseobacterium
　　Clostridium（*Clostridioides*）*difficile*
　　レジオネラ，クラミジア，マイコプラズマなどの「非典型」菌

　要するに，一般的にバンコマイシンで治療しましょうよ，という菌にはカルバペネムは効果が期待できないってことで覚えます．あと，VREやレジオネラなど，例外は各論的に覚えましょう……．

　腸内細菌科でカルバペネム耐性菌が増えているのが近年の問題です．これについてはすでに説明しました（**14**, 163ページ）．緑膿菌もしばしばカルバペネム耐性菌になりますし，日本ではまれですがカルバペネム耐性アシネトバクターも問題です．

- カルバペネムは「何にでも」効くわけではない．
- カルバペネムの効かない細菌はよく把握しておくべき．

　カルバペネムは比較的副作用が少ない抗菌薬です．ペニシリンとの交差アレルギーがあるため，ペニシリンにアレルギーのある場合は使用に注意してください．イミペネムによる痙攣の副作用はよく知られており，0.3〜1％の患者でみられるといいます．ペニシリン・アレルギー患者との交差反応は0〜11％といわれます．

　カルバペネムは一種「最後の砦」的な抗菌薬なので，サンフォード・ガイドでも太字で「Try to reserve for the critically ill patients（重症患者のためにとっとくことを目指しましょう）」と書かれています．Reserveではなく，Try to reserveと書かれているところが，理論と現実のギャップをそこはかとなく醸し出しているような気がします．

　入院患者では各種耐性菌のために，カルバペネムでないとうまくいかないことがあります．壊死性筋膜炎では溶連菌が原因になるのと，混合感染が原因の2つのタイプがほとんどですが，後者ではカルバペネムが第一選択薬となることが多いです．その他の場合では，たいてい他の選択肢もありますから，「必ずしも」カルバペネムでなければいけないことはありません．

　もちろん，例外的な事項はたくさんありますよ．例えば，ノカルジアでサルファアレルギーのある患者さんなど，カルバペネムは選択されます．でもこういうのは，重箱の隅つつきというものでしょう．

> ⚠ **CAUTION**
> 何がいいたいかというと，カルバペネムは極端に広域で，最後の砦，伝家の宝刀，切り札，ハートのエースなわけです．カルバペネムを使って治る感染症はたくさんあります．が，将来のために，他の抗菌薬が使える場合は，カルバペネムを使うべきではないのです．

　カルバペネムを使わなくてはならないのは，他の抗菌薬にみな耐性があるとか，他の抗菌薬で効果がなくどんどん患者さんが悪くなっていくとか，患者さんの病歴から明らかに高度耐性菌が疑われ，しかも患者さんがショックなどで容態が悪く，感受性を確認する余裕がない場合，つまり抗菌薬選択の知的ゲームをする余裕がない時などです．こういう時は躊躇せず，ガツンとカルバペネムを使うべきでしょう．

　カルバペネムの使用は，ですから病原体や疾患名というよりは，患者さんとか臨床状況といった「文脈」に依存して決定されるのです．

　あと，重症急性膵炎に「予防的に」カルバペネムを使うプラクティスがありますが，これはメタ分析で効果が否定されており，**カルバペネムを含む抗菌薬の予防投与はたとえ重症膵炎であっても推奨できません**．

> Wittau M, Mayer B, Scheele J, et al. Systematic review and meta-analysis of antibiotic prophylaxis in severe acute pancreatitis. Scand J Gastroenterol. 2011; 46: 261-70.

　入院患者では，特に ESBL 産生菌や AmpC 過剰産生菌による感染症でカルバペネムが選択されることが多いです．ただ ESBL 産生菌ではセフメタゾールのようなセファマイシンが（セファマイシンの項，**19**-E, 280 ページ），AmpC 過剰産生菌ではセフェピムを選択できることもあります（**19**-F, 285 ページ）．特に軽症患者ではこのような抗菌薬を用いてカルバペネムをスペアすることも可能です．

　カルバペネムはその「広域」であるが故に，「切り札」としてとっておくべき抗菌薬です．重症感染症の患者さんのみが使用の適応になります．した

がって，

- カルバペネムを原則，外来患者に使ってはいけない．
- カルバペネムを在宅で使ってはいけない．

すでに述べたように，ほとんどのカルバペネムの半減期は1時間ちょい．1日1回投与には適していないのです．つまり，在宅や外来診療には向いていません．それに，外来などでカルバペネムのような広域抗菌薬を必要とするシチュエーションは，ごくまれです．経口薬のオラペネム®もあまり推奨できないのはそのためです．外来で点滴で用いるとすれば，半減期が長く1日1回投与が可能な薬だけです．例えば，セフトリアキソンなどがそういう抗菌薬になります．カルバペネムのような半減期の短い広域βラクタムを外来や在宅のセッティングで用いるのは，いろいろな意味でペケ，なのです．

近年はカルバペネム耐性腸内細菌科（CRE）が大きな問題になっています（14, 163 ページ）．

Ertapenem は1日1回投与ができ，嫌気性菌もカバーして，かつ緑膿菌をカバーしないということで，腹腔内感染などに好んで使われているそうです．米国でプラクティスする感染症医から伝え聞くところによると，外科医が大好きな抗菌薬で，なんでもかんでも ertapenem なんだそうです．まあ，そういうパターン認識的な，マニュアル好きなところがあります，米国医療．

新しいカルバペネム・イミペネム・レレバクタムはレレバクタムというセリン・βラクタマーゼ阻害薬（Ambler クラス A と C だけ．B と D はだめ）を併用したイミペネムです．これは ESBL や AmpC，それに KPC カルバペネマーゼなどによる加水分解を阻害します．が，ESBL や AmpC はそもそもカルバペネムでは問題になりませんし，KPC は日本ではメジャーな耐性菌ではなく，むしろメタロβラクタマーゼのほうが問題なので，日本では使い道あるのかなあ．今後ふえるかもしれんけど．

meropenem-vaborbactam もまたβラクタマーゼ阻害薬を配合した合剤です．vaborbactam（なんかすごい名前）もまたセリン・βラクタマーゼ阻害薬で，レレバクタムと基本的に同じ問題を抱えています．メタロβラクタマーゼには効果がありませんし，OXA-48 にも効きません．この問題を払拭するためにメタロβラクタマーゼに活性のあるアズトレオナムとの併用が試みられています．

B アズトレオナム
── 副作用の少ないアミノグリコシド？

アズトレオナムは，自然界からとってきたものではなく，科学的に合成されたモノバクタムです．

■ モノバクタムって何？　ですって？

これはうまく説明しづらいです．モノバクタムはβラクタムの一種です．

つまり，βラクタム環があるのです．ペニシリン結合タンパクにくっつき，細胞壁の構築の邪魔をする，という薬理作用もおんなじです．

が，違いもあります．例えば，モノバクタムの構造は，βラクタマーゼととても親和性が悪い．つまり，βラクタマーゼに破壊されにくい構造になっています．ペニシリンと交差アレルギーを持たず，ペニシリンアレルギーのある患者さんにも使用できる，というのも面白い特徴です．

また，モノバクタムの代表，アズトレオナムはグラム陽性菌や嫌気性菌のペニシリン結合タンパクにはあまりくっつかず，もっぱら好気性グラム陰性菌のペニシリン結合タンパクにばかりくっつこうとします．したがって，ほとんどのβラクタムと異なり，**モノバクタムはグラム陰性菌専用の抗菌薬です**．

要するに，アミノグリコシドと同じようなスペクトラムです．好気性グラム陰性菌専用抗菌薬．だから，アミノグリコシドの副作用が怖い，とか，ア

ミノグリコシドに耐性があり，アズトレオナムに感受性がある，とわかっている場合には選択肢となるのです．もちろん，アズトレオナムは緑膿菌にも効果があります．

● アズトレオナムのスペクトラムは，アミノグリコシドと（ほぼ）一緒．

ただし，トブラマイシンやアミカシンが緑膿菌などグラム陰性菌に比較的感受性を保っているのに対して，病院内で見つかるグラム陰性菌はアズトレオナム耐性菌が多いです．あまり使ってないのに，なんでなんだろうな，と思います．アズトレオナムはメタロβラクタマーゼに安定だったりして，耐性菌には強いんじゃないの？ という性質もあるのですが，他のβラクタマーゼによる分解やポーリンタンパクの変異などで耐性化するようです．

アズトレオナムは副作用は比較的少ない抗菌薬です．また，アズトレオナムには腎毒性がないといわれています．だから，腎機能低下のために（あるいはその懸念のために）アミノグリコシドが使いにくい場合など，いい選択になるのですね．

すでに書いたように，アズトレオナムはペニシリン，セファロスポリン，カルバペネムなど，他のβラクタムにアレルギーのある患者さんにも安全に使うことができる，といわれています．例えば，ペニシリンにアナフィラキシーを起こしたような重度のペニシリンアレルギーの既往のある患者さんにも，アズトレオナムは安全に投与することができます．アズトレオナムは人では免疫を惹起しにくい（non immunogenic）からだ，といわれています．ただし，アズトレオナムはセフタジジムと側鎖を同じくしており，この抗菌薬にアレルギーがある場合は要注意だ，といわれています．あくまで動物実験からの情報ですが，避けることができるのなら，セフタジジムにアレルギーのある方にはアズトレオナムの使用を避けるほうが賢明でしょう．

したがって，アズトレオナムはアミノグリコシドや他のグラム陰性菌感染症対応の抗菌薬のバックアップとして，そしてペニシリンアレルギーのある

患者さんのグラム陰性菌感染症に対してとてもいい薬だ，といえます．逆に，このような特定の特徴を持っているがために，「常にバックアップ」「常にスーパーサブ」的な存在であることは否めなく，ファーストラインにはなりにくい，かわいそうな存在でもあるのです．

と，思いきや，アズトレオナムにも復活の狼煙が上がりつつあります．当初副作用が多い薬として敬遠されたバンコマイシンが，MRSAの存在から急遽復活したように．

それは，

メタロβラクタマーゼ．

アズトレオナムはメタロβラクタマーゼ産生菌に活性があるので，カルバペネム耐性菌感染に使えるのでは，という説があります．多剤耐性菌に用いるceftazidime-avibactamとの併用が試みられている，という話はすでにしました（164ページ）．

- アズトレオナムはペニシリンアレルギーのある患者にも使用できる．ただし，セフタジジムアレルギーの患者には要注意．

採点表 カルバペネム，モノバクタムのまとめ

凡例 Symbol Legends

臨床的重要度
- A 🐾🐾🐾 …… とても高い
- B 🐾🐾 ……… まあまあ高い
- C 🐾 ………… そんなに高くない
- × …………… なくても困らない

使用頻度
- A 🐾🐾🐾 …… とてもよく使う
- B 🐾🐾 ……… まあまあ使う
- C 🐾 ………… ほとんど使わないが たまに使う
- × …………… 全く使わないし，今後もおそらく使わない

注射薬

イミペネム（チエナム®など）
- 臨床的重要度 C 🐾
- 使用頻度 C 🐾

メロペネムの存在のために，「イミペネムでなければ」ならない感染症は激減しました．ごくまれにノカルジア症の治療などで使うことがあります．

パニペネム（カルベニン®）
- 臨床的重要度 C 🐾
- 使用頻度 ×

メロペネム以上の意味を見い出せず，臨床データも比較的少ないです．よって，使用する根拠を見い出しません．

なぜか日本の心内膜炎や骨髄炎のガイドラインには入っている．日本のガイドライン，ナゾ多し……．

メロペネム（メロペン®など）

- 臨床的重要度　B 🧨🧨
- 使 用 頻 度　B 🧨🧨

　カルバペネムの代表格．これが1剤あれば，他の薬は病院においておく必要はありません．

ビアペネム（オメガシン®）

- 臨床的重要度　C 🧨
- 使 用 頻 度　×

　パニペネムに同じ．

ドリペネム（フィニバックス®）

- 臨床的重要度　C 🧨
- 使 用 頻 度　×

　肺炎でネガティブスタディーが出て，これもメロペネムに比べて欠点があり，長所がありません．

イミペナム・レレバクタム

- 臨床的重要度　B 🧨🧨
- 使 用 頻 度　C 🧨

　まれな耐性菌に．

アズトレオナム（アザクタム®）

- 臨床的重要度　B 🧨🧨
- 使 用 頻 度　C 🧨

　なかなかの優等生ですし副作用が少ないのがうれしいですが，耐性菌が多いです．日本ではあまり使いませんが，カルバペネマーゼ産生菌対策で奇跡の復活をはたすかもしれません．

経口薬

テビペネム（オラペネム®）
臨床的重要度 C 🚩
使用頻度 ×

使いませんし，抗菌薬適正使用的には大問題になりかねない薬です．バイオアベイラビリティも悪い．耐性菌キャリアのごくまれな患者にもしかしたら使い道があるかもしれませんが……．

ファロペネム（ファロム®）
臨床的重要度 ×
使用頻度 ×

使い道，思いつきません．

21 スルファメトキサゾール・トリメトプリム(ST合剤)

あれこれ使えるユーティリティープレイヤー．副作用をよく理解しよう．

A ST合剤とは

　何とも長い名前のこの抗菌薬，実は合剤なのですね．またの名をST合剤，またの名をバクタ®．皆さんにはなじみの深い抗菌薬といえましょう．

　1960年代から実用されている，割に歴史の長ーいST合剤ですが，その用途は実に多様．テトラサイクリン同様，これを使いこなせば感染症マネジメントの腕が上がること間違いありません．そういう意味ではキモです，ST．

スルファメトキサゾール　　　　　トリメトプリム

　さて，ところで素朴な疑問ですが，STってどうして合剤なんでしょう．皆さん，こんなこと考えたことありますか？　何でも「なぜ？」と考えてみるのは大事ですねえ．

　STが合剤なのは，サルファ成分とトリメトプリムが微生物の葉酸合成経路を別々の点で阻害するからなのですね．これによりシナジーが生まれます．1+1が2以上になる現象です．

　葉酸合成系は人間にはありません．微生物特有の経路だからこそ，有効に使えるわけです．葉酸合成系はテトラヒドロ葉酸を作ります．これはDNA

の材料になるのですね．スルファメトキサゾールはパラアミノ安息香酸とプテリジンからジヒドロプテロイル酸への合成を，トリメトプリムはその下流にあるジヒドロ葉酸からテトラヒドロ葉酸への合成を阻害します，ってこんな名前はどうでもよろしい．要するに同じ経路の異なる点で作用する，というのがポイントなのですね．

スルファメトキサゾールは，その名から容易に想像できるように，いわゆるサルファ剤，スルフォンアミドの一種になります．サルファ剤（salfa）は硫黄 sulfur を含んでおり，これが名前の由来になっていますが，硫黄とサルファ剤は別物です，という話はしましたね．

サルファ剤はパラアミノ安息香酸に構造が似ているため，これがジヒドロプテロイル酸になる経路をブロックします．同様にトリメトプリムもジヒドロ葉酸に構造が似ているので，経路で拮抗してテトラヒドロ葉酸の産生をブロックします．

ST 合剤のシナジー効果は実験室内では証明されていますが，臨床的にどれだけ意味があるのかはよくわかっていません．尿路感染症など，比較的軽症の疾患の場合，トリメトプリム単剤でも ST 合剤でも同等な効果が認められ，ST の優位性は証明されませんでした．

アメリカや日本では ST は合剤で使うのが当たり前，と思われがちですが，ヨーロッパではトリメトプリム単剤を使う医師もよくいます．ST を合剤で使えば耐性の出現度が減る，という仮説もありますが，いまだ証明はされていませんし，ST 合剤の耐性はいまや深刻な問題になっており，（たとえ耐性抑制効果があったとしても）それはそう大きなものではないのかもしれませんね．

ST 合剤ではスルファメトキサゾール 5 に対してトリメトプリムが 1 の割合で入っています．点滴薬の ST ではトリメトプリムの投与量で計算することが多いです．経口薬だとバクタ®，点滴薬だとバクトラミン®ですが，バクタ® 1 錠とバクトラミン® 1 アンプルに同じ量のトリメトプリムとスルファメトキサゾールが入っています．

通常の力価の ST 錠剤ではトリメトプリムが 80mg，スルファメトキサゾ

ールが400 mg（これで1対5ですね！）入っています．アメリカには，DSと呼ばれるダブルストレングス（double strength）の錠剤があり，これには，それぞれ倍量，160 mgと800 mgが入っています．1日1錠でエイズ患者さんのPCPやトキソプラズマの予防に使えるので，結構便利です．

大抵，STを治療に使うときは教科書にトリメトプリムの量で計算するように書いてあり，「トリメトプリム○mg/kgを1日量にし……」というふうに計算します．慣れていないととまどいますから，気をつけましょう．

例えば，ニューモシスチス肺炎治療は腎機能が正常であれば，**トリメトプリムにして体重キロあたり1日15～20 mgの投与となり，これを3回から4回，つまり6～8時間ごとに投与**します．注射薬のバクトラミン®で治療する場合，例えば体重60 kgで腎機能が正常な患者さんであれば，3アンプルのバクトラミン®を1日4回，つまり12アンプル使えばいい計算になります．

STのいいところは，何といってもその薬理学的な特徴でしょう．PK的にいうと，**STは消化管からの吸収もよく，体内のあらゆる組織にくまなく広がっていきます**．呼吸器，尿路，髄液，胆汁など，感染症において重要な部位には分け隔てなく広がります．

ときに，点滴のバクトラミンは結構水の量が多くなるのが欠点です（カリニの時は12アンプルも使うのですから！）．心機能が落ちていて，水負荷があまりかけられない患者さんであれば，**経口のバクタ®**を飲ませるのも一案でしょう．**3錠を1日4回，すなわち1日12錠飲ませます**．スルファメトキサゾールとトリメトプリムでは若干薬物動態が異なるようですが，臨床上問題になるほどではないようです．半減期は8～14時間で，治療については，通常の細菌感染であれば，1日2回投与が一般的です．

STはいろいろな薬との相互作用が知られています．ワルファリン，メトトレキサート，フェニトイン，ジゴキシンをSTと同時投与すると，これらの濃度は上がる傾向にあり，注意が必要です．スルフォニルウレア剤の効果を高めるという変な薬理作用があり，糖尿病の患者さんなどは低血糖が要注意です．リファンピシン同様経口避妊薬の濃度が低くなり，その薬効が小さ

くなることがありますから，彼女の膀胱炎なんか気軽に治療してしまうと後でけんかの元になるかもしれません．大きなお世話か．

B サルファ剤の副作用

　サルファは大変便利な薬ですから，賢く使えば重宝すること間違いなしです．問題は副作用が気になることで，きちんと注意しながら使用する必要があります．

　一般には，サルファ剤の副作用はマイルドでほとんどの人には安全に使えます．

　たまに起きる副作用は，例えば消化器症状です．まあ，これは世にあるすべての薬のパッケージに載っている症状で対処も難しくはありません．スルフォンアミドの部分が消化器症状の原因となっていると考えられています．ときどき，肝障害が起きることも報告されています．

　有名なのは，STによる皮疹です．こちらは3〜4%の患者に起きると考えられていますが，人により反応のしやすさは異なります．例えば，HIV感染のある患者さんはよくSTをPCP（ニューモシスチス肺炎）予防などのために定期的に服用していますが，HIV感染があるとSTによる皮疹はずっと起こりやすくなる傾向があります．

　皮疹はマイルドなものからスティーブンス—ジョンソン症候群，TEN（toxic epidermal necrolysis）に至るまで様々です．俗にサルファアレルギーと呼ばれますが，これらはアレルギー性の反応ではない場合もあり，正確な病態生理は不明なようです．

　皮疹がでた場合，あるいは皮疹の既往がある場合は，短期間の治療であれば，ST以外の薬を使うことで対応できます．もし，HIV患者のケアなどで長期におけるバクタ®の使用が必要になった場合は，脱感作を行えばいいでしょう．ペニシリンと異なり，アナフィラキシーが原因ではないので，一般病棟や場合によっては外来でも脱感作できるようです．

21 スルファメトキサゾール・トリメトプリム（ST合剤）

脱感作の方法にはいろいろありますが，国立国際医療研究センターエイズ治療・研究開発センター（ACC）のものをここで引用します．5日間で脱感作します．成功率は80％以上とのことです．バクタ®1錠は400mgです．バクタ®顆粒を薬剤師さんと協力して，以下のようにして朝晩飲んでもらいます．増量しているうちに発熱や皮疹が生じたら，そのときの投与量を維持し，症状が消えるまで待ちます．その後再び増量していくのです．

	朝	夕
1日目	0.005	0.01
2	0.02	0.04
3	0.1	0.2
4	0.4	0.8
5	1	1

数字はバクタ®投与量（g）
（国立国際医療研究センターエイズ治療・研究開発センター（ACC）．HIV感染症オンライン講座資料）

> ⚠ **CAUTION** 腎臓に対するST合剤の影響は面白いです．

トリメトプリムは腎尿細管からクレアチニンが分泌されるのを阻害する効果があります．そのため，**ST合剤を使うと血清クレアチニン値が上昇する**ことがあります．これは腎機能の低下を意味していませんので，そのまま経過を観察してSTを使い続けてもかまいません．通常，クレアチニンはベースラインより10％くらいまでの上昇を示すことが多く，当然STを止めればクレアチニン値は下がります（必要がなければ止める必要もないですがね）．本当の意味での腎毒性は，ST合剤で起きることはきわめてまれです．覚えておいて，損はありませんよ．ただし，もともと腎機能が悪い患者にST合剤を用いると腎機能をさらに増悪させることがあります．**腎機能が悪い患者へのST合剤はけっこう難しい**です．

　腎機能とは別に，ST合剤を用いると高カリウム血症を起こすことがあります．これはトリメトプリムが遠位尿細管からのカリウムの排泄を妨げるか

らだとされています．高カリウムをきたすほかの薬剤，例えばACE阻害薬などと一緒に使う時は要注意ですね．高カリウム血症はケイキサレート®など，カリウムを下げる薬と併用すれば容易に対応できます．

ST合剤は葉酸合成系に作用する抗菌薬ですが，人間にはこの経路はないため，STそのもので大球性貧血を起こすのは非常にまれだと考えられています．しかし，サルファ成分はそれとは別に貧血，顆粒球減少症，血小板減少症を起こします．HIV患者さんでもSTでたまに貧血を起こすことがあります．

血球減少はけっこう問題です．それでなくてもHIV感染者は血球減少を起こしやすい．原疾患で落ち，日和見感染で落ち，そして薬剤で落ちます．STで血球減少が起きてしまった場合の対応は難しい．皮疹の場合は脱感作ができますが，血球減少の場合はだめなようです．別の薬を用いるしかありません．例えば，アトバコンのような（後述）．CD4陽性Tリンパ球が十分に上昇すれば予防的STは不要になります．詳しくは拙著『抗HIV／エイズ薬の考え方，使い方，そして飲み方ver.2』（中外医学社）か拙訳『本質のHIV』(MEDSi社）をご参照ください．

ST合剤は広域な抗菌薬といえまして，好気性菌に対してはグラム陽性菌でも陰性菌にも広く効果がある，と考えてください．もちろん，耐性菌には効果が小さいですし，緑膿菌のような菌には効きません．まずは大きく理解して細かく例外を排除してください．

面白いことにSTは真菌の一部や原虫にも効果のあるスーパー広域な抗菌薬です．これはこれらの微生物が同じ葉酸合成系を持っているからなのですね（後述）．

C ST合剤に対する耐性のメカニズム

ST合剤に対する耐性のメカニズムですが，これは細菌への透過性の減少，ポンプによる抗菌薬の汲み出し，対象となる酵素への親和性の低下など多様です．

しかし，ここのメカニズムよりも問題なのが，耐性遺伝子がプラスミド上にある，ということです．このため ST の耐性は細菌から細菌へと移動することが可能でして，耐性菌をどんどん増やす結果になるのです．
　ST 合剤は比較的安価ですから，先進国だけでなく，途上国でもよく使われ，耐性が大きな問題になっています．旅行者下痢（traveler's diarrhea）とは，外国に旅行した時に起きる腸炎で，その主な原因は大腸菌です．治療には以前から ST 合剤が勧められてきましたが，途上国での ST 合剤の耐性があまりに進んでしまったため，現在はアジスロマイシンがファーストチョイスになっています．これはカンピロバクターのインパクトが大きくなっているせいもあるかもしれません（32-C, 455 ページ）．

D 尿路感染

　ST 合剤が（先進国で）使われる最大の用途といえば，**尿路感染症**です．尿路感染症の最大の原因菌，覚えていますか？　そう，大腸菌でしたね．その他のグラム陰性の腸内細菌群（*Enterobacteriaceae*）や腸球菌，腐性ブドウ球菌（*Staphylococcus saprophyticus*）なんていうのも原因となるのでした．ただし，ST 合剤は腸球菌には全く効果がありません．
　皆さんの働いている病院では，ST の耐性はいくらくらいでしょう．一般論としては，もし耐性頻度が 20％を超えてしまうと，もうその抗菌薬は第一選択としては使いにくくなってしまいます．もしそれ以下だったら外来で診ることのできる尿路感染（膀胱炎など）は ST 合剤を使ってください．
　膀胱炎の場合，治療期間は 3 日間． それ以上は要りません．
　腎盂腎炎の場合は長めの治療が必要になりますが，多くの場合は感受性を見てセファゾリンなどより狭い抗菌薬にスイッチします．なので，ST 合剤で腎盂腎炎を治療することはあまりありません．
　前立腺への移行が良いので，この目的で ST 合剤を使うこともあります．ただ，炎症を起こしている前立腺なら他の抗菌薬でも十分な治療効果を期待できますから，あまり「前立腺移行性」を気にする必要もありません．

E 呼吸器感染

> ⚠CAUTION　市中肺炎に ST 合剤を使うのは，ありです．

　市中肺炎（典型的）の原因は，肺炎球菌，インフルエンザ桿菌，モラキセラ，といったところですね．ST 合剤はこれらすべてをうまーくカバーしてくれます．市中肺炎に ST？　もちろん使ってもいいですよ．市中肺炎だからセフトリアキソンやレスピラトリーキノロン，と決めつける必要はありません．選択肢はたくさんあったほうがよいのです．まあ，ファーストチョイスとは呼びづらいし，それにマイコプラズマなどの非定型肺炎には効果がありませんが．

　同様の理由で，副鼻腔炎，中耳炎にも使えないことはありません．もっともこれらにはもっと狭いスペクトラムのアモキシシリンなどが望ましいですが，例えばペニシリンアレルギーのある患者には考慮してもよいかもしれません．

F 皮膚軟部組織感染症
（skin and soft tissue infection: SSTI）

　ペニシリンとセフェムのところですでにやりましたが，復習です．

- SSTI の原因は S & S（*Staphylococcus and Streptococcus*）である．

　ところで，外来患者さんの場合，ST 合剤のブドウ球菌・レンサ球菌に対する感受性は地域によってまちまちです．ブドウ球菌用ペニシリンやセファ

ゾリンには明らかに劣ります．しかし，例えばβラクタムにアレルギーのある患者さんなどに対して選択的に用いることは可能です．たとえば，割と症状の軽い蜂窩織炎に対してSTを使い，経過を観察する，というのは臨床的に理にかなったプランかと思います．STは軟部組織感染症に対してはファーストチョイスとはいえませんが，頭の隅に置いておけば，時に便利な代替薬といえるのです．βラクタムの効果がない市中獲得型MRSAが起こすSSTIでも使えることが多いです（耐性があれば，使えないですが）．近年はST合剤を用いた質の高い臨床試験も発表されています．

 Talan DA, Mower WR, Krishnadasan A, et al. Trimethoprim-Sulfamethoxazole versus placebo for uncomplicated skin abscess. N Engl J Med. 2016; 374: 823-32.

 ただし，近年は市中獲得型のMRSA(CA-MRSA)治療にST合剤がよく使われます．特に慢性骨髄炎など慢性炎症を起こす感染症で長期使用がなされるのですが，そのとき，MRSAがST長期曝露で変化する現象が観察されています．コロニーが小さくなるので，small colony variant : SCVと呼ばれます．SCVそのものは100年以上前からその存在が知られていたのですが，CA-MRSA治療にST合剤が用いられるようになり，ST治療中のSCV出現が注目されるようになりました．これは特にチミジン依存性SCVと呼ばれています．先に説明したようなジヒドロプテロイル酸合成酵素，ジヒドロ葉酸還元酵素の阻害でテトラヒドロ葉酸の合成が阻害されるのですが，このテトラヒドロ葉酸はチミジラーゼ合成時の補助因子です．よって生体内でのチミジン合成が菌内でできなくなります．そこで，黄色ブドウ球菌が発育ゆっくり，コロニー小さめのチミジン依存性SCVになるというわけです．ややこしかった？　一度聞いただけではわからんよね．

 SCVはそもそもコロニーの形態が違うので同定が難しいという検査室的な問題もありますが，ST合剤耐性の懸念もあり，臨床的にも問題かもしれません．が，その本質的な影響はまだ臨床医学的には不明確なものと思います．

 Kriegeskorte A, Lorè NI, Bragonzi A, et al. Thymidine-dependent staphylococcus aureus Small-Colony Variants Are Induced by Trimethoprim-Sulfamethoxazole

(SXT) and Have Increased Fitness during SXT Challenge. Antimicrob Agents Chemother. 2015; 59: 7265-72.

G その他のグラム陰性菌感染症

　特に *Stenotrophomonas maltophilia* のようなカルバペネムに内因性の耐性を持つグラム陰性菌は，ICU など広域抗菌薬をよく使う場所で感染症を起こします．こういうとき，ST 合剤などが感受性を残しており，かつ治療に使えます．

H ST 合剤と HIV 感染

　ST 合剤の近年の功績は，何といっても **HIV 感染に伴う日和見感染** に対してです．エイズ患者さんの最大の死因の1つにニューモシスチス肺炎（PCP）があります．ST 合剤はニューモシスチス肺炎に対する最強の抗菌薬です．CD4 値の低い患者さんには予防的にも用いられます．また，ST 合剤はもう1つの日和見感染，トキソプラズマ症にも予防効果があり，1粒で2度おいしい，大変重宝する抗菌薬です．

　重症の PCP に対しては ST 合剤は点滴薬を用いるのが原則です．低酸素血症を伴えば，ステロイドを用います．90 年代にいくつかのスタディーがあり，ステロイドの併用が PCP の予後を改善することがわかりました．

- 低酸素血症を伴う PCP にはステロイドを併用する（当然，単独で使ってはだめで，ST 合剤と併用です）．

軽症のPCPならばST合剤を経口薬で用いることも可能です．
　ST合剤はこのほか，イソスポラ *Isospora*（*Cystoisospora*），サイクロスポラ *Cyclospora* といった消化器系の原虫にも効果があります．これらもHIV感染のある免疫抑制者には重要な病原体です．日本ではまれなようでお目にかかったことがありませんが．

- ST合剤は日和見感染に効果あり．PCPの治療や予防，トキソプラズマの予防には第一選択．消化器系の原虫にも効果あり．

　詳しくは，姉妹本の『抗HIVエイズ薬の考え方，使いかた，そして飲み方 ver.2』（中外医学社）をご参照ください．

　リステリア感染についてはペニシリンの項でやりました．第一選択はアンピシリンでしたね．セフェムは効きません．では，もし患者さんにペニシリンアレルギーがあったら？　ST合剤はいい代替薬として使えます．

　感染症のマネジメントは教科書どおりいくとは限りません．常に，二の矢，三の矢を考えておかねばならないのですね．感染症診療のレベルを測る方法の一つに，「ある感染症の治療にどのくらいオプションを挙げることができるか」というのがあります．オプションがたくさんあればあるほど，目の前の患者さんのコンディションにおいて最適な薬を選択することができるからです．

- 感染症診療では，ある疾患，ある原因微生物に対してどのくらい治療のオプションを持っているか，切ることのできるカードの数が診療の質を高める．選択肢が一つしかないと，目の前の患者さんに最適な診療は難しい．

　これまた免疫抑制のある患者さんにはこわいノカルジア症（*Nocardia*）．肺や脳に膿瘍を起こすのが特徴です．アクチノミセス症と間違えられるような皮膚リンパ管感染症（*mycetoma*）も起こします．第一選択はいまでもST

合剤で，治療は長引きます．では，第二選択肢は？　これは，カルバペネムでした．ただし，Nocardia でも N. asteroides はカルバペネムが効くことが多いですが，N. brasiliensis は耐性のことが多いですので要注意（カルバペネムが効かない感染症は要注意でした）．

　ST 合剤はブルセラ症の原因となる Brucella spp にも活性があります．日本ではまれですが，動物から感染する診断の難しい感染症です．ファーストチョイスはテトラサイクリン系＋アミノグリコシドやリファンピンですが，小児や妊婦でこうした抗菌薬が使いにくいときは，ST 合剤を使います．同様に，ペスト（Yersinia pestis）感染でも，セカンドラインとして用いることがあります．

I ウィップル病

　感染症界の肝中のキモ，ウィップル病 Whipple's disease です．もともと関節炎を伴う慢性の下痢と吸収不良を起こす原因不明の病気だったのですが，（ほとんどの原因不明の病気がそうであるように？）原因は感染症だと後にわかりました．原因菌は Tropheryma whippelii です．診断は消化器の生検をし，病原体を PAS 染色で発見することです．心内膜炎，不明熱 fever of unknown origin（FUO）のまれ一な原因でもあります．

　治療はセフトリアキソンに加えストレプトマイシンを 2 週間，その後 ST 合剤を 1 年間という面白いレジメンです．昔はテトラサイクリンを使っていたのですが，再発が多いので ST 合剤に変えたら予後がよくなったといいます．

J 類鼻疽

　類鼻疽（Melioidosis）は東南アジアなどで多い B. psoeudomallei 感染症で，肺結核などとの鑑別が難しい感染症です．日本では極めてまれですが，

途上国に行くと比較的よく見ます．カンボジアとかタイで患者を散見しました．治療は**セフタジジムかメロペネムで治療し，その後 ST 合剤などにスイッチ**して数カ月治療します．

　あと，ST 合剤は百日咳（*B. pertussis*），猫ひっかき病（*B. henselae*），*M. marinum* のような一部の抗酸菌感染，ヒストプラズマ症（真菌感染），Q 熱（*C. burnetti*），マラリア（!!）などにも使えますが，いずれもファーストラインとは言えません．原虫感染のトキソプラズマには予防的に ST が使えますが，治療にはやはりサルファ剤の Sulfadiazine を用います（後述）．迅速に発育する不思議な抗酸菌，*M. fortuitum* の維持療法に数カ月 ST 合剤を使ったりします．本当の，使用の幅の広さは抗菌薬随一といえますね．

Dr.Iwata's Summary and Score of Medicines

採点表　ST合剤のまとめ

凡例　Symbol Legends

臨床的重要度
- A 🐕🐕🐕 ……　とても高い
- B 🐕🐕 ………　まあまあ高い
- C 🐕 …………　そんなに高くない
- × …………　なくても困らない

使用頻度
- A 🐕🐕🐕 ……　とてもよく使う
- B 🐕🐕 ………　まあまあ使う
- C 🐕 …………　ほとんど使わないが たまに使う
- × …………　全く使わないし，今後もおそらく使わない

ST合剤（バクタ®など）

- 臨床的重要度　A 🐕🐕🐕
- 使用頻度　　　B 🐕🐕

とにかく「替えがきかない」抗菌薬．尿路感染での存在価値も高い．副作用の対応法を知っておくこと．

21　スルファメトキサゾール・トリメトプリム（ST合剤）

22 ダプソン
ハンセン病の治療薬として有名です．溶血に要注意．

　ダプソンはスルホン剤（ジアフェニルスルホン）です．スルホンアミド，例えばスルファメトキサゾールに構造式が似ていますね．癩菌（ハンセン病の原因）という抗酸菌に効果があることでその名を知られるようになりました．

$$H_2N-\bigcirc-SO_2-\bigcirc-NH_2$$

ダプソン

　というわけで，やはりダプソンは葉酸合成阻害がメカニズムの抗菌薬です．なんと，癩菌（M. leprae）に効果があるとわかったのは1940年のことです．昔からある抗菌薬なのですね．ダプソンのおかげで世界中にあった癩療養所（当時はハンセン病は癩病と呼ばれていました）がどんどん閉鎖していったのです．日本のような例外を除けば．

　いろいろな微生物に活性のあるダプソンですが，実臨床上は「ポジショニング」がうまくいかないこともあって，あまり用いられることはありません．例えば，ダプソンは熱帯熱マラリア（P. falciparum）に活性がありますが，他の薬とのバランスもあって，この目的で用いられることはほぼありません．

　で，ダプソンの活用可能性は
ニューモシスチス肺炎治療および予防
ハンセン病
トキソプラズマ症

くらいに限定されます．で，ハンセン病はあまり日本で新規患者を診ることはなくなりました．ニューモシスチスとトキソプラズマには今でもときどき使いますが，効果の問題，副作用の問題からファーストラインではありません．詳しくは姉妹書の『抗HIV/エイズ薬の考え方，使い方，そして飲み方 ver.2』（中外医学社）をご参照ください．

さて，ダプソンの使用を困難にしている最大の理由は副作用にあります．特に，

メトヘモグロビン血症

溶血

無顆粒球症

などが問題になります．溶血はG6PD欠乏症があると起きやすいので，ダプソン使用の際にはG6PDレベルを測定するよう，海外の教科書は求めています．日本では通常のラボでは測定できず，研究レベルでの測定が必要になります．興味深いことに，G6PD欠乏があると溶血しやすくなるのですが，メトヘモグロビン血症は逆に起きにくくなるのだそうです．

日本ではレクチゾールなどとして，

持久性隆起性紅斑，ジューリング疱疹状皮膚炎，天疱瘡，類天疱瘡，色素性痒疹，ハンセン病

に適応があります．

G6PD欠乏に注意と添付文書にありますが，それを調べる検査が保険診療でできません．日本独特の「添付文書の謎」です．G6PD欠乏は日本人における頻度は0.1％以下と考えられています．どのように活用するかは難しいですね．これは後述するプリマキン（抗マラリア薬）なんかについても，そうですね．

三輪史朗, 他. G6PD欠乏症の我が国での頻度調査.

あと，海外ではドクイトグモに噛まれたときにダプソンを使う，というプラクティスがあるそうですが，この効果の程は怪しいとのこと（サンフォード・ガイドによる）．へー，って感じ．

採点表 ダプソンのまとめ

凡例 Symbol Legends

臨床的重要度
- A 🔥🔥🔥 …… とても高い
- B 🔥🔥 ……… まあまあ高い
- C 🔥 ………… そんなに高くない
- × ……………… なくても困らない

使用頻度
- A 🔥🔥🔥 …… とてもよく使う
- B 🔥🔥 ……… まあまあ使う
- C 🔥 ………… ほとんど使わないが たまに使う
- × ……………… 全く使わないし，今後もおそらく使わない

ダプソン

- 臨床的重要度 B 🔥🔥
- 使 用 頻 度 C 🔥

PCP予防でときどき使います．ぼくはハンセン病を治療したことがありません．

23 キノロン系抗菌薬 ──フルオロキノロン

これまた便利で誤用されやすい．結核にご用心！

　使い勝手のよさで抜群の人気を誇るキノロン系の抗菌薬です．それだけに乱用されがちなのもまた事実．

　よくある間違いが「サワシリン®を使ってよくないので，クラリス®を使ってみて，よくないのでクラビット®に変えてみて……」という発想法です．この手の抗菌薬の使い方をしている方はあまりにも多いのです．

　本書をお読みいただいている方にはそんな方はもういらっしゃらないでしょうか．**抗菌薬は「何のために」使っているのか，はっきりさせなくてはなりません．考えなしに，「効かない」→「広げる」という悪いパターンにはまらないように注意しましょう．**

　キノロン．その第1号はナリジクス酸だといわれています．ナリジクス酸はグラム陰性菌によく効きますが，組織移行性がとても悪く（PK），耐性も出現しやすいということで臨床的にはあまり好まれませんでした．もっともナリジクス酸は現在でも微生物検査室で活用されています．ナリジクス酸が入っている培地を使えば，グラム陽性菌を選択的に培養することができます．また，後述するように産婦人科領域では現在も活躍中です．

　ナリジクス酸が登場したのが1960年代．その後，改良に改良を重ねて新しいキノロンがどんどん開発されてきました．なんとその数は1万を超えるといいます．一方，副作用は大きな問題でして，なかなか臨床現場で使えるものは出てこない．現場で使えるキノロンが開発されたのは1980年代．最初のナリジクス酸から実に20年以上が経過していました．その後，臨床的

に便利だというのでキノロンはどんどん市場に出てきましたが，その中で，少なからぬキノロンが，副作用が問題になってマーケットから消えていきました．副作用については後で触れるとしましょう．

A フルオロキノロンの構造と作用

キノロンの構造は芳香族が2つくっついたものにさらに環状構造がくっついています．環状構造にはかならず窒素（N）がついています．また，最近のキノロンにはフッ素（F）がついています．フッ素は英語でfluorineですが，ですからfluoroquinolone，というのですね．ここではシプロフロキサシンとレボフロキサシンの構造式をみてみましょう．

シプロフロキサシン　　　　レボフロキサシン

どうです．字で説明するとわかりにくいことこの上ないですが，百聞は一見にしかずとはよくいったものです．このフッ素が付くことで抗菌作用がとても高まるのだそうです．

次にキノロンの作用メカニズムです．キノロンは他の抗菌薬とは異なるターゲットを持っており，この点特別な抗菌薬だといえます．その第1のターゲットは細菌のトポイソメラーゼという酵素です．これは細菌のDNAが安定して機能するために必要な酵素です．細菌は核膜こそない原核生物ですが，当然DNAを持っています．DNAは細菌の分裂やその他多くの活動に必要な遺伝子情報ですから，そこをターゲットにすれば細菌を殺すことが可能，というわけですね．トポイソメラーゼはいくつかの酵素の総称ですが，キノロンは特にトポイソメラーゼⅡ（別名を，DNAジャイレースgyraseともい

います）とトポイソメラーゼIVに作用します．

　キノロンがターゲットにしている酵素はグラム染色性によって大きく異なります．グラム陰性菌に対するメインターゲットはトポイソメラーゼIIでして，トポイソメラーゼIVはそれを補完する，まあツマミみたいなターゲットです．一方，グラム陽性菌に対してはメインターゲットはトポイソメラーゼIVでして，グラム陰性菌とは全く逆になります．面白いもんですね．

　では，耐性のメカニズムについて．キノロンの場合，作用メカニズムそのものが耐性を説明します．つまり，トポイソメラーゼをコードする細菌の遺伝子に突然変異が起こり，そのために耐性が生じるのです．
　トポイソメラーゼIIをコードしている遺伝子は2つあり，gyrA, gyrB, といいます．トポイソメラーゼIVをコードしている遺伝子もやはり2つあり，これをparC, parEといいます．
　キノロンの耐性を特徴付けているのが「ステップワイズ」と呼ばれる耐性獲得の方法です．つまり，1つの突然変異では臨床的に意味のある耐性は獲得しづらいですが，これが2つ，3つと数を重ねることによって耐性の度合いが増していき，ついには臨床的に重要な耐性菌の誕生，となるわけです．もっとも，話はそう簡単ではありません．比較的古いフルオロキノロンであるオフロキサシンやシプロフロキサシンはしばしば1回だけの突然変異で耐性を獲得します．これが新しいフルオロキノロンになると突然変異は最低2つ必要になる傾向があります．例えば，キノロンの構造にメトキシ基がついていると，突然変異1つの細菌に対しても充分な抗菌効果を保ちます．が，これはあくまで「一般論」．すでに書きましたように，トポイソメラーゼはグラム陽性菌と陰性菌ではその主たるターゲットが異なるのです．だから，どちらに突然変異が起きるかによってキノロンに対する耐性獲得のされ方は異なります．
　また，キノロンに対する耐性はトポイソメラーゼでの突然変異のみで起きるとは限りません．抗菌薬を菌外に排出してしまう，ポンプ作用も重要な耐性のメカニズムといわれています．このメカニズムは例えば，大腸菌 *E. coli*，クレブシエラ *Klebsiella pneumoniae*，黄色ブドウ球菌，肺炎球菌，

嫌気性菌（例：*Bacteroides fragilis*）などに認められています．

- キノロン耐性は「ステップワイズ」．新しいキノロンほど耐性を獲得しにくい（より多くの突然変異を必要とする）傾向にある．

⚠CAUTION さて，続いて PK・PD の話題といきましょう．

キノロン系の人気の秘密，その 1 つに薬物動態の良さがあげられます．

フルオロキノロンは半減期も長く，これは特に新世代のフルオロキノロンで顕著です．シプロフロキサシンのような比較的古いキノロンは 1 日 2 回投与が一般的ですが，新しいキノロンは基本的に 1 日 1 回投与が可能です．キノロンは消化管からの吸収が良く，一般論としては点滴でも経口薬でもほぼ同様の臨床効果が期待できます．便利ですね．ただ，例えば下痢や全身の浮腫などで消化管からの吸収が悪くなっている場合は必ずしもそうではないかもしれませんね．同様の理由で，例えばショックの患者さんには点滴を用いるべきでしょう．

体内に充分な濃度が達成しやすいのもキノロンの取り柄の一つです．肺，尿路，骨，胆道系といろいろな組織に充分な濃度が達成できます．

キノロンは殺菌性の抗菌薬です．殺菌性，静菌性というのはすでにやりましたね．

キノロンは濃度依存性の抗菌薬です．したがって，高い濃度を達成できればそれだけ高い臨床効果が期待できます．

で，レボフロキサシンですが．

レボフロキサシンは経口で投与した場合，最高濃度に達するのに 1 時間半くらいかかります．半減期は 7 〜 8 時間くらいです．で，1 日 1 回投与，500mg を 1 日 1 回投与したほうが，たとえ同じ投与量でも 1 日何回かに分けて投与するよりも高い濃度が達成でき，効果が高い．同じ投与量ならば，1 日 1 回のほうが 2 回よりもよいのですね．

キノロンはアミノグリコシド同様，ポストアンティビオティック エフェクトが期待できます．これについてはすでに述べました．1日1回投与が効果的なもう1つの理由です．

キノロンは肝臓からも腎臓からも排泄されます．肝機能や腎機能障害がある場合，投与量の調節はちょっと難しくなります．レボフロキサシンや，その親戚のオフロキサシンは純粋に腎臓からの排泄です．クレアチニンクリアランスが50を切ったら投与量を減らすとよいでしょう．シプロフロキサシンなどは腎臓からも肝臓からも排泄されますから，クレアチニンクリアランスが30を切らない限り，調節は不要だといわれています．

キノロンのカバーする細菌はたくさんあります．が，各抗菌薬によって微妙に異なります．あるキノロンは必ずしも他のキノロンと交換可能ではありませんので，要注意です．

一般に，キノロンは好気性グラム陰性菌にはたいへんよい効果が期待できます．これをまず基本としておさえておきましょう．また，非定型菌にもある程度活性があり，結核菌などマイコバクテリアにも効果があるのがおもしろい．結核治療のセカンドラインにキノロンは入っているのです．

シプロフロキサシンはグラム陽性菌，特に黄色ブドウ球菌になかなかよい活性があります．ただし，典型的な（病院型の）MRSAはだめで，この場合はバンコマイシンなどの薬を使わなければなりません．「典型的な」と書いたのは，細菌はMRSAにも2種類ありまして，古典的な病院型のMRSAと，市中獲得型のMRSA（community acquired MRSA: CA-MRSA）があるのです．前者と異なり，後者の市中型はβラクタム以外の抗菌薬が結構効くのが特徴です．ST合剤のところでやりましたね．他にもクリンダマイシン，ミノマイシン®，そしてフルオロキノロンなんかも使えることがあります．

もっとも，市中MRSAの感受性パターンは地域によって異なりますから，自分の働いている地域の感受性パターンを把握しなくてはいけません．

いずれにしても，**フルオロキノロン製剤は，簡単な軟部組織感染症などに，選択的に**（ほとんどの場合は不要）**用いることが可能ですし，**リファンピシンなどとかませれば心内膜炎などの重症感染症の治療に用いることも（たま

には）可能です．緑膿菌に対しても（耐性がない限り）OK です．

　レボフロキサシンなどの**新しいフルオロキノロンは，肺炎球菌に対する活性が特によいので呼吸器感染症に好んで用いられます**．呼吸器感染症に使いやすいので，respiratory quinolone などとも呼ばれます．

　gatifloxacin やモキシフロキサシンなど新世代のキノロンで特徴的なのは，嫌気性菌に対して活性があることです．ただし，嫌気性菌感染症に対する臨床のスタディーはあまりやられていませんから，ぼくは「嫌気性菌を狙って」ガチやモキシを使うことにはあまり賛成できません．前述のように（19-E，セフメタゾールの項（280 ページ）），耐性菌も多いです．嫌気性菌を狙いたいのなら，他にも使える抗菌薬はたくさんあるのですし．

　オフロキサシンとシプロフロキサシンは一般におんなじ，という扱いを受けがちですが，先に述べたように排泄のメカニズムが異なります．それに非定型菌，例えばクラミジアやマイコプラズマにはオフロキサシンのほうがいいといわれています．レジオネラに対してはすべてのキノロンが抜群の活性があることも，記憶しておいてよいでしょう．

　さて，薬物動態的には大変いい薬であるキノロンですが，弱点もあります．例えば，**制酸剤や鉄剤，亜鉛などと同時に投与するととたんに吸収が悪くなります**．入院患者さんで安易に制酸剤を「予防的に」投与することが多々あります．キノロンをあげているのに一向に感染症が良くならない，おかしい，おかしい，と．こんな時，患者さんには少しもキノロンが体内に入っていないことがあるのです．

　日本でよく見るのは，マグネシウム製剤，例えばマグミット®を飲んでいる患者さんにクラビット®などが投与されていて治療効果が見られないような事例です．マグミット®・クラビット®療法とよびます（ぼくだけ？）．最低でも 2 時間あけて投与するか，キノロンを投与しないことが大事です．

　キノロンは P450 を阻害し，他の薬の効力を強めてしまうことがあります．テオフィリン．あるいはワルファリンなどが要注意です．

一般的には素晴らしい薬物動態を誇るキノロンですが，一般的に中枢神経には移行が弱く，髄膜炎などの感染症にはあまりお勧めではありません．例えばレボフロキサシンは肺炎球菌による髄膜炎に使用すべきではありません（最近では異論もあります）．シプロフロキサシンやモキシフロキサシンはなかなか良い中枢神経移行性を持っており，時に脳膿瘍などで使用することがあるようですが，これも第一選択薬とはいえません．

さて，副作用です．キノロンは従来，「安全で使いやすい抗菌薬」と考えられてきました．しかし，近年その評価は大きく変わってきています．
キノロンの副作用が濃度依存性であることはすでに述べました．
その副作用で特に多いのが中枢神経症状です．頭痛，めまい，睡眠障害などの比較的軽いものから混乱や意識障害，見当識障害などまでさまざまな神経症状がみられます．症状は時には投与を続けていても自然に消失する場合もありますし，投与量を減らすという手もあります．が，重度の神経障害がある場合はキノロンを直ちに中止して別の薬に変える必要があるでしょう．

次に有名なのが関節，腱に対する作用です．関節や腱に炎症を起こしたり，時には腱断裂ということもありえます．お年寄りには特に要注意です．

最近では，キノロンは大動脈解離や動脈瘤のリスクを増やすこともわかっています．

> Singh S, Nautiyal A. Aortic dissection and aortic aneurysms associated with fluoro-quinolones: a systematic review and meta-analysis. Am J Med. 2017; 130: 1449-57.

昔はキノロンはNSAIDsとの併用禁忌とされ，国家試験にも出てたような気がしますが，現在では併用が安全性を損なうことはないと考えられています．添付文書には「併用注意」とありますが，禁忌ではなく，国家試験でも禁忌肢ではないと思います（たぶん）．

> 内納和浩，山口広貴，安藤友三，他．Levofloxacinと非ステロイド性消炎鎮痛薬併用時の安全性．日本化学療法学会雑誌．2006; 54: 321-9.

また，小児は特に軟骨に血管が残っておりキノロンの濃度が高まるため，

23 キノロン系抗菌薬 ─ フルオロキノロン

軟骨に対する毒性が強いという懸念があります．もっとも，この事実は動物実験によって確認されたものだけで，人間に本当に問題があるのかは不明です．一般にキノロンは妊婦や小児には禁忌ですが，他に代替となる抗菌薬がなく，感染症が重篤な場合は躊躇することなくキノロンを使うべきだとぼくは考えますし，多くの専門家がそう賛同しています．諸外国ではキノロンを積極的に小児に使うようになりつつあります．それもよしあしだけど．

　他にもキノロンには心臓における QT 延長，光過敏性といった副作用があります．また，gatifloxacin は血糖異常をきたすことがよく知られています．低血糖，高血糖両方起こり得ます．このことが報告され，日本を始めとする多くの国で，gatifloxacin はマーケットから姿を消しました．

> Park-Wyllie LY, Juurlink DN, Kopp A, et al. Outpatient gatifloxacin therapy and dysglycemia in older adults. N Engl J Med. 2006; 354: 1352-61.

　モキシフロキサシンは，gatifloxacin とほとんど同じだけの菌をカバーします．血糖に関わる副作用が起きにくいのも特徴です．じゃ，モキシを使えば何でも OK かと，そんなに甘いものではありません．モキシフロキサシンの特徴として，尿路への移行性が悪いことがあげられます．尿路感染には用いることができません．尿路感染にはキノロン，キノロンなら何でも良いだろうと，何とかの一つ覚えをしていると大失敗します．

　なお，モキシフロキサシンは他のキノロンとは異なり，緑膿菌にも活性がないことも特徴です．このことは，ぼく自身はあまり意識してこなかったのですが（めったに使わないので），重要なポイントですね．なんというか，注射薬の ertapenem とかなり似ている，と考えると理解しやすいのでしょうか．

● モキシフロキサシンは尿路感染には使えない．

もう一つ，最近，フルオロキノロンが偽膜性腸炎と，それも重症型の偽膜性腸炎と関連しているのでは，という報告がでてきています．日本ではまだその関連がはっきりしていませんが，要注意ですね．

米国食品医薬品局 FDA はキノロンが副作用が多いことを鑑み，「ルーチンで使わないよう」と警告を発しています．もはや気軽に処方できる薬ではないのです．

> Research C for DE and. Drug Safety and Availability – FDA Drug Safety Communication: FDA updates warnings for oral and injectable fluoro-quinolone antibiotics due to disabling side effects [Internet].

B フルオロキノロンの使い方

■ 1. 尿路感染症

キノロンはよく尿路感染症に使われます．特に **ST 合剤耐性の大腸菌が多いところではキノロンが第一選択**にもなっています．普通の尿道炎では 3 日間の治療で充分ですが，グラム陽性菌の *Staphylococcus saprophyticus* の場合は 7 日間という長い治療が必要になるともいわれています．ですから，尿路感染症の時には（他の時にもそうですが）きちんと培養を採るのが肝要になります．もっとも，日本で見つかる大腸菌の 3, 4 割はキノロン耐性ですので，尿路感染にキノロンはファーストラインの治療薬には，もはや，なりえません（厚生労働省院内感染対策サーベイランス事業，JANIS による）．

なお，腎盂腎炎なら 3 日以上の長い投与（7 日程度）が必要だと考えられますし，治療の困難な前立腺炎なら数週間という長い治療期間が必要になります．

> Talan DA, Stamm WE, Hooton TM, et al. Comparison of ciprofloxacin（7 days）and trimethoprim-sulfamethoxazole（14 days）for acute uncomplicated pyelonephritis pyelonephritis in women: a randomized trial. JAMA. 2000; 283: 1583-90.

キノロンは淋菌 *Neisseria gonorrhoeae*，クラミジア *C. trachomatis*，軟

性下疳の原因となる *Haemophilus ducreyi* にも効果があるといわれます．が，クラミジアなど非淋菌性の尿道炎には反応がいまいちです．したがって，テトラサイクリン系やマクロライドなどをかませる必要が生じてきます．

　日本ではまれですが，軟性下疳はキノロンでの治療は選択可能です．

　淋菌もよくキノロンで治療してきましたが，近年，キノロン耐性の淋菌が多くなり，推奨薬はセフトリアキソンなどのセフェムになります．

　ウレアプラズマやマイコプラズマといった比較的新しい病原体も尿路感染を起こすことが知られており，こうした菌にもキノロンが有効とされています．*Mycoplasma genitalium* 尿道炎にはモキシフロキサシンがしばしば使われます．尿路への移行性が悪いにも関わらず，モキシが推奨されるのはちょっと変な気がしますが，他のキノロンだと治療が失敗しやすいからだそうです．もっとも，ファーストチョイスはアジスロマイシンとされています．が，この場合も治療効果はパッとせず，*M. genitalium* 治療は未だに難しい……．

> Read TRH, Fairley CK, Tabrizi SN, et al. Azithromycin 1.5g over 5 days compared to 1g single dose in urethral Mycoplasma genitalium: Impact on treatment outcome and resistance. Clin Infect Dis. 2017; 64: 250-6.

　腸球菌が尿路感染症の原因になることもたまにあります．この場合，シプロフロキサシンでは効果がなく，レボフロキサシンなどの「より新しい」キノロンが必要になります．もっとも，レボフロキサシンでも効果がはっきりしているのは *Enterococcus faecalis* のほうで，*E. faecium* は効果は微妙とされています．さて，日本の *E. faecalis* はアモキシシリンに感受性がありますから，「わざわざ」キノロンを使うインセンティブはありませんね．あれあれ．

　あるアメリカの病院医 (hospitalist) は，「肺炎にはキノロン，尿路感染にもキノロン，皮膚軟部組織感染症 (SSTI) にもキノロン」と結局抗菌薬はキノロンしか使っていない，という話をしていました．アメリカの臨床医も落ちたなあ，とちょっと思いました (言わなかったけど)．が，そのような態

度がキノロンの乱用を招き，使用数が増えることで副作用のインパクトが相対的に大きくなり，そして結果として FDA による警告，「普通の感染症に使うんじゃねえ」という話になったわけです．日本も同じ失敗を犯さないようにしなくては，ですね．

■ 2．消化管感染症

　もう一つ，**キノロンが好んで使われるのは消化管感染症です**．なにしろ腸内細菌をよくカバーしますから．細胞内感染をするサルモネラにもよく効きます（キノロンは細胞内によく入っていくからです），感受性があれば．

　副作用が少なくて頻回投与が不要なキノロンは，旅行者下痢の第一選択薬でした．が，現在はアジスロマイシンにその地位を奪われています．やはり使っていると使えなくなるのがキノロンの定め．キノロンの問題は広域すぎて耐性菌の温床になりやすい，ということなのです．

■ 3．呼吸器感染症

　次に呼吸器感染症です．とくに肺炎球菌によく効くレボフロキサシンなどの respiratory quinolone はこの目的で多用，おそらくは乱用されています．

　合併症のない簡単な中耳炎や風邪にはそもそも抗菌薬は必要なく，いきなりレボフロキサシンを出すのはどうかと思います．また，中耳炎に抗菌薬を使うにしても，いまでも第一選択薬はアモキシシリンです（ただし，個々の症例によっては広域抗菌薬を使う場合もあるでしょう）．

　すでに触れましたが，**キノロンが抜群の威力を発揮するのが，非定型肺炎です．レジオネラ，マイコプラズマには特によい．**重症のレジオネラには高用量のキノロンにリファンピシンを加えるとよい，と以前は言われていましたが，臨床データでこれを支持するものはないようです．ぼくも最近はレジオネラ肺炎にリファンピシンはかませません．レボフロキサシンを通常より多い 750mg とか 1,000mg 使うことが多いです（これには異論もあります）．

　ただし，**呼吸器感染症にキノロンを使うときは，「結核が除外できている」という条件を満たしていなければなりません．**キノロン系抗菌薬は抗結核作用があるので，市中肺炎と間違えて使ってしまうと診断の遅れにつながりま

す．2週間位遅れてしまうのです．

> Dooley KE, Golub J, Goes FS, et al. Empiric treatment of community-acquired pneumonia with fluoroquinolones, and delays in the treatment of tuberculosis. Clin Infect Dis. 2002; 34: 1607-12.

■ 4．骨軟部組織感染症

次です．骨髄炎や関節炎．これらの疾患には長期の抗菌薬を必要とします．経口のいい抗菌薬がほしいところです．点滴を長く続けると，それそのものが感染のリスクですしね．

黄色ブドウ球菌や緑膿菌が原因になる骨髄炎ではシプロフロキサシンなどの経口投与を6週間程度行うことでかなりの治療効果が期待できます．ただし，慢性骨髄炎の場合はすでに感染巣に対する血流が失われており，したがっていくら抗菌薬を与えても感染部位に届かない，という状況になります．膿瘍同様，この場合はデブリドマンなど外科的な処置を行い，感染巣そのものを取っ払ってやるのがよいのです．

■ 5．異物がからむ感染症

人工関節とか血管内グラフトという異物がからむ感染症ではやはり感染部位の異物（人工関節）をとってやることが大事になります．治療はなかなか大変です．キノロンの場合，**黄色ブドウ球菌に対してはリファンピシンとかませた併用療法で6〜9カ月という長い長い治療が行われる**ことがあります．また，**緑膿菌による感染症でもキノロンの長期投与を行う**ことがあります．

同様のことは，選択的な心内膜炎についてもいえます．比較的合併症の少ない右側の心内膜炎．これでしたらシプロとリファンピシンの併用療法を4週間で治療可能だといいます．左側はまだちょっと…ですが．右側の心内膜炎は薬物中毒患者さんの多いアメリカではよく目にしますが，日本では珍しいですね．

このように長い長い治療にはバイオアベイラビリティの良いキノロンは便利です．ただし，前述のようにキノロンの使用そのものが動脈瘤のリスクに

なることもわかってきましたので，以前ほど気軽には使えなくなりました．一方，皮膚・軟部組織感染症にキノロンを使う医師もよくいますが，このような比較的短期間の治療にはやはりペニシリンやセフェムのスペクトラムの狭いものを選ぶべきでしょう．ほとんどがブドウ球菌かレンサ球菌が原因の軟部組織感染症．キノロンも効果がありますが，少々広域に過ぎる，というものです．最近は市中 MRSA が問題になってきていますが，これをキノロン使いすぎの言い訳にしてはいかん，と思います．

このように，治療はいろいろな要素のバランスを考えて行う必要があります．難しいですね．

キノロンは結核菌にも効果があります．治療の本体はやはり古典的な抗結核薬ですが，耐性菌などにはキノロンは威力を発揮するでしょう（35-C-6, 530 ページ）．

MAC と総称される非定型抗酸菌感染症，これは慢性の呼吸器疾患やエイズなどの免疫不全のある患者さんでは特に問題になりますが，これにもキノロンが使用されることがあります．

このほか，キノロンは炭疽菌感染症に用いられ，特にバイオテロの曝露後予防に有効です．

C　フルオロキノロンの絞り込みを試みる

フルオロキノロン製剤ってたくさんあってどれをどう使っていいのか困っちゃいますね．そこで，これを絞り込んで整理してみることにしましょう．

まずは，国内で販売されているキノロン系抗菌薬のリストを表1に示します．

■ 1. 経口薬

(表1) 国内で販売されているキノロン系経口抗菌薬

ピペミド酸
ノルフロキサシン（バクシダール®など）
オフロキサシン（タリビッド®など）
レボフロキサシン（クラビット®など）
シプロフロキサシン（シプロキサン®など）
ロメフロキサシン（バレオン®など）
トスフロキサシン（オゼックス®など）
パズフロキサシン（パシル®など）
プルリフロキサシン（スオード®など）
モキシフロキサシン（アベロックス®）
ガレノキサシン（ジェニナック®）
シタフロキサシン（グレースビット®）
ラスクフロキサシン（ラスビック®）

やれやれ，こんなにあるんじゃ，使い分けが大変だ，とお考えの皆さん．大丈夫です．大丈夫です．今からこのリスト，どんどん短くしていきますね．

まずは，ぼくが「使うべきではない」と考えるキノロンについてリストアップします．

(1) 古いキノロン（第1世代）

いわゆる「薬の本」で調べてみると，この世代の薬で現在も販売しているのはピペミド酸だけです．ぼくは使ったことない．安全性・有効性の観点から見て，あえて使う理由はないと思います．

(2) 欧米ですでに使われていないキノロン

本書 ver.4 ではいくつかありましたが，現在も出ているのは「ロメフロキサシン（バレオン®）だけですね．これも使ったことがないし，特に使いみちはないと思います．

(3) 治療効果と副作用のバランスが悪いキノロン

トスフロキサシン（オゼックス®）は，1996年に重篤な血小板減少と腎炎が指摘されました．日本のデータでも，レボフロキサシンの副作用発生率が1.3％だったのに対して，トスフロキサシンは3.6％，ガチフロキサシンが4.5％でした．

> Ball P, Mandell L et al : Comparative tolerability of the newer fluoroquinolone antibacterials. Drug Saf. 1999; 21: 407-21.

2008年にEMA（European Medicines Agency，欧州医薬品庁）はノルフロキサシン（バクシダール®）の治療効果と副作用のバランスが取れていないことを理由に，その使用を制限するよう推奨しました．

> Docguidenews. EMEA Restricts Use of Oral Norfloxacin Drugs in UTIs (2008 Jul 24).

同様に，EMAはモキシフロキサシン（アベロックス®）が起こす肝障害のために，使用を他の抗菌薬で治療できなかった場合に限定するよう推奨しています．ぼくもこの抗菌薬を用いることがありますが，患者さん・疾患ともに極めて限定しています．

> EMAホームページ. European Medicines Agency recommends restricting the use of oral moxifloxacin-containing medicines(2008 Jul 25).

もちろん，すべての医薬品には副作用がありますから，副作用がある，というだけで使うべきではない，なんてぼくは考えません．しかし，他に代替薬がある場合に，ことさらに副作用のリスクを冒す必要もないでしょう．

オフロキサシン（タリビッド®）も性感染症や尿路感染に用いられてきましたが，アキレス腱断裂などの副作用も問題となり，他のキノロンとのバランスも悪いので特に使う薬ではなくなっています．ちなみに，レボフロキサシンはオフロキサシンの光学異性体の一個だけを単離したもの（左旋性，levorotartory……だから「レボ」なんですね）で，抗菌活性が良くなっています．要するにレボフロキサシンはベターなオフロキサシンであり，そういう意味でもオフロキサシンのレゾンデートル（存在理由）は微妙です．

というわけで，以上のキノロンは，少なくとも一般診療の現場では用いる

べきではありません（表2）．以前はトスフロキサシンが小児に適応がある稀有なキノロンだったため，それが「売り」になっていましたが，現在はレボフロキサシンなどにも小児への使用が可能になっており，こうした「売り」は消失しました．

（表2）一般診療の現場で使う「べきではない」キノロン系経口抗菌薬
ピペミド酸
ノルフロキサシン（バクシダール®など）
ロメフロキサシン（バレオン®など）
トスフロキサシン（オゼックス®など）
モキシフロキサシン（アベロックス®）
オフロキサシン（タリビッド®など）

(4) お勧めしない，使いにくいキノロン

さて，プルリフロキサシン（スオード®）はアメリカでこそ発売されていないものの，カナダなどで使われているようです．尿路感染や慢性気管支炎に使われてるのだとか．

ただ，血中半減期が約9時間と，6時間のレボフロキサシンよりも長いので1日1回投与が望ましいです．海外では600mg 1日1回で使用されていますが，日本では200mg 1日2回と，投与間隔・投与量に問題があります．

ニューキノロンは濃度依存性の抗菌薬ですから，ある程度半減期が長い場合は，1日1回投与のほうが望ましいわけです．

これも，ぼくは使ったことはないですし，特に使いみちはないとも思います．

■ 2．注射薬

注射薬のキノロンは国内では4種類あります．シプロフロキサシン（シプロキサン®），パズフロキサシン（パズクロス®，あるいはパシル®），レボフロキサシン（クラビット®），ラスクフロキサシン（ラスビック®）です．このうちラスクフロキサシンは比較的新しいキノロンで，錠剤と点滴薬があります．半減期が短いため，濃度依存性の抗菌薬にもかかわらず，通常は1日2回投与です．したがって，在宅も含め，一般診療の現場ではやや使いにくい

抗菌薬です．最大の特徴は後述のシタフロキサシン同様，「肺炎球菌に活性が良い」こととモキシフロキサシンのように「嫌気性菌に活性があること」です．が，前述のように肺炎球菌の呼吸器感染にはペニシリンが第一選択ですし，嫌気性菌による誤嚥性肺炎などにもやはりアンピシリン・スルバクタムなどペニシリン系の抗菌薬を優先して用いるべきでしょう．わざわざ広域のキノロン系抗菌薬を用いる必然性は乏しいと思います．いずれにしても，後述の理由で「新しい抗菌薬」にはすぐには飛びつかないほうが良いので，そういう意味でも，ぼくは，ラスクフロキサシンは現段階では用いていません．

注射薬でぼくが使うのはシプロフロキサシンとレボフロキサシンだけですね．これらで十分に用が足ります．長い臨床実績があり，「余人を持って代えがたい」他の薬がない以上，新薬を使う必要はないのです．

というわけで，長かったキノロン系抗菌薬のリストも表3のようにずいぶん短くすることができます．かなりすっきりしましたね．

(表3) 通常一般医療で使うキノロン系抗菌薬 (順不同)
経口薬
レボフロキサシン (クラビット®) シプロフロキサシン (シプロキサン®)
注射薬
シプロフロキサシン (シプロキサン®) レボフロキサシン (クラビット®)

あんなに煩雑だったリストもとても短くなりました．これで，ちょっとはやる気が出てきましたでしょうか．

Neu HC. The quinolones. Infect Dis Clin North Am. 1989; 3: 625-39.
Donnell JA, Gelone SP. The newer fluoroquinolones. Infect Dis Clin North Am. 2004; 18: 691-716.

Rubinstein E. History of quinolones and their side effects. Chemotherapy. 2001; 47: 3-8.
Ball P, Mandell L, Niki Y, et al. Comparative tolerability of newer fluoroquinolone antibacterials. Drug Saf. 1999; 21: 407-21.
Cazzola M, Salvatori E, Dionisio P, et al. A new fluoroquinolone for the treatment of acute exacerbation of chronic bronhcitis. Pulm Pharmacol Ther. 2006; 19 Suppl 1: 30-7.

■ 3. 発売直後のニューキノロンは副作用情報に注意

　さて，ここからはぼくの「態度」の話をします．

　代替薬が存在するとき，ぼくは発売直後の抗菌薬はできるだけ用いません．どうしてかというと，副作用情報が不十分だからです．

　Ⅰ相からⅢ相までの臨床試験では薬効についてはある程度の情報が得られますが，副作用情報は不十分です．

　アメリカでは，発売されたニューキノロンがマーケットから外される事態が相次いでいます．ヨーロッパでもすでに紹介したようにモキシフロキサシンなど，発売してから使用を制限する事例があります．日本でも，血糖異常のためにガチフロキサシン（ガチフロ®）が販売中止となりました．

　「ニューキノロンは安全な薬」というイメージがありますが，QT延長症候群，めまい，けいれんなどの中枢神経系の副作用，アキレス腱断裂などの軟部組織に対する副作用があります．

　そして，

　多くの副作用は発売されて何年も経ってから判明する

のです．

　そういうわけで，ぼくはガレノキサシンとシタフロキサシンを用いません．

　ガレノキサシンもシタフロキサシンも発売当初から「耐性肺炎球菌に効果が高い」などがセールスポイントになっていました．が，すでに解説したように，

　肺炎球菌には基本的にペニシリンを使えばよい

ので，実は

議論の根幹が間違っている

とぼくは思います．

「○○で治療ができる．よく効く」
というのと，
「○○で治療しなくてはならない」
というのは，同義ではありません．
「原子爆弾で蚊を殺すことができる」
は，誰もが賛成するでしょう．
問題は，

「原子爆弾で蚊を殺さねばならないか？」

という命題です．
問いの立て方ってとても大事なのです．同様のことは，さらに新しいキノロンについても言えるでしょう．

よって，読者のみなさんが知っておくべきは，経口薬も点滴薬も，

・レボフロキサシン（クラビット®など）
・シプロフロキサシン（シプロキサン®など）

の2つのみとなります．あと，モキシフロキサシンをまれに用いることがあります．これは結核の患者さんにときどき用いたり，あと，難治性の腹腔内感染症で，在宅などで治療したい，点滴薬を使いたくない，といった特殊な事情がある場合に用いることがあります．
　モキシフロキサシンは，*Mycoplasma genitalium* が起こす尿路感染の第一選択薬です．ただし，比較的まれな感染症ですし，専門家が診るような特殊性もありますので，一般の医師が使用するような理由ではありませんね．

23 キノロン系抗菌薬―フルオロキノロン

他にも海外には delafloxacin などがあります．Delafloxacin は皮膚軟部組織感染症治療などに米国では適応があります．MRSA に活性があるのが特徴です．

参考文献
- Neu HC : The quinolones. Infect Dis Clin North Am. 1989; 3 : 625-39.
- O'Donnell JA, and Gelone SP : The newer fluoroquinolones. Infect Dis Clin North Am. 2004; 18 : 691-716.
- Rubinstein E : History of quinolones and their side effects. Chemotherapy. 2001; 47: 3-8.
- Cazzola M, Salvatori E et al : Prulifloxacin : A new fluoroquinolone for the treatment of acute exacerbation of chronic bronhcitis. Pulm Pharmacol Ther. 2006; 19 (Suppl 1) : 30-7.

D Trovan®の栄光と失墜

　Trovafloxacin（Trovan®）という抗菌薬をご存知でしょうか．アメリカで販売されたとき，医師たちはこれぞ欲しかった抗菌薬ぞ，と小躍りしたものでした．何しろ，グラム陽性菌に強い，グラム陰性菌に強い，緑膿菌にも効く，嫌気性菌にも効く．クラミジアやレジオネラなどの非典型菌にもよく効く．薬物動態は抜群で，1日1回投与．経口投与も可能．MRSA などの一部の例外を除き，細菌感染症なら何でも効く．そう，何でもありの抗菌薬なのです．Trovan® は皮膚の簡単な感染症から ICU での重症感染症まで，それこそ何にでも使われました．1997年の FDA 認可，1998年の発売以来，1999年の6月までに，アメリカでは250万もの処方箋が書かれたといいます．おそらくは製薬会社のマーケティングにも大きく影響されたのでしょうが，臨床経験が十分でない新薬の抗菌薬がたったの1年間でこんなに売れる，というのはちょっと異常です．こんなことが起きるのは世界でもアメリカか日本くらいなものでしょう．

　が，しかし．

好事魔多し．この「魔法」とまで称えられた奇跡の抗菌薬にも，しかし大きな弱点がありました．

もともと，肝臓から排泄されるこの抗菌薬は，ときどき肝機能障害を起こすことが知られていました．ところが，ニューヨークのある ICU で Trovan®を使っていた患者さんが次々と肝不全を起こすに至り，医師たちはこの副作用に注目します．

アメリカの食品薬品管理局 FDA は 1999 年，14 例の肝不全の報告を受け，そのうち 4 名が肝移植を必要とし，5 名が死亡に至る，という重症であることに驚きを隠しませんでした．その後 FDA では 140 例にも及ぶ肝障害の報告を受けています．Trovan®を FDA が認可する前，約 7,000 人もの人たちに臨床試験で使用されてきました．肝機能障害は発見されていましたが，死亡例や移植を必要とするような肝不全は皆無だったのです．FDA は肝機能異常を副作用として薬のパッケージに明記することを条件に Trovan®の使用を認可しました．

余談ですが，この肝不全の報告を受けて，たくさんの弁護士事務所がウェブサイトや新聞に大きく広告を出し，「Trovan®を処方されていませんか．ぼくがあなたに代わってけしからんドクターを訴えてあげましょう」と大々的に宣伝しました．

Trovan®は現在，マーケットから撤退，臨床使用はされなくなりました．薬の臨床効果については認可前の基礎実験，臨床試験によってある程度吟味することができます．しかし，薬の安全性については，むしろ発売後のポストマーケティング・サーベイランスによって明らかになることが多いのです．Trovan®のときのように便利で，ある意味安易に投与できる抗菌薬が新発売になったとき，これにむやみやたらと，しばしば不必要に飛びつくことがいかに危険なことであるか，このエピソードは教えてくれます．

抗菌薬に限らず，新しい薬が出たときは医師は思わず試してみたくなります．製薬会社の方たちも甘い言葉であなたを誘惑します．しかし，Trovan®の挫折に思いをはせると，新薬とは本当に必要なとき以外はみだりに手を出すものではない，という教訓と受け止めるべきなのではないでしょうか．

23 キノロン系抗菌薬　フルオロキノロン

●新薬は副作用情報が不明確. 安易に手を出してはいけない.

　さて，この Trovan®，後になって別の問題も浮かび上がってきました．1996年，ナイジェリアのカノ州で細菌性髄膜炎が流行しました．そのとき，研究用に約100人の子供にこの Trovan® が用いられたのです．ところが，この研究はナイジェリア政府の許可を受けることなく行われた違法な臨床研究であったことがわかりました．さらに，子供の親からインフォームド・コンセントすら得ていなかったことが判明したのです．まあ，治療の予後は標準薬（セフトリアキソン）とさほど変わりはなかったのですが，プロトコル・バイオレーションが問題でした．これを2000年にワシントンポスト紙がすっぱ抜き，大きな騒ぎになったのです．結果，ナイジェリア連邦政府や患者家族は Trovan® を発売していたファイザー製薬を訴えました．この件は2009年に和解に至っています．

　新薬・ワクチン開発にアフリカ諸国など途上国で臨床試験を行うことが近年増えていますが，そこでの倫理性の担保が問題になっています．ジョン・ル・カレの小説『ナイロビの蜂（原題，The Constant Gardener）』はこのような理不尽なアフリカでの臨床試験を題材にしたクライムノベルです（ル・カレはこの小説を完全なフィクションであり，特に実在する事件とは関係ないと言っていますが）．

採点表 キノロン系のまとめ

キノロン系についてはすでに上記にまとめたように，ノルフロキサシン（バクシダール®など），オフロキサシン（タリビッド®など），ロメフロキサシン（バレオン®），トスフロキサシン（オゼックス®など），パズフロキサシン（パシル®など），プルリフロキサシン（スオード®）については使用根拠がないと思います．その他について．

凡例 Symbol Legends

臨床的重要度
- A 🔫🔫🔫 …… とても高い
- B 🔫🔫 ……… まあまあ高い
- C 🔫 ………… そんなに高くない
- × …………… なくても困らない

使用頻度
- A 🔫🔫🔫 …… とてもよく使う
- B 🔫🔫 ……… まあまあ使う
- C 🔫 ………… ほとんど使わないがたまに使う
- × …………… 全く使わないし，今後もおそらく使わない

レボフロキサシン（クラビット®など）
- 臨床的重要度　A 🔫🔫🔫
- 使用頻度　　　B 🔫🔫

レスピラトリーキノロンとしてレジオネラなどの重症肺炎に，あるいは結核のセカンドラインに，他に耐性グラム陰性菌感染など使用価値は高い．逆に従来使われてきた尿路感染では耐性菌や安全性とのバランスから「使うべきではない」抗菌薬に格下げされつつある．災害時は便利．

シプロフロキサシン（シプロキサン®など）
- 臨床的重要度　B 🔫🔫
- 使用頻度　　　B 🔫🔫

緑膿菌に効果が高いのが最大のウリ．注射剤レボフロキサシンが出てからは，注射薬についてはプレゼンスが一気に低下．

モキシフロキサシン（アベロックス®）
- 臨床的重要度　B
- 使　用　頻　度　C

マイコプラズマ尿道炎で重要．レスピラトリーキノロンとしては特にこれでなくては，という理由はない．嫌気性菌カバーがあるので（ただし効果は高くない），末期患者の，「QOL 改善や自宅に帰すために，臨床効果を割引しても経口薬で腹部感染を治療したい」ときなどに選択的に使うことがある．

ガレノキサシン（ジェニナック®）
- 臨床的重要度　C
- 使　用　頻　度　×

レボフロキサシン以上の臨床的利点がない．

シタフロキサシン（グレースビット®）
- 臨床的重要度　C
- 使　用　頻　度　×

上に同じ．

ラスクフロキサシン（ラスビック®）
- 臨床的重要度　C
- 使　用　頻　度　×

上に同じ．

24 マクロライド系抗菌薬●

突出して日本で乱用される抗菌薬．正しく使えば便利．
近年は安全性の懸念多し

A　マクロライド

　とにかく，マクロライドが大好きな医師は多く，たくさん処方されています．これは何も故なきことではありません．
　何といっても処方が簡単です．副作用が少ない．
　ところが，最近は耐性菌が増えたことと，他の薬との薬剤相互作用が多いこと，そして「案外」副作用が多いことがわかってきて，**実はとても使いにくい薬になっています**．
　マクロライドは本来ペニシリンの代替薬として，アレルギーのある患者さんなどに用いられてきました．しかし，それだけがマクロライドの特性ではありません．マイコバクテリアに効果のあるマクロライド．抗炎症作用のあるマクロライド．
　最も古典的なマクロライドといえるのが，エリスロマイシンです．見つかったのは1952年．フィリピンの土壌から検出されました．
　マクロライドはラクトンリングがたくさん連なった構造をしており，比較的大きな分子量をもっています．エリスロマイシンの場合，経口投与されると胃の中で分解され，ヘミケタルというものを作ります．これが胃を刺激するために，エリスロマイシン特有の消化器症状が現れる，と考えられています．胃内での酸に対する安定性を増し，消化器症状を少なくしたのが新世代のマクロライド，クラリスロマイシンとアジスロマイシンです．

エリスロマイシン

クラリスロマイシン

アジスロマイシン・2H₂O

　アジスロマイシンはラクトンリングの数がエリスロマイシンやクラリスロマイシンより1個多く，15個あります．この構造により，胃内での安定性が

増し，半減期が長くなり，アジスロマイシンは1日1回投与でOKになりました．アジスロマイシンではグラム陰性桿菌への活性も高められており，より広域な抗菌薬となっています．この他にも16環のジョサマイシン，ロキタマイシン，スピラマイシン，ロサラマイシンなどがありますが，現場で使われているものはあまり多くありません．スピラマイシンについてはトキソプラズマに対して用いる特殊な用法があります．

マクロライドはPK的にはわりと優等生で，いろいろな組織にくまなく行き渡りますが，残念ながら消化管からの吸収は良くありません．**吸収を向上させるため，必ず空腹時に投与するようにしてください**（食前か，食後最低2時間は空ける）．

ただし，**アジスロマイシンは例外です**．アメリカではアジスロマイシンも空腹時投与となっていますが，日本でのデータでは食事と吸収には関係が見い出されませんでした．この辺は，アジスロマイシンの有利な点の一つといえましょう．

マクロライドはタンパク質合成に必要なリボゾームに結合します．タンパク質合成を阻害することで効果を発揮する抗菌薬ですね．このような抗菌薬は一般に静菌的であることが多いのですが，マクロライドもその例外ではありません．

ただし，菌によってはマクロライドが殺菌的に作用することもあります．新世代のマクロライド，クラリスロマイシンやアジスロマイシンの場合，A群溶連菌 *Streptococcus pyogenes*，肺炎球菌 *Streptococcus pneumoniae*，インフルエンザ桿菌 *Haemophilus influenzae* には殺菌的に作用します．

ただ，すでに説明したように，一般的な感染症では静菌的でも殺菌的でも臨床的には違いがないので，あんまり気にする必要はありません．どのみち，重症の肺炎球菌感染症でしたら，マクロライドでは治療しません．感受性をみた上で，βラクタムが第一選択薬になります．肺炎だったらペニシリン，髄膜炎だったら第三世代セフェムやバンコマイシンを用いるのでしたね．

● 静菌的か殺菌的かは「ほとんどの」感染症においては考慮する必要はない．

　マクロライドがよく使われる感染症にA群溶連菌 *Streptococcus pyogenes* による咽頭炎があります．もちろん第一選択薬はペニシリンですが，アレルギーなどでペニシリンが使えない患者さんにはマクロライドが選択薬となるのです．治療期間は10日間，でしたね．マクロライドが特に有効なのは，グラム陽性球菌，特にA群溶連菌や肺炎球菌です．あいにく，これらの菌では近年急速にマクロライド耐性菌が増加しており，単剤でこれらの菌が起こす感染症を治療するのが困難になっています．マクロライドはグラム陽性菌の耐性を（ほぼ）すべてシェアしています．

> Iwata K, Blum CM. Antibiotic treatment of adults with sore throat. JAMA. 2001; 286: 2942-3.

　どういうことかって？　つまり，いったんエリスロマイシンにA群溶連菌の耐性ができてしまうと，それは同時にクラリスロマイシンやアジスロマイシンへの耐性の獲得を意味するのです．エリスロマイシンが効かないから，アジスロマイシン，というのは意味のない選択です．

　厚生労働省院内感染対策サーベイランス事業（JANIS）の2019年の年報（外来検体）では，検出された肺炎球菌の実に80.9％がエリスロマイシン耐性でした．そしてA群溶連菌（*S. pyogenes*）の28.6％がエリスロマイシン耐性だったのです．

　アメリカのガイドラインでは，ペニシリンアレルギーのある患者さんに対するA群溶連菌の治療はマクロライドが第一選択ですが，これは日本では当てはまらないように思います．日本のドクターが使いすぎたマクロライドのツケがここにまわってきているのですね．

● 日本では溶連菌や肺炎球菌にマクロライドを使うのは躊躇される．

　マクロライドの活性は実に広域です．多くのグラム陽性菌・グラム陰性菌に効果があります．嫌気性菌にはちとよくありません．特に，腹部の代表的な嫌気性菌である *Bacteroides fragilis* にはよくない．特殊な例としては，アクチノミセスとか，抗酸菌，スピロヘータなどにも効きます．マクロライドがその威力を発揮する特殊な機能としては，マイコプラズマ，レジオネラ，クラミジア，そしてリケッチア（の一部）などの細胞内細菌によく効くことです．

　マクロライドはアミノグリコシド同様，酸性環境下ではあまり効果が上がりません．したがって，膿瘍などの治療にはあまりよくありません．もっとも，マクロライドは胃の中にあるヘリコバクターピロリを駆除するのにも使われますから，これもあくまで相対的なものですね．

　マクロライドは多くのグラム陰性菌にも効果がありますが，とくにカンピロバクターには（耐性がなければ）臨床的に長い経験もあり，よく使われます．

　下痢といえばキノロンと判で押したように決められているところがありますが，カンピロバクターの場合，キノロン耐性菌が多いので，要注意です．鶏肉などを食した病歴があり，キノロンで改善しない細菌性腸炎はカンピロバクターであることが多いです．通常の培養では生えづらく，カンピロバクター用の特殊培地が必要です．検査室に「カンピロ疑っています」とはっきり連絡を取ることが必要です．検査室との密な連絡，人間関係の構築は，質の高い感染症診療にとって必須事項です．

　もっとも，一般的にはカンピロバクター腸炎に抗菌薬を使う必要はなく，自然に治癒することが多いです．カンピロバクター腸炎でも，調理師さんとかが患者でなければ抗菌薬なしでみることがほとんどです．

> ⚠CAUTION マクロライドの耐性のメカニズムは，以下の通りです．

　1つめは，細胞からのマクロライドのくみ出しです．このメカニズムはプラスミドに依存しており，多くの細菌が所有しています．これをMタイプといいます．Mタイプは低度耐性菌でMICは低く，クリンダマイシンには感受性を示す傾向にあります（クリンダの話は，後述）．

　マクロライドはリボゾームにくっついてこの効果を発揮しますが，このリボゾームタンパクの変化も大きな耐性のメカニズムです．ermという遺伝子がメチルトランスフェラーゼという酵素をコードします．これがメチル化を促すのです．erm（A）はブドウ球菌やS. pyogenesの，erm（B）は肺炎球菌などの耐性化に寄与します．例えば，MLSB．これは高度耐性菌でMICも高く，クリンダマイシンやストレプトグラミン（シナシッド®）という異なるクラスの抗菌薬にも同時に耐性を獲得します．マクロライド，リンコマイシン，ストレプトグラミンだから，MLS．メジャー・リーグ・サッカーじゃないよ．

　耐性のメカニズムって専門家以外はそんなに神経質になることはないと思いますが，他のクラスに影響を与えるようなトリッキーな耐性機序については頭のどこかにおいておいたほうがよいと思います．

- マクロライド耐性にはMLSが．クリンダマイシンなども耐性化のリスク

　さらに，エステラーゼという酵素によってマクロライドそのものを不活化してしまうことも可能です．この耐性もプラスミドにより伝播されるといわれています．

日本ではマイコプラズマのマクロライド耐性菌が多く，深刻な問題です．
　マイコプラズマは小児などの呼吸器感染症の原因として有名ですが，この

年齢層だとテトラサイクリン系は歯の黄染の問題がありますし，フルオロキノロンを乱用するのもどうも……というわけで本当は小児感染症のためにはマクロライド系抗菌薬は上手に温存しなければならないのです（この点，「第三世代」セフェムと同じですね）．乱用は厳に慎むべきでしょう．

さて，マクロライド，特に**エリスロマイシンは消化管の蠕動運動を亢進することで有名で，これが典型的な「下痢」という副作用になって現れます**．特に，エリスロマイシンによる下痢は患者さんにとってはかなりきついので，ぼくは基本的に経口エリスロマイシンは処方しません．

が，モノは考えようです．エリスロマイシンは消化管蠕動不良の患者さんに使われることがあります．例えば，集中治療室でたくさんの薬を投与されてお腹がパンパンの患者さん．エリスロマイシンを経鼻チューブより投与することで消化管の動きが回復することがあります．

マクロライドには免疫調節作用，抗炎症作用があります．

日本では汎細気管支炎（DPB）の治療法として認知されており，欧米の教科書にも記載されている認知度の高いものです．この抗炎症作用を活用して，様々な慢性炎症性疾患，特に呼吸器領域や耳鼻咽喉科領域でマクロライド少量長期療法が用いられていますが，これが日本におけるマクロライド耐性の蔓延と関係している可能性もあり，ちょっと悩ましいところですね．最近はDPBのみならず，慢性閉塞性肺疾患（COPD）の増悪予防にも有用だったという報告もありますが，その副作用のインパクトや耐性の増加についてはまだまだ検証が必要かもしれません．

あと，この研究で用いたマクロライドは「少量」投与ではありませんでした．少量の低い濃度を維持する投与法はやはり耐性菌増加の温床だと思います．

> Albert RK, Connett J, Bailey WC, et al. Azithromycin for prevention of exacerbations of COPD. N Engl J Med. 2011; 365: 689-98.

お腹にも刺激的なマクロライドですが，**軟部組織にも時に刺激的で，点滴**

部位に血管炎を起こすことがあります．これを避けるためには，250mL 位の液で希釈して，ゆっくり，できれば 1 時間くらいかけて投与することが大事です．最近，アジスロマイシンの点滴薬が日本でも承認されましたが（長かったよ！ 待ってたよ！），これもゆっくり，2 時間くらいかけて落とすことが肝心です．

臨床的にも重要なのが QT 延長とそれに伴う torsa de depointes です．

特に，QT を延長しうるその他の薬との併用には要注意ですし（今は使う人はいないかもしれませんが，シサプリドなんかがそうですし，抗ヒスタミン薬とか忘れやすいので要注意です），忘れてはならないのは抗不整脈薬（抗不整脈薬も，不整脈を誘発するのでしたね）です．

アジスロマイシンやクラリスロマイシンで心血管系死亡リスクが上がるというスタディーもあり，この心臓の副作用は要注意です．ただし，心血管系疾患や内服薬などで不整脈リスクが高くない人であれば，アジスロマイシンは安全に使える，という見解もあります．

> Ray WA, Murray KT, Hall K, et al. Azithromycin and the risk of cardiovascular death. N Engl J Med. 2012; 366: 1881-90.
> Howard PA. Azithromycin-induced proarrhythmia and cardiovascular death. Ann Pharmacother. 2013; 47: 1547-51.
> Winkel P, Hilden J, Hansen JF, et al. Clarithromycin for stable coronary heart disease increases all-cause and cardiovascular mortality and cerebrovascular morbidity over 10years in the CLARICOR randomised, blinded clinical trial. Int J Cardiol. 2015; 182: 459-65.

マクロライドは肝臓のチトクローム P450 系により代謝されます．したがって同様の代謝経路を持つ薬剤とは相互作用を起こします．シクロスポリンなどの免疫抑制薬のレベルが上がり，患者さんの免疫能ががんがん落ちてしまうこともありますし，ワルファリンなど飲んでいる患者さんだと，抗凝固能が強まりすぎて出血の懸念があります．常に常用している薬には細心の注意をはらってください．

脂質異常に用いるスタチンとクラリスロマイシンを併用すると，横紋筋融解症などスタチンの毒性が出やすくなることがわかっています．

Patel AM, Shariff S, Bailey DG, et al. Statin toxicity from macrolide antibiotic coprescription: a population-based cohort study. Ann Intern Med. 2013; 158: 869-76.

　ePocrates などスマートフォンのアプリを使えば，薬の相互作用は簡単にチェックすることができます．**しつこいようですが，必ず相互作用はチェックしましょう．**併用薬が多い高齢者などでは，安易にマクロライド（それにキノロン）は使わないほうがよいかもしれません．

■ 1．マクロライドの臨床的な使用法

　まず，経口のエリスロマイシンにはほとんど使い道がありません．すでにあげた腸管蠕動の亢進を目的としている場合が唯一の例外でしょうか．他のマクロライドを使ったほうがたぶんよいです．

　アジスロマイシンは構造上ワッカが15個ついています．このせいか，アジスロマイシンのほうが消化器症状は少ないといわれています．クラリスロマイシンはエリスロマイシンと同様14個．クラリスロマイシンはワッカの数は同じですが，ワッカにメトキシ基がくっついているのが特徴です．このメトキシ基も消化器症状を軽減するのに有効なのだそうです．

　アジスロマイシンもクラリスロマイシンも，50S のリボゾームにくっつくのでエリスロマイシンと薬理作用はおんなじです．ただ，アジスロマイシンのほうが若干グラム陰性菌に対する活性が強いといわれています．

　レジオネラ，クラミジア，マイコプラズマ，ウレアプラズマなど上や下への細胞内細菌による感染症にはアジスロマイシンやクラリスロマイシンはエリスロマイシン以上に効果が高いといわれています．特に，アジスロマイシンは細胞内濃度がなが一く維持されるため，このような感染症にはよい適応だと考えられています．**アジスロマイシンはレジオネラ肺炎には第一選択だと思いますし，STD のクラミジア感染症なら1回投与のアジスロマイシンで治療が可能だといわれます．**日本では粉末状になっており，粉末ジュースのように溶かして飲む2g 製剤がありましたが，最近，販売停止になりました．

　アジスロマイシンのさらにいいところは，細胞内での濃度が高く維持されることです．投与終了後最低でも5日間は高い細胞内濃度が保たれます．し

たがって，**500mg 1 日 1 回 3 日間**，という定型的な治療でも実際には 10 日間の治療と同じ効果が期待できるわけです．便利ですね．また，P450 系の干渉が少なく，他の薬との相互作用を起こしにくいと考えられています．

　アジスロマイシンやクラリスロマイシンは HIV 患者さんの治療にもよく使われます．特殊なバルトネラ感染症，細菌性血管腫症 bacillary angiomatosis という病気に使うことができます．非定型抗酸菌感染症（MAC）には，治療にも，そして予防にも使用可能です．トキソプラズマ症にも効果がありますが，治療経験は若干少なく，サルファ剤のアレルギーがあったりして他に手がない場合には時々使われます．HIV 関連の感染症については姉妹本の『抗 HIV 薬の考え方，使い方，そして飲み方 ver.2』（中外医学社）をご参照ください．

　猫ひっかき病など，さまざまな *Bartonella* 感染にもアジスロマイシンはファーストラインです．ワイル病などの原因になるレプトスピラでも．もっとも，レプトスピラはペニシリンなどいろんな抗菌薬で効果があるのでアジスロマイシンの特別性はちょっと薄れますが．あとは珍しい海外の性感染症の鼠径部肉芽腫症（Donovanosis, *Klebsiella granulomatis* 感染）ですが，もうマニア過ぎて，知らんわ，ですよね．

　最近増えているのが**成人の百日咳**です．百日咳は三種混合ワクチンのおかげで子供では大変まれな病気になりましたが，成人で免疫力が下がった状態で，「慢性の咳」の原因になることがあります．**第一選択薬はマクロライド．5 日間のアジスロマイシン**で OK です．ただし，慢性化した百日咳にはマクロライドの治療効果はないと考えられています．この場合は対症療法のみで対応します．

- 急性期の百日咳ならマクロライド．慢性化すると，治療にも予防にも効果はほとんどないので対症療法．

正直いって，クラリスロマイシンとアジスロマイシンを比べると，その飲みやすさ，短くて3日間という短い治療（STDのクラミジアなら1回投与でOK！），副作用の少なさから，アジスロマイシンのほうに軍配が上がるように思います．

(表1) アジスロマイシンがファーストラインで用いられる場合 （サンフォード・ガイドより）
Arcanobacter sp. B. pertussis Bartonella sp. C. jejuni C. trachomatis H. ducreyi K. granulomatis Legionella sp. Leptospira sp. M. genitalium U. urealyticum

このうち，*Arcanobacterium haemolyticum* は青少年などの咽頭炎の原因となるグラム陽性菌（あるいはグラム染色は陰性に染まることもあり）で，以前はコリネバクテリウムに分類されていました．近年，注目されつつあります．他にも軟部組織感染症や肺炎，髄膜炎，菌血症，骨髄炎などを起こすこともあります．アジスロマイシンが第一選択ですが，他にもペニシリンやクリンダマイシン，セフトリアキソンなどでも活性があります．というわけで，通常の溶連菌による咽頭炎として治療してしまっても結構良くなってしまいます．

Haemophilus ducreyi は陰部潰瘍を起こす性感染症の原因微生物です．また，*Klebsiella granulomatis* も鼠径リンパ節腫脹を起こす性感染症の原因です．どちらも日本では極めてまれですね．アジスロマイシンがファーストチョイスになりますが，クラミジアとかの治療で（たとえ診断できてなくても）結局治してしまいそうですね．ぼくも見逃してないか，ちょっと書いててヒヤヒヤしています……．

例外的にクラリスロマイシンのほうがアジスロマイシンに勝っている時もあります．

　それは，**ピロリ菌の駆除**です．胃潰瘍や胃癌の原因として注目を集めているヘリコバクターピロリ．ピロリ菌による慢性胃炎，胃潰瘍，十二指腸潰瘍にはクラリスロマイシン，アモキシシリン，そしてプロトンポンプ阻害薬を用います．ピロリ菌に対しては，なぜかアジスロマイシンの臨床データはあまりなく，その効果は不明です（アジスロマイシンの7日の投与をかませる，という人もいますが，現在はスタンダードな治療とは考えられていません）．で，ピロリ菌の治療レジメンですが，いろいろあって困ってしまいます．アメリカでは10〜14日間，ヨーロッパや日本では7日間投与します．これについては251ページで説明しました．

　もう1つ，クラリスロマイシンが威力を発揮するのに rapid growers と呼ばれる特殊な抗酸菌感染症の治療があります．普通，抗酸菌というのはとてもとても生えるのが遅くて，培養結果は何週間も待たなければ出てきません．ところが，rapid grower たちは，ものの数日で培地に生えてきます．これらは軟部組織の感染症を起こしたり，肺炎を起こしたりするのですが，海外では，例えばかみそり負けのある脚でお風呂に入り，その脚に感染を起こしたり，豊胸手術の合併症で胸から膿が出てきたりするケースでよくみられます．きれいになるのもいいですが，思わぬ落とし穴がありますので要注意．

　で，この rapid grower（とくに *M. chelonae*）にはクラリスロマイシンの長期投与を伝統的に用います．耐性を防ぐためにアミカシン，ときにカルバペネム，テトラサイクリン系などをかませたりします．

　ただし，最近では rapid grower たちもアジスロマイシンやマクロライド以外の抗菌薬使用のほうが一般的になりつつあります．クラリスロマイシンは年々その存在価値を失ってきているというのがぼくの印象．人間でもそういう人，いますよね．え？　お前だって？

　もうひとつ，*M. marinum* はプールや海，魚など水との接触で感染する皮膚軟部組織感染症の原因ですが，クラリスロマイシンとエタンブトールを併用して数カ月かけて治療します．

あれ？　でもこれってみんなアジスロマイシンでもファーストチョイスになってましたよね．あー，クラリスロマイシン，ほんまに居場所がないんやなあ．

(表 2) クラリスロマイシンがファーストチョイスの微生物 (サンフォード・ガイドより)
Arcanobacter sp. *B. pertussis* *Bartonella* sp. *Legionella* sp.

ところで，ちょっと脱線します．

もともと培養が難しい抗酸菌ですが，1 つだけ培地で培養できない，難しいというより不可能な抗酸菌があります．それは，何でしょう．

ハンセン病の原因になる *M. leprae* です．どうやって培養するかというと，アルマジロを使うのです（しかも 9 本縞のついたヤツ⇨ココノオビアルマジロに限定です）．面白いですね．ちなみに，Wikipedia で調べたら，アルマジロって日本では飼育規制ないんですね．あと，テキサス州の州の動物だそうです．Wikipedia ってこういうどうでもいい情報を得るのにうってつけのツールですよね，ほんと．

B クリンダマイシン
グラム陽性菌と嫌気性菌がターゲット

さて，クリンダマイシンですが，これはマクロライドの親戚，リンコマイシンという種類に分類されます．1962 年，ネブラスカ州リンカーンという場所で発見されたのでリンコマイシン lincomycin という名前がついています．

リンコマイシン

　クリンダマイシンはマクロライド同様，50Sリボゾームにくっついて効果を発揮します．

　クリンダマイシンが肺炎球菌やA群溶連菌などのグラム陽性菌に効果があるのは，マクロライドと同じです．しかし，クリンダマイシンにはマクロライドがもつようなグラム陰性菌に対する活性がほとんどありません．また，マクロライドが苦手とする嫌気性菌，特に *B. fragilis* にはよく効きます．クリンダマイシンは「嫌気性菌キラー」としてその名をよく知られているのです．

　ただ，残念なことに近年クリンダマイシン耐性の *B. fragilis* が増えています．後に解説するメトロニダゾールも「嫌気性菌キラー」として有名ですが，こちらは *B. fragilis* の耐性はほぼみられません．

　嫌気性菌は口から肛門までの消化管に広く巣くっていますが，*B. fragilis* はあまり口の中にはみられず，下部消化管によくみられます．そのため，耐性を心配しなくてもよいクリンダマイシンは口腔内の嫌気性菌を狙って，例えばホームレスの誤嚥性肺炎などによく使われます．腸炎や腹腔内膿瘍などには *B. fragilis* をカバーするためにメトロニダゾールが使われることが多い．嫌気性菌感染症診断・治療ガイドライン2007（日本化学療法学会，日本嫌気性菌感染症研究会編）によると *B. fragilis* の感受性は37.1％と低いものでした．

　「横隔膜から上はクリンダマイシン，下はメトロニダゾール」といわれることがありますが，そういう理由からきているのですね．ただ，この *in vitro* の感受性パターンと臨床効果がうまく相関するかどうかは，評価が難しいところかもしれません．多くの腹腔内感染症はドレナージを必要とし，

嫌気性菌は結局空気に触れてしまえば死んでしまいますから．

　前述したように，マクロライドのMタイプの耐性ではクリンダマイシン耐性を獲得しませんが，MLSBタイプだと交差耐性がよくみられます．しつこいですが，メジャー・リーグ・サッカーではありません．

　ときどき，クリンダマイシンを非定型肺炎に……という記述を見ますが，マイコプラズマにもウレアプラズマにも耐性なので，この目的には用いることができません．ただし，クラミジア・トラコマチスにはある程度活性があり，ゲンタマイシンのようなアミノグリコシドとシナジーを発揮するそうです．でも，この目的で使ったことはないなあ．

　また，クリンダマイシンは他の薬と併用することで，ニューモシスチス肺炎などの真菌感染症や，トキソプラズマ，バベシア（北米で見られる血液の感染症），マラリアなどの原虫にも使うことができます．面白いですね．ただし，クリンダマイシンはこれらの感染症における効果はイマイチで，他に仕方がない時に使うというパターンが多いです．2番手，3番手の役回りが多いのです，この抗菌薬．

　クリンダマイシンは消化管からの吸収が抜群によいので，経口治療も効果的です．この点はマクロライドとの違いなので，よく押さえておいてください．点滴でも，筋注でも投与が可能です．

　経口投与はPK的には吸収がよいのでOKなのですが，問題が一つ．クリンダマイシンは下痢を起こしやすいのです．マクロライドとその点は同様です．多くの下痢は薬の直接作用による下痢ですが，それだけでなく，*Clostridium difficile* によるトキシン病である，偽膜性大腸炎を起こすのもクリンダマイシンの大きな欠点です．

　クリンダマイシン投与中の下痢や熱では，必ず偽膜性大腸炎（Clostridium（Clostridioides）difficile infection: CDI）を疑いましょう（下痢にならず，熱だけのことも，ままあります）．この治療は，メトロニダゾールにより行われますが，何より大事なのはクリンダマイシンを止めることですね．

● クリンダマイシン使用では，偽膜性大腸炎（CDI）に要注意．

　クリンダマイシンはそのタンパク質合成の阻止能から（リボゾームはタンパク質を作るところ，でしたね），ペニシリンのような細胞壁の構築阻止能をもつ抗菌薬とは大きく区別されます．ここで，クリンダマイシンの意外な応用が可能になります．

　A群溶連菌が暴れまわり，人体の軟部組織をどんどん破壊してついには死に至らしめてしまう．ひところ，「人食いバクテリア」と呼ばれたのがA群溶連菌による壊死性筋膜炎です．A群溶連菌感染症の第一選択薬はペニシリンですから，壊死性筋膜炎にも大量のペニシリンを使うことがあります．が，大量のペニシリンを投与して細胞壁の構築を阻害すると，ペニシリンの臨床効果が逆説的に落ちてしまうことがあります．これを，イーグル効果といいました．

　イーグル効果はクリンダマイシンにはみられないため，壊死性筋膜炎にはクリンダマイシンのほうがよいのでは，という説もあります．また，壊死性筋膜炎の病原性を出しているのは，菌が作っている酵素（タンパク）ですから，その産生を阻止する意味でもクリンダマイシンのほうが有利だというのです．

　感染症の権威の中には，このクリンダマイシン単剤で壊死性筋膜炎の治療を，とおっしゃる方もおいでのようですが，ぼくにはそのようなガッツはありません．初期治療はカルバペネムとの併用（壊死性筋膜炎が腸内細菌群などの混合感染であることがあるからです，後述），A群溶連菌による単独感染だとわかれば，ペニシリンとクリンダマイシンの併用療法を用います．もちろん，壊死性筋膜炎の最大最強の治療法は，すぐに外科医を呼んで壊死組織のデブリドメンをすることです．

●A群溶連菌による壊死性筋膜炎の治療には，ペニシリン，ペニシリン・クリンダマイシン併用療法，クリンダマイシン単独療法など（これに免疫グロブリンが加わることもあり）様々だが，いちばん大事なのはデブリドメンである．

日本では「チエダラ」という治療法がありました．もっとも，最近はめっきり見なくなったな．

イミペネム（チエナム®）とクリンダマイシン（ダラシン®）を組み合わせて肺炎などを治療していますが，カルバペネムがカバーする菌は完全にクリンダマイシンのカバーするそれにかぶっているので，臨床的な意味はないと思います．あえて言うなら，混合感染による壊死性筋膜炎に対して，細菌に対してイミペネム，毒素に対してクリンダマイシン，というシチュエーションをひねり出すことは可能ですが，逆に言うと，それだけです．抗菌薬を習慣化してしまうのはあまり好ましいことではありません．

クリンダマイシンはグラム陽性菌に用いることが可能なのですが，特に近年注目されているのは**市中獲得型MRSA（CA-MRSA）に対する使用**です．MRSAには既存のβラクタム薬は（ごく一部の例外を除けば）効かないです．で，古典的なMRSAはβラクタム以外の抗菌薬もたいてい耐性でして，バンコマイシンのような限定的な薬しか使えないのが現実でした．

ところが，近年病院環境以外でもMRSAが見つかるようになりました．これを市中獲得型MRSAと呼びます．で，その臨床的な特徴はβラクタム以外の抗菌薬，ST合剤とかシプロフロキサシンとかが割と感受性を残しているのです．クリンダマイシンもその一つです．

というわけで，**CA-MRSA感染，例えば軟部組織の感染症の治療などにクリンダマイシンは活用できる貴重なオプションとなっています**．

が，ちょっと待った．話はそう簡単ではありません．

実は，CA-MRSAでもクリンダマイシン耐性であることもままあるのです（地域によって頻度には差があります）．で，難問なのはそれが感受性試験で簡単に見つからない……，ことがあるのです．

うーん，煮え切らないな，もっとはっきり言わんかい．

はいはい，あれです．**注目すべきはエリスロマイシンの感受性です**．もしエリスロマイシンにCA-MRSAが耐性の場合，そしてかつクリンダマイシン感受性の場合は要注意．じつはその場合，臨床的にクリンダマイシンはこの菌に効果を及ぼさないかもしれません．

で，こういうときはDテストというのをやります．

仕組みは簡単．平板培地の上に，エリスロマイシンのディスクとクリンダマイシンのディスクをおき，CA-MRSAを塗ります．エリスロマイシン耐性なので，このディスクの周りには大きな阻止円ができません．クリンダマイシンの周りには大きな阻止円が……あれあれ？　エリスロマイシンの側では阻止円が小さくなり，ぐにゃりとつぶれたようになっています．これがアルファベットのDに見えるから，Dテストというわけです．Dテスト陽性なら，実際にはクリンダマイシンは耐性を意味しますから，この薬は選択できません．

- **CA-MRSA感染症でクリンダマイシンを使うときは，エリスロマイシンに注目．もしエリスロマイシン耐性なら，Dテストを．**

毒素を抑える，という同じ理由から，クリンダマイシンの併用はバイオテロに使われる（かもしれない）炭疽菌感染症にも用いられることがあります．これはバートレットという感染症界の大御所のお勧めなのですが，実際どのくらい効果があるのかは，次のテロが来るまではわかりません．

「へうげもの」©山田芳裕／講談社

マクロライド，クリンダマイシンのまとめ

凡例 Symbol Legends

臨床的重要度
- A 🔥🔥🔥 …… とても高い
- B 🔥🔥 ……… まあまあ高い
- C 🔥 ………… そんなに高くない
- × …………… なくても困らない

使用頻度
- A 🔥🔥🔥 …… とてもよく使う
- B 🔥🔥 ……… まあまあ使う
- C 🔥 ………… ほとんど使わないがたまに使う
- × …………… 全く使わないし，今後もおそらく使わない

エリスロマイシン（エリスロシン®など）
- 臨床的重要度 C 🔥
- 使用頻度 C 🔥

　現在は「抗菌薬としては」ほとんど使わない（ただし，眼軟膏，点眼薬など局所製剤は今も使う）．

クラリスロマイシン（クラリス®など）
- 臨床的重要度 C 🔥
- 使用頻度 C 🔥

　日本で経口第三世代セフェム，キノロンとともにもっとも過大評価されている薬．安全性，相互作用，耐性菌など問題多し．ピロリ菌など特殊なケース以外には使わない．

ロキシスロマイシン(ルリッド®など)
臨床的重要度 C 🧪
使用頻度 ×

これといって使い道がない.

アジスロマイシン(ジスロマック®など)
臨床的重要度 A 🧪🧪🧪
使用頻度 B 🧪🧪

マクロライドの第一選択薬.使い道は多い.ただし,乱用は禁物.点滴薬もあるのが便利.ジスロマック® SR は徐放シロップ(溶かして飲む)で,性感染症 STD で便利.

ジョサマイシン(ジョサマイシン®など)
臨床的重要度 C 🧪
使用頻度 ×

これといって使い道がない.

スピラマイシン(アセチルスピラマイシン)
臨床的重要度 C 🧪
使用頻度 C 🧪

妊婦のトキソプラズマ初感染に.妊娠 16〜18 週で用いる.胎児感染がある,18 週以降であれば pyrimethamine, sulfadiazine などで治療.Pyrimethamine には催奇形性があるため.スピラマイシンは胎盤移行性が乏しく,胎児感染があるときは使ってはいけない.

要するに,ヤヤコシイので妊婦のトキソは常に専門家にコンサルトしたほうがよい.

とにかく,スピラマイシンの使い道は,これだけ.

クリンダマイシン（ダラシン®など）

- 臨床的重要度 B 💉💉
- 使用頻度 B 💉💉

本文参照のこと．

リンコマイシン（リンコシン®など）

- 臨床的重要度 ×
- 使用頻度 ×

クリンダマイシンのプロトタイプだが，使い道がない．

24 マクロライド系抗菌薬

25 グリコペプチドとリポペプチド，その他の抗 MRSA 薬

A バンコマイシン
抗 MRSA 薬の代表格．ところが，最近ではあれこれ問題が

　バンコマイシンが発見されたのは 1956 年のことで，*Amycolatopsis orientalis* から取り出されました．

　アミコラトプシス？？？　なんじゃそれ？？　実はこれ，以前は *Streptomyces orientalis* と呼ばれていた菌でして，その前は *Nocardia orientalis*，ノカルジアに分類されていたのですね．ボルネオの土から見つかったのだそうです．土の中にはいろいろな薬の源泉が入っていますね．そういや，免疫抑制薬のタクロリムスはつくば市の土から見つけられたんだっけ．

　それからわずか 2 年後の 1958 年にはバンコマイシンは臨床現場で使われるようになりました．まだ黄色ブドウ球菌用のペニシリン第 1 号である methicillin（もう現在では使っていません）が開発されていなかった時のことです．バンコマイシンの歴史は黄色ブドウ球菌用ペニシリンよりも古いのですね．その後継者たる nafcillin や oxacillin といった黄色ブドウ球菌によく効くペニシリンができたために，バンコマイシンの人気は落ちていきました．そうこうしているうちに後継者たるセファロスポリンが登場しました．かつての人気者（だったかどうかは知りませんが）のバンコマイシンは新しく登場した若いアイドル達に人気を奪われてしまったのです．何だって人気

25 グリコペプチドとリポペプチド、その他の抗MRSA薬

というものは続かないもので，いつか没落期が参ります．さらに悪いことに，当時のバンコマイシンは精製上の問題があり，現在のものよりもずっと副作用が強かったのです．色も泥水のように茶色く濁っており，「ミシシッピの泥」などと悪口を言われていました．これでは人気が出るわけがありません．

ところがどっこい，ベテランを甘くみると痛い目にあいます．1回人気が落ちても，実力さえあればカムバックでき，人気を取り戻すことは可能なのです．あきらめたら，そこで試合終了だぞ，俺．

若手たるペニシリンやセファロスポリンたちはその人気のゆえにどんどん過剰に使われました．テレビに出すぎるアイドルやお笑いタレントが程なく飽きられていくように，使われすぎたこれらの抗菌薬にはだんだん耐性ができてきました．そして遂に，コアグラーゼ陰性ブドウ球菌にはほとんどのβラクタム剤が効かなくなり，黄色ブドウ球菌の中にはすべてのβラクタム剤に効果がない，しかし歴史的に「methicillin耐性」と名づけられた化け物が登場してしまったのです．そう，MRSAです．

バンコマイシンは，MRSA の特効薬としてカムバックしました． ベテラン，侮り難し．
　それから，バンコマイシンの需要は衰えるどころか増す一方です．MRSA はどんどん増え続け，バンコマイシンはどんどん処方されています．最近では市中獲得型 MRSA（CA-MRSA）なんて厄介なものまで出てきました．バンコマイシン第二勃興期はまさにピークを迎えんとしています．現在では不純物もほとんど入っておらず，副作用も激減です．

　が，しかし．

　驕れる者は久しからず……バンコマイシンの栄華もいつまでも続くわけではありません．バンコマイシンにも耐性菌が出現し，MRSA に効く後継者たる抗菌薬も次々開発されています．さて，バンコマイシンの運命と地位やいかに．と，この話は後述．
　さて，**バンコマイシンは殺菌性の抗菌薬です．**βラクタム同様，細菌の細胞壁構築を阻害します．細胞壁構築の阻害は，ペニシリンなどのβラクタムよりもすこーし早い段階で起こります．したがって，βラクタムとバンコマイシンが互いを阻害しあう，「アンタゴニズム」は起きないと考えられています．多剤耐性の増えた病院内感染症では，しばしば

　　メロペン®＋バンコ（とミカファンギン）

みたいな処方が出ますが，（その臨床的妥当性はともかく）薬理学的には間違ってない，ということになります．

　バンコマイシンが殺菌効果を発揮するのは主にグラム陽性菌です．特に黄色ブドウ球菌，そして皮膚ブドウ球菌に代表されるコアグラーゼ陰性菌と呼ばれるものにはバンコマイシンが効果があります．
　また，コリネバクテリアの一種，JK と呼ばれるグラム陽性菌（*Corynebacterium jeikeium*）や，嫌気性菌のクロストリジウムにも効果があります．JK の第一選択薬はバンコマイシンですし，例えば，偽膜性大腸炎（*Clostridium*

(*Clostridioides*) *difficile* が原因でした）にはバンコマイシンを使うことは可能です．

バンコマイシンはほとんどのグラム陰性菌には効果がありません．確かにナイセリアなど例外的な存在にはバンコマイシンは活性がありますが．

ちなみに，グラム陰性菌でもバンコマイシンが選択肢になる菌があります．それは，

Elizabethkingia meningoseptica（以前は *Chryseobacterium meningosepticum* と呼ばれていました）

知っておけば宴会のときのネタになるかもしれません．ドン引きされるかもしれませんが．感染症屋なら，ときどき見る菌ではあります．

逆に，バンコマイシンがもともと耐性のグラム陽性菌もいます．例えば，*Leuconostoc* spp，*Pediococcus* spp，あと *Lactobacillus* の一部などです．あと，*Erysipelothrix rhusopathiae* もそうです．これは豚丹毒（とんたんどく）の原因菌で，ペニシリンで治療できるのでした．

バンコマイシンは腸球菌には効果がありますが，これはβラクタム剤同様，静菌的に働きます．すでに何度も述べているように，静菌的か殺菌的かの区別は通常の感染症では問題にはなりませんのでいいのですが，時にこれが問題になることがあります．例えば腸球菌による心内膜炎などがそうです．この場合は，治療が困難です．

また，バンコマイシンはβラクタム同様，アミノグリコシド（それにリファンピシン）とかませることによりシナジーを得ることができます．シナジー，もう説明を要しませんね？

例えば，人工弁のブドウ球菌による心内膜炎の場合，バンコマイシンだけでの治癒は十分でないため，バンコマイシン，アミノグリコシド，そしてリファンピシンをかませる3剤併用療法が推奨されています（AHA, ESC ともに）．

Baddour LM, Wilson WR, Bayer AS, et al. Infective endocarditis in adults: Diagnosis,

antimicrobial therapy, and management of complications: A scientific statement for healthcare professionals from the American Heart Association. Circulation. 2015; 132: 1435.
Habib G, Lancellotti P, Antunes MJ, et al. 2015 ESC Guidelines for the management of infective endocarditis: The Task Force for the Management of Infective Endocarditis of the European Society of Cardiology (ESC) Endorsed by: European Association for Cardio-Thoracic Surgery (EACTS), the European Association of Nuclear Medicine (EANM). Eur Heart J. 2015; 36:3075.

　腸球菌による心内膜炎もバンコマイシンとアミノグリコシドなどをかませ，シナジーを得ることは可能です．ただ，後述するように腎毒性は増しますから，患者さんにとってよい治療になるかどうかは，患者さんの特性なども考えながら行わなくてはなりません．とはいえ，自然弁，および人工弁のIEについて，AHA，ESC，BSAC いずれもバンコマイシンにゲンタマイシンをかまして，バンコは6週間，ゲンタマイシンは4～6週間（AHAは6週間）治療することを推奨しています．

Gould FK, Denning DW, Elliott TS, et al. Guidelines for the diagnosis and antibiotic treatment of endocarditis in adults: a report of the Working Party of the British Society for Antimicrobial Chemotherapy. J Antimicrob Chemother. 2012; 67: 269.

　腸球菌については，ゲンタマイシンの代わりにセフトリアキソンを併用する，というやり方も流行ってきており，これは副作用の軽減という観点からは興味深いのですが，この併用が可能なのはアンピシリン感受性のある *E. faecalis* のみ．基本的にバンコマイシンを用いるのは *E. faecium* でして，こちらはセフトリアキソンの併用効果はないと考えられています．ヤヤコシイですね．めんどくさいですね．

Pericas JM, Cervera C, del Rio A, et al. Changes in the treatment of Enterococcus faecalis infective endocarditis in Spain in the last 15 years: from ampicillin plus gentamicin to ampicillin plus ceftriaxone. Clin Microbiol Infect. 2014; 20: O1075-83.

　バンコマイシンは通常腎臓から排泄され，腎機能に応じた投与量の調節が必要です．バンコマイシンは1日2回，時に3回の投与間隔が普通ですが，

腎機能が悪くなると，時には数日に1回，という投与法になることすらあります．クレアチニンクリアランスを測っても，バンコマイシンの排泄には個人差があり，血中濃度をしっかり測ることが大事です（Therapeutic drug monitoring: TDM）．

血液透析の患者さんの場合，フィルターのタイプや患者さんの特性によってバンコマイシンの除去される量は異なるようですから，これもきちんとレベルを測るのがよいでしょう．実際的なのは，透析後にそのままバンコマイシンを投与し，レベルを測って適切な投与量を見極めるのがよいでしょう．こうすれば週3回の投与で済みます．

バンコマイシンは時間依存性の抗菌薬で濃度非依存性とされています．したがって，血中濃度をがんがん上げても治療効果は上がらないのです．しかし，後述するようにAUC/MICがあまりに低い（400以下）と臨床効果が十分でないという記載もあります．

バンコマイシン血中濃度の測定についてはガイドラインがあります．ここでは，いくつかの推奨がなされていますが，臨床的に特に重要と思われる点をここに列記しておきますね．

> Rybak M, Lomaestro B, Rotschafer JC, et al. Therapeutic monitoring of vancomycin in adult patients: A consensus review of the American Society of Health-System Pharmacists, the Infectious Diseases Society of America, and the Society of Infectious Diseases Pharmacists. Am J Health-System Pharmacy. 2009; 66: 82-98.

① バンコマイシンの血中濃度はトラフを（最低濃度を）測定するのが大事．ピーク（最高濃度）測定の臨床的な価値は相対的には小さい．
② トラフとは，バンコマイシンを投与する「直前」に採血して測定する．
③ バンコマイシンのトラフ濃度は耐性化を防ぐため $10\,\mu g/mL$ 以上，治療効果を得るためにはAUC/MICが400を超えるのが望ましく，そのためにはトラフは $15\,\mu g/mL$ はあったほうがよい．推奨トラフ濃度は $15\text{-}20\,\mu g/mL$．
④ MRSAのバンコマイシンMICが $1.5\,\mu g/mL$ かそれ以上のときは，通

常の投与量では治療域 AUC/MIC ＞ 400 を獲得するのは困難（なので，別の治療薬を用いるのが望ましい）．
⑤ バンコマイシンの持続点滴投与は間欠投与よりも効果的ではなさそう．

さて，MRSA の中で，バンコマイシン耐性 MRSA（VRSA）がアメリカで発見され，中等度耐性 MRSA（VISA）が日本で発見され，耐性菌の増加が懸念されています．ただ，これらは比較的まれな事象で，臨床現場でちょくちょくお目にかかるようなものではありません（あったら困るし）．

それとは別に，近年バンコマイシンに対する MIC がちょい上がりしている MRSA が議論されています．日本での報告では MRSA 菌血症のうち 3 割程度が MIC が $2\mu g/mL$ でした．

> Takesue Y, Nakajima K, Takahashi Y, et al. Clinical characteristics of vancomycin minimum inhibitory concentration of 2μg/ml methicillin-resistant *Staphylococcus aureus* strains isolated from patients with bacteremia. J. Infect Chemother. 2011; 17: 52-7.

この MRSA の MIC 上昇を MIC creep といいまして，世界的に懸念されてきました．もっとも，最近メタ分析が行われて「MIC creep」なんてない，という見解もでており，この問題はさらにややこしくなっています．いずれにしても，ぼくはコーヒーはブラックでクリープは入れません．

> Diaz R, Afreixo V, Ramalheira E, et al. Evaluation of vancomycin MIC creep in methicillin-resistant *Staphylococcus aureus* infections-a systematic review and metaanalysis. Clin Microbiol Infect. 2018; 24: 97-104.

で，この議論は二転三転しましたが，現段階では MRSA の MIC が 1 でも 2 でも特に治療失敗が増えるという確定的なエビデンスは乏しいようです．最新の CLSI でも *S. aureus* に対するバンコマイシンのブレイクポイントは，$\leq 2\mu g/mL$ を感受性（S），4〜8 を Intermediate（I），≥ 16 を耐性（R）としています．この議論を受けてダプトマイシンの使用量がぐっと増えた印象がありますが，近年では国内でもダプトマイシン耐性菌も見つかってお

り（繰り返しますが，バンコマイシン耐性ブドウ球菌はまれなままです），ダプトマイシンはもっと大事に使うべきだとぼくはこのごろ特に強く思うようになりました．

最近ときに聞く「MIC 高めだから，別の新薬」

という風潮にはちょっと注意が必要だと思います．空気でものが決まりやすいので，ニッポン．

> Hagiya H, Haruki Y, Uchida T, et al. Emergence of daptomycin-resistant *Staphylococcus aureus* during treatment. Intern Med. 2016; 55: 73-8.

バンコマイシンの臨床的な利用方法ですが，まず何といっても**耐性グラム陽性菌の治療**があげられます．その典型例が，MRSA 感染症なのはすでに申したとおり．

あと，腹膜透析をしている患者の腹膜炎で，透析液の中に投与したり，髄膜炎の時に髄注するやり方もあります．具体的な投与方法はサンフォード・ガイドなどを参照してください．

MSSA にはバンコマイシンを使う必要はないため，重度のセファゾリンアレルギーがない限り，セファゾリンを使うべきです．

- MSSA にバンコマイシンを使う必要はない．いや，できれば使うべきではない．

一般的に β ラクタム剤のほうがバンコマイシンよりも抗菌効果が高いと考えられています．よって，グラム陽性菌が検出されたときに，重症患者ではあえてバンコマイシン＋セファゾリンという併用療法を行って MSSA をより強くカバーしに行ったりすることがあります．

もっとも，このプラクティスがアウトカムに寄与する，というエビデンス

は乏しく，あまり意味は無いのかもしれませんが．ランダム化試験で確認したい領域ではあります．

ま，将来質量分析や遺伝子検査の進歩で MSSA か MRSA かの区別は瞬時につくのがルーチン化されるかもしれませんから，意味のない臨床クエスチョンになってしまう可能性もありますが．

> McConeghy KW, Bleasdale SC, Rodvold KA. The empirical combination of vancomycin and a β-lactam for Staphylococcal bacteremia. Clin Infect Dis. 2013; 57: 1760-5.
> Wong D, Wong T, Romney M, et al. Comparison of outcomes in patients with methicillin-susceptible Staphylococcus aureus（MSSA）bacteremia who are treated with β-lactam vs vancomycin empiric therapy: a retrospective cohort study. BMC Infect Dis. 2016; 16: 224.

基本的に**バンコマイシンはほとんどのグラム陽性菌に効きます（例外はすでに述べました）**．日本は湿度が高いせいか，あるいは清拭がディスポでないせいか，海外ではまれな Bacillus 菌血症が多いですが，エンピリカルにはバンコマイシンを用います．

バンコマイシンは偽膜性腸炎（CDI）にも使うことができます．この場合のバンコマイシンは経口で治療です．バンコマイシンはポリペプチドで分子量がとても大きい．だから経口投与しても腸管から吸収しにくいのです．したがって，経口のバンコマイシンというのは通常ないのです（普通，点滴投与となります）．が，偽膜性大腸炎は腸管の中にいる Clostridium（Clostridioides）difficile がターゲットですから，腸管から吸収されない特徴はむしろ利点になります．腸管内のバンコマイシンの濃度はどこにも逃げずに高まりますから．そこで，偽膜性腸炎の治療には経口のバンコが使えるのです．逆にいうと，点滴で投与しても腸管には行き渡らないため，点滴のバンコマイシンを偽膜性腸炎に使うのは，ペケです．

- 偽膜性大腸炎には経口のバンコマイシンを使用できる．
- 点滴のバンコマイシンは偽膜性大腸炎にはよい選択ではない．

　偽膜性腸炎は抗菌薬投与後に起きる腸炎で，*Clostridium*（*Clostridioides*）*difficile* という嫌気性菌が原因になります．CDAD（*Clostridium*（*Clostridioides*）*difficile* associated diarrhea）とか CDI（*C. difficile* infection）とかいろいろな呼称で呼ばれますが，最近は CDI が多いかな．菌名や病名をコロコロ代えて現場を困惑させるのは感染症屋の悪癖です．

　CDI マネジメントで最も大事なのは，原因となる抗菌薬をできる限りストップさせることです．これは言うは易く行うは何とやら，

　そして，CDI 治療ですが，典型的には，メトロニダゾールの経口か，バンコマイシンの経口投与です．北米ではメトロニダゾールの治療効果が乏しいことと，重症 CDI が多く見られることからバンコマイシンをファーストラインにしているようです．日本では確たるエビデンスはありませんが，原則メトロニダゾールをファーストラインにして良いと思います．

メトロニダゾール 250mg　　1日4回を10日間

あるいは

バンコマイシン 125mg　　1日4回を10日間

　重症例ではバンコマイシンを 500mg 1日4回，これにメトロニダゾール 500mg 点滴で 8 時間おきを併用することも検討します．
　経口摂取ができない患者であれば，点滴メトロニダゾールを使います．日本では長らくこのメトロニダゾール注射薬がなくて難渋していたのですが，だいぶ楽になりました．米国では後述するフィダキソマイシンもファースト

ラインの治療に入っています．日本でもフィダキソマイシン（ダフクリア®）．やトキシン B に対するモノクローナル抗体（ベズロトクスマブ，ジーンプラバ®）も発売されている．両者は難治性再発性の CDI に用いられます．便移植まで考える患者には試用（使用というより）してみる価値はあるでしょう．

> **コラム** 日本と米国（北米）の CDI は違うのか？
> それでもメトロニダゾールが
> ファーストラインな理由
>
> 米国の CDI ガイドラインがどんどんアグレッシブになり，フィダキソマイシンが入ったり，バンコマイシンがファーストラインになったりと，大きな変化が起きている．
> では，日本でも米国と同じようにやるべきか？
> 「日本と米国一緒にすんな！」「いや，グローバル・スタンダードじゃ．どちらも一緒や」という議論はよく起きるのだが，大事なのは「どこが，どのくらい違うのか？」である．イデオロギーとして「日本独自」や「米国流」を希求すると失敗する．
>
> まず，微生物学的に，北米の *C. difficile* と日本のそれは違っていそうである．例えば，再発率が違う．米国や欧州の CDI 再発率が概ね 15% 以上なのに対して，日本のそれは 10% 未満だ．
>
> pharmaceutical-technology. Japan leads in preventing CDI recurrences.
>
> また，日本の CD は重症化に関係するバイナリー・トキシンが少ないこともシステマティック・レビューでわかっている．また，このレビューでは，日本の CD においてはメトロニダゾール，バンコマイシンともに耐性が非常に少ないことも指摘している．
>   Riley TV, Kimura T. The Epidemiology of Clostridium difficile Infection in Japan: A Systematic Review. Infect Dis Ther. 2018; 7: 39-70.
>
> ただし，保留事項としては，この論文はアステラス製薬がスポンサーになって書かれたものである．よって，フィダキソマイシン販促が目的なのは明らかで，そのへんのバイアスは考えなければならない．もっとも，内容は思いの外？ 堅牢で，それほど販促目的な感じもしないけど．もっと

もっとひどい文章は日本語パンフレットやランチョンセミナーでよく見かけ，いや，やめろ何をす 33qwedrftyuio[p[[[.

　なお，世界的にも CD におけるメトロニダゾール耐性菌はまだ少ない．ただし，CLSI と EUCAST では基準が違うこと．両者は血中濃度を基準にブレイクポイントを決めているが，本来は腸内濃度でなければいけないのでそこは難しいこと，などが最近のレビューにまとめられている．

Banawas SS. Clostridium difficile Infections: A global overview of drug sensitivity and resistance mechanisms [Internet]. BioMed Research International. 2018 [cited 2022 Feb 10].

　ところで，米国でも IDSA/SHEA ガイドラインに異を唱える向きもある．リスクが低い患者であれば，メトロニダゾールが第一選択薬のままでいいじゃないか，というのだ．

Should metronidazole be recommended for mild clostridium difficile Infections? [Internet]. Infectious Disease Advisor. 2018 [cited 2022 Feb 9].

　最新の北米のデータでも，軽症の CDI に関しては治癒率，再発率，死亡率においてメトロニダゾールとバンコマイシンは差がなく，コストは前者のほうが安く，また薬剤耐性も出にくい．北米では腸内の VRE が深刻な問題であり，日本でも同様のことが起きないか心配されている．

　ちなみに，よく，点滴バンコマイシンの使用を抑制してダプトマイシンを使おう，耐性菌を減らそう！　という意見を耳にするが，分子量の大きなバンコマイシンは点滴薬では腸には行かない（だから，経口でしか CDI は治療できない）．よって，VRE 増加の原因にはなりえない．だから，管理すべきは経口薬の方なのだ．

　メトロニダゾール脳症が心配だ，という意見もある．たしかに，心配ではあるが，本症は基本的に可逆性で，早く気づいて薬を止めれば患者は回復する．気づくことが大事なのであり，発症そのものを怖がって使わない根拠としては，弱い．

　最近の高血圧のガイドラインや，前立腺癌，乳癌スクリーニングの推奨でもそうだが，米国ではガイドラインが出てもすぐにみんなが盲信することはない．ガイドラインは評価の対象なのであり，信じるマントラではないのだ．日本では厚生労働省の通知やガイドラインを神のお告げのように「信じる」「信じない」で扱う悪いクセが散見される．逆に，「外国のガイドラインだからダメだ」とろくに評価もしないで全否定するのも，ガイドラ

インを信心の対象としているからだ．やはりクリティークにおいては米国に一日の長がある．いや，相当先を走られている．
　ちゃんとデータをクリティークするのは，科学の基本中の基本である．
　忖度や空気や教授のでかい声でものを決める悪習は病院から駆逐すべきである．

　というわけで，神戸大学病院では基本的に CDI はメトロニダゾールが第一選択薬のままである．重症例ではその限りではないが，幸い北米と異なり重症例は比較的少ない．早期発見，早期診断していればなおのことだ．やはり，大事なのは迅速かつ正確な診断なのである．

　CDI は再発しやすく，また難治例も少なくありません．最初の再発時は最初の治療を繰り返せばたいてい治ります．何度も再発を繰り返す場合は，

バンコマイシンのパルス療法（間欠的に投与してだんだん減らしていく）
フィダキソマイシン
それでもだめな場合は，
便移植（fecal transplantation）を考慮

です．フィダキソマイシンは一回だけ使ったことがありますね．
　あと，トキシン B に対するモノクローナル抗体，ベズロトクスマブ（ジーンプラバ®）も再発予防に効果がありますが，どの患者にどのように使うかについては現段階では定見がないと思います．

> Deeks ED. Bezlotoxumab: A Review in Preventing Clostridium difficile Infection Recurrence. Drugs. 2017; 77: 1657-63.

　便移植はドナーの便の感染除外など手続がかなりやっかいで，ハードルが高いです．一度試してみたいとは思っているのですが……．
　なんか，パルスというと「ステロイド・パルス」のイメージがあって，感染症屋的にはイメージ悪いですね．感染症の患者に「訳がわからない熱」ということで「とりあえず」ステロイドパルス……患者増悪……という悪夢をいくどか経験しているからです（ぐすん）．

ここでのパルスは，その「ぐすん」なステロイドパルスのことではなく，バンコマイシンを間欠的に用いる方法を指します．

普通，抗菌薬は間欠的に用いたりはしないのが原則ですが，ここではちょっと特殊な方法をとります．どうしてかというと，CDIの原因である *Clostridium*（*Clostridioides*）*difficile* は芽胞を作るのが特徴でして，抗菌薬では殺せないのですね．どうも，偽膜性腸炎に再発が多い原因の一つにこの芽胞の取りこぼし（そして「発芽」して再発）があるようなのです．

ですから，いったん抗菌薬をやめて，芽胞から「発芽」したディフィシル菌にあらためてバンコマイシンを投与する……という間欠的療法，いわゆるパルスが理論的に成り立つのです．そのときにバンコマイシンの投与量を漸減していきます．

・IDSA/SHEA ガイドラインのレジメン

パルス / テイパー

バンコマイシン 125mg 1日4回を 10-14 日間
次いで 125mg 1日2回を1週間
次いで 125mg 1日1回を1週間
次いで 125mg を 1-2 日おきを 2-8 週間

McDonald LC, Gerding DN, Johnson S, et al. Clinical Practice Guidelines for Clostridium difficile Infection in Adults and Children: 2017 Update by the Infectious Diseases Society of America（IDSA）and Society for Healthcare Epidemiology of America（SHEA）. Clin Infect Dis. 2018; 66: e1-48.

バンコマイシンは高度耐性の肺炎球菌にも使うことができます．具体的にはセフトリアキソン耐性の髄膜炎で威力を発揮するため，エンピリカルにバンコマイシンを初期治療でかまします．

バンコマイシン 1g 12 時間おき
セフトリアキソン 2g 12 時間おき
アンピシリン 2g 4 時間おき（リステリアカバーのため）

が，典型的な細菌性髄膜炎のエンピリックな治療です（原因不明なときには，これにヘルペス脳炎用のアシクロビルや，クリプトコッカス髄膜炎，結核性髄膜炎のカバーなどを足します）．

近年，バンコマイシンの精製技術が進歩したおかげで，バンコマイシンの副作用は格段に減少しつつあります．が，もちろん副作用はゼロではありません．

いちばん有名なバンコマイシンの副作用は「**レッドマン症候群**」です．インパクトあって，覚えやすい名前の副作用ですね．

通常，バンコマイシン投与時に起きる上半身の蕁麻疹様の発疹，痒み，時に熱などが症状になります．これは，急いでバンコマイシンを投与した時に生じるヒスタミンの放出が原因といわれています．IgE，肥満細胞を介したアレルギー反応とは別物ですが，ヒスタミンを出すという点は同じでして，アレルギーとの区別は困難です．

治療は，バンコマイシンを中止することではなく，ゆっくり点滴してやることでOKです．アレルギーではないのですから．抗ヒスタミン剤などを使用してもいいでしょう．しかし，ゆっくり投与してもやはり皮疹がでることもあり，こういうときは断念して別の薬に替えざるをえません．ジェネリックのメーカーによって皮疹の出やすさに違いが出る……なんて噂を聞くことがありますが，事実か，都市伝説か，まだはっきりしません（だれか調べてチョ）．同じ噂は，アンピシリン・スルバクタムでも聞いたことあるなあ．最近は，なんとかマンという呼び方はジェンダーなんとか的に良くないから，名前を変えようという動きもあるようです．そこ，ポイントじゃないでしょ，とぼくは思ってます．ねー，アンパンマン．

バンコマイシンはアミノグリコシド同様，腎毒性，耳毒性をもっています．これらはものすごい高濃度のバンコマイシンを投与された時にみられるもので，通常投与量のバンコマイシンの場合はまれなことです．バンコマイシンはアミノグリコシドに比べれば腎毒性・耳毒性のリスクはずっと小さいといってよいでしょう．特に耳毒性はきわめてまれで，アミノグリコシドを併用

しているときなど特殊な状況でなければルーチンの聴力検査は不要とされています．

　好中球減少はまれなバンコマイシンによる副作用です．可逆性ですし，とてもまれですが，万が一好中球減少を患者さんにみたら，まずバンコマイシンをはじめとする薬の副作用を考えましょう．

　あと，バンコマイシンはMRSAキャリアやβラクタム重度アレルギーのある患者での術前抗菌薬としても用います．セファゾリンと異なり，血中濃度が最大化するのに時間がかかるため，執刀2時間前くらいに投与します（セファゾリンは執刀直前に入れます）．

B テイコプラニン
アメリカにないのが悲劇の原因？　意外に薬理学的には悪くないけど……

　バンコマイシン同様，グリコペプチドであり，やはりMRSAに使うことのできる抗菌薬です．

テイコプラニン

R^1，R^2には様々な側鎖が付く

　構造はバンコマイシンに似ており，Actinoplanes teichomyceticus から得られました．だから teichoplanin というのです．

　テイコプラニンはアメリカで用いられることはなく，日本やヨーロッパで

用いられています．そのスペクトラムはほとんどバンコマイシンと同じ．したがって，バンコマイシン耐性菌には自動的にテイコプラニン耐性菌となり，使用はできなくなります．ただし，バンコマイシン耐性腸球菌（VRE）のうち，vanBやvanCを介する耐性菌ではテイコプラニンは通常感受性を残しています．

　テイコプラニンは最初にローディングを行って血中濃度を高めます．6mg/kgを12時間おきに3回投与し，その後1日1回用います．化膿性関節炎や心内膜炎のときは12/mg/kgと倍量になります．テイコプラニンは半減期が90〜157時間とべらぼうに長いため，大量のローディングを行うことで至適濃度に早めに達することができるよう工夫します．バンコマイシン同様，血中濃度を測りながらTDMを行いますが，トラフは>20μg/mLを目指します．日本だと血中濃度測定は外注になることが多く，そこはネックになるかもしれません．

　副作用では，バンコマイシン同様「レッドマン症候群」が起きる可能性があります．ただ，起きないと主張する専門家もいるようです．あと，バンコマイシンアレルギーの方もテイコプラニンで大丈夫だったという報告もあります．腎障害もバンコマイシンに比べると少ないようです．
　具体的にはMRSAやCNS感染で，バンコマイシンがうまくいかないとき，使いにくいときのセカンドチョイスとして使っています．

C ダプトマイシン
新薬の常．使用頻度が増えて，問題点も見えてきた

　2011年から日本でも使われるようになった比較的新しい抗菌薬，ダプトマイシン．MRSAにおいてバンコマイシンのMICが徐々上がりしている，腎機能が悪い患者ではバンコは使いにくい，ガイドラインで強く推奨しているなどの理由で医療機関によってはかなり使われているようです．

が，新薬の常でして使っているうちにいろいろな問題点が明らかになってくるのです．新薬は「どうしてもこれでないとだめなとき」というモナドロジー的条件を満たさない限り（186 ページ），安易に使ってはいけません．

クラスとしては，サイクリック・リポペプチドという種類に属する抗菌薬です．構造式を見ると，確かにぐるっと輪を描いています．ワッカのところは水溶性，シッポのところは脂溶性で，13 個のアミノ酸がついています．分子量は 1620.67 といいますから，大きいですね．ダプトマイシンは濃度依存性の抗菌薬で殺菌性です．分子量が大きくて点滴のみの使用となります．

ダプトマイシンは *Streptomyces roseosporus* から取り出された抗菌薬で，すでに 1980 年代に開発されていたのですが，そのときは心内膜炎の治療効果がいまいちだったこともあり，あえなくポシャってしまいました．ところが，耐性グラム陽性菌感染症が病院内でどんどん増えていったこともあり，ダプトマイシンは 1997 年に奇跡のカムバックを果たしたのでした．この点，バンコマイシンの歴史とちょっと似ていますね．

ダプトマイシンの作用機序はユニークです．カルシウム依存性で，カルシウムのあるところで効果を発揮します．細菌の細胞膜に結合し，ダプトマイシンは Ca^{2+} イオンの結合により，構造が変化します．その後細菌の細胞膜に穴が開き，カリウムが細胞質から飛び出していって細菌の死に至るといいます．殺菌性の抗菌薬です．

ダプトマイシンは1日1回投与でよいのも特徴です．点滴で **4mg/kg 1日1回点滴**です．**重症例では6mg/kg** に増やします．黄色ブドウ球菌の心内膜炎では＞8mg/kg，腸球菌によるIEだと10〜12mg/kgに増やすとABXガイドにはあります．

　どうも，米国では「ダプトはがんがん増やすのがよい」のがトレンドみたいです．特にバンコマイシン耐性菌（VRE）などでは高用量が必要とされます．

　MRSAでも，バンコマイシンのMICが上がるとダプトマイシンのMICも上がる傾向にあり，やはり高用量が必要になるようです．VISAは細胞壁の肥厚によってバンコマイシンが効きにくくなったブドウ球菌ですが，その肥厚のためにダプトマイシンも効きにくくなっているのだそうです．

　前述のように（24-A, 361ページ）ダプトマイシン耐性菌はすでに日本でも報告されていますが（報告されていないものも一部の医療機関ではポツポツ見つかっているとも聞きますが），ダプトマイシン耐性のメカニズムは複数あり，まだはっきりわかっていないものもあるそうです．

　ダプトマイシンは腎排泄性なので，腎機能の低下に応じて量の調節が必要になります．

　ダプトマイシンは副作用が比較的少ないのも特徴です．時に，CPK上昇を伴うミオパチーが起きることがあります．CK上昇そのものは，わりとコモンかな．あとは末梢神経障害，肝障害などが見られることがあります．稀ではありますが，好酸球性肺炎が見られることもあり，これも注意が必要です．

　ダプトマイシンはブドウ球菌などによる皮膚軟部組織感染症（SSTI）に好んで用いられます）．

　心内膜炎などの難治性感染症にも用います．高用量（6mg/kg/日）で用いた場合，ダプトマイシンは黄色ブドウ球菌菌血症や心内膜炎で，既存の治療と遜色ない（non-inferiority）であることが示されました．もっとも，現在ではもっと高用量で心内膜炎を治療するのが米国のトレンドなのはすでに述べたとおり．

　　　Fowler VG Jr, Boucher HW, Corey GR, et al. Daptomycin versus standard therapy for bacteremia and endocarditis caused by *Staphylococcus aureus*. N Engl J Med. 2006;

355: 653-65.
Durante-Mangoni E, Andini R, Parrella A, et al. Safety of treatment with high-dose daptomycin in 102 patients with infective endocarditis. Int J Antimicrob Agents. 2016; 48: 61-8.

ダプトマイシンは呼吸器感染症にはよい選択肢ではありません．肺におけるサーファクタントで不活化されるためといわれています．このことは覚えておきましょう．あと，中枢神経への移行性も低いのが特徴です．これも大事．中枢神経の感染では上述の高容量を使用したほうがよいかも，というデータもあります．

Riser MS, Bland CM, Rudisill CN, et al. Cerebrospinal fluid penetration of high-dose daptomycin in suspected Staphylococcus aureus meningitis. Ann Pharmacother. 2010; 44: 1832-5.

- ダプトマイシンは MRSA や VRE にも効果がある，新しい抗菌薬．
- 1 日 1 回使用可能で，副作用は比較的少ない．

呼吸器感染症には用いることは不可．確かに，腎機能が安定しない MRSA や *E. faecium* 菌血症や心内膜炎ではダプトマイシンは使いやすいです．ただ，MRSA のバンコマイシン MIC creep が当初懸念したほど臨床的な意義が大きくないらしいとわかった現在，あまり慌ててダプトマイシンに走ってダプト耐性菌を増やすのも戦略的とはいえません．

だから，バンコマイシンの副作用のために使えないケースに限定してダプトを使うべきで，MIC を見てウニャウニャ，というマニアックな議論を弄ぶのは止めておいたほうが良いと思います．

難治性の血流感染（特にソースコントロールがうまくいかない場合）に，Ceftaroline と併用するというマニアックな治療法も存在します．これは前述のシナジー効果を狙ったものですね．

Johnson TM, Molina KC, Miller MA, et al. Combination ceftaroline and daptomycin salvage therapy for complicated methicillin-resistant Staphylococcus aureus bacteraemia compared with standard of care. Int J Antimicrob Agents. 2021; 57: 106310.

D リネゾリド
使いやすい？　使いにくい？　血球減少に要注意

　リネゾリドは，オキサゾリジノン系抗菌薬です．リボゾームに結合し，タンパク質合成の阻害作用でもって抗菌効果を発揮します．

　リネゾリドは，MRSA や腸球菌といった耐性グラム陽性菌に効果があり，VRE にも効果があります．また，PK 的に有利で，腸管からの吸収がよく，経口でも使えます．経口薬も注射薬も，600mg 1 日 2 回が基本です．また，腎機能が低下しても投与量を変えなくてもよいです．

　ただ，非常に高額なため，外来でホイホイ使って良い薬ではありません．2022 年 2 月の段階で，ザイボックス®錠が 8998.2 円．これを 1 日 2 回使います．ジェネリックだと，1 錠 5296.3 円．少しずつ薬価は下がってますが，まだまだお高い薬です．

　MRSA 肺炎にはリネゾリドのほうがバンコマイシンよりよいのでは？という臨床試験もありましたが，研究デザインや再現性の問題，真のアウトカム（死亡率）に差がなかったこともあり，必ずしもリネゾリド使うべし，というデータでもありませんでした．また，その後のメタ分析でも両者に差は見られませんでした．

Wunderink RG, Niederman MS, Kollef MH, et al. Linezolid in methicillin-resistant *Staphylococcus aureus* nosocomial pneumonia: a randomized, controlled study.

Clin Infect Dis. 2012; 54: 621-9.
Kalil AC, Klompas M, Haynatzki G, et al. Treatment of hospital-acquired pneumonia with linezolid or vancomycin: a systematic review and meta-analysis. BMJ Open. 2013; 3: e003912.

　ぼくは MRSA 肺炎のファーストラインは現在でもバンコマイシンにしており，リネゾリドは 2 番手です．ダプトマイシンは使えないのでしたね．
　その他の MRSA 軟部組織感染症，菌血症など，リネゾリドの使用範囲は広いです．ただ，ダプトマイシンが出てきたために，**MRSA 治療薬としては 3 番手くらいでしょうか．**

バンコマイシンが使えない
という前提で，

肺炎
や
経口薬で退院させたい

みたいなときにリネゾリドを選択します．
　リネゾリドの副作用としては，末梢ニューロパチーや骨髄抑制作用が有名です．視神経炎の報告もあります．特に血小板の減少が多く，だいたい，2 週間以上連続して使用していると出現することが多いです．

　また，**セロトニン症候群の原因となる相互作用があるため，抗うつ薬である SSRI は禁忌です．**これはよく見過ごされている重要ポイントです．アメリカでは SSRI 処方が多いせいか，リネゾリド処方が多いせいか，セロトニン症候群の問題は注目されており，専門医試験とかでもよく出ます．あと，大量のチラミンとの相互作用があるので食事のときに……という話もありますが，醤油ですと 200mL くらいの消費で血圧上昇が見られるとのことで……ていうか，醤油 200mL 飲んだら，どのみち血圧上がるんちゃう？　というツッコミが来そう．

あと，変わったところでは結核菌などの抗酸菌にも抗菌効果があるのが特徴です．もっとも，この目的で使うことはほとんどありませんが．同様に，嫌気性菌やQ熱の原因となる *Coxiella burnetii*，ノカルジアなどにも活性がありますが，現場でそのために使うことはほとんどありませんね．長期使用による血球減少とのバランスが悪いですし．

リネゾリドの耐性菌はまれですが，繰り返し，あるいは長期に使っているとrRNAなどの突然変異で耐性化が起きるようです．

E テジゾリド

テジゾリド

最近，日本にも入ってきたテジゾリド．商品名はシベクトロ®．忘れるとしばかれそうな名前ですが，特に商品名は覚える必要はありません．

リネゾリド同様，オキサゾリジノン系の抗菌薬で，*in vitro* ではリネゾリドよりも活性が高く，リネゾリド耐性菌にも効果があるのが特徴です．また，血球減少の頻度がリネゾリドの半分くらい（ただし，開始3週間まで）というのも特徴ですね．200mg錠1日1回で，薬価は20,914.1円（2022年2月現在）．注射薬もあります．

リネゾリドを使っていて血球減少がでたものの，長期に耐性ブドウ球菌感染症を治療したくて，かつミノマイシンやST合剤が使えないときとかに，超限定的に使っています．とはいえ，外来で3割負担でも結構なお値段になるので患者さんとは要相談ですが．

F キヌプリスチン―ダルフォプリスチン
使いにくそうで，やはり使いにくい．でも，使い道はあるんです
（現在は販売中止）

キヌプリスチン
（主成分）

$R_1 = CH_2CH_3, R_2 = N(CH_3)_2$

ダルフォプリスチン

キヌプリスチン‐ダルフォプリスチン……って誰が考えたんだ，このへんてこな名前……以下，商品名でシナシッド®と呼びます．

シナシッド®は耐性グラム陽性菌に効果がある注射薬です．MRSAやVREにも効果があります．

シナシッド®はキヌプリスチン3に対してダルフォプリスチン7の割合で混ぜられた，カクテル抗菌薬です．どちらも，ストレプトグラミンという新しいタイプの抗菌薬です．リボゾームの50Sにくっつき，タンパク合成を阻害する抗菌薬です．合剤にすることで，本来静菌的な抗菌薬だったのが，

殺菌的に働くようになりました．また，どちらか一方の抗菌薬に耐性が生じても，もう片方の作用で臨床効果を期待することができます．

キヌプリスチンとダルフォプリスチンはシナジー効果を得ることがわかっています．これは，ダルフォプリスチンが細菌のリボゾームにくっついた時にリボゾームの形を変化させ，これがキヌプリスチンの効力を向上させているからだ，といわれています．

さて，シナシッド®が使われるのは，耐性ブドウ球菌か，腸球菌です．が，ここで気をつけたいのはシナシッド®が *E. faecium* のほうにしか効果がないことです．

もっとも，VREはほとんど *E. faecium* なので，そこは問題ではない，ってことになります．

- シナシッド®が効くのは *E. faecium*，*E. faecalis* は駄目．VREでもOK．

注射薬のシナシッド®ですが，血管痛が起きやすいので中心静脈ラインを必要とします．腎排泄性でないので，腎機能に応じた投与量の調節は不要です．あと，筋肉痛が起きやすいのも問題です．後続のダプトマイシンにその地位を譲ってしまいました．まれに使うことがありますが……．

G Oritavancin

Oritavancinはリポグリコペプチドで，バンコマイシンやテイコプラニンといったグリコペプチドに構造が似ています．バンコマイシン耐性菌など，グラム陽性菌に効果がある抗菌薬です．半減期が245時間とむっちゃ長いのが特徴で，単回投与で治療ができる，を売りにしています．まあ，アメリカ

とか入院費高いですからね．検査上の凝固異常（にみえる）を起こしたり，それとは別にワルファリンの血中濃度を上げたりすることがあるそうです．肝機能異常も比較的多いと報告されています．VRE や VISA などの耐性菌に効果があるのが特徴です．

H Delafloxacin

Delafloxacin

MRSA に効果がある新たな抗菌薬です．フルオロキノロンですが，MRSA への効果が「売り」なので，ここに入れときます．もともと，市中型の MRSA にはキノロンは効果があったのですが，病院型の多剤耐性菌に効果があるキノロンはこの delafloxacin が初めてです．

とはいえ，緑膿菌を含むグラム陰性菌にも効果があるのが特徴です．軟部組織感染や肺炎に米国では承認されました．

基本的には oritavancin とほとんど同じような使われ方をします．半減期はやはり長くて 147 〜 258 時間．ただし，oritavancin とは違い，単回投与は承認されず，1 回投与，1 週間後に再投与，の 2 回投与型の抗菌薬だそうです．VRE などの耐性菌には効果がありませんが，VISA には効果があります．

I Telavancin

これはバンコマイシンから作られた半合成抗菌薬です．側鎖の構造は oritavancin にも似ています．やはりグラム陽性菌に効果があります．1 日 1 回

投与の注射薬です．抗菌作用機序が2つあるのが特徴で，一つはバンコマイシン同様細胞壁構築阻害，バンコマイシンの10倍強いのだとか．ウォーズマンに対するバッファローマンみたいなものでしょうか（わからない人はほっといてください）．あと，膜の安定性を阻害する作用もあるそうです．肺炎や軟部組織感染症に用いるとされます．VanA, VanBを持つブドウ球菌や腸球菌には効果がありませんが，VISAには非常に高い効果があると言われています．副作用もバンコマイシンに似ていますが，腎障害が起きやすいのと，QT延長などが報告されています．あと，動物実験で胎児の成長障害が見つかっているため，妊娠可能な女性の場合は妊娠検査をしてから使用，と言われています．いろいろややこしいですね．

J Lefamulin

これもグラム陽性菌をターゲットにした新しい抗菌薬です．pleuromutilinという新しいタイプの抗菌薬です．タンパク合成の阻害薬です．経口薬も注射薬もあります．よって，マイコプラズマやクラミジアなど細胞内感染性のある微生物にも効果がある変わり種の抗MRSA薬です．インフルエンザ菌，モラキセラ，肺炎球菌にも活性があり，米国では市中肺炎使用に承認されました．市中のMRSAが多い米国にはフィットした抗菌薬かと思います．

他にもMRSAに効果があるceftobiprole, ceftarolineなど，第五世代のセファロスポリンについてはセフェムのところで述べました．

Dr.Iwata's Summary and Score of Medicines

採点表　抗MRSA薬のまとめ

凡例　Symbol Legends

臨床的重要度
- A 🍶🍶🍶 …… とても高い
- B 🍶🍶 …… まあまあ高い
- C 🍶 …… そんなに高くない
- × …… なくても困らない

使用頻度
- A 🍶🍶🍶 …… とてもよく使う
- B 🍶🍶 …… まあまあ使う
- C 🍶 …… ほとんど使わないがたまに使う
- × …… 全く使わないし、今後もおそらく使わない

バンコマイシン
- 臨床的重要度　A 🍶🍶🍶
- 使用頻度　A 🍶🍶🍶

抗MRSA薬の基本．欠点も多いが，対応策もわかっている．耐性菌が繰り返し論じられてきたが，案外耐性菌はでない．

テイコプラニン
- 臨床的重要度　B 🍶🍶
- 使用頻度　C 🍶

バンコマイシンが使えず，ダプトが使えず，リネゾリドが使えないときに使う．

ダプトマイシン
- 臨床的重要度　B 🍶🍶
- 使用頻度　B 🍶🍶

バンコマイシンのあとに考える．先ではない．

25　グリコペプチドとリポペプチド、その他の抗MRSA薬

リネゾリド

臨床的重要度 B 🥾🥾

使 用 頻 度 B 🥾🥾

MRSA肺炎でバンコマイシンのあとに考える．先ではない．

テジゾリド

臨床的重要度 B 🥾🥾

使 用 頻 度 C 🥾

リネゾリド長期使用でうまくいかないときに置換することがあります．今のところは，それ以外で使ったことがありません．

26 ムピロシン
使ってどうなる？ が大事です

　本書では塗布薬や点眼薬は原則取り扱っていませんが，よく使われているのでムピロシンは例外的に議論します．

　ムピロシンは軟膏でして，MRSA の除去に用いられます．最近のイソロイコシル RNA 合成酵素に結合し，細胞タンパク合成を阻害するのがそのメカニズムです．

　MRSA の除菌によく用いられますが，報告によっては MRSA のムピロシン耐性は 50％ 以上にも至ります．使いすぎると使えなくなるという法則は，ここでも当てはまります．

> Mulvey MR, MacDougall L, Cholin B, et al. Community-associated methicillin-resistant *Staphylococcus aureus*, Canada. Emerging Infect. Dis 2005; 11: 844-50.

　この除菌ですが，例えば 5 日間のムピロシン鼻腔塗布療法を行ったとしても，1 年も経つと半数の人はまた MRSA のキャリアになってしまいます．というわけで，施設に入るための「条件」としてムピロシンによる MRSA の除菌はぼくはお勧めしていません．そもそも，MRSA って慢性期のセッティングではほとんど悪さをしませんし，菌がそこにいるから殺さなければいけない，という思考停止には要注意です．

Doebbeling BN, Reagan DR, Pfaller MA, et al. Long-term efficacy of intranasal mupirocin ointment. A prospective cohort study of *Staphylococcus aureus* carriage. Arch Intern Med. 1994 ; 154: 1505-8.

　他にも心臓血管外科手術を受ける患者，整形外科手術を受ける患者，NICUの患者，透析患者などにおいてムピロシンの「予防塗布」が将来の感染症を予防できるかどうかの検証がなされています．が，データの解釈には異論があり，この方面には決着がついていないようです．今後の検証が待たれます．

27 アミノグリコシド
腎臓と耳が難所です．意外な使い道も

A アミノグリコシドの薬理学

　アミノグリコシドは比較的古い抗菌薬で，ペニシリンが発見されてすぐ，1940年代にすでに実用されています．しかし，古い薬だけに副作用も多くちと使いにくい．ドクターも敬遠しがちなところがあります．
　しっかり基本をおさえて上手な使い方をすれば，割と便利な抗菌薬です．
　アミノグリコシドは濃度依存性の抗菌薬，つまりたくさんあげればあげるほど効力の上がる抗菌薬です．が，毒性も強いのでそうジャンジャン出すことはできません．治療適切濃度と毒性濃度が近いので，Therapeutic drug monitoring: TDMが必要です．
　基本的に**その効果は好気性グラム陰性菌**に限られています．グラム陽性菌にも嫌気性菌にも効果はありません．また，グラム陰性菌の中でもひときわ異なる位置を占める**緑膿菌にもしっかり効力があることでも有名**です．あと，抗酸菌にも使うとか，ブルセラ症のような珍しい感染症でときどき使います．あと，グラム陽性菌にはシナジー目的の併用療法として用います．軟膏だと単独でも（濃度が高いので）グラム陽性菌にも効きますよ（例，ゲンタシン®軟膏）．

- アミノグリコシドが対象にしているのは好気性グラム陰性菌（緑膿菌を含む）．基本的にグラム陽性菌や嫌気性菌には（単独では）用いない．

　最初のアミノグリコシドがみつかったのは 1940 年代と古いです．抗結核薬として有名なストレプトマイシンです．抗酸菌に効果のあるアミノグリコシドがある，と書きましたが，その代表がこれですね．ストマイはその名のとおり，ストレプトマイセス *Streptomyces* という放線菌からとれました．

　さて，ストレプトマイシンは streptomycin と綴ります．よく間違えられるのですが，これも有名なアミノグリコシド，ゲンタマイシンは gentamicin と綴ります．えっ？　綴りがおかしい？　よくぞお気づきになりました．そう，ゲンタマイシンのお尻には micin とついており，ストレプトマイシンのように mycin ではない．Y が I に変わっているのです．

　どうしてこんなことが起きたか，ですって？

　Mycin というのは myces, という名のつく放線菌から得られた抗菌薬につくのです（覚えていますか？　セフェム系の一種，セファマイシンがそうでした）．ストレプトマイセスから取れたのでストレプトマイシン．ところが，マイクロモノスポラ *Micromonospora* というカビから得られるアミノグリコシドは mycin とつけず，micin なのです．昔の人がそう決めたのだから，仕様がない．

　Gentamicin のことを gentamycin と間違って綴っているアメリカ人はたくさんいます．ま，だから何だ，というほどの間違いではないのですが．ま，知っていれば蘊蓄を傾けて学生さんに知ったかぶりができる，といった程度の知識です．

　さて，構造ですが……

　アミノグリコシドはアミノ基のついた糖でして，だからアミノ配糖体という名前なのですね．代表的なストレプトマイシンの構造式をみてみましょう．

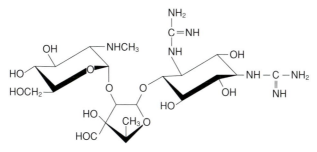

アミノグリコシドの極性は陽性に出やすい．例えば，ゲンタマイシンならその平衡状態はアルカリの環境で得られ，pKa は pH 8.4 です．アミノグリコシドの効力はアルカリ性環境下で向上します．尿路感染症の治療でわざと尿をアルカリ化することでアミノグリコシドの効力を上げよう，というアイディアはここからきています．逆に，酸性環境下では効力は落ちます．pH の低い膿瘍などではアミノグリコシドが効きにくいのはそのためです．

ペニシリンとアミノグリコシドはシナジー作用があり，その効力は増すことはすでに説明しました．ところが，アミノグリコシドとペニシリンを長時間混ぜておくとその効果が落ちてしまいます．したがって，βラクタムとアミノグリコシドを同時に投与してシナジーを狙うのは OK ですが，同じバッグに両剤を混ぜて使うのはよくない，とされています．

> ⚠CAUTION　さて，アミノグリコシドの薬理作用ですが……

実はアミノグリコシドは病原体に対していくつもの作用点を持っています．例えば，グラム陰性菌の場合，アミノグリコシドは陰性にチャージされたリポポリサッカライド（グラム陰性菌の内毒素の成分でもあります）にくっつき，外膜を害します．しかし，主な薬理作用は細胞内のリボゾームに結合することに依存しています．

細胞内に入った後，原核生物におけるリボゾームのサブユニット，30S にアミノグリコシドはくっつきます．真核生物のリボゾームにはアミノグリコシドは親和性が低いため，例えばヒトの細胞は害さないのですね．リボゾームを阻害するため，細胞はタンパク質合成を続けられずに死んでしまいます．

アミノグリコシドの耐性メカニズムは大別すると，細菌内取り込みの減少，アミノグリコシドを修飾する酵素の産生，そしてリボゾームの結合部位の変化，この3つがあげられます．このうち，もっとも有名なのが酵素の産生です．

　例えば，グラム陰性菌はアセチルトランスフェラーゼを産生し，アセチルCoA に依存したアミノ基のアセチル化を起こします．これでアミノグリコシドの効力を落とすのですね．そのほかにもたくさんの酵素が発見されており，アミノグリコシドの構造を変化させる酵素はなんと50以上もみつかっています．これらの酵素に修飾されたアミノグリコシドは，リボゾームへの結合力を弱めてしまうのですね．

　ただ，他の抗菌薬に比べるとアミノグリコシド耐性グラム陰性菌は多くありません．使用頻度が低いから，というのもあるかもしれませんが．院内感染とかでは，「最後の切り札」として唯一感受性を残しているのがアミノグリコシドだったりします．

　アミノグリコシドは，いわゆる殺菌性の抗菌薬です．これはちょっと変な話で，例えば同様にリボゾームにてタンパク産生を阻害する薬，クロラムフェニコールやクリンダマイシンは静菌性の抗菌薬なのです．これについては，例えばアミノグリコシドの細菌外膜に作用するなどの別のメカニズムが関与している，とも説明されていますが決着はついていません．難しいですねえ．

B　アミノグリコシドの使い方

　臨床的な使い方としては，すでに述べたように多くのアミノグリコシドは**好気性グラム陰性菌**をターゲットとして用いられます．また，黄色ブドウ球菌にもやや活性があり，これはβラクタムと併用して重症感染症の治療に用いられてきました．しかし，この効果は「それほどでもない」こともわかり，例えば，近年では黄色ブドウ球菌感染症の自然弁 IE にアミノグリコシドは併用しなくてよいと考えられています．唯一，英国のガイドラインのみでMRSA の IE に対するゲンタマイシン併用のオプションが残っています．な

お，人工弁の IE では MSSA，MRSA ともにゲンタマイシンの併用が必要と考えられ，2 週間使います．

> Baddour LM, Wilson WR, Bayer AS, et al. Infective endocarditis in adults: Diagnosis, antimicrobial therapy, and management of complications: A scientific statement for healthcare professionals from the American Heart Association. Circulation. 2015; 132: 1435.
> Authors/Task Force Members, Habib G, Lancellotti P, et al. 2015 ESC Guidelines for the management of infective endocarditis: The Task Force for the Management of Infective Endocarditis of the European Society of Cardiology (ESC) Endorsed by: European Association for Cardio-Thoracic Surgery (EACTS), the European Association of Nuclear Medicine (EANM). Eur Heart J. 2015; 36: 3075.
> Gould FK, Denning DW, Elliott TS, et al. Guidelines for the diagnosis and antibiotic treatment of endocarditis in adults: a report of the Working Party of the British Society for Antimicrobial Chemotherapy. J Antimicrob Chemother. 2012; 67: 269.

腸球菌の IE だと治療期間を通じてゲンタマイシンを併用します．ただし，*E. faecalis* についてはセフトリアキソンを代わりに併用することが増えてきました．

いずれにしても，このようなシナジー目的のアミノグリコシドの使用については通常のブレイクポイントではなく，高濃度耐性を確認する必要があります．ゲンタマイシンとストレプトマイシンでこうした検査を行います．

例えば，ゲンタマイシンの場合，MIC が $500\,\mu\mathrm{g/mL}$ を超えるとシナジーは得られない，といわれています．ゲンタマイシンが HLAR（high level aminoglycoside resistance）に達すると自動的にトブラマイシンにも HLAR であると判断され，このシナジーも期待できません．ストレプトマイシンの場合，$1,000 \sim 2,000\,\mu\mathrm{g/mL}$ 以上の MIC で HLAR だと判断されます．

高濃度耐性かつ *E. faecalis* のときは，セフトリアキソンを併用します．

> Gavaldà J, Len O, Miró JM, et al. Brief communication: treatment of Enterococcus faecalis endocarditis with ampicillin plus ceftriaxone. Ann Intern Med. 2007; 146: 574-9.

すでに述べたように，**ストレプトマイシンは結核菌 *Mycobacterium tu-**

berculosis に使われます．他の抗酸菌にも効果があることがありますが，あまりこの目的で使われることはありません（副作用とのバランスが悪いからかもしれません）．

アミカシンも結核菌やそれ以外の抗酸菌感染症（MAC, rapid growers と呼ばれる抗酸菌，*M. marinum* など多種多様な菌に効果があります）の治療によく用いられます．あまり使いませんが，カナマイシンも結核菌を含む多種多様な抗酸菌に作用がありますが，アミカシンが使えないときの次の一手という立ち位置でしょうか．ストレプトマイシン耐性の結核菌でもしばしばアミカシンやカナマイシンには感受性が残っています．アミカシンとカナマイシンの交差耐性も 54％ ということで，どちらかが耐性でも調べてみる価値はありそうです．

癩菌（*M. leprae*）にもアミノグリコシドは効果がありますが，これも他の薬に比べて毒性が強いので現実の臨床現場で用いることはあまりありません．特殊なところでは，ストマイはペスト（*Yersinia pestis* 感染症）や，野兎病（*Francisella tularensis* 感染症）の第一選択薬です．覚えておきましょう．ペストも野兎病も日本ではまれーな感染症ですが，どちらもバイオテロに使用されるのでは，と疑われているものでして，注意が必要です．

あと，ゲンタマイシンも野兎病に使えますし，ブルセラ症でドキシサイクリンと併用して用います．

- ペスト，野兎病はバイオテロにおいて重要．治療薬はストレプトマイシン．

同じグラム陰性菌でも，**緑膿菌に対してはトブラマイシン**が，**セラチアに対してはゲンタマイシン**がより効果が高いといわれています．また，腸球菌に対するシナジーを狙った場合，他のアミノグリコシドよりもゲンタマイシンのほうがいい，といわれています．覚えておきましょう．

パロモマイシンというアミノグリコシドがあります．これは毒性が非常に

強い抗菌薬でして，通常のアミノグリコシドみたいに点滴では使えません．この薬は腸管から吸収されませんので，それを利用して原虫のアメーバ・シストの治療，特に腸管からの駆逐に用いられます．アメーバ肝膿瘍などのケースでは，まずメトロニダゾールで膿瘍を治療し，そのあとパロモマイシンで腸管からアメーバシストを駆逐するのです．ただし，これをルーチンで行うことによる赤痢アメーバやアメーバ膿瘍の予防効果についてはエビデンスが十分ではありませんが……昔は研究班から供給されていましたが，近年ようやく保険診療で使えるようになりました．

さて，一般に血液透析患者さんにアミノグリコシドを投与した場合，その2/3は透析で除去される，といわれています．が，これには個人差，あるいは透析機械による差も激しく，血中レベルをきちんと測って調節することが必要になります（TDM）．

別のケースとしては腹膜透析です．透析液にアミノグリコシドを入れますが，この場合血液中にはあまりアミノグリコシドは入っていきません．透析関連の腹膜炎で，細菌血症などの合併症がなければこれもオプションの一つです．同じような治療法は，例えばセフタジジムとか，バンコマイシンなどでも行われていますね．

嚢胞性線維症（cystic fibrosis）の患者さんは緑膿菌などの細菌感染症に悩まされます．

ここで使われるのが**アミノグリコシドの吸入療法**です．吸入でしたら耳や腎の毒性は少なく，長期にわたる治療も可能です．例えば，トブラマイシンをネブライザーで吸入投与すると，緑膿菌のコロニーが劇的に減ることが知られています．**1回300mgを1日2回，28日間吸入し，その後28日間休薬**します．

吸入薬で言えば，最近はアミカシンの吸入薬も承認されました．これはMACと呼ばれる非結核性抗酸菌による肺の感染症を治療するためです．力価にして590mgを1日1回，専用のネブライザ（ラミラ®・ネブライザ・システム）で吸入します．ただし，これは経口の標準治療に呼応しない難治例に対してのみ，用います．

淋病の治療にはペニシリン耐性が多いため，昔のようにはペニシリンで治療というわけにはいきません．セフトリアキソンやキノロンを使うことが多いですが，耐性や副作用によってはアミノグリコシドのスペクチノマイシンを使うことがあります．2gを筋注一発．もし播種性の淋菌感染症でしたら1日2gを2回，数日間筋注で治療します．スペクチノマイシンの臨床使用はこれ以外にないんじゃないかなあ．

　もっとも，最近ではスペクチノマイシンを（この目的であっても）使うことはきわめてまれだと思いますが．アメリカでもスペクチノマイシンの販売は止めてしまいました．日本ではトロビシン®の商品名でファイザーから出されています．

　と，いうわけで臨床的にアミノグリコシドの応用例はたくさん，たくさんあるのです．

　さて，アミノグリコシドの薬理学についてもう少し．アミノグリコシドの特徴は，「濃度依存性」，「ポストアンティビオティック エフェクト」，そして「シナジー」の3つにあります．これらは全て説明いたしましたね．投与量を上げれば上げるほど抗菌能力が増すのが濃度依存性，抗菌薬が血中からなくなっても抗菌能力が維持される現象が「ポストアンティビオティックエフェクト」，そしてβラクタムなど他の抗菌薬と組み合わせることで1+1は2以上の効果を発揮する現象をシナジーというのでした．覚えていますか．

● アミノグリコシドの薬理学的特徴は「濃度依存性」，「ポストアンティビオティック　エフェクト」，そして「シナジー」の3つにある．

　濃度依存なのはいいですが，あいにくアミノグリコシドの毒性も濃度依存です．たくさんあげればいいものではないのですね．リスクと効果を天秤にかけて上手に使うことが必要です．そのような工夫の中で生まれてきたのが，前述した「1日1回投与法」です．

緑膿菌に対してもアミノグリコシドはシナジーを発揮します．耐性菌への懸念もあり，緑膿菌の重症感染症には2剤を併用して使用することが多かったです．そのためにもアミノグリコシドは他の緑膿菌に効果のある抗菌薬にかませてよく用いられてきました．ただし，近年のメタ分析では単剤使用でも2剤併用でもアウトカムは変わりなかったこともあり（**10**, 128ページ），緑膿菌を狙ってのアミノグリコシドの併用療法は急速に人気を失いつつあります．ぼくが研修医のころは（昔話をするのは年をとった証拠），トブラマイシンやアミカシンをよくかませていましたが，現在ではそのような患者さんを診ることは血液内科病棟でもあまりなくなりました．

アミノグリコシドを単剤で使うのももちろんOKです．入院患者さんの尿路感染症や菌血症などでしたら全く問題ありません．

アミノグリコシドは嫌気性菌には全くといっていいほど効果がありません．したがって，お腹の感染症などではメトロニダゾールなど嫌気性菌をうまくカバーする抗菌薬をかませる必要がありますね．ただし，膿瘍を作ってしまうとpHが下がってしまいアミノグリコシドの効果は激減します．このような場合はいい選択とはいえないのでキノロン系など別の抗菌薬を選ぶ必要があります．また，胆道系にも行きづらいので，胆嚢炎や胆管炎にはあまりいい選択ではないかもしれません．しかし，なぜか診療ガイドラインではしばしばアミノグリコシドの併用が推奨されています．ぼくらは胆道感染にアミノグリコシドを使うことはまずありません．

アミノグリコシドは血液脳関門を通過しにくく，脳内の感染症にはお勧めできません．昔は髄腔内にアミノグリコシドの注射，なんてこともよく行われていましたが，代替となる薬がたくさんある現在，このような方法をとる必要はあまりないでしょう．例外としては，脳外科関係のオペ後の髄膜炎がありますが，この領域でも近年は使いにくいです．

アミノグリコシドはあいにく呼吸器系にも到達しづらいので，肺炎などの治療にも単剤ではお勧めできません．やるとすれば前述の吸入療法でしょうか．ただ，前述のように薬剤耐性グラム陰性菌が増えたので，やむなくアミ

ノグリコシド注射で肺炎を治療，というケースも珍しくなくなりました．

　逆に，**泌尿器系にはたいへん良いのがアミノグリコシド**で，投与1時間以内に尿での濃度はなんと血中濃度の25〜100倍にまで上がります．ですから，MICの低い耐性菌による尿路感染症なら，アミノグリコシドで容易に治療することが可能です．尿路感染症にキノロン……と何とかの一つ覚えはよろしくありませんよ．

　アミノグリコシドはほとんど全部腎臓から排泄されます．腎機能に応じて投与量を調節する必要がありますが，それ以前に腎毒性が問題になるので，できれば腎機能が落ちている患者さんにはアミノグリコシドの使用は避けるべきでしょう．

C アミノグリコシドと毒性

　さて，アミノグリコシドは**その毒性ゆえに血中濃度を測り，きちんと投与されているかどうか確かめる必要があります．**

　さて，レベルを測る際の注意ですが，濃度のピークは投与後15分くらいで起きるとされています．しかし，実際の点滴そのものが15〜30分くらいかかるので，現実にはピーク値を測るには投与後1時間くらいがよいでしょう．トラフ（最低値）を測るのは次の投与直前がいいでしょう．ピークとトラフはアミノグリコシドの3回目の投与前後に測れば，だいたい正しい値が取れます．ピークが高すぎたり低すぎた場合は1回投与量を増減し，トラフが高すぎたり低すぎたりする場合は投与間隔を開けたり縮めたりして調節します．ほとぼりが冷めたころに再検査し，きちんと治療域に入っているか，濃度が高すぎないか確認します．

　ゲンタマイシン，トブラマイシンなら腎機能正常で5〜7mg/kgを1日1回，アミカシンなら15mg/kgです．ゲンタマイシン，トブラマイシン7mg/kgならばピーク目標値は≧15-20μg/mL，5mg/kgならば≧8-10μg/

mL です．トラフは＜1μg/mL を目標にします．アミカシンではピークは 41-49μg/mL，トラフは＜4μg/mL を目標にします．

> 日本化学療法学会抗菌薬 TDM ガイドライン作成委員会. 抗菌薬 TDM ガイドライン 2016（Executive summary）- 公益社団法人日本化学療法学会ホームページ.
> 残念ながら，閲覧は会員限定です……．

アミノグリコシドが腎毒性，および耳（これは蝸牛と前庭両方を意味するのですが）に**障害を及ぼす**ことはよく知られています．逆に，アレルギー反応や点滴部位での静脈炎はとてもまれです．アミノグリコシドは副作用が多いというイメージがありますが，いいところもあるのです．世にアレルギー反応を起こさない薬ぞあるはずもありませんが，アミノグリコシドはβラクタム剤などに比べると圧倒的にアレルギーを起こしにくいのです．どうです．意外にいい奴だ，という気がしてきませんか．筋肉注射もそんなに痛くない，と教科書には書いてありますが，結構痛がる人，多かったなあ．また，肝機能や造血機能にもほとんど問題を起こしません．「アミノグリコシドは危ない薬」というのは必ずしも当たっていないのです．

ただし，**何といっても問題なのは腎臓**です．腎尿細管にダメージを与えるのですが，その正確なメカニズムは未だもってわかっていません．またこのダメージがどのようにして糸球体へのダメージへと移行していくのかも不明です．いくつかのメカニズムがからみあって起きている現象なのかもしれません．

一般的に**アミノグリコシドによる腎障害は「非乏尿性」といわれ，また「可逆的」だともいわれます**．つまり，尿量は落ちず，またアミノグリコシドを中止することによって腎機能は回復すると．ただ，実際の臨床例では他の腎毒性のある薬剤との併用（例：バンコマイシン，アムホテリシン B などの抗菌薬，あるいは利尿薬，NSAIDs などその他の薬）や敗血症による腎血流量の低下，多臓器不全など多彩な要素が絡み合って，尿量が落ちたり非可逆的な腎不全に陥る例も少なくありません．ただ，テストには出るかもしれないので……．

- 教科書的には，アミノグリコシドの腎毒性は非乏尿性かつ可逆性

　アミノグリシドでもっとも腎毒性が大きいのはネオマイシンです．ですから皮膚など局所的に使うことが多いですね．反対に最も腎毒性が小さいのは？　答えはストレプトマイシンです．

　1日1回投与の場合，実際の投与量はむしろ多くなりがちなのにもかかわらず，腎毒性は少ないことが指摘されています．

⚠CAUTION　さて，ある意味腎毒性よりも厄介なのが**耳毒性**です．

　耳の場合，蝸牛，前庭両方にダメージを起こすことが可能です．有名なのは古い歴史を持つアミノグリコシド，ストレプトマイシンが起こすストマイ難聴ですね．

　腎毒性と異なり，（少なくとも教科書的には）耳毒性は非可逆的であるといわれています．これが厄介な点です．変な話ですが，一般に腎毒性を起こした患者さんには耳毒性はみられず，その逆もない傾向にあります．また，前庭障害のある患者さんには蝸牛障害はみられにくい傾向にあるといわれます．何ででしょうね？

- アミノグリシドの耳毒性は非可逆的．

　蝸牛障害は，要するに聴覚障害です．入院患者さんには高齢者が多く，彼らの多くはもともと聴覚障害を持っていたり，聴覚のアセスメントを困難に

する見当識障害があったりして，アミノグリコシドによる毒性を見極めるのは容易ではありません．ドクターが副作用によく気をつけて日々のラウンドで注意深く検査するか，長期にわたる投与が必要な時は聴覚検査を行うことが必要になるでしょう．毒性は有毛細胞への障害だといわれますが，正確なメカニズムは不明です．

ある意味蝸牛障害よりもたちが悪いのが前庭障害です．バランスを崩して，歩けません．転倒の原因にもなりますし，社会活動を行う上で大問題です．また，疑わなければ早期に発見することも困難です．入院患者さんはベッドで寝ていることが多いですからね，

アミノグリコシドの話はこれでおしまいです．ご苦労様でした．

Dr.Iwata's Summary and Score of Medicines

採点表 アミノグリコシドのまとめ

凡例 Symbol Legends

臨床的重要度
- A 🔥🔥🔥 …… とても高い
- B 🔥🔥 ……… まあまあ高い
- C 🔥 ………… そんなに高くない
- × ………… なくても困らない

使用頻度
- A 🔥🔥🔥 …… とてもよく使う
- B 🔥🔥 ……… まあまあ使う
- C 🔥 ………… ほとんど使わないが たまに使う
- × ………… 全く使わないし，今後 もおそらく使わない

ストレプトマイシン
- 臨床的重要度 B 🔥🔥
- 使用頻度 C 🔥

抗結核薬のセカンドライン．ただし，これを必要とする患者は日本では少なく，輸入例でときに使う．あとは腸球菌でゲンタマイシン高度耐性，かつストマイ感受性のIEなどで．ペスト，野兎病でファーストチョイス．

カナマイシン
- 臨床的重要度 ×
- 使用頻度 ×

抗結核薬として使うのは極めてまれで，アミカシンに取って代わられている．消化管からの吸収が悪いのを逆手に取って，selective digestive tract decontamination：SDDに用いることがある．が，SDDの価値がそもそもはっきりしていない．

ゲンタマイシン（ゲンタシン®など）
臨床的重要度 B 👍👍
使 用 頻 度 C 👍

　黄色ブドウ球菌に対してシナジー目的で使うことがあまりなくなり，腸球菌にもセフトリアキソンというオプションができたので昔ほど使わない．グラム陰性菌に対してはトブラマイシンかアミカシンを使う．ブルセラ症や野兎病でファーストライン．

トブラマイシン（トブラシン®など）
臨床的重要度 B 👍👍
使 用 頻 度 B 👍👍

　グラム陰性菌（緑膿菌）に使うならまずこれ．吸入療法も便利．

ジベカシン（パニマイシン®）
臨床的重要度 ×
使 用 頻 度 ×

　使ったことがなく，使い方もわからない．

アミカシン
臨床的重要度 B 👍👍
使 用 頻 度 B 👍👍

　グラム陰性菌感染症，結核その他の抗酸菌感染症に用いる．ノカルジア症に用いることもある．本文中にあるように，吸入薬をMACに使うことあり．

イセパマイシン（イセパシン®など）
臨床的重要度 ×
使用頻度 ×

　アミカシン耐性菌で感受性が残っていることがあるらしい．血中濃度も測れず．高度耐性菌でコリスチンも使えないときの，ダメ元で使う……のか？

スペクチノマイシン（トロビシン®）
臨床的重要度 C🔥
使用頻度 ×

　本文にも書いたとおり，淋病で高度セフェムアレルギーがあるときに考えるかも．使ったことはない．

アルベカシン（ハベカシン®など）
臨床的重要度 ×
使用頻度 ×

　むしろ抗MRSA薬として存在するアミノグリコシド．現在では代わりの薬も多く，存在理由（レゾンデートル）がない．

28 テトラサイクリン
ミラクルなバリエーション！

　さてと，テトラサイクリン系です．ほとんどミラクルというべき驚異的な抗菌薬です．しばらく不人気でしたが，最近はマクロライドやキノロンが安全性や耐性菌問題で使いにくくなり，相対的にプレゼンスが高まっています．

　テトラサイクリン系は，ST合剤と比肩しうるくらいの，驚くほどの広域スペクトラムな抗菌薬です． はっきりいって，スペクトラムの広さからいったら，メロペネムだって10年早いよ，味噌汁で顔洗って出直しといで……ってなもんです．味噌汁で顔洗うってどういう意味なんでしょうね，どうでもいいですけど．

　テトラサイクリン系はグラム陽性菌に効果があります，グラム陰性菌にも効果があります． あまり知られてはいませんが，**嫌気性菌にも効きます**．ここまでは，まあ普通の広域抗菌薬ならできます．最近のキノロンとか，カルバペネムとか，ピペラシリン・タゾバクタムのような……．

　しかし，テトラサイクリン系の恐ろしさはここからです．マイコプラズマに効きます．クラミジアに効きます．リケッチアにも効きます．レジオネラにも効きます．なんと，マラリアなどの原虫にも効果がある……．また，バイオテロ対策として，炭疽菌感染の治療あるいは予防にも使えます．

　現在，臨床現場で使われているのは，古典的なテトラサイクリンではなく，ドキシサイクリンやミノサイクリンです．前者は1962年，後者は1967年に作られたもので，スペクトラムが広くなり，半減期が伸びて，組織移行性が向上しています．

　スペクトラムでいうと，テトラサイクリンに耐性のある肺炎球菌や黄色ブ

ドウ球菌も，ドキシサイクリンやミノサイクリンはカバーします．
　ミノサイクリンは特に黄色ブドウ球菌に対して活性が高いので有名です．テトラサイクリンは，静菌性の抗菌薬です．すでに書きましたように，静菌性でも，ほとんどの感染症の場合は殺菌性と同様に使うことができます．しかし，心内膜炎などにはテトラサイクリン系が使われることはあまりありません．リボゾームの30Sにくっついて作用しますが，これが30Sだろうが，50Sだろうが，臨床屋的にはどちらでもよいことなので，覚えなくてもよろしいです（微生物の先生に怒られそうだなあ……）．

　テトラサイクリン系は消化管からの吸収が良くほぼすべてが血中に移行します．PK的にはとても便利な薬です．ただ，消化器症状を起こしやすいため，むしろ食事と一緒に飲んだほうがいい，と考えられます．ドキシサイクリンとミノサイクリンは半減期が長いために，1日1回から2回の投与でOKです．これは，点滴薬も同様です．

テトラサイクリン

ドキシサイクリン

ミノマイシン

　脂質への溶解は，ドキシサイクリンは旧テトラサイクリンの5倍，そして

ミノサイクリンはドキシのさらに5倍といわれており，ミノサイクリンは各組織への吸収がとても良いことが知られています．胆汁への行きも良いですし，前立腺や脳脊髄液，肺などにも上手く行き渡ります．

ドキシサイクリンの面白いところは，これが大腸への拡散によって排泄されることで，したがって，腎機能や肝機能とは無関係に投与量を決めることができる，という点にあるでしょう．ミノサイクリンの場合は，腎排泄がメインですが，肝臓でも代謝され，やはり腎機能による量の調節は不要です．なお，血液透析はテトラサイクリン系の抗菌薬をあまり取り払わないので，こういう場合はドキシサイクリンの使用のほうが便利かもしれません．

- ドキシサイクリンは腎機能・肝機能の変化に応じて投与量を調節する必要がない．
ミノサイクリンも腎機能による調節は不要．

テトラサイクリン系の最大の問題の1つが，耐性の獲得です．プラスミドを介して結構簡単に耐性を獲得してしまいます．

⚠CAUTION さて，テトラサイクリン系の臨床利用ですが……

まずはマイコプラズマやクラミジア（クラミドフィラ）といった異型肺炎の治療です．前述のように日本ではマクロライド耐性菌がとても多く，またキノロンの副作用が問題になる中で，テトラサイクリン系はとても有効なオプションです．

我々も市中肺炎であればエンピリカルにセフトリアキソンとミノマイシン®のような治療をしています．

性感染症（STD）にも使えて，非淋菌性尿道炎……クラミジア，ウレアプラズマ，マイコプラズマといった感染症にも使えます．原虫感染のトリコモナスにも使えますが，こちらはメトロニダゾールのほうがベターです．また，M. hominis にはテトラサイクリンは有効ですが，M. genitalium は in vitro

28 テトラサイクリン

での活性はあるものの臨床的には無効で，キノロンのモキシフロキサシンが優先されます．この応用で，骨盤内炎症疾患（PID）などに使います．セフトリアキソンとドキシサイクリン±メトロニダゾールなどがよく使われます．
　ペニシリンを使いにくいときの**梅毒の治療にもテトラサイクリン系は使えます**．欧州では神経梅毒の治療も可能，だそうですが，このときは通常は入院させてペニシリン治療します（アレルギーが問題なら脱感作します）．同様に，スピロヘータのライム病（ボレリア感染）や回帰熱（こちらもボレリア），レプトスピラにも有効です．
　ブルセラ症にも使えます．アミノグリコシドのゲンタマイシンやストレプトマイシンと併用して治療します．
　リケッチア，ツツガムシ病，アナプラズマ（エーリキア症）など節足動物由来の感染症にもテトラサイクリン系は有効です．
　ビブリオ感染症のコレラにもテトラサイクリンは有効です．もっとも，コレラの治療は専ら輸液で脱水と電解質異常を治すのがメインですが．不思議なことに，テトラサイクリンとドキシサイクリンの比較試験では，テトラサイクリンのほうが臨床症状の改善がベターでした．不思議ですね．

> Leibovici-Weissman Y, Neuberger A, Bitterman R, et al. Antimicrobial drugs for treating cholera. Cochrane Database Syst Rev. 2014 Jun; CD008625.

　ドキシサイクリンなどはマラリア予防や治療にも使えます．ただし，治療に使うことは極めてまれです．途上国から帰国の熱で「なんだかわからないとき」にとりあえずテトラサイクリン系，という裏ワザがありますが（内緒ですが），マラリアも治療できるんです．フィラリア治療にもよいワキ役として登場します（554ページ）．
　Burkholderia pseudomallei 感染，類鼻疽にもテトラサイクリン系は効果があります．ただし，こちらはST合剤の方をより用いるかもしれません．*Coxiella burnetii* 感染，いわゆるQ熱にも使えます．ペストや野兎病はアミノグリコシドがファーストチョイスですが，テトラサイクリン系も効果はあります．
　いや，**ほんとテトラサイクリン系，無敵感バリバリです**．

炭疽菌の曝露の場合，シプロフロキサシン同様，60日間の曝露後予防投与として用いられます．当初，光過敏性などの副作用が問題になりましたが，後でアメリカCDCが調査したところによると，ほとんどの方が副作用なく安全に60日間抗菌薬を飲めたことがわかりました．

猫ひっかき病などのバルトネラ感染にもテトラサイクリンは使えます．アジスロマイシンなどのマクロライドを使うことが多いですが，テトラサイクリンも十分に有効です．

アクネ，つまりニキビなんかにもテトラサイクリンはよく使われます．原因は？ *Propionibacterium acnes*（*Cutibacterium acnes*）でしたね．局所的療法では効果のない，炎症性のニキビに使われることがあります．最近はレチノイドなども使われますが，テトラサイクリンの利点は何といっても安いことですね．*C. acnes* はニキビのみならず，最近は慢性の関節炎や骨髄炎，あるいは異物感染の原因としても問題です．ここでもテトラサイクリン系は威力を発揮します．

テトラサイクリン系が使いにくい最大の理由は副作用です．消化器症状が多いのが特徴ですが，ドキシサイクリン100mgくらいだったら大抵問題ありません．ちなみにテトラサイクリン系は，偽膜性大腸炎（CDI）を起こしにくいといわれています（起こさない，とはいえません）．

光過敏性もよく知られたテトラサイクリン系の副作用ですが，炭疽菌のデータをみると，これは意外に誇大広告かもしれません．しかし，例えば太陽のさんさんと照りつけるアフリカに行く時など，マラリア予防にドキシサイクリンが使いにくい，ということはあるでしょう．

ミノサイクリンとドキシサイクリンの大きな違いに，前庭障害があります．これが，ミノサイクリン最大の弱点といってもよいでしょう．これは，当然悪心・嘔吐の原因にもなります．

さて，ぼくは**基本的にミノサイクリンは点滴使用に限定し，経口薬が使えるのであればドキシサイクリンを優先させています**．副作用の問題もありますけど，近年増えている市中獲得型MRSA（CA-MRSA）の増加のためです．

βラクタムの効かない CA-MRSA に対してミノサイクリンは貴重な選択肢．だから，乱用しないようにしなくてはならないと思うのです．というわけで，優先させるはドキシサイクリンとなります（マラリア予防とか，外来のツツガムシ病の治療とか）．

逆に，ミノサイクリンは，点滴薬として院内で用いることが多くなってきました．*Stenotrophomonas maltophilia*，そうそう，カルバペネムが効かないあのグラム陰性菌が，ICU などで院内感染を起こすことがあるからです．

基本的にステノの治療の第一選択薬は ST 合剤なのですが，あれやこれやの副作用で ST が使えない場合は，ミノサイクリンが次の一手となるのです．まあ，ステノの感染症が増えるというのはあまり歓迎すべきことではありませんけれどね．

ミノサイクリン点滴の時は，静脈炎の副作用に注意です．点滴の場合は最低 30 分かけて投与する必要があります．

歯の染色作用があるため，妊婦や 8 歳以下の小児にはテトラサイクリン系は禁忌です．

ときに，テトラサイクリン系は抗炎症作用や神経への（ネガティブのみならず，ポジティブな）作用があるため，関節リウマチや高安病などでときどき使われています．統合失調症の症状も良くなるのだとか．こんな使い方をわざわざする必要はありませんが，非感染症にミノマイシン® を使ったりすると「よくなってしまう」ことがあるので，誤診のリスクには気をつけましょう．ぼくも反応性関節炎にずっとミノマイシン® 使って「CRP 下がった，感染症」と誤解しそうになったことがあります．あと，キノロン同様，テトラサイクリン系も金属系の薬との併用で吸収が低下します．気をつけましょう．

■ 新しいテトラサイクリン

・Eravacycline

eravacycline は点滴薬で，テトラサイクリン系，そしてチゲサイクリンよ

りも広域な抗菌薬です．腹腔内感染に承認されています．

・madacycline

やはり新しいテトラサイクリンです．注射薬，経口薬があります．皮膚軟部組織感染症や市中肺炎に承認されています．日本に入ってくるのはオマダ．言ってみたかっただけ．

採点表 テトラサイクリン系のまとめ

凡例 Symbol Legends

臨床的重要度
- A 🐾🐾🐾 …… とても高い
- B 🐾🐾 ……… まあまあ高い
- C 🐾 ………… そんなに高くない
- × ………… なくても困らない

使用頻度
- A 🐾🐾🐾 …… とてもよく使う
- B 🐾🐾 ……… まあまあ使う
- C 🐾 ………… ほとんど使わないがたまに使う
- × ………… 全く使わないし，今後もおそらく使わない

テトラサイクリン

- 臨床的重要度 ×
- 使 用 頻 度 ×

コレラに使えるそうだが，基本的には使わない薬．デメチルクロルテトラサイクリン（レダマイシン®）も同様．

ドキシサイクリン（ビブラマイシン®など）

- 臨床的重要度 A 🐾🐾🐾
- 使 用 頻 度 C 🐾

個人的には使い勝手がよい薬と思うが，点滴薬がないのがネック．

ミノサイクリン（ミノマイシン®など）

- 臨床的重要度 A 🐾🐾🐾
- 使 用 頻 度 A 🐾🐾🐾

点滴薬があるために使い道たくさん．外来では市中 MRSA をスペアするために，ドキシサイクリンを使いたい．

29 チゲサイクリン
チゲの居場所はどこにある？

　なんか辛そうな，美味そうな名前の薬ですが，チゲサイクリン（tigecycline，英語ではタイゲサイクリンと読みます）は，グリシルサイクリンという新しい系統の薬です．ただし，テトラサイクリン系に構造式は似ており（ミノサイクリンの派生物），アレルギー反応も交差するのでは，と考えられています．また，光過敏性など，副作用も共通するようです．テトラサイクリン同様，リボゾームの30Sに結合し，タンパク結合を阻害するのが特徴です．

チゲサイクリン

　テトラサイクリン系に構造は似ている，と書きましたが，ずいぶんと使い方は違います．

　もともとはMRSAに効果があることが特徴でしたが，抗MRSA薬のレパートリーが増えて，「わざわざ」MRSAを狙ってチゲサイクリンを使う必然性はなくなりました．

　むしろ，現在注目されているのはカルバペネム耐性腸内細菌科（CRE）やアシネトバクターなどに効果があることです．グラム陰性菌に注目なのですね．ちなみに，Eテストでは間違って高いMICがアシネトバクターででる

ことがあるそうです（Antibiotic Essentials 17th ed）．
そこで知っておくべきは，カバーしないグラム陰性菌です．

チゲサイクリンでカバーしないグラム陰性菌（主なもの）
Proteus *Providencia* *Morganella* *Pseudomonas*

ま，でもこうした菌に「わざわざ」チゲサイクリンを使う必然性もないので，基本的には

CRE に使うかな，どうしようかな．

の一択問題で良いと思います．ただ，チゲサイクリンは臨床効果には乏しいという研究も発表されています．血中濃度が上がらないのですね．チゲサイクリン，コリスチン，メロペネムの3剤併用療法でカルバペネマーゼ産生クレブシエラへの効果が高かった，という報告もあり，こういう特殊な使い方をするのかもしれません．

> Tumbarello M, Viale P, Viscoli C, et al. Predictors of mortality in bloodstream infections caused by *Klebsiella* pneumoniae carbapenemase-producing *K. pneumoniae*: importance of combination therapy. Clin Infect Dis. 2012; 55: 943-50.

あと，国際的にはチゲサイクリン耐性クレブシエラとかが増えているところもあるそうです．
副作用も結構問題で，悪心嘔吐，膵炎などが知られています．米国FDAは「他に代替薬がないときだけ使え」とかなり辛辣です．現在，我々もほとんど使いません．

Dr.Iwata's Summary and Score of Medicines

採点表　チゲサイクリンのまとめ

凡例　Symbol Legends

臨床的重要度
- A 🔥🔥🔥……とても高い
- B 🔥🔥……まあまあ高い
- C 🔥……そんなに高くない
- ×……なくても困らない

使用頻度
- A 🔥🔥🔥……とてもよく使う
- B 🔥🔥……まあまあ使う
- C 🔥……ほとんど使わないが たまに使う
- ×……全く使わないし，今後もおそらく使わない

チゲサイクリン（タイガシル®）

- 臨床的重要度　B 🔥🔥
- 使用頻度　C 🔥

カルバペネム耐性菌に併用療法として使えるか……商品名は虎なのだが，案外弱い．

30 クロラムフェニコール

　これを使ったことがない，という方も多いでしょうが，かくいうワタクシメもその一人であります．せいぜい，クロマイ腟錠とか点眼薬くらい．アメリカで感染症のフェローをやっていたとき，クロラムフェニコールよく使っていたよ……というエチオピア出身の研修医を「おお，すげえ」とうらやましく思ったものでした．

　クロラムフェニコールがみつかったのは，1947年のベネズエラの土壌からです．*Streptomyces venezuelae* から取り出されました（そのまんま？）．その後，クロラムフェニコールは時代の寵児として，人気を博したのでありますが，1950年代になって重大な副作用がみつかると，その勢いは一気にしぼんでしまったのです．髄膜炎などにも使われていたこともあるのですが，貧血やグレイベビー症候群など重大な副作用のために今は全く使わなくなりました．

$$NO_2-\underset{}{\bigcirc}-\underset{OH}{CH}-\underset{NH-COCHCl_2}{CH}-CH_2OH$$

Dr.Iwata's Summary and Score of Medicines

採点表　クロラムフェニコールのまとめ

凡例　Symbol Legends

臨床的重要度
- A 🔥🔥🔥 …… とても高い
- B 🔥🔥 …… まあまあ高い
- C 🔥 …… そんなに高くない
- × …… なくても困らない

使用頻度
- A 🔥🔥🔥 …… とてもよく使う
- B 🔥🔥 …… まあまあ使う
- C 🔥 …… ほとんど使わないがたまに使う
- × …… 全く使わないし，今後もおそらく使わない

クロラムフェニコール

- 臨床的重要度　C 🔥
- 使用頻度　×

30　クロラムフェニコール

31 メトロニダゾール
ようやく日本でも本領発揮

A メトロニダゾール

メトロニダゾールも面白い抗菌薬です．特徴いっぱいの個性派．

従来，日本では**トリコモナスにしか適応がなく**，また注射薬がなかったのでずっと使いにくい薬でした．しかし，近年適応範囲がぐっと広がり，また注射薬もできたために，現在ではかなり使いやすくなっています．

メトロニダゾールはニトロイミダゾールです．構造式はわりとシンプルです．

$$\text{N} \overset{CH_3}{=} \text{N} - CH_2 - CH_2 - OH$$
$$\underset{NO_2}{}$$

トリコモナス（*T. vaginalis*）に効く薬ということで 1950 年代に開発されました．

メトロニダゾールの薬理作用は，メトロニダゾールが病原体の細胞内で作り出す物質やフリーラジカルが DNA や他の重要な分子を壊してしまうからだ，といわれています．

メトロニダゾールは，嫌気性菌に効果があります．これには，*Clostridium* (*Clostridioides*) *difficile* を含みますから，CDI にも使えます（バンコマイシンの項，25-A，384 ページ）．たいていの嫌気性菌には効果がありますが，

Propionibacterium とか *Atopobium* などには効きません．

また，メトロニダゾールはピロリ菌（*Helicobacter pylori*）にも（単剤ではだめですが）効きます．日本でも，セカンドラインの治療薬として使われています（🔢-I-3, 250 ページ）．

一方，**メトロニダゾールは嫌気性菌以外のグラム陽性菌，グラム陰性菌にはあまり効きません**．

メトロニダゾールは，原虫にも効果があります．面白いですね．トリコモナス（*Trichomonas vaginalis* 感染）についてはすでに述べました．あるいは，ジアルジア（ランブル鞭毛虫 *Giardia lamblia*）．これは亜急性から慢性の消化器症状を起こすので有名で，中国ではよくみました．そしてカンボジアでは自ら罹患しました（涙）．そして，アメーバ．*Entamoeba histolytica* の腸炎，そして肝膿瘍（あるいは他の部位の膿瘍）にもよく効きます．

ただし，アメーバの場合，メトロニダゾールは栄養型（trophozoites）には効果がありますが，シストには効きませんので，他の薬によるアメーバシストの駆除が必要になります．典型的にはパロモマイシン（アミノグリコシドのところで出てきました）を使います．

メトロニダゾールのいいところは，PK 的に有利であるということです．経口でもほとんど点滴と同様の血中レベルを獲得し，体の隅々まで行き渡ります．膿瘍にもよく効きます．食べ物と一緒に投与すると，若干ピークに至る時間が遅れますが，吸収そのものには影響しません．消化器に対する副作用を考えると，食事とともに飲むほうがよいかもしれません．

経口摂取ができない場合は点滴薬を使います．

さらに，**メトロニダゾールのいいところは，耐性を獲得しにくいところです**．普通，いくつものステップを経ないと耐性化しません．ただし，トリコモナスやジアルジアの耐性は散見されており，治療失敗の原因となっています．

メトロニダゾールは比較的副作用の多い抗菌薬です．そこがネックです．消化器症状が最も多い副作用ですが，こちらはそれほど重篤にはなりません．一方，中枢神経・末梢神経系の副作用はまれですがたまにみられ，アタキシアなど，重篤な副作用となることがあります．特に高齢者では問題になるこ

31 メトロニダゾール

とがあります．原因不明のニューロパチーとかいわれて放置されているのを何度かみたことがあります．倉敷でご活躍の栗山明先生たちが洛和会音羽病院にいらしたときに，おまとめになっています．

> Kuriyama A, Jackson JL, Doi A, et al. Metronidazole-induced central nervous system toxicity: a systematic review. Clin Neuropharmacol. 2011; 34: 241-7.

　破傷風の治療薬としてはペニシリンかメトロニダゾールがよく使われますが，この神経系の副作用が破傷風に干渉するのを恐れる医師の中には，メトロニダゾールをあまり使わない医師もいます．ぼくもどっちかというとペニシリン派です．かつてはメトロニダゾールのほうが死亡率が低い，というデータもありましたが後のデータでペニシリンとメトロニダゾールには死亡率に差がないことが示されています．

> Saltoglu N, Tasova Y, Midikli D, et al. Prognostic factors affecting deaths from adult tetanus. Clin Microbiol Infect. 2004; 10: 229-33.

　メトロニダゾールはアルコールと相互作用を起こしてアンタブス効果を起こしますから，患者さんにお酒は飲まないよう指導しなくてはなりません．アンタブスってあなたのことではありません．

　酒を飲んで突然二日酔い……それくらいなら可愛いものですが，メトロニダゾールは，ワルファリンなどの抗凝固薬の代謝を減少させ，出血傾向を増やすことがあります．こちらは，重要なのでしっかり確認しておきましょう．長期投与の場合は，ワルファリンの投与量を減らし，密に身体所見やINRをモニターしなくてはいけません．

　メトロニダゾールに催奇形性があるかどうかについては，決着がついていません．それを支持するデータも不足しています．しかし，メトロニダゾールが胎盤を容易に通過するために，一般的にメトロニダゾールは第1三半期の妊婦には避けるように勧められています．あと，メトロニダゾールには催がん作用があるのではないか，という懸念もあるそうですが，これにも確固たるデータがあるわけではありません．

- メトロニダゾールの軽い副作用は消化器症状，重い（かもしれない）副作用は神経症状．
- アルコールとワルファリンには要注意．
- 第一三半期の妊婦には，避けたほうが賢明．

B チニダゾール（チニダゾール「F」）

　メトロニダゾール同様，ニトロイミダゾールで，1969年に発明されました．トリコモナスやジアルジアなどに効果があります．半減期が長いので間欠投与が可能で，副作用もメトロニダゾールよりも少ないそうです．中国にいたときは難治性のジアルジア症でメトロニダゾールで失敗したとき，この薬を使ったことがあります．日本ではトリコモナス症に適応があり，適応外使用として赤痢アメーバやランブル鞭毛虫症治療に記載があります（35. 寄生虫の治療薬参照）．

採点表 ニトロイミダゾールのまとめ

Dr.Iwata's Summary and Score of Medicines

凡例 Symbol Legends

臨床的重要度
- A 🐕🐕🐕 …… とても高い
- B 🐕🐕 …… まあまあ高い
- C 🐕 …… そんなに高くない
- × …… なくても困らない

使用頻度
- A 🐕🐕🐕 …… とてもよく使う
- B 🐕🐕 …… まあまあ使う
- C 🐕 …… ほとんど使わないがたまに使う
- × …… 全く使わないし，今後もおそらく使わない

メトロニダゾール（フラジール®（経口薬），アネメトロ®（注射薬））

臨床的重要度 A 🐕🐕🐕
使用頻度 A 🐕🐕🐕

重要度が極めて高く，汎用性も高い．添付文書適応の拡大と注射薬が入ってようやく日本でも本領発揮．

チニダゾール

臨床的重要度 B 🐕🐕
使用頻度 C 🐕

たまにフラジール不応例に使う．他に替えがきかないので，重要度はB．他に替えが効かない，実に大事な薬．

32 ホスホマイシン・コリスチン
他に替えが効かない，実に大事な薬

A ホスホマイシン
ポテンシャルの感じられる古くて新しい抗菌薬．
さて，どこへ行くのか？

　ホスホマイシンは，Fosfomycin とつづることが多いですが，昔の文献などでは phosphomycin とか phosphonomycin とも書かれていてややこしいです．エノールピルビン酸・トランスフェラーゼという酵素を不活化して細胞壁を阻害する殺菌性の抗菌薬です．

ホスホマイシン

　Streptomyces fradiae から作られるホスホエノールピルビン酸塩アナログです．現在では合成的に作ることも可能だそうです．抗菌スペクトラムは広く，緑膿菌などを除けば多くのグラム陰性菌に効果があります．腸球菌（VRE 含む），腐性ブドウ球菌などの尿路感染の原因になるグラム陽性菌にも効果があります．したがって，尿路感染に対する使用が注目されています．その場合，腎盂腎炎に対して経口薬で 3g 1 回の投与が効果があるそうです（すごいですね）．複雑性腎盂腎炎（complicated pyelonephritis）では 3g を

3日おきに投与します．**前立腺炎だと同様なインターバルで21日間治療**します．**点滴では8gを12時間おき**という，一見「誤植？」という大量の投与がKucers'で言及されています．1日最大量は15gなんだそうです．ほんま？　日本では点滴では2～4gが1日量となっており，これを3～4回にわけて投与します．経口では1日2, 3gなんだそうです．

　その他の菌に対するホスホマイシンの感受性については異論がありまして，例えば「サークル図」ではMRSA耐性ですが，Kucers'やABXガイドでは効果があると書いてあります．ABXガイドでは緑膿菌に使えると書いてありますが，Kucers'ではダメとされています．まあ，どっちにしてもMRSAや緑膿菌にホスホマイシンを使う根拠は乏しいので，あまり気にしなくてよいのかもしれませんが，難しいですね．

ホスホマイシンは副作用も少なく，使いやすい抗菌薬のようです．

　このホスホマイシンを多剤耐性菌治療に応用してはどうか？　という見解も出ています．ESBL産生腸内細菌群にホスホマイシンを使うのはどう？というアイデアも出てきました．

> Falagas ME, Kastoris AC, Kapaskelis AM, et al. Fosfomycin for the treatment of multidrug-resistant, including extended-spectrum β-lactamase producing, Enterobacteriaceae infections: a systematic review. The Lancet Infectious Diseases. 2010; 10: 43-50.

　このシステマティック・レビューでは多剤耐性，とくにESBLを作る腸内細菌群ではホスホマイシン感受性菌が多く，こういうときは使えるかも？という見解でした．現在も，ホスホマイシンは耐性菌による尿路感染にしばしば使われています．

　ホスホマイシンは病原性大腸菌O157H7感染症に使用すると，溶血性尿毒症症候群（hemolytic uremic syndrome: HUS）の予防に寄与するのではないか，という後ろ向きスタディーが日本にあります．ただ，これには異論もあって学問的には決着がついていません．

> Ikeda K, Ida O, Kimoto K, et al., Effect of early fosfomycin treatment on prevention of hemolytic uremic syndrome accompanying Escherichia coli O157: H7 infection.

Clin Nephrol. 1999; 52: 357-62.

ただし，日本の経口ホスホマイシンは fosfomycin calcium といって，海外で用いられている fosfomycin trometamol とは違います．バイオアベイラビリティに差があり，前者はほとんど血中濃度を高めません．

Iwata K. Are all fosfomycins alike? J Infect Chemother. 2016; 22: 724.

よって，海外のデータを額面通り受け取れないのが現実です．尿路感染で，他に代替薬がない耐性菌のときにイチかバチかで使うかもしれませんが，ぼくはほとんど使ったことがありません．

- ホスホマイシンは耐性グラム陰性菌に効果があるかも．が，日本のホスホマイシンは海外のと異なりバイオアベイラビリティが悪く，臨床データにも乏しい．よって，ルーチンでは使うべきではない．

採点表 ホスホマイシンのまとめ

Dr.Iwata's Summary and Score of Medicines

凡例 Symbol Legends

臨床的重要度
- A 🔥🔥🔥 …… とても高い
- B 🔥🔥 ……… まあまあ高い
- C 🔥 ………… そんなに高くない
- × …………… なくても困らない

使用頻度
- A 🔥🔥🔥 …… とてもよく使う
- B 🔥🔥 ……… まあまあ使う
- C 🔥 ………… ほとんど使わないが たまに使う
- × …………… 全く使わないし，今後もおそらく使わない

ホスホマイシン（ホスミシン）

臨床的重要度 A 🔥🔥🔥 か C 🔥 （国際的には A，日本では C）

使 用 頻 度 日本では C 🔥

　注射薬は耐性菌による尿路感染で使えるかも．日本のホスホマイシン経口薬が尿路感染に安定して使えるかは，今は未知数．いずれにしても臨床現場で本薬を必要とする（替えが効かない）ことは極めてまれ．あと，ぼくはO157感染には使いません．

B コリスチン（ポリミキシン）

ポリミキシンはAからEまであり，1947年に土壌からみつかったというめっちゃ古い薬です．現在では，ポリミキシンBとEが知られており，後者は別名コリスチンといいます．日本で承認されている注射薬のポリミキシンはコリスチンです．

これは副作用が多いためにいったん使われなくなったのですが，多剤耐性グラム陰性菌の増加のために他の選択薬がなくなってきたこともあって，奇跡のカムバックを果たしました．このへん，バンコマイシンに似ていますね．ちなみに，ポリミキシンBは日本では経口薬で存在し，これは selective digestive tract decontamination: SDD のために使うようです．が，ポリミキシン耐性が増えると大変なので，こういう使い方はもうすべきではないでしょう．

● コリスチンはMDRP，耐性アシネトバクターなど多種多様なグラム陰性菌に効果あり

■ で，知っとくべきはコリスチンが効かない菌

Serratia spp
Proteus spp
Providencia spp
Morganella spp
B. cepacia

ポリミキシンBはポリミキシンB1とポリミキシンB2の混合物，コリスチン（ポリミキシンE）は colistin A と colistin B の混合物です．いずれも分子量が1,000以上ある大きな分子で，図のように脂肪酸にペプチドがつい

ている構造です．

ポリミキシンB

　コリスチンは尿路感染と吸入療法での肺炎ではポリミキシンBよりベターで，その他の感染症についてはポリミキシンBのほうがベターなんだそうです．これは臨床効果，血中濃度の達成されやすさ，PK的安定性などのためです（サンフォード・ガイドより）．基本的には360mgを1日量にして1日2回，腎機能に応じて量を減らします．吸入療法や髄膜炎への髄注療法も可能です．

　ポリミキシンはグラム陰性菌に効果があり，グラム陽性菌には効果がないのが特徴です．特に，他の抗菌薬が効かない多剤耐性の緑膿菌，アシネトバクター，クレブシエラにしばしば用いられます． グラム陽性菌の耐性菌には最近，いろいろな薬ができていますが，グラム陰性菌の場合，ポリミキシン以外，他に選択肢がないのです．そのポリミキシン耐性時にはポリミキシンB，コリスチンともに耐性化するようですが，これは幸いまれな現象みたいです．いまのところは．

　ポリミキシンは殺菌性の抗菌薬で，細菌の外膜に作用します．陽イオンペプチドと脂肪酸からなるポリミキシンですが，その陽イオンが陰性に荷電されたリポポリサッカライド（LPS）と，脂肪酸が外膜の脂質と相互作用を起こし，外膜の透過性に変化を与える……というものです．あと，抗エンドトキシン作用という興味深いメカニズムもあるそうです．

　副作用は問題でして，ポリミキシンの使用を妨げてきました．特に腎毒性

と神経毒性は問題です．もっとも最近では以前ほどの腎毒性はないのではないかとも言われています．

コリスチンはカルバペネムやチゲサイクリンと併用するとより効果が高いかも，とも考えられています．

残念ながら近年のカルバペネム耐性菌の増加で，コリスチンを使用することはそう珍しいことではありません，ぼくらの間では．

海外では，新しい広域βラクタム薬（セフェムやカルバペネム）が複数承認されたために，コリスチンのニーズは相対的に下がってきています．しかし，日本ではこうした広域抗菌薬がまだ承認されていなかったり，使えなかったりするのでコリスチンの重要性はまだまだ残っています．逆に言えば，コリスチンが使えなくなった場合はもうあとがない，ということも意味しているのですが．

CREのところで紹介したような，新しいβラクタムが日本にも今後入ってくるかも知れません．

そうしたらポリミキシンの役目も終わるのかもしれません．

Dr.Iwata's Summary and Score of Medicines

採点表 ポリミキシンのまとめ

凡例 Symbol Legends

臨床的重要度
- A 🔥🔥🔥 …… とても高い
- B 🔥🔥 ……… まあまあ高い
- C 🔥 ………… そんなに高くない
- × …………… なくても困らない

使用頻度
- A 🔥🔥🔥 …… とてもよく使う
- B 🔥🔥 ……… まあまあ使う
- C 🔥 ………… ほとんど使わないが たまに使う
- × …………… 全く使わないし，今後もおそらく使わない

コリスチン（オルドレブ®）
- 臨床的重要度 A 🔥🔥🔥
- 使用頻度 C 🔥

あまり使いたくないけど，最近使わざるを得ないコトが……．

ポリミキシンB経口薬
- 臨床的重要度 ×
- 使用頻度 ×

ポリミキシンB点滴薬なら使い道はあるだろうが，SDDのために大切な耐性菌治療薬の耐性を惹起するのは愚の骨頂だろう．

C リファキシミン
下痢に対する新しいアプローチ

すでに何度か名前を出したリファキシミンです．リファンピシンの仲間です．**旅行者下痢症のみ**にターゲットを絞った，いかにも21世紀の薬らしい新しいコンセプトの薬です．**1日3回服用し，3日間の治療でOKです．**

21世紀になってからアメリカで使用するようになったのですが，もともとイタリアでは1987年から使用されていました．

リファキシミンはETECと呼ばれる，旅行者下痢症の原因となる大腸菌に効果があります．DNA依存RNAポリメラーゼに結合し，RNA合成を妨げます．多くのグラム陰性菌（腸内細菌群含む），嫌気性菌に効果がありますが，グラム陽性菌にはあまり効きません．なんか，親玉のリファンピシンとはエライ違いですね．他の腹腔内病原体であるサルモネラや赤痢菌に対する効果も実験室的にはあります（が，臨床的な検証は不十分なのでこの効果を疑問視する向きもあります）．カンピロバクターには効果がないとも言われています．あと，ピロリ菌にも効果がありますので，こういう使用法も将来はでてくるかもしれません．韓国からすでにこのような試みが発表されています．

> Choi KH, Chung WC, Lee K-M, et al. Efficacy of levofloxacin and rifaximin based quadruple therapy in Helicobacter pylori associated gastroduodenal disease: a double-blind, randomized controlled trial. J. Korean Med Sci. 2011; 26: 785-90.

さらに，**リファキシミンは肝性脳症の予防にも効果**があり，日本ではこの目的「のみ」で承認されています．

> Bass NM, Mullen KD, Sanyal A, et al. Rifaximin treatment in hepatic encephalopathy. N Engl J Med. 2010; 362: 1071-81.

さらにさらに，**リファキシミンは過敏性腸症候群にも効果**があることも比較試験で示されました．

Pimentel M, Park S, Mirocha J, et al. The effect of a nonabsorbed oral antibiotic (Rifaximin) on the symptoms of the irritable bowel syndrome: a randomized trial. Ann Intern Med. 2006; 145: 557-63.

　ただし，腸からの吸収が悪いために，もし敗血症を起こしてしまうと全く効きません．したがって，上記のような発熱，血便を起こすような下痢原性病原体にはリファキシミンを用いるべきではないでしょう．もちろん，この腸管からの吸収の悪さは全身へ移行しないという「利点」として認識することも可能です．

　面白いことに，偽膜性腸炎（CDI）の原因である *Clostridium*（*Clostridioides*）*difficile* にも活性があり，ファーストラインではありませんが，選択的に使われているようです（CDIの治療に関しては25-A, 390 ページ）．

McDonald LC, Gerding DN, Johnson S, et al. Clinical practice guidelines for clostridium difficile Infection in adults and children: 2017 update by the Infectious diseases society of America (IDSA) and Society for Healthcare Epidemiology of America (SHEA). Clin Infect Dis. 2018; 66: e1-48.

　ただ，旅行者下痢症についていえば，最近はアジスロマイシンのほうがファーストチョイスになっています．CDIについても他の治療法が複数あるため，わざわざリファキシミンを使う必要はありません．以前に比べると，重要性が下がった抗菌薬と言えるかもしれません……ていうか，2021年12月現在，そもそも旅行ができない……．

33 抗真菌薬

　たくさんある抗真菌薬ですが，その3本柱は，**アゾール**，**アムホテリシンB**，そして**エキノカンディン**です．

A アゾール

　アゾールは合成化合物です．イミダゾールとトリアゾールの2種類に分けられます．イミダゾールはリングに2つの窒素がついており，トリアゾールは3つついています（tri- は3の意味でしたね）．トリアゾールのほうは新世代の抗真菌薬であり，現在，全身投与（経口，点滴）を行うアゾールではこれが主流になっています．

　アゾールの薬理作用は，**真菌のエルゴステロールの産生を抑えること**です．つまり，後述のアムホテリシンBとその点では少し似ています．

　エルゴステロールとは，真菌細胞膜の構成要素で，ここを阻害することで真菌を破壊することができるわけです．ただし，アムホテリシンBはエルゴステロールに直接結合して，薬理作用を発揮するのに対して，アゾールはC-14 アルファーデメチラーゼという，エルゴステロールを合成する時に使われる酵素を阻害することで効果を発揮します．

　アゾールではフルコナゾール，イトラコナゾール，さらに新しいアゾールとして注目を集めているボリコナゾールやポサコナゾールなどについて触れましょう．

■ 1. フルコナゾール

抗真菌薬の雄．今でも活躍の場は多い

トリアゾールのフルコナゾールは，すでにアゾールの顔，ともいうべき利用度の高さです．その**最大の特徴は，ケトコナゾールの真反対．副作用が少ない**，という点でしょう．

まず，フルコナゾールは腸管からの吸収がとてもよく，8割以上が吸収されます．胃薬などを飲んでいる患者さんでも安心して投与できます．また，全身にくまなく行き渡るので，例えば，クリプトコッカス髄膜炎（中枢神経）や，カンジダの眼内炎（眼）にも好んで使われます（ただし，維持療法として）．

もちろん，フルコナゾールは，他の薬同様，患者さんの特性を無視して投与してよいわけではありません．P450系と干渉し，抗てんかん薬のフェニトイン，経口の糖尿病薬（スルフォニルウレア），ワルファリン，シクロスポリンなどの血中レベルを上昇させます．特に，移植後の患者さんは免疫抑制薬が入っていますから，その相互作用には十分な注意が必要です．

フルコナゾールの副作用としては，肝機能異常が有名ですが，肝酵素レベルは上昇するものの，臨床的に意味のある肝障害はそれほど多くはありません（ただし，普通に肝障害を起こしやすいICUの重症患者ではよくわからないので結局フルコナゾール中止，という結果に至ることはよくあります

が）．

　脱毛がみられることがありますが，これは可逆的です．フルコナゾールを長期投与する時などに，注意しなくてはならない副作用です．ただ，すでに述べたように全体的に**フルコナゾールは比較的副作用の少ない抗真菌薬**です．フルコナゾールは，口腔内のカンジダ（thrush）から，重症のカンジダ血症まで，**さまざまなカンジダ感染症に対してよく用いられます**．カンジダ感染症のいちばんメジャーなものは *C. albicans* ですが，これはたいていフルコナゾールに感受性があります．というわけで，とても使いやすい．また，多くの *C. tropicalis*, *C. parapsilosis* もフルコナゾール感受性菌です．したがって，これらによるカンジダ感染症だったら，フルコナゾールはよい選択肢です．

　一方，*C. glabrata*, *C. krusei* のほとんどはフルコナゾール耐性菌です．したがって，これらの臨床例には，後述するアムホテリシンBやカンディン系の薬が選択されます．

　また，すでに述べたように，フルコナゾールはクリプトコッカスに活性があります．多くの場合はアムホテリシンを使った後のメンテナンスとして使います．

　フルコナゾールは，アスペルギルスのような糸状菌「mold」には，通常いい選択ではありません．

- フルコナゾールが活躍するのは，カンジダ（*C. albicans, tropicalis, parapsilosis*），クリプトコッカス．
- *C. glabrata, krusei* にはあまりよくない．
- アスペルギルスにはよくない．

　ときに日本ではフルコナゾールのプロドラッグ，ホスフルコナゾール（プロジフ®）があります．輸液が少ないのが取り柄だそうですが，逆に言えばそれしか取り柄がありません．400mgバイアルで1万円以上するこの薬（同

量のフルコナゾール注射薬はジェネリックだと5千円以下），どこまで臨床的必然性があるのかなあ．

■ 2. イトラコナゾール
アスペルギルスに効くアゾールと，鳴り物入りで出てみたが

イトラコナゾールには，カプセル，液体の薬（液剤），そして点滴薬の3種類があります．イトラコナゾールはケトコナゾールの系統を引き継いでいる抗菌薬で，どちらかというと同じ新世代のアゾール，フルコナゾールよりもそっちに似ていると考えます．

液剤は空腹時に飲まなくてはいけません．逆に，カプセル薬や錠剤は食事と一緒に取ることで吸収が増します．で，食直後に飲むよう添付文書には書いてあります．ややこちいですね．

胃薬との併用で吸収が低下しますし，コーラと一緒に飲むと吸収が向上します．また，プロトンポンプ阻害薬や H_2 ブロッカーを飲んでいると当然吸収が低下してしまいます．なお，液剤は胃酸が低下しているような状態でも十分な吸収が得られ，それはカプセル剤などに比べても良いものなのだそうです．血中レベルが安定しないので，使用2週間後に血中濃度を測定するよう推奨する向きもあります．

また，眼への移行が良くない，中枢神経系への透過はきわめて悪い，とていいます．カンジダの眼内感染症や，真菌による髄膜炎には使いにくい．

このように，イトラコナゾールは，フルコナゾールに比べるとPK的にかなり劣ります．なお，アメリカでも日本でもイトラコナゾールの注射薬があったのですが，アメリカではあまり売れなかったために（？）販売中止になってしまいました．確かに，イトラコナゾールの注射薬ってポジショニングに問題があるのです（他の薬との差異がつけられないのです）．日本でもイトラコナゾールの注射薬ってあまり使われませんよね．

一意的に「その薬」の性質だけをみていても，抗菌薬はうまく使えません．他の薬との関係性が大切になるのです．つまり，**一意的に「その薬」の説明しかしない製薬メーカーの説明をいくら聞いても抗菌薬の使い方は会得できません**．彼らには「関係性」は語れませんから（あるいは，語ったとしても

歪んだ形でしか示すことができませんから）．このことは大切なので，是非覚えておきましょう．

イトラコナゾールは皮膚軟部組織（あるいは皮膚病変を起こす）の感染症によく効きます．どんな感染症ですって？

例えば，ブラストミセス症 blastomycosis, ヒストプラズマ症 histoplasmosis, コクシジオミセス症 coccidioidomycosis, パラコクシジオミセス症 paracoccidioidomycosis, sporotrichosis などの感染症にも効果があります．

俗にいう「タムシ」にも効きますし，爪白癬にはとてもいい．使い道がないわけではないのです．皮膚科の先生はよく使っておいでですよね．

イトラコナゾールは脂溶性かつ角質を好む傾向があるので，いったん投与されると長く爪の中に残ります．で，パルス療法というのが行われます．これは **400mg 毎日飲んで 1 週間**．で，**翌月同じことを繰り返し，3, 4 カ月治療する**というものです．爪白癬は後述するテルビナフィン（ラミシール®など）がファーストライン，イトラコナゾールはセカンドラインの治療薬とされているようです．ランダム化試験などでベターなデータがでているからです．

> Ameen M, Lear JT, Madan V, et al. British Association of Dermatologists' guidelines for the management of onychomycosis 2014. Br J Dermatol. 2014; 171: 937-58.

アスペルギルスにもイトラコナゾールは効果がありますが，後述のボリコナゾールのほうが臨床成績の実績があるので，そちらが優先されます．ここでもモナドロジー的なポジショニングが大事になります．

イトラコナゾールはカンジダにも効きますが，フルコナゾールが効かないカンジダは，イトラコナゾールも効かない可能性が高いです．つまり，*C. krusei*, *C. glabrata* なんかにはあまり良い選択ではありません（*krusei* には時に効果があるようですが，好んで用いることはあまりありません）．基本的に，アゾールは交差耐性を示すことが多く，フルコナゾール耐性を獲得すると，多くの場合同時にイトラコナゾールも耐性化してしまいます．どうもここでもイトラコナゾール，個性を発揮できません．

33　抗真菌薬

Kucers' には，Sporotrichosis（植物などから感染する真菌感染）にはアムホテリシンBの初期治療のあと，イトラコナゾールがよいのでは，と記載があります．確かに，こういう皮膚やリンパ管炎を起こす場合はよいかもしれません．

- イトラコナゾールは内服液，カプセル，注射薬があるが，どうも使い道がない．
- 爪白癬ではセカンドライン．テルビナフィンのほうが優先される．
- Sporotrichosis にはよいかも．

■ 3. ボリコナゾール：なんといってもアスペルギルス

比較的新しいアゾールです．イトラコナゾールの広いスペクトラム（アスペルギルスにも効く）と，フルコナゾールのよいPK的特徴を併せ持つような薬です．構造的には，合成トリアゾールでして，フルコナゾールによく似ています．

ボリコナゾールは錠剤，点滴薬ともにあります．投与方法はローディングが必要で，**点滴薬では6mg/kgを2回12時間おきに投与した後，4mg/kgを1日2回投与**となります．**経口薬では400mgを1日2回投与して，その後200mg 1日2回**となります．これを300mgに増やすことも可能です．

基本的にボリコナゾールは肝臓で代謝されるので腎機能が低下しても投与量を調節する必要はないのですが，点滴薬の場合，一緒に投与されるサイクロデキストリンに腎毒性があるため，問題です．したがって，腎不全患者に

はボリコナゾールは経口薬のみ用いるのが基本です．なお，透析患者で腎臓をスペアする必要がない場合は，全量使用しなくてはなりません，これは点滴薬でも同じです．理由はよく考えてみたら，自明ですよね．

- ボリコナゾール経口薬は腎機能で量調節無用．点滴薬は腎不全では使いにくい．

副作用も少ないですが，眼に可逆性の毒性があって，視力障害が起きます．そこで，外来ではちょっと使いにくいのが弱点です．肝障害も比較的有名です．

ボリコナゾールは接合菌（ムコールなど）や *Sporothrix shenkii* には効果がありません．*Sporothrix* とはリンパ管炎など軟部組織の感染症を起こす二形性真菌でして，植物から感染することが多いのが特徴です．だから，*Sporothrix* 感染症はバラ栽培家の疾患（rose handler's disease）なんてちょっとおしゃれな異名を持っています．アゾールの中では，前述のイトラコナゾールがよりよい選択となります．

あと，ボリコナゾールはフサリウムやスケドスポリウムにも効果があります．（ただし，*S. apiospermum* のみ，*S. prolificans* は多分ダメ．この菌には「これ」という抗真菌薬が存在しません）血液内科，がんセンターなどで見る感染症ですが，スケドスポリウムは「津波肺」の原因としても知られています．

トリコスポロンにも効果があります．特にスケドスポリウムは他に治療の選択肢があまりありませんから，ボリコナゾールのよい適応となります．

侵襲性アスペルギルス症の治療といえば，いままでは副作用の多かったアムホテリシンBでした．ボリコナゾールはこの侵襲性アスペルギルスに効果があるのが特徴です．アムホテリシンBとのガチンコ勝負で副作用が少なく，治療効果が高いことが示され，一気にこの薬がファーストラインの治療薬に格上げとなったのです．

Herbrecht R, Denning DW, Patterson TF, et al. Voriconazole versus amphotericin B for primary therapy of invasive aspergillosis. N Engl J Med. 2002; 347: 408-15.

アメリカ感染症学会（IDSA）の 2016 年ガイドラインでは，侵襲性アスペルギルス症のファーストラインの治療はボリコナゾールです．

代替薬としてリポソーマル・アムホテリシン B, isavuconazole が挙げられています．また，ボリコナゾールとエキノカンディンの併用療法を考えても良い（弱いエビデンス）とあります．エキノカンディンを初期治療に用いるのは推奨されていません（しないほうがよい，というエビデンスあり）．

治療期間は最低 6 ～ 12 週間で，治療効果を参照して決定します．免疫抑制が続けば二次予防的抗真菌薬を使うよう推奨もされています．ただし，ボリコナゾール耐性アスペルギルスも見つかっているので，そこは要注意です．

Patterson TF, Thompson GR, Denning DW, et al. Practice guidelines for the diagnosis and management of aspergillosis: 2016 Update by the Infectious Diseases Society of America. Clin Infect Dis. 2016; 63: e1-60.

■ 4. ポサコナゾール

日本でもようやく 2020 年から販売されるようになった抗真菌薬です．

構造的には，イトラコナゾールに似ていますね．やはり他のアゾール同様，エルゴステロール合成を阻害する薬です．日本では錠剤と注射薬があります．

カンジダ属，クリプトコッカス，アスペルギルスによい活性があるのは驚きではありません．*Trichosporon* や日和見感染の原因となる酵母菌，*Rhodotorula rubra* にも活性があります（臨床的に効くかどうかは，まだわからない）．フサリウムなどにも効くとのふれこみです．

ポサコナゾールが注目されたのは，重症難治性の *Zygomycetes*（接合菌）感染症に効果が期待されたからです．*Rhizopus*, *Mucor*, *Rizomucor*, *Lichtheimia*（かつての *Absidia*），*Cunninghamella*．もしかしたら，第一選択肢だったアムホテリシンBより治療効果は高いのでは？　という噂もあります．サルベージ治療として用いた場合の生存率が8割近くとケース・シリーズながら結構よかったという報告があるのです．ただし，サンフォード・ガイド（2021年6月確認時点，App版）の推奨ではファーストラインはいまだリポソーマル・アムホテリシンBです．

> Greenberg RN, Mullane K, van Burik J-AH, et al. ポサコナゾール as salvage therapy for zygomycosis. Antimicrob. Agents Chemother. 2006; 50: 126-33.

Scedosporium apiospermum（*Pseudallescheria bodyii*）は幹細胞移植患者，ステロイド大量投与者，AIDSなど免疫抑制のある患者に重篤な感染症を起こします．ボリコナゾールがファーストチョイスで，セカンドチョイスがポサコナゾールです．ただし，*Scedosporium prolificans* に対してはこれという治療選択肢がありません．

他にも活性があるのはフサリウム，ヒストプラズマなど，黒色真菌と呼ばれる *Alternaria*, *Bipolaris*, *Curvularia*, *Exphiala* などにも活性があります．

ポサコナゾールは，他のアゾール同様耐性菌が問題です．カンジダの場合，フルコナゾールやイトラコナゾールとの交差耐性が知られています．アスペルギルスに対するイトラコナゾールとの交差耐性も起きるようです．実際の臨床現場で，このような現象がどのような意味を持つのか．現在の段階ではわかっていません．

副作用として多いのが，頭痛と消化器症状です．新薬については常に副作用を警戒しなくてはいけませんが，現段階では安全性の高い薬だと考えられています．QT延長を起こしやすいので，心電図モニターを定期的に行う必要もあります．低カリウム血症など電解質異常も多いです．他の薬との相互作用も多いので，必ずチェックが必要です．うーむ，案外使いにくい薬ですね．

では，このポサコナゾール，臨床現場ではどうやって使ったらよいのでしょう．

現在考えられているのは，サルベージ療法，すなわち，**他の抗真菌薬を用いても効果が見られなかったような患者さんに対し，カンジダ，アスペルギルス，Zygomycetes, *Fusarium*, *Scedosporium* などを狙って用いる**，というものです．

あと，近年では予防薬としてポサコナゾールを使うというのがアメリカでは定着しています．これは好中球減少があったり，肝細胞移植後でGVHDを発症した患者にポサコナゾールを用いたら，侵襲性アスペルギルス症の発症を減らすことができた，というデータに基づきます．IDSAのガイドラインでも推奨薬になっています．

でも，こんなブロードな薬を予防に使って，その後大丈夫なのでしょうか．カンジダなどの酵母についても，アスペルギルスのような糸状菌についてもアゾールの交差耐性は観察されているようですが．日本でも「造血幹細胞移植患者又は好中球減少が予測される血液悪性腫瘍患者における深在性真菌症の予防」目的に適応があります．さて．

> Cornely OA, Maertens J, Winston DJ, et al. ポサコナゾール vs. fluconazole or itraconazole prophylaxis in patients with neutropenia. N Engl J Med. 2007; 356: 348-59. Ullmann AJ, Lipton JH, Vesole DH, et al. ポサコナゾール or fluconazole for prophylaxis in severe graft-versus-host disease. N Engl J Med. 2007; 356: 335-47. Patterson TF, Thompson GR, Denning DW, et al. Practice guidelines for the diagnosis and management of aspergillosis: 2016 update by the Infectious Diseases Society of America. Clin Infect Dis. 2016; 63: e1-60.

B アムホテリシンB
今でも抗真菌薬の王様

歴史の長いアムホテリシンBは，今でも重症真菌感染症の第一選択薬になることが多く，特にリピッド・フォームといわれる新しいタイプが出てから再注目されています．

アムホテリシンBは，*Streptomyces nodosus* が作っているのを，発見されました．細胞膜のエルゴステロールに結合し，細胞膜の透過性を亢進させます．あと，もう一つアムホテリシンBには薬理作用がありまして，アムホテリシンBの自己酸化（auto-oxidation）があります．酸化されたアムホテリシンBはフリー・ラジカルを産生し，これにより細胞障害を起こすのだそうです．

アムホテリシンBは，重症真菌感染症の第一選択になることが多く，これらの真菌のほとんどに効果を発揮します．むしろ，「アムホテリシンBが効かない真菌」を把握しておいたほうが便利です．それはいったい？

答えは，カンジダの一種, *Candida lusitaniae* です．感染症の専門医試験に出るようなカルトな知識です．アゾールやカンジンは効きますから大丈夫（知ってさえいれば）．他にも *Aspergillus terreus*（ボリコナゾールがファーストライン），スケドスポリウム（ボリコナゾールやポサコナゾールが *S. apiospermum* には使えるのでした． *S. prolificans* にはあまりよい選択肢なし）はアムホテリシンBは効果を示しません．あとトリコスポロン．

活性はあるけど強くないものに，フサリウム，ムコール（接合菌），*Malassezia*（癜風の原因など），*Naegleria*, *Leishmania* があります．

後二者は寄生虫ですが，アムホテリシンBを使って治療したりします．

Naegleria は自由寄生性アメーバ髄膜脳炎の原因で死亡率が99％とも言われますから，まあ「イチかバチか」の治療になりますね．リーシュマニアは皮膚，皮膚粘膜，全身性のカラ・アザールとありますが，先進国ではリポソームアムホテリシンBが標準治療になりつつあります．

● アムホテリシンが効かない真菌. *C. lusitaniae*, *A. terreus*, スケドスポリウム, トリコスポロン

　アムホテリシン B は，以前は「amphotericin B deoxycholate」1 種類でしたが，リピッド・フォームと呼ばれる製剤が出るようになり，治療が随分楽になりました．副作用が少なくなったためです．そのうち，日本にあるのはリポソーマルアムホテリシン B (liposomal amphotericin B, アムビゾーム®) です．

　アムホテリシン B は注射薬が基本です．他に，膀胱洗浄だとか，口腔内のゲル剤としても使われていますが，膀胱洗浄の臨床的意義はほとんどないので，推奨できません．

　アムホテリシン B は基本的に腎臓から尿に排出されます．組織移行性については十分なデータはありませんが，リポソーマルアムホテリシン B は中枢神経には一定の濃度を得られるため，治療には使えるそうです．

　アムホテリシン B には多くの副作用があります．

　まずは腎毒性．これは，アムホテリシン B が輸入腎細動脈を収縮させることにより，尿量が減ることから起きると考えられています．さらに，腎臓からカリウム，マグネシウム，重炭酸が過剰に排泄され，それぞれ低カリウム血症，低マグネシウム血症，そして正常アニオンギャップのアシドーシス (RTA) の原因になります．腎毒性はアムホの総投与量に依存しています．したがって，アムホテリシン B の投与は慎重に行わなければなりません．

　他の腎毒性のある薬との併用にも要注意です（例：免疫抑制薬，バンコマイシン，アミノグリコシド）．

　アムホテリシンは PK 的に面白い薬です．腎毒性が強いのですが，腎機能が低下してもその排除のスピードは変わりません．腎機能，肝機能が低下しても投与量は同じです．また，透析にて除去されないので，腎透析時にも投与量は同じです．半減期は二段階で，初期の除去（半減期 24 〜 48 時間）の

あと，ゆっくりと除去されるフェーズ（半減期15日）に移行します．アムホテリシンBはですから，投与されると3〜7週間という非常に長い時間体内に残り続けるのです．

　現在では，古いアムホテリシンを使うことはほとんどなくなり，リピッドフォームを使うことが多くなりました．以前は高額だったのがネックであまり積極的に使われなかったのですが（50mgバイアルが9,881円．5mg/kgで使って体重60kgとして，1日6万円近く！），他の抗真菌薬（あるいはどの薬も）が高額化して，相対的にはそれほどお高くなくなったこと，そして患者の安全性や有効性の重視という観点から，ほぼアムビゾーム®のみが用いられます．

C　エキノカンディン
いろいろ使えるけど，結局はカンジダか？

　エキノカンディンは最近登場した抗真菌薬で，従来のアムホテリシンB，そしてアゾールに続く「第三勢力」といえましょう．

　アムホやアゾールが細胞膜のエルゴステロール合成を阻害するのに対して，エキノカンディンは異なるメカニズムを持っており，そういう意味でも「新しい」時代がやってまいりました．アメリカではカスポファンギン，anidulafunginとミカファンギン，日本ではカスポファンギンとミカファンギンが使われています．

　サイクリック・ヘクサペプチド……hexa- はギリシア語で6ですから，6つのアミノ酸がくっついてワッカのようになっています．

　カンディン系のプロトタイプ，anidulafunginは1974年に世に出ています．その後10年以上経って，カスポファンギンが1989年に，その翌年にミカファンギンが登場しました．

　カンディン系の抗真菌薬は，アゾールやアムホテリシンBのように細胞膜のエルゴステロールに作用するのではなく，細胞壁のβ-1-3-グルカンシンターゼという酵素に作用します．そうです．**真菌って（細菌と違い）核も**

あれば細胞壁もあるんです．真菌の細胞壁にはβグルカンがあり，これを（ニューモシスチスを含む）真菌感染症の診断に用いています．

カスポファンギン

ミカファンギン

エキノカンディンは見ての通り，分子量の大きい抗真菌薬で，したがって腸管から吸収はされず，もっぱら点滴による投与です．

カスポファンギンの構造式をみると，端に脂肪酸がビヨヨーンとついていますが，ミカファンギンではこれが芳香族がだんご3兄弟（古い！）のよう

に連なった形になっています．

カンディン系は肝臓から排泄されます．腎機能により投与量を調節することはありませんし，当然，アムホのような腎毒性はありません．これは利点です．肝機能低下のある患者さんには低量使用のほうがいいのではないか，という意見もありますが，では「どのくらい減らせばよいのか」についてはよいコンセンサスがありません．これは他の抗菌薬についても同様で，以前にこの話はしました．中枢神経にはある程度移行しますが，目への移行性は悪いのでカンジダ眼内炎などには用いません．

カンディン系がカバーする真菌は，カンジダ（albicans, non-albicans を問わず），アスペルギルス，そして Pneumocystis になります．ニューモシスチスは真菌でしたね．ところが，PCPについては，シストについては効果があるのですが，栄養体にはカンディン系は効きません．したがって，実際の肺炎では効果を期待できません．

アメリカでみられる地域性の真菌，例えば，*Coccidioides immitis*, *Blastomyces dermatididis*, *Histoplasma capsulatum* といった，深部感染を行う真菌にも，カンディン系はある程度の活性をもっています．

カンディン系はクリプトコッカスには効果がありません．また，すべての接合菌 *Zygomycetes* や *Fusarium*，トリコスポロン *Trichosporon* にも効果がありません．あと，カンジダでも *C. parapsilosis* については活性が不十分である可能性があります．

がんセンターや移植後の患者さんで，これらの真菌症はまれにみられることがありますし，糖尿病の患者さんでは *Zygomycetes* は要注意の感染症です．カンディンの使いすぎは，トリコスポロンなどの感染症を増やすのではないか，という懸念もあります．亀田総合病院からの発表ですが，10年以上たった今も重症患者からときどきトリコスポロンは見つかっています．

> Matsue K, Uryu H, Koseki M, et al. Breakthrough trichosporonosis in patients with hematologic malignancies receiving micafungin. Clin Infect Dis. 2006; 42: 753-7.

カンディン系は，アムホテリシンBやアゾールとは全く異なるメカニズムで効果を発揮しますから，これらの抗真菌薬とは交差耐性を起こさないと

考えられます．以前はカンディン系に対する信頼に足る感受性試験なかったのですが，現在ではCLSIのM60に酵母菌のブレイクポイントがカンディンに対しても示されています．

CLSI. M100 and M60 Free. CLSI M60 ED2. 2020.

糸状菌（具体的にはアスペルギルス）に対してはEUCASTがブレイクポイントを設定しており，CLSIはブレイクポイントをもっていません．しかし，そのEUCASTも，カンディン系に関してはアスペルギルスに対するブレイクポイントを設定するにはデータが不充分であると公表していません．

EUCAST. ブレイクポイント(抗真菌薬)

カンディン系が他の抗真菌薬と異なるメカニズムを持つ，という特徴はもう一つの興味深い可能性を我々に示唆してくれます．併用療法による，シナジーです．カンディン系を他の薬と併用してもアンタゴニズムは生じないだろう，とはいわれていますが，シナジーについてはまだ十分なデータがありません．ただ，侵襲性の真菌症は治療をがんばっても予後がよくないため，誰もが「ベター」な治療法を模索しています．

では，実際に臨床現場では，カンディン系をどのように用いたらよいのでしょうか．

カンディン系は（臨床的によく遭遇する）すべてのカンジダ感染症に効果があります．が，多くのカンジダはアゾールでも治療できますし，点滴薬であるという足枷もありますから，thrushと呼ばれる口内カンジダやカンジダ腟炎などには使用しないでしょう．また，*C. parapsilosis*には効果が不十分な可能性がありますし，そもそもフルコナゾールを使えばよいわけですから，カンディン系を使う必然性がありません．

アゾールに反応しない，あるいはアゾールが禁忌の場合の重症カンジダ感染症，例えばカンジダ食道炎とか，カンジダ血症などに，カンディン系は用

いられます．特に，カンジダ食道炎の場合，確かにつらい病気ですが，患者さんの予後は悪くないので，副作用の大きいアムホテリシンBをガツンとやる，というのは（たとえ少量投与でも）あまり気が進みません．カンジダ食道炎の場合，カンディン系はアゾールに続くセカンドチョイスとしてもよいと思います．

　アゾールに耐性の C. albicans や，アゾールがもともと効きにくい C. glabrata, C. krusei が同定された場合は，特にカンディン系の適応です．

- カンディン系は C. krusei, glabrata にも使えるのが売り．ただし，C. parapsilosis には微妙．

　侵襲性アスペルギルス症にもカンディン系は用いることができます．特に，副作用が小さいですから，高齢者で全身状態が悪く，アムホテリシンが使いにくい場合などは選択肢の1つになります．しかし，近年ではボリコナゾールがこの疾患の治療薬として確たる地位を確立してしまったので，この目的であえてカンディン系を用いる可能性は低いです．

　ミカファンギンとカスポファンギンの使い分けは，ぼくにはよくわかりません．カスポファンギンは初回投与にローディングが必要ですが，逆に言えばそれだけの違いです．両者のガチンコ比較な臨床試験は見たことがありません（たぶん，やらないでしょう）．いずれにしても医療機関は**どっちかかたっぽだけもっとけばよい**と思います．

D フルシトシン
一人じゃいられない，名（?）バイプレイヤー

　フルシトシンは5-フルオロシトシンのことで，フッ素のついたピリミジン・アナログです．

基本的には，アムホテリシンBと併用して用います．その代表例はクリプトコッカス感染症，特に髄膜炎です．髄膜炎を合併しないクリプトコッカス感染症ではガイドライン上，使用は推奨されていません．カンジダにも感受性がありますが，これに対して用いることもありませんねえ．他に良い薬がありますし，副作用が問題になるためです．

> Perfect JR, Dismukes WE, Dromer F, et al. Clinical practice guidelines for the management of Cryptococcal disease: 2010 Update by the Infectious Diseases Society of America. Clin Infect Dis. 2010; 50: 291-322.

で，その副作用ですが，特に問題になるのは血球減少，肝毒性，腎毒性です．あと，検査機の中で選択的に「見かけ上の」クレアチニン値を高めてしまうという厄介な問題もあるそうです（ぼくは見たことないですが）．アムホテリシンBは腎不全時も投与量の調整は不要ですが，フルシトシンは減量が必要になります．

E テルビナフィン
爪白癬でプレゼンス高し

白癬に用いる薬です．グリセオフルビン同様，内服薬，外用薬もあります．内服薬は爪白癬にも用いることが可能です．1980年代に発表され，臨床応用されたのは1990年代という比較的新しい抗真菌薬です．エルゴステロール合成を阻害するのが作用機序で，アムホテリシンBやアゾールと似てますね．

テルビナフィン

基本的には白癬（爪白癬含む）の治療に広く用いられます． *Chromoblastomycocis* やスケドスポリウム感染にももしかしたら効くかも，とも言われています．爪白癬の治療成績はなかなか良く，イトラコナゾールと同等かそれ以上とも言われます（ただし，副作用はこちらのほうが多い）．なお，通常テルビナフィンは爪白癬の治療のためには毎日内服するのですが，イトラコナゾール同様「パルス」治療が行われ，250mg を 1 週間飲んで，翌月同じことを繰り返す，という変わった試みがなされています．治療効果はテルビナフィンのほうが高く，現在ではイトラコナゾールよりもこちらをファーストチョイスで用いる，という話はすでにしました．

肝毒性がよく知られた副作用で，肝機能のモニターは長期投与時には必要になります．それゆえ，皮膚表在性真菌感染では，(本書では割愛しましたが) 塗布剤のほうが優先されるでしょう．爪白癬では塗布薬は治療効果が十分に期待できず，内服薬の本薬が使われます．

> Ameen M, Lear JT, Madan V, et al. British Association of Dermatologists' guidelines for the management of onychomycosis 2014. Br J Dermatol. 2014; 171: 937-58.

本書校正時にホスラブコナゾール（ネイリン®カプセル）という経口薬が爪白癬治療薬として承認されました．PubMed で調べてみると，

> Watanabe S, Tsubouchi I, Okubo A. Efficacy and safety of fosravuconazole L-lysine ethanolate, a novel oral triazole antifungal agent, for the treatment of onychomycosis: A multicenter, double-blind, randomized phase III study. J Dermatol. 2018; 45: 1151-9.

が唯一の臨床試験としてヒットしました．152 名による臨床試験で，プラ

セボとの比較で，治癒率が約60％．本文でPromising drugと書かれていますが，まさにそのとおりで，本薬の真価は今後のデータを待たねばならないと思います．新薬は，2年寝かせろ．至言です．

F Isavuconazole

日本でも見つかっている耐性傾向の強いカンジダ，*C. auris*への効果が期待されている新薬です．*C. auris*はアゾール，カンディン，アムホテリシンすべてが効かないという株があり，多剤耐性菌として米国で注目されています．日本の診療現場ではほとんど問題になっていませんが，実は最初に見つかったのは日本です．

 前﨑繁文. Candida auris. 週刊日本医事新報. 2018; 4935: 59. [cited 2022 Feb 14] .

アゾール系のプロドラッグで，侵襲性アスペルギルス症や接合菌感染症に用いられます．侵襲性アスペルギルス症ではボリコナゾールと比較して非劣性，接合菌症でも高い治療効果を示しました．経口薬と注射薬があり，腎機能に応じた調整も必要ありません．現段階では，ボリコナゾールやポサコナゾールの代替薬，という立ち位置のようです．

Lamoth F, Kontoyiannis DP. The Candida auris alert: facts and perspectives. J Infect Dis. 2018; 217: 516-20.

 Isavuconazonium Sulfate（Cresemba）- A New Antifungal | The Medical Letter, Inc. [Internet]. [cited 2022 Feb 14] .

Dr.Iwata's Summary and Score of Medicines

採点表　抗真菌薬のまとめ

凡例　Symbol Legends

臨床的重要度
- A 🔥🔥🔥 …… とても高い
- B 🔥🔥 ……… まあまあ高い
- C 🔥 ………… そんなに高くない
- × ………… なくても困らない

使用頻度
- A 🔥🔥🔥 …… とてもよく使う
- B 🔥🔥 ……… まあまあ使う
- C 🔥 ………… ほとんど使わないが　たまに使う
- × ………… 全く使わないし，今後もおそらく使わない

フルコナゾール（ジフルカン®，プロジフ®など）

- 臨床的重要度　A 🔥🔥🔥
- 使 用 頻 度　A 🔥🔥🔥

カンジダに対するファーストチョイス．PK/PD 的にも安全面でも優等生．

イトラコナゾール（イトリゾール®など）

- 臨床的重要度　C 🔥
- 使 用 頻 度　C 🔥

まさにフルコナゾールとコントラストをなす．*In vitro* の活性と感受性だけでは薬は選べない，という好例．イトラコナゾールでなければ，という疾患がほとんどない．

ボリコナゾール（ブイフェンド®など）
- 臨床的重要度　A 🔥🔥🔥
- 使用頻度　　　B 🔥🔥

　侵襲性アスペルギルスの第一選択薬．予防的に使うのはいかがなものか．

ミカファンギン（ファンガード®），カスポファンギン（カンサイダス®）
- 臨床的重要度　B 🔥🔥
- 使用頻度　　　A 🔥🔥🔥

　カンジダ血症のときのエンピリックな治療薬．PK/PD 的には若干問題だが安全性は高い．どちらも甲乙つけがたいが，逆に言えば病院で採用するときは，どちらか一つあればよい．

アムホテリシン B（ファンギゾン®）
- 臨床的重要度　C 🔥
- 使用頻度　　　×

　もはやほとんど使わなくなった抗真菌薬．コスト的にアムビゾーム®などが使えない，途上国ならば使うかも．

リポソーマルアムホテリシン B（アムビゾーム®）
- 臨床的重要度　A 🔥🔥🔥
- 使用頻度　　　B 🔥🔥

　抗真菌薬の標準型．使えないこともあるが，使えない「こともある」としている時点でエース級．高いのと，副作用が問題．

テルビナフィン（ラミシール®など）
- 臨床的重要度 B 🧪🧪
- 使 用 頻 度 B 🧪🧪

爪白癬の第一選択薬．

フルシトシン（アンコチル®）
- 臨床的重要度 B 🧪🧪
- 使 用 頻 度 B 🧪🧪

クリプトコッカス髄膜炎に特化した（ただし併用で）薬．重要度は高い．

ポサコナゾール
- 臨床的重要度 B 🧪🧪
- 使 用 頻 度 C 🧪

接合菌類に使える切り札か？　と期待されたけど，副作用や相互作用などハードルがかなり多い薬．今となっては切り札，とは呼びづらいかも．

33 抗真菌薬

34 抗ウイルス薬

抗ウイルス薬の話です，ってこれもでかいですね．

抗 HIV 薬については姉妹書の『抗 HIV 薬の考え方，使い方，そして飲み方 ver. 2』（中外医学社）にまとめているのでそちらをご参照ください．

すべてのウイルスはヒトの細胞内に住んでいます．そして，ヒトの細胞の中にある酵素や構造を間借りして，「生きています」し，増殖もします．

というわけで，ウイルスだけを特にターゲットにし，かつ毒性のない薬の発見は難しいのですね．

それに，多くのウイルスはホスト（ヒト）の中で潜伏した感染を確立します．ヘルペスが典型的で，「once herpes, always herpes（1回ヘルペス感染したら，一生モノ）」と呼ばれるのはそのためなんですね．ちなみに英語では「ハーピス」と発音します．ハーピス．

潜伏するウイルスをホストから排除するのは基本的に不可能で，よってヘルペスウイルスも HIV も B 型肝炎ウイルスも排除できないのでした．もっとも，後述するように，C 型肝炎ウイルスでこの「ドグマ」は見事に崩れ去りましたが．医学の進歩ってすごい！

抗ウイルス薬の多くは，ウイルスとホストの複製過程の違いを利用してウイルスを攻撃しています．例えば，ウイルス特異的な DNA ポリメラーゼとか．というわけで，多くの抗ウイルス薬はヌクレオシド／ヌクレオチドアナログなんですね．

ま，そんなわけで，多くの抗菌薬とは異なり，ほとんどの抗ウイルス薬は「magic bullet（魔弾）」と呼ばれるのには程遠いのです．

A 抗インフルエンザ薬
どう使うかは，悩ましい

　古典的な抗インフルエンザ薬というと，アマンタジンとrimantadineです．しかし，どちらもA型インフルエンザにしか効果がないこと，中枢神経系の副作用が多いこと，耐性ウイルスの増加，そして代替となるノイラミニダーゼ阻害薬の登場により，この目的で用いられることはほとんどなくなりました．現在ではむしろ，パーキンソン病の治療薬としてもっぱら用いられます．ちなみに，アマンタジンはアダマンチンという物質から得られた抗ウイルス薬ですが，なんか名前の響きが好きです．ワカランチン，みたいで．

　で，そのノイラミニダーゼ阻害薬です．

　最初に出てきたのはオセルタミビルとザナミビルでした．前者は経口薬，後者は吸入薬で，直接気道を介して呼吸器官で作用します．その後，ペラミビルという点滴薬，そしてラニナミビルという長期作用型の吸入薬が登場し，現在このクラスの薬は4種類となっています．

オセルタミビル　　　　　　　ザナミビル

ペラミビル　　　　　　　ラニナミビル

　ペラミビルは1回の点滴で治療が完了する長期作用型の薬です（ただし，重症例では連日投与も可能です）．米国ではオセルタミビルなどの代替薬が失敗した場合や経口薬が使えない入院患者に使用する，とあります（サンフォード・ガイドより）．

　ラニナミビルは正式にはプロドラッグのラニナミビル・オクタノエイトという吸入薬で，細胞内でラニナミビルに転じます．単回治療で5日間は効果が持続するため，1回で治療が終了なのが利点です．

　もっとも，長期作用型の薬は諸刃の剣，の側面もあります．例えば，アレルギーのような副作用が生じたときに，副作用も長く続いてしまうんですね．抗不整脈薬のアミオダロンとか，糖尿病のSU剤とかでも生じうる問題です．SU剤で低血糖発作を起こした場合は帰宅させちゃダメ，というのは救急センターでの初歩的な「掟」ですよね．

　あと，ラニナミビルは米国など海外でも承認をとろうとしたのですが，第Ⅱ相試験でプラセボと比較して臨床症状の改善で有意な差が得られなかったということで，その後の臨床試験は頓挫したようです．

 Daiichi Sankyo, Biota's laninamivir fails to meet goal of mid-stage influenza trial [Internet]. [cited 2022 Feb 14].

　また，その後出されたメタ分析で，ラニナミビルはH3N2インフルエンザにおいてオセルタミビルよりも発熱期間が長いことがわかり，あるいはペラミビルに比べても発熱期間が長いこともわかりました．

　　　Higashiguchi M, Matsumoto T, Fujii T. A meta-analysis of laninamivir octanoate for
　　　treatment and prophylaxis of influenza. Antivir Ther（Lond）. 2017.

ノイラミニダーゼという酵素はA型，B型両者のインフルエンザウイルスにあります．ヒトインフルエンザだけでなく，豚由来のインフルエンザウイルス（いわゆる「新型」インフルエンザ）や，鳥インフルエンザにも効果があると考えられています．

オセルタミビルやザナミビルは治療だけでなく，予防にも効果があることが知られています． 発症者の周囲が飲めば，流行を抑えることが可能なのです．

> Hayden FG, Atmar RL, Schilling M, et al. Use of the selective oral neuraminidase inhibitor oseltamivir to prevent influenza. N Engl J Med. 1999; 341: 1336-43.
>
> Hayden FG, Gubareva LV, Monto AS, et al. Inhaled zanamivir for the prevention of influenza in families. Zanamivir Family Study Group. N Engl J Med. 2000; 343: 1282-9.
>
> Kohno S, Yen M-Y, Cheong H-J, et al. Phase III randomized, double-blind study comparing single-dose intravenous peramivir with oral oseltamivir in patients with seasonal influenza virus infection. Antimicrob Agents Chemother. 2011; 5: 5267-76.

ペラミビルは点滴薬なので実質的には予防的には用いないでしょう．ラニナミビルについても予防効果を示すデータが出ており，予防にも適用があります．

> Kashiwagi S, Watanabe A, Ikematsu H, et al. Long-acting neuraminidase inhibitor laninamivir octanoate as post-exposure prophylaxis for influenza. Clin Infect Dis. 2016; 63: 330-7.
>
> Nakano T, Ishiwada N, Sumitani T, et al. Laninamivir prophylaxis study Group. Inhaled laninamivir octanoate as prophylaxis for influenza in children. Pediatrics. 2016; 138.

また，**ラニナミビルはタミフル®と比べて治療効果は同等，でもタミフル耐性ウイルスにも効きます**よ，という臨床試験が日本から発表されています．オセルタミビル耐性のH275Y突然変異がある場合，ペラミビルも同時に耐性になるものの，ラニナミビルは耐性にならないとされています．

もっとも，I436Nのようにすべてのノイラミニダーゼ阻害薬の活性を下げる突然変異の存在も知られています．ま，本稿執筆時点ではノイラミニダー

ゼ阻害薬の耐性はそれほど大きな臨床問題にはなっていないのですが．

 Comparison of single-dose intravenous peramivir with oral oseltamivir in patients with seasonal influenza virus infection: A phase III randomized, double-blind study. Antimicrobial Agents and Chemotherapy [Internet]. 2011 [cited 2022 Feb 14]
Watanabe A, Chang S-C, Kim MJ, et al. Long-acting neuraminidase inhibitor laninamivir octanoate versus oseltamivir for treatment of influenza: A double-blind, ran-domized, noninferiority clinical trial. Clin Infect Dis. 2010; 51: 1167-75.
Kwon JJ, Choi W-S, Jeong JH, et al. An I436N substitution confers resistance of influenza A（H1N1）pdm09 viruses to multiple neuraminidase inhibitors without affecting viral fitness. J Gen Virol. 2018; 99: 292-302.

　ザナミビルやラニナミビルという吸入薬は気道の痙攣を起こす可能性があり，呼吸器の基礎疾患のある患者さんには注意して使う必要があります．オセルタミビルやペラミビルは悪心などの消化器症状を起こすことが知られています．

　すでに，オセルタミビル耐性のインフルエンザウイルスは発見されており，その割合は2.6％にも上ると言われています．また，耐性ウイルスは肺炎の発症と関連があるそうです．ザナミビル耐性インフルエンザは現在のところきわめてまれです．すでにB型インフルエンザでは，オセルタミビル，ザナミビル，ペラミビルの交差耐性が観察されています．ラニナミビルについては耐性の情報をぼくは得ていません．

Thorlund K, Awad T, Boivin G, et al. Systematic review of influenza resistance to the neuraminidase inhibitors. BMC Infect Dis. 2011; 11: 134.
Gubareva LV, Matrosovich MN, Brenner MK, et al. Evidence for zanamivir resistance in an immunocompromised child infected with influenza B virus. J Infect Dis. 1998; 178: 1257-62.

　かつて，オセルタミビルは中枢神経異常をきたし，ビルから飛び落ちるといったエピソードもあって心配されましたが，その後の厚生労働省の調査で，このような問題がオセルタミビル服用によって有意に増えるわけではないことが示されました．

　いずれにしても，ノイラミニダーゼ阻害薬の臨床効果は症状の軽減とインフルエンザからの回復のスピードを速めるところにあります．入院が必要な

重症例に用いればもしかしたら死亡率を減らしたりするかもしれませんが，外来レベルの症例では，ノイラミニダーゼ阻害薬を用いても用いなくても早晩患者は回復します．

最近では，漢方薬を用いてインフルエンザを治療するという選択肢も生まれてきました．麻杏甘石湯と銀翹散を併用して，オセルタミビルと引き分けだった，というスタディーです．

> Wang C, Cao B, Liu Q-Q, et al. Oseltamivir compared with the chinese traditional therapy maxingshigan-yinqiaosan in the treatment of H1N1 influenza: A randomized trial. Ann Internal Med. 2011; 155: 217-25.

その銀翹散の10の生薬のうち，1つだけ別のものに変えた銀翹解毒散という漢方薬は日本でも市販されています．神戸大学病院ではこれとオセルタミビルを成人のインフルエンザに使用し，診療経過は引き分けだったという臨床試験を行いました．まあ，これはNの少ないパイロット的研究ですが，「ノイラミニダーゼ阻害薬以外のオプション」がないとされてきた日本のインフルエンザ診療に別の可能性をもたらしたとは思っています．

> Iwata K, Igarashi W, Honjo M, et al. Gingyo gedokusan vs oseltamivir for the treatment of uncomplicated influenza and influenza-like illness: An open-label prospective study. General Medicine. 2013; 14: 13-22.

ただ，さすがにこれだけでは何も言えねー，という自覚はあって，その後，ベイズ統計を用いればより良い解析ができるんじゃない？と気づいたので，事後確率密度を比較して，銀翹解毒散，使えるかもねー，という確度は少し高まりました．ふー．

> Iwata K, Nishimoto T, Higasa K, et al. Gingyogedokusan versus oseltamivir for the treatment of influenza: Bayesian inference using the Markov chain Monte Carlo method with prior pilot study data. Traditional & Kampo Medicine. 2019; 6: 134-8.

ノイラミニダーゼ阻害薬の副作用，耐性ウイルスなどのリスクを考えると，選択肢が増えることはもちろんよいことだと思います．

もちろん，ノイラミニダーゼ阻害薬を使用するな，と主張しているわけではありません．「どの」患者にどの薬を使うのが全体として妥当なのか，模索していくのがプロの務めだと考えているのです．ノイラミニダーゼ阻害薬使用の条件を吟味する理論生成論文も発表しています．よかったら，こちらもご参照ください．

> 岩田健太郎，野口善令，土井朝子，他．インフルエンザ診療における意思決定モデルの開発現象と治療に立脚した診断方針の試案．日東医誌，Kampo Med. 2013; 64: 289-302.

　複数のザナミビルをあわせた高分子量の polyvalent zanamivir conjugates というのもでており，よりノイラミニダーゼに親和性が高くなっています．いくつかのタイプがあり，例えば2価（bivalent）zanamivir conjugate は通常のザナミビルよりも 550 倍効果が高いのだそうです．単回使用で5日間投与のザナミビルと同じ効果があるのだそうです（マウスのモデルで）．あと，点滴薬のザナミビルも開発されており，米国では非常時に，緊急避難的に FDA から取り寄せることができるそうです（緊急研究中新薬使用措置）．死亡率の高い「新型」インフルエンザが流行したとき，とかでしょうか．オセルタミビルの注射薬も開発中とのことです．

　ファビピラビル（アビガン®）は RNA ポリメラーゼ阻害作用のある錠剤で，インフルエンザに承認された薬です．ただし，臨床データはほとんどなく，「本剤は，他の抗インフルエンザウイルス薬が無効又は効果不十分な新型又は再興型インフルエンザウイルス感染症が発生し，本剤を当該インフルエンザウイルスへの対策に使用すると国が判断した場合にのみ，患者への投与が検討される医薬品である．本剤の使用に際しては，国が示す当該インフルエンザウイルスへの対策の情報を含め，最新の情報を随時参照し，適切な患者に対して使用すること」（添付文書より）．
　なんだそうです．

　本剤は動物実験でエボラウイルスに効果があることが示唆され，2014 年か

らの西アフリカでのエボラウイルス感染流行の際に注目されました．また，2020年以降は新型コロナウイルス感染症（COVID-19）の原因，SARS-CoV-2への活性があることから，治療薬として注目を集めました．残念ながら臨床試験でこれという結果が出せなかったために，予防，治療（重症含む）いずれにおいても，使いみちが見い出せない薬です．

臨床効果がパッとしないわりには副作用が多いのも問題です．QT延長，横紋筋融解症，心嚢水貯留や尿酸値の上昇といった重篤な副作用が起きること，初日に200mg錠を8錠2回飲まねばならないこと，エボラ疾患が嘔吐下痢が激しく，実際には飲めないことも多く，また吸収もされにくいことなど臨床的な不都合は多く，実際の患者でPKデータを取ると，有効血中濃度にも達しなかったようです．

> Chinello P, Petrosillo N, Pittalis S, et al. QTc interval prolongation during favipiravir therapy in an Ebolavirus-infected patient. PLoS Negl Trop Dis. 2017; 11: e0006034.
> Nicastri E, Brucato A, Petrosillo N, et al. Acute rhabdomyolysis and delayed pericardial effusion in an Italian patient with Ebola virus disease: a case report. BMC Infect Dis. 2017 30; 17: 597.
> Nguyen THT, Guedj J, Anglaret X, et al. Favipiravir pharmacokinetics in Ebola-infected patients of the JIKI trial reveals concentrations lower than targeted. PLoS Negl Trop Dis. 2017; 11: e0005389.

とはいえ，小規模な臨床研究ではファビピラビルの使用者のエボラ生存率が高かったことも報告されています．

> Bai C-Q, Mu J-S, Kargbo D, et al. Clinical and virological characteristics of ebola virus disease patients treated with favipiravir（T-705）-Sierra leone, 2014. Clin Infect Dis. 2016; 63: 1288-94.

インフルエンザ治療薬としてはほとんど臨床データがないことと，錠数が多く，副作用も多いことから本剤は一般的なインフルエンザ治療には用いません．耐性ウイルスで死亡率が高いインフルエンザ流行時の限定的な使用となるでしょう．

さて，新たなインフルエンザ治療薬が2018年に承認されました．バロキサビル（ゾフルーザ®）という錠剤です．RNA合成を阻害する，「キャップ依存性エンドヌクレアーゼ阻害剤」です．ペラミビル，ラニナミビル同様，半減期が長い（約100時間）ために単回投与が可能なのが特徴です．ときに，添付文書には

本剤の投与にあたっては，本剤の必要性を慎重に検討すること．

とあります．アタリマエやんけ，必要性の検討が必要ないクスリなんかあるんか，と添付文書にツッコミを入れてしまうぼく．

臨床試験ではオセルタミビルと引き分け，小児については臨床データも乏しいことから，ぼくは最初からこの薬を積極的に使う根拠を見い出していませんでした．そうこうしているうちに薬剤耐性ウイルスが増加し（冗談みたいに大量に使いまくったためです），そして新型コロナの出現でインフルエンザそのものが激減して，あれだけ大騒ぎをしたバロキサビルも臨床現場でほとんど見ることがなくなってしまいました．この業界，本当に怖いですね．

抗インフルエンザ薬のまとめ（ポジショニング）

まとめ① 抗ウイルス薬を必要とするかどうかを決める．麻黄湯など漢方薬，あるいは対症療法だけで治療するオプションもある．

まとめ② 抗ウイルス薬を使うならば，もっとも臨床実績のあるオセルタミビルがファーストチョイス．吸入薬を是非，という希望者がいればザナミビルを用いる．

まとめ③ 特に1回投与の希望があればラニナミビルを用いてもよいが，本薬は本文に示したようにエビデンス不十分なため3番手．

まとめ④ ペラミビルは注射薬で，インフルエンザシーズンで処置室を患者で埋めるのは感染管理上も不適切．外来では基本使わない．重症入院患者にのみ用いる．

まとめ⑤ ファビピラビル，バロキサビルは原則としてインフルエンザ治療には用いない．特殊な鳥インフルエンザのときなどに併用療法として用いる可能性はある．特にファビピラビル．そのときもノイラミニダーゼ阻害薬と併用で用いるのが理性的，かつ理論的．

B サイトメガロウイルス治療薬

サイトメガロウイルス（CMV）感染症が問題になるのは，AIDS 患者や，移植後の患者のように免疫抑制のある方に限られます．健康な人の CMV 感染は，伝染性単核症を起こしたりしますが，特に治療も必要なく，自然治癒することが多い．ところが，免疫抑制があると，網膜炎，肺炎，腸炎，脳炎など重篤な疾患をあれやこれやと起こすので，大問題なのです．

サイトメガロウイルスに臨床効果が確認され，実際に現在使われているものは，ガンシクロビル（および，亜形のバルガンシクロビル），ホスカルネット，cidofovir，です．

■ 1. ガンシクロビル：基本はこれです．副作用を理解しよう

ガンシクロビルはヌクレオチドを構成するグアニンの類似体で，そこでウイルス DNA 合成を阻害します．後述するアシクロビルなど，多くの抗ウイルス薬が同様のメカニズムで作用します．

ガンシクロビルは多くのヘルペスウイルス属に効果がありますが，臨床的には CMV が唯一のターゲットと考えてもよいでしょう． ガンシクロビルのプロドラッグとして，バルガンシクロビルがあります．

ガンシクロビルは，細胞に入るとリン酸化されます（モノフォスフェートとなります）．これは，ウイルスによるリン酸化酵素（キナーゼ）によって行われます．このリン酸化は，後述する単純ヘルペスウイルス感染にも出てきますが，耐性の獲得のターゲットでもありますから，よく理解しておく必要があるでしょう．

ガンシクロビルの耐性獲得のメカニズムは2種類あります．1つは，前述したガンシクロビルのリン酸化……これを行うキナーゼ遺伝子の突然変異です．もう1つは，DNA合成に使われるDNAポリメラーゼという酵素をコードする遺伝子の突然変異です．通常，ガンシクロビル耐性が起きても，後述するホスカルネットやcidofovirへの感受性は保っていますが，DNAポリメラーゼの突然変異だと，両者への感受性が減ることがあるので要注意です．
　ガンシクロビルの投与法は大きく分けると3種類，経口，点滴，そして眼内インプラントです．ガンシクロビルは食べ物と一緒に経口で飲んでも吸収されるのがせいぜい1割に満たない……ということで，経口薬は人気がありませんでした．かといって，ずっと点滴というのも患者さんに負担になるので実際的ではありません．これがエイズ患者さんのCMV治療を長い間難しくしていたのです．
　ところが，ガンシクロビルのプロドラッグであるバルガンシクロビルが作られ，事情は一変しました．バルガンシクロビルは，通常のガンシクロビルに比べるとずっと腸管からの吸収がよく，経口でも点滴のガンシクロビルとほとんど同レベルの血中濃度を達成します．CMV網膜炎の初期治療でも，点滴のガンシクロビルと治療成績は変わらなかった，という報告すらあります．エイズ患者さんのCMV感染は，長期の維持療法を必要とすることがありますが，バルガンシクロビルの登場は，これをずっと容易にしたのでした．
　体内でのガンシクロビルの分布は悪くなく，問題となる眼内とか中枢神経にはよく行き渡ります．ガンシクロビルは腎から排泄され，腎機能不全には要注意です．
　ガンシクロビルの副作用は少なくありません．中でも最も問題になるのが，骨髄抑制です．特に，好中球減少はよくみられ，血算のモニターが必要です．興味深いことに，この好中球減少はエイズ患者さんにはよくみられますが，移植後の患者さんには（比較的）あまりみられません．骨髄抑制は可逆的で，薬をストップさせれば元に戻ります．もし，どうしてもガンシクロビルの継続が必要な場合（そして，しばしば「どうしても」必要になることがあるのですが），GM-CSFなどを併用して副作用を治療することもあります．
　あと，ガンシクロビルは中枢神経障害や腎障害を起こすことがあります．

ガンシクロビルは，CMV 感染と，症状軽減後のメンテナンス治療に用いられます（2 次予防）．（固形臓器であれ，幹細胞であれ）移植前の 1 次予防の場合，点滴の煩瑣さや血流感染，それに好中球減少の副作用がネックになっていました．が，バルガンシクロビルが登場したことによって，少なくとも問題の一部は解決しました．現在はドナーやレシピエントの抗体陽性か陰性かに応じて，各固形臓器別に予防的バルガンシクロビル投与期間が設定されています．

例えば，CMV 抗体がドナー陽性，レシピエント陰性のときの腎移植ならば 6 カ月の予防投与が推奨されています．レシピエントの抗体が陽性ならばリスクが下がるため，投与期間は 3 カ月に短縮できます．

> Razonable RR, Humar A. AST infectious diseases community of practice. cytomegalovirus in solid organ transplantation. Am J Transplant. 2013; 13 Suppl 4: 93-106.

幹細胞移植のときは予防的にバルガンシクロビルを投与するか，血中アンチゲネミア検査を行って陽性時に治療する（preemptive therapy）のどちらかが行われています．

今のところ，エイズ患者さんへの CMV の一次予防は一般には行われておりません．網膜炎などのときは，CD4 陽性細胞数が $100/mm^3$ 以上を 6 カ月維持できれば，二次予防を中止できます．

点滴の治療と眼内インプラントはどちらも治療効果は同等である，といわれています．眼内インプラントの問題としては，まず治療に慣れた眼科医が必要であること，そして，反対の目や他の臓器での感染を予防したり治療したりできないことにあります．

CMV は，TORCH 症候群で知られている先天疾患を起こしますが，これをどう治療したらよいか，についてはコンセンサスが得られていません．ガンシクロビルが必要かどうかも不明です．

ガンシクロビルとホスカルネットを併用すると，シナジーが得られ，より強い抗ウイルス作用が得られます．が，当然副作用も大きくなりますから，患者さん全員にこの併用療法を使用する必要はありません．通常，単剤投与がうまくいかなかった場合にのみ，併用療法が使用されます．

■ 2. ホスカルネット：副作用が多い！

ホスカルネットは CMV の治療において大事な薬です． が，できれば使いたくない薬でもあります．ガンシクロビル耐性の，あるいは副作用で使えない場合に，ホスカルネットが使用されます．また，治療の難しい重症のCMV 感染では，ガンシクロビルとの併用療法が使われることがあります．シナジーが得られるのです．

$$\text{NaO}-\overset{\overset{\text{O}}{\|}}{\underset{\text{ONa}}{\text{P}}}-\text{CO}_2\text{Na} \cdot 6\text{H}_2\text{O}$$

CMV だけではなく，後述の単純ヘルペスウイルス（HSV），帯状疱疹ウイルス（VZV）でも，アシクロビルなどの抗ウイルス薬が耐性になる場合があり，その場合はホスカルネットが選択肢になることがあります．

ホスカルネットはウイルスの DNA ポリメラーゼを直接阻害します．

HSV や VZV のアシクロビル耐性は，チミジンキナーゼを介します．CMV の主な耐性獲得もキナーゼを介してでした．したがって，一般的にはアシクロビル耐性の HSV や，ガンシクロビル耐性の CMV に，ホスカルネットは交差耐性を示しにくく，選択肢としては OK ということになります（ただし，アシクロビル耐性は，一般診療ではほとんど問題になることがありません．この話は後でしましょう）．

もちろん，ホスカルネットそのものに対する耐性も確認されています．ウイルスの DNA ポリメラーゼに突然変異が起きるためです．

ホスカルネットは，ガンシクロビル以上に腸管からの吸収が悪く，**基本的には点滴投与です．** これがホスカルネットを使いにくくしている 1 つの理由になっています．ただし，1 回体内に入ってしまえば，問題となる眼や中枢神経には充分行き渡ります．ホスカルネットはほとんど腎臓から排泄されますが，これが実は，厄介の種ナンバー 2 です．なぜかというと，ホスカルネット最大の副作用が，腎毒性だからです．

ホスカルネットを投与された患者さんの，実に 3 人に 1 人は重篤な腎機

能低下をきたすといわれています．33％．高い！　ただし，ほとんどの場合は可逆的で，ホスカルネットを中止すれば腎機能は戻ってきます．腎機能の十分なモニターが必要なことはいうまでもありません．

投与は，1mg/kg/分（通常投与量は，60mg/kgを8時間おきです．体重60kgの人だったら，1回の投与に1時間かけるわけですね！）と，きちんきちんと投与しなければならない，とされています．

他にも副作用は多く，低カルシウム血症，高カルシウム血症，低リン酸血症，高リン酸血症，低マグネシウム血症，低カリウム血症，頭痛，発熱，発疹，下痢など副作用のオンパレードです．陰部潰瘍なんてのも，マイナーですが有名な副作用で，患者さんは結構苦しみます．

■ 3. Cidofovir：いろいろなウイルスに効いちゃいます

cidofovir はヌクレオチド類似体で，ウイルスのDNA合成を阻害します．**ヒトに病気を起こすヘルペスウイルス属のすべて（HSV1, 2, VZV, CMV, EBV, HHV6, 7, 8），JCウイルス，パピローマウイルスなど，多彩なウイルスに効果があるといわれています．**

cidofovir は，ガンシクロビルやホスカルネットの耐性メカニズムをシェアしておりません．なにしろ，ヌクレオチド類似体なので（ヌクレオシド類似体ではなく），リン酸化をすでに果たしています．ガンシクロビルの重要な耐性メカニズムがキナーゼによるリン酸化だったことを思い出しましょう．このプロセスを経ないので，ガンシクロビル耐性は cidofovir に交差耐性をもたらさないのです．

ただし，キナーゼとDNAポリメラーゼの両方に耐性のあるガンシクロビル耐性のCMVに，cidofovir 耐性が認められています．ガンシクロビル，

ホスカルネット，そして cidofovir のすべてに耐性があるケースも確認されています．そうなると，ちょっと困りますね．

投与方法は変わっています．5mg/kg を点滴で 1 週間おき．これを 2 回．そして，その後は 2 週間おきに投与します．また，プロベネシドと一緒に投与します．ペニシリンでも梅毒治療のときはプロベネシドを併用しましたね．プロベネシドが腎臓からの排泄を阻害することで，cidofovir の血中レベルをがつん，と上げます．プロベネシドは 2g を cidofovir 投与の 3 時間前に，そして投与後 2〜8 時間後に 1g を投与します．また，腎毒性を避けるために，大量の輸液が必要になります．この辺，他の抗微生物薬にない特徴でして，覚えておく価値はあるでしょう．

- プロベネシドは 2g を cidofovir 投与の 3 時間前に，そして投与後 2〜8 時間後に 1g を投与．大量の輸液が必要．

cidofovir はホスカルネットに負けず劣らず腎毒性が強い薬です．ホンのちょっとのクレアチニンの上昇でも投与量を減らさなくてはいけません．クレアチニン値がぐんと上がったり，3+ 以上の蛋白尿がみられたら，投与中止です．

cidofovir は免疫抑制者の侵襲性アデノウイルス感染症に効果のある貴重な抗ウイルス薬と考えられています．また，バイオテロ目的で用いられる（かもしれない）天然痘にも効果があるかもしれない，という基礎データがあります．

あと，ヒトパピローマウイルスにも効果があるとされ，尖圭コンジローマに cidofovir 外用薬が試みられてきました．しかし，現在はベターな治療薬があるため，この目的のために現場で用いられることはほとんどありません．

あとは，免疫抑制者の出血性膀胱炎の原因として知られる BK ウイルス，進行性多発性白質脳症 progressive multifocal leukoencephalopathy（PML）の原因となる JC ウイルス．この 2 つのポリオーマウイルスにも cidofovir

は効果があるとされています．ただし，臨床的にどのくらい有効かについてはデータが十分でないこともあってはっきりしてはいません．

また，近年消化管からの吸収を改善した経口薬，brincidofovir という薬も出ています．cidofovir の脂質エステル化したプロドラッグです．なんか，名前かっこいいぞ．薬効が増し，腎毒性が減っているそうです．バイオテロで用いられる（かも）という天然痘の治療や予防目的で開発されたそうです．サイトメガロウイルス，アデノウイルス，天然痘ウイルスその他に効果があります．

レテルモビル

レテルモビル（プレバイミス®）は新しい抗ウイルス薬です．錠剤と注射薬があります．

これはサイトメガロウイルスのターミナーゼ複合体阻害薬です．ウイルス複製時の長い DNA 鎖を切断するのがこのターミナーゼ複合体です．レテルモビルは他のヘルペル属のウイルスには効果がないのが特徴的です．また，他のサイトメガロウイルス感染症治療薬とは作用機序が異なるため，交差耐性は生じません．

本薬は同種造血幹細胞移植患者の感染予防にのみ適応があり，治療には使いません．というわけで，血液内科の先生が専ら用いる薬で，ぼくも自分では処方したことがありません．肝機能や腎機能による投与量の調整は必要ありませんが，重度の腎不全や肝不全患者には使わないほうがよいとされます．

C 単純ヘルペスウイルス・帯状疱疹ウイルス感染症の薬

■ 1. アシクロビル,バラシクロビル:ヘルペスではこれが基本

アシクロビルも,多くの抗ウイルス薬同様,ヌクレオシド類似体でして,デオキシグアノシン類似体です.これが,ウイルスのチミジンキナーゼ(TK)にて活性化され,これがDNAの合成をブロックするわけです.

バラシクロビルは,実はアシクロビルのプロドラッグです.つまり,バラシクロビルは体内でアシクロビルに変換されるわけで,実質的にはアシクロビルと薬効は変わりません.変わるのは,プロドラッグであるためにアシクロビルよりも腸管からの吸収が抜群によく,よって,投与間隔を伸ばすことが可能です.以下,アシクロビルの抗ウイルス作用について解説しますが,これはバラシクロビルについても同様なことをご理解ください.

アシクロビル

バラシクロビル

あと,ファムシクロビル(ファムビル®)やpenciclovirもあります.これもグアニン・アナログでアシクロビルととても似ています.ファムシクロビルはpenciclovirのプロドラッグで消化管からの吸収が良くなっているのです.

ファムシクロビルはB型肝炎ウイルスにも活性があります.が,臨床試験によると他の抗HBV薬より効果が落ちます.適応もありません.チミジンキナーゼ突然変異でアシクロビル耐性になったウイルスは,ファムシクロビル耐性になることもあり,また感受性を残すこともあるそうです.やってみる価値はあるということ.

アメナメビル（アメナリーフ®）はキャンディー状の飴を舐めるように服用する薬で……というのは真っ赤なウソで，錠剤です．2017年に保険収載されています．ヘリカーゼ・プライマーゼ複合体を阻害し，二本鎖 DNA の開裂と RNA プライマーの合成が阻害されます．**帯状疱疹に対し，1日1回，400mg の内服**で，1,000mg 1日3回投与のバラシクロビルと非劣性であったという臨床試験があります．

ぼくはまだ使用経験ありません．（非常にまれな）耐性 VZV 感染とかで使えるのかな．

> Kawashima M, Nemoto O, Honda M, et al. Amenamevir, a novel helicase-primase inhibitor, for treatment of herpes zoster: A randomized, double-blind, valaciclovir controlled phase 3 study. J Dermatol. 2017; 44: 1219-27.

CYP3A で代謝，かつ 3A と 2B6 を誘導するため，薬物相互作用が多いのが注意点です．リファンピン内服中の患者では禁忌ですが，その他の薬との相互作用も要チェックです．

アシクロビルは，単純ヘルペスウイルス 1 と 2（HSV1, 2），帯状疱疹ウイルス（VZV），それに CMV，それに EBV などに効果があります．臨床的には HSV に対して最も活性が強く，次いで VZV に対して，そして CMV にはあまり活性が強くありません．

したがって，VZV の治療には HSV に比べて大量投与が必要になりますし，CMV に対してはすでに解説した，ガンシクロビルなど別の抗ウイルス薬を使用することのほうが多いです．EBV 感染に対する臨床的なアシクロビルの適応は，まだありません．

上に述べた，TK の突然変異がアシクロビル耐性の主な原因です．当然，アシクロビルの耐性はすなわち，バラシクロビル耐性をも意味します．また，同様のメカニズムを持つ他の抗ウイルス薬，例えば既出のガンシクロビルとか，あるいは別の抗 HSV 薬である famciclovir などとも交差耐性を生じます．

しかし，免疫に異常のない方の場合，HSV によるアシクロビル耐性はきわめてまれな現象です．したがって，そんなに心配する必要はありません．

HIV感染のある患者さんなどはアシクロビル耐性に悩まされることが，比較的多いです．再発する陰部ヘルペスの治療などで抗ウイルス薬にたくさん曝露されていることも，理由の一つでしょう．万が一出現した場合のアシクロビル耐性HSV感染の治療薬は，ホスカルネットです．

　VZVによるアシクロビル耐性も，やはりTKの突然変異によることが多いですが，幸い，きわめてまれな現象で，臨床的にはほとんど心配することはないでしょう．万が一の，このようなケースの場合は，やはりホスカルネットで対応します．

　アシクロビルの吸収は20％前後しかなく，投与量を増やすと，さらに吸収率は悪くなります．これが，バラシクロビルになると，吸収率が50％以上と，圧倒的な改善です．さすが，プロドラッグ．しかし，重症HSV感染症（例えば，脳炎）などには点滴投与が必要になります．

　アシクロビルは，副作用の少ない抗ウイルス薬です．実際，ずらっと並んだ抗ウイルス薬のリストを見渡すと，その副作用の少ないこと少ないこと．抗ウイルス薬の優等生と呼んでもよいでしょう．

　大量投与，例えば点滴のアシクロビルでは，少数の患者さんに神経症状がみられることがあります．また，腎臓に結晶がたまることで腎機能低下が起きることがあります．経口アシクロビルではほとんどみられない，まれな副作用です．これを防ぐには，点滴をスローに，できれば輸液を前後させて投与すればよいのです．もともと腎機能低下のある患者さんには，注意して使用しましょう．

　さて，臨床使用です．

■ 2．陰部ヘルペス（HSV感染），水痘・帯状疱疹ウイルス（VZV感染）

　性行為感染症です．一般的には，**経口のアシクロビル，もしくはバラシクロビルかファムシクロビルで治療します．**すでに述べたようにバラシクロビルのほうがPK的には軍配が上がるので，値段が問題にならなければ，こっちを使いたいところです．

　陰部ヘルペスは，それが初回に起きた症状か，再発かでその症状が異なります．そして，治療法も違うのです．

初発の場合は症状も強く，患者さんはひどく苦しみます．再発の場合，通常症状は軽くなりがちです．

初発の場合，バラシクロビルでしたら，1,000mg を 1 日 2 回を 7 〜 10 日間．ファムシクロビルなら 250mg を 1 日 3 回，7 〜 10 日間です．再発の場合は，バラシクロビルなら 500mg に量を落として 1 日 2 回，これを 3 日間で OK です．ファムシクロビルなら 125mg 1 日 2 回で 5 日間ですが，1,000mg 1 日 2 回で，1 日だけというレジメンもあるそうです．

陰部ヘルペスのつらいところは，再発しやすいことです．特に最初の 1 年間は再発の可能性が高い．慣れた患者さんだと，外来にも「ヘルペスが出ました」と言ってきてくれます．皮膚症状の出る前に症状を感じる人もいます．

再発をよくする患者さんの場合，患者さんにバラシクロビルを持たせて，再発の症状が出たら自分で治療してもらう，という手もあります．また，再発の多い患者さんの場合は，「抑制療法」として，例えば，バラシクロビルを 1,000mg を毎日 1 回飲んでもらう，という方法もあります．ファムシクロビル 250mg 1 日 2 回も可です．これを半年から 1 年やってみて，うまくいったら中断してみる．もし再発するようだったら，また抑制療法に戻すことも可能です．

顔面神経麻痺の代表例，ベル麻痺の多くはヘルペス・ウイルスが原因になると考えられています．この治療についてはまだはっきりしたコンセンサスがないのですが，アシクロビルとステロイドの併用を行うことが多いようです．コクラン・レビューでも「弱いエビデンスがある」という結論です．抗ウイルス薬単独では効果がなく，やるんなら併用療法でってことのようです．

Antiviral treatment for Bell's palsy | Cochrane [Internet]. [cited 2022 Feb 14].

VZV 感染も，基本的には HSV と同様ですが，すでに述べたように投与量が大きくなります．

帯状疱疹における抗ウイルス薬の役割は限定的で，発症 24 時間以内（少なくとも 72 時間以内）に開始すれば症状のある期間を数日短くすることができます．また，うっとうしい合併症であるヘルペス後神経痛 (postherpetic neuralgia）の予防効果も若干はあるようです．最近ではこれにステロイドを併用するという方法も推奨されています．50歳以上の場合に推奨され，急性期の症状を抑えることが可能ですが，ヘルペス後神経痛を減らすには至らなかったようです．むつかしいですね．

　小児の典型的な水痘には抗ウイルス薬は効果がないとされていますが，重症化しやすい青少年・成人の水痘や妊婦・免疫抑制者であれば適応となります．

　ちなみに水痘にはワクチンがあり，日本でもようやく最近定期接種に組み込まれました． また，高齢者の帯状疱疹に対するワクチンもあり，帯状疱疹の発症を減らす効果が示されています．日本では水痘ワクチンをそのまま任意接種として50歳以上の免疫抑制のない方に（生ワクチンなので）接種できます．

　あと，サル由来のヘルペスウイルス感染症が獣医学と医学の境界分野では注目されています（*Herpes simiae*．以前はヘルペスBウイルスと呼ばれていました）．これの治療や曝露後予防に抗ヘルペスウイルス薬を用います．ときどき，相談を受けます．曝露後予防としてはバラシクロビルかアシクロビルを14日間内服します．ウイルスそのものは世界各地のマカク属サルがもっているようですが，人への感染事例はほとんど報告がありません．ただ，見落とし例も多いのだとか．報告例は米国のものが多いので，米国の感染症専門医試験ではよく問われるウイルスです．

 国立感染症研究所. Bウイルス病とは [cited 2022 Feb 14].

D 肝炎ウイルスの治療薬

■ 1．B型肝炎

　B型肝炎ウイルスは性感染，注射などによる血液感染，垂直感染などで感染します．急性肝炎，慢性肝炎，肝硬変，肝細胞癌の原因として知られており，効果的なワクチンで予防が可能です．

治療の方は長い間,「これ」というのがなくて難渋しました.煩瑣で副作用の多い注射薬のインターフェロン,経口薬で副作用は少ないけど耐性化必発の抗HIV薬,ラミブジン（HBVにも効く……），と「これ」というものがなかったのです.臨床試験が組みにくいのも問題でした.治療は長いし,アウトカム設定が難しい.

しかしながら,近年ようやくHBV治療も型が定まってきたように思います.

まず,治療の目標が明確になりました.学会ガイドラインではHBs抗原の陰性化,をサロゲートマーカーとしてアウトカムに設定しています.DNA陰性,HBs抗原陰性,そして（もし陽性なら）HBe抗原陰性が治療の目標であり,その先に肝硬変の進行ストップ,肝不全の予防,肝細胞癌の予防などを目指します.もっとも,肝細胞内にはHBVが存在しており体から完全に排除するのは困難,不可能とも考えられています.よって,後にこうしたウイルスの再燃,肝不全が免疫抑制者などで起きています.B型肝炎表面抗体（HBsAb）が陽性の場合,昔は「治癒」と考えられたのですが,まれにこうした患者でもHBV再燃が起きています.本稿執筆時点ですと,たとえば,新型コロナウイルス感染で重症化した患者で,デキサメタゾンやトシリズマブなどの免疫抑制剤を使用することで再燃するリスクが懸念されています.

> Kempinska A, Kwak EJ, Angel JB. Reactivation of hepatitis B infection following allogeneic bone marrow transplantation in a hepatitis B-immune patient: case report and review of the literature. Clin Infect Dis. 2005; 41: 1277-82.

治療開始基準は各学会によっても若干異なりますが,**基本的にHBV DNA量が一定以上,肝トランスアミナーゼのALTが高値,組織学的な肝病変がある場合**です.画像検査の進歩などにより,肝生検を必要としない患者が増えていますが,肝生検を誰に必要とするか,については完全なコンセンサスが得られていないようです.

逆に,HBe抗原陰性の無症候性キャリアの場合は経過観察でも良いだろうと考えられています（自然にセロコンバージョンすることを期待して）.

一方，急性肝不全や肝硬変，肝細胞癌を合併している場合でも治療すべきとされています．

また，HIV 共感染がある場合は（肝機能などとは無関係に）HBV も一緒に治療することが必要です．ぼくが診ている HBV 感染者のほとんどがそうなので（まあ，バイアス入っていますが），経過観察している患者さんはいません．悩んだときは肝臓専門医に相談します．

ときに，HBV にはゲノタイプ A から J まであり，特に日本ではゲノタイプ A, B, C が多いです．臨床的な特徴にも差がありますが，治療方針は（HCV と異なり）大きな違いはないので，ここでは割愛します．詳しくはガイドラインをご参照ください．

日本肝臓学会.B 型肝炎治療ガイドライン.

■ 2. インターフェロンα（およびペグインターフェロン）

(A) インターフェロンα

インターフェロンには抗ウイルス作用や免疫修飾作用があり，昔から慢性 B 型肝炎，C 型肝炎に用いられてきました．**週3回のインターフェロンと，週1回でよいペグインターフェロンがあります．**インフルエンザ様症状がでたり，うつ症状の発症，増悪，血球減少や心筋症，出血などがあることが知られています．HBe 抗原陽性，HBe 抗原陰性の慢性肝炎に対して，6〜12 カ月の治療を行いますが，日本の医療保険では 48 週以上の治療は認められていません．治癒率は 20〜30％とぱっとしません．

その治療効果は患者のタイプによって様々なようです．肝臓疾患の専門家がこの治療を行うことが多く，ぼくもインターフェロンは自分の外来では用いません．後述するラミブジンと併用するというやり方もあるようです．

インターフェロンの利点は治療期間が決まっていて，後述の経口薬と違って「ずっと」治療しなくて良いという点です．ゲノタイプ A と B に特に効果が期待できます．一方，副作用は多く，妊婦に使えない，非代償性（decompensated，進行してしまった）肝硬変や門脈圧亢進があると使えないなど欠点も多いです．日本では代償性肝硬変に対する治療効果のエビデン

スも充分でないため，後述する核酸アナログ経口薬のほうがより推奨されています．

(B) ラミブジン

ラミブジンは HIV の逆転写酵素阻害薬として作用するので，HIV 治療薬として有名です．現在でも使われています．

ラミブジンは核酸アナログで，HBV の DNA ポリメラーゼに作用し，DNA 合成のところで「核酸のふりをして」入り込み，そこで鎖の伸長を止めてしまうのです．これに似た薬にエムトリシタビンがあり，こちらは後述するテノホビルとの合剤として用いられることが多いです．ただし，エムトリシタビンそのものは「B 型肝炎治療」には保険適用がありません．

治療効果はとても高く，2 年間の治療で 85％で ALT が正常化，HBV DNA が陰性も 74％と高いです．

ラミブジン単剤でもずっと HBV を抑制できることもあるのですが，しばしば耐性ウイルスが発生して薬が効かなくなってしまいます．特に問題なのが，チロシン―メチオニン―アスパラギン酸―アスパルギン酸というアミノ酸配列のところでの突然変異で，略号を並べてよく YMDD と呼ばれています．1 年間の治療で 14～32％のケースで耐性化してしまいます．5 年間の治療だとその率は 60～70％になり，大半のケースでは耐性となります．ラミブジンは比較的副作用も少なく，核酸アナログの優等生なのですが，この耐性化が問題になったため，「次の一手」が必要になってきました．すでに第一選択薬ではなくなっています．

(C) アデホビル

で，出てきたのがアデホビルです．アデホビルも本来は HIV の治療薬として開発されたのですが，腎不全など副作用が多くて実用化されませんでし

た．ところが，**投与量を減らして使ったらアラ不思議．HBV によく効くではありませんか**．これで，アデホビル，奇跡の復活となったのです．通常は，プロドラッグの adefovir dipivoxil として経口投与し，体内でアデホビルに変じます．これも HIV の逆転写酵素や，HBV の DNA ポリメラーゼに干渉して遺伝子の鎖の伸長を止めてしまいます．ラミブジン耐性ウイルスにも効果があるのが特徴です．

ラミブジンに比べると耐性化はしづらいのがアデホビルの特徴ですが，突然変異のアミノ酸の変化で耐性化することがあります．A181V/T というのが有名です．181 番目のアミノ酸がアラニン（A）からバリンかトレオニン（V/T）に変わりましたよ，という意味です．腎機能障害と低リン血症がよく知られた副作用です．ラミブジン耐性時は，アデホビルに置換するのではなく，ラミブジンに加えてアデホビルを併用したほうが抗ウイルス効果は高いといいます．ならば，最初から 2 剤で使えばいいじゃん，とぼくは思いますが．HIV 治療でも，ラミブジン耐性ウイルスに敢えてラミブジンを継続したほうが良いので，そこは似ています．

(D) エンテカビル

ラミブジン，アデホビルが HIV 治療薬の「転用」だったのに対して，**エンテカビルは純粋に HBV のために特化して開発された薬**です．2-デオキシグアノシン・アナログで，3 つの作用点があるのだそうです．DNA ポリメラーゼの作用開始時，RNA から HBV DNA の逆転写時，そして HBV DNA の合成時です．

エンテカビルの抗ウイルス作用はラミブジンやアデホビルよりも強く，かつラミブジン耐性ウイルスにも効果があるといわれています．ラミブジンに比べると耐性化はしづらく，少なくとも2つの突然変異は必要であるといわれます．副作用も少なく，現在のHBV治療薬のエース級と呼べましょう．ただし，エンテカビル使用時にラミブジンやエムトリシタビンの耐性に関係するM184Vの突然変異が起きることがあり，これは問題です．人生，よいことばかりではありませんね．

いずれにしても，エンテカビルは核酸アナログ経口薬の第一選択肢です．HIV感染合併がなければこれで治療するのです．

(E) テノホビル

これはヌクレオチド・アナログで，現在ではHIVの治療薬として頻繁に用いられています．抗HBV作用があることでも有名で，HIV/HBV共感染がある場合は，このテノホビルとエムトリシタビン合剤（ツルバダ®）を用いることが多いです．

構造的にはアデホビルによく似ています．A194TがHBV耐性化と関係しているというスタディーがありますが，そうではないというデータもあるそうです．テノホビルは骨密度が下がることと腎毒性の懸念があるのがよく知られた副作用です．

テノホビルをホスホンアミデートで修飾したプロドラッグ，TAF（tenofovir alafenamide fumarate，タフと呼ぶ）も出ました．投与量が少なくても細胞内濃度が高く，錠剤が小さいのが特徴です．通常のテノホビルが300mgでかなり大きな錠剤なのに対して，TAFは25mgです．

ちなみに，HIV治療薬のテノホビルは商品名を「ビリアード®」，テノホ

ビル・エムトリシタビンの合剤を「ツルバダ®」といいます．これがB型肝炎治療薬の場合は商品名が異なり，「テノゼット®」といいます．そしてTAFになるとHIV治療薬は商品名をエムトリシタビンの合剤では「デシコビ」，HBV治療薬を「ベムリディ®」といいます．で，デシコビ®にはHTとLTという異なる投与量が併用薬によって決まっているというややこしさで，さらに別の薬をかませた「ゲンボイヤ®」という薬もあるのですが，本書ではHIVは基本的に扱いませんし，これ以上読者を翻弄するのも本意ではないのでこのくらいにしときます．

　まあ，何が言いたいかというと，同じテノホビル®なのにB型肝炎とHIVでは商品名が違うだけでなく適用疾患も変わるってことです．

　HIV感染にHBV感染を合併していれば，「HIVに」ってことでビリアード®もしくはツルバダ®，あるいはデシコビ®などを使い，「ついでに」B型肝炎も治療できちゃうわけで，こちらは問題ない．

　問題は，B型肝炎単独感染の方です．この場合は，保険的にテノゼット®やベムリディ®を使わないといけない．ビリアード®とかツルバダ®とかデシコビ®は使えないんです．震災など災害時には薬剤供給が常に問題になりますから，両者の交互の取替を緊急時には可能にしておく，など準備を（常時に）しといたほうがよいとぼくは思います．

　治療方針は，日本肝臓学会ガイドラインのアルゴリズムだとインターフェロンの役割がやや強くなっています．このガイドラインはとても長いのですが，59ページ以降と，図6がわかりやすいです．

日本肝臓学会．B型肝炎治療ガイドライン．

　AASLDのガイドライン2018も参考になります．

米国肝臓学会．B型肝炎治療ガイドライン．

　ぼくの場合，HIV感染があればTDFをかませた治療，なければETVで

治療しています．治療期間は生涯飲める限り……のことが多いです．肝硬変や肝細胞癌といった合併症のスクリーニングが必要なこともあり，肝炎ウイルス感染治療は肝臓の専門家といっしょに診療しています．

■ 3．C型肝炎

2020年のノーベル医学生理学賞はC型肝炎ウイルスの発見に対するものでした．このウイルスが現在とても注目されていることを反映しているのでは，と思っています．

C型肝炎も基本的にぼくは自分では治療せずに，肝臓専門医に紹介しています．新しい直接作用型抗ウイルス薬（DAA）がどんどん開発，発売され，これがまたとてもよく効くのです．このままいけば，C型肝炎は地球上から撲滅することだってできるかもしれません．

まず，ゲノタイプ1について．初回治療についてのガイドライン推奨は以下のとおりです．これは肝硬変の有無やそのステージにかかわらず，です．ただし非代償性肝硬変についてはDAA治療の効果や安全性の問題があり原則禁忌となっています〔ただし，Epclusa（Sofosbuvir＋Velpatasvir）は例外〕．

いずれにしても，HCV治療はゲノタイプにかかわらず，インターフェロンやインターフェロンとDAAの併用療法よりもDAAのみでの治療が推奨されています．

日本のHCV感染で一番多いのがゲノタイプ1b，次に多いのが2a，次いで2bで，1a，3，4などはまれです．

　　日本肝臓学会．C型肝炎治療ガイドライン．

以下は，AASLD/IDSAガイドラインより，です（本稿執筆時点）．治療薬はゲノタイプと代償性肝硬変の有無で分類します．

　　米国肝臓学会・感染症学会．C型肝炎治療ガイドライン．

ゲノタイプ 1a, b（代償性肝硬変の有無に関わらず）に対する推奨薬は

ソホスブビル・レジパスビル（ハーボニー®）
　あるいは
エルバスビル（エレルサ®）とグラゾプレビル（グラジナ®）
　あるいは
グレカプレビル・ピブレンタスビル（マヴィレット®）
　あるいは
ソホスブビル・ベルパタスビル（エプクルーサ®）

です．
「なんじゃそりゃー！」とお考えになったあなた．同感です．が，もう少しお付き合いください．

ゲノタイプ 2（a, b 問わず）に対する推奨薬は

グレカプレビル・ピブレンタスビル（マヴィレット®）
　あるいは
ソホスブビル・ベルパタスビル（エプクルーサ®）

さあ，もう大混乱ですね．でも，よく見てください．どちらの治療薬も，ゲノタイプ 1 とかぶってますね．

ゲノタイプ 3 については，

グレカプレビル・ピブレンタスビル（マヴィレット®）
　あるいは
ソホスブビル・ベルパタスビル（エプクルーサ®）

代償性肝硬変がある場合はこれに加えて代替治療オプションがありますが，推奨薬はこの 2 つです．ゲノタイプ 2 と同じですね．

ゲノタイプ 4 については，

> ソホスブビル・レジパスビル（ハーボニー®)
>   あるいは
> エルバスビル（エレルサ®）とグラゾプレビル（グラジナ®)
>   あるいは
> グレカプレビル・ピブレンタスビル（マヴィレット®)
>   あるいは
> ソホスブビル・ベルパタスビル（エプクルーサ®)

これは，ゲノタイプ1と同じですね．

ゲノタイプ5, 6については，

> ソホスブビル・レジパスビル（ハーボニー®)
>   あるいは
> グレカプレビル・ピブレンタスビル（マヴィレット®)
>   あるいは
> ソホスブビル・ベルパタスビル（エプクルーサ®)

の3つです．で，こんな面倒なことを覚える必要は実はないですね．要するにどのゲノタイプであっても，肝硬変があろうとなかろうと，

> グレカプレビル・ピブレンタスビル（マヴィレット®)
>   あるいは
> ソホスブビル・ベルパタスビル（エプクルーサ®)

のどっちかをやればよい，ってことです．複雑怪奇なC型肝炎DAAもだいぶシンプルになってきました．

で，非代償性肝硬変の場合は，

> グレカプレビル・ピブレンタスビル（マヴィレット®)
>   あるいは
> ソホスブビル・ベルパタスビル（エプクルーサ®）(ただし，ゲノタイプ3は除く．耐性遺伝子検査が必要)

です．ここでもシンプルになっていますね．

ま，ここでは細かい薬の名前は置いといて，
1. DAA を 2 剤併用
2. 治療期間は一般に 8 〜 12 週間．HIV や HBV みたいに長期治療は必要ない．

点だけ，まずはおさえておきましょう．じゃ，各論です．

・ソホスブビル

ソホスブビルは NS5B ヌクレオチド阻害薬です．NS とは nonstructural という意味で，いろんな番号がついている非構造タンパク質のことです．HCV ゲノムは構造タンパクと非構造タンパクをコードしており，その非構造タンパクに NS2 とか 3 とか 4A，4B，5A，5B といろんな種類のものがあり，ここをブロックしているというわけ．ゲノタイプ 1 にも 2 にも効果があります．で，

・レジパスビル

との併用でハーボニー®という合剤になるのですが，こちらは NS5A 阻害薬です．こちらはゲノタイプ 2 には効果がありません．というわけで，

・ハーボニー®

を 1 日 1 回 1 錠，12 週間飲み続けます．不整脈が重大な副作用で，アミオダロンとか飲んでいる患者さんでは入院モニターが必要です．
で，

・エルバスビル（エレルサ®）

も覚えれるさ，と思うのですが，NS5A 阻害薬です．なんだ，たくさん薬あるけど，基本的に考え方は（ほぼ）おんなじやんっ，てことです．こちらもゲノタイプ 1 にのみ効果があるので，ゲノタイプ 2 には使いません．
で，併用するのは

- グラゾプレビル（グラジナ®）

です．こちらはNS3および4A阻害薬です．海外では合剤もでているようです．**治療期間は原則12週間.**

次に
- グレカプレビル

です．老眼にはグラゾプレビルと間違えそうで紛らわしいわい，なのですが，ゲノタイプ1－6の全てに効くすぐれものです（pangenotypic regimenといいます）．NS3と4A阻害薬です．これを

- ピブレンタスビル

というNS5A阻害薬と併用するのが，マヴィレット®です．治療期間は8～12週間です．

- ソホスブビル・ベルパタスビル（エプクルーサ®）

ソホスブビルについてはすでに述べました．ベルパタスビルはNS5A阻害剤です．前述のようにすべてのゲノタイプに対して使用できますし，非代償性肝硬変患者にも使えるのが強みです．テキストによってはリバビリンの併用と書いているものもあります．

　治療経験者の場合のレジメンや，耐性発生時の対応などは，肝臓専門医に相談だと思いますので，ぼくは深入りしません（できません）．その他の抗HCV薬で，推奨薬でないものについては割愛します．

　というわけで，HIVもそうでしたが，HCVの治療もなんだかんだでだんだんシンプルになってきました．絶滅，あるでしょうか．
　はい，お疲れ様でした．

　新型コロナウイルスについては別項（**38**，563ページ）で．

35 抗結核薬
がんばって勉強しましょう

⚠CAUTION **結核の薬は国家試験でも肝．なぜかというと……．**

　アメリカでも日本でも，抗結核薬は医師国家試験の格好のヤマです．その理由は簡単で，副作用がたくさんあり，これを問われることが多いからです．**イソニアジドの肝障害，神経障害，エタンブトールの眼障害，ストマイ難聴**なんかは大ヤマですので，学生の皆さんはよく覚えておいてください．

⚠CAUTION **では，結核の薬は何でこんなに副作用が多いのでしょう．**

　単純に一言でいってしまえば，これらの薬は**とても古いから**です．

　世界初の抗結核薬ストレプトマイシンが開発されたのは1940年代です．リファンピシンが開発されたのが1960年代．その後，新しい結核の薬はついに開発されることはありませんでした．リファンピシンを応用したrifapentine，リファブチン，本来異なる目的をもっていたフルオロキノロンがたまたま（？）抗結核作用を持っていた，などがあるだけです．

　すると，現在結核の治療の主流になっているのは未だに1960年代以前の古い古い薬だということになります．副作用が多いのも肯けます．

　エイズという病気が発見されたのは1981年．その後たった二十数年の間に抗HIV薬は合剤も合わせると何十種類も販売されています．現在も，さらに新しい薬が開発途中，発売一歩手前の段階にあります．これはアメリカ

やヨーロッパがHIVによる大打撃を受けたためです．政府や製薬会社はこぞってHIVとその薬の研究に勤しんだのでした．

これに比べると，西ヨーロッパやアメリカの結核はどんどん減っています．途上国では今でも猛威を振るっていますが，途上国のために新薬を開発してもお金になりません．この辺の事情はマラリアなどの寄生虫の病気も同様です．結核の研究も新薬開発も一向に進まなかったのです．

もっとも，最近はようやく新型の抗結核薬も開発されていますが（後述），これは耐性結核菌対策のためです．とはいえ，ファーストラインの治療薬は基本的に昔と変わっていません．

日本は先進国の中では比較的結核の多い国で，特に高齢者の患者が多いです．地域差もありますが（**2**-A, 64ページ）．見逃しのないようにしましょう．

A さて，前置きはこのくらいにして本題に入りましょう

■ アメリカのガイドライン

アメリカ疾病管理センター（CDC），アメリカ胸部内科学会（ATS），そしてアメリカ感染症学会（IDSA）の3団体の共同発表で結核治療のガイドラインが作られています．執筆時点での最新版は2016年のものです．

> Nahid P, Dorman SE, Alipanah N, et al. Official American Thoracic Society/Centers for Disease Control and Prevention/Infectious Diseases Society of America Clinical Practice Guidelines: Treatment of Drug-Susceptible Tuberculosis. Clin Infect Dis. 2016; 63: e147-95.

結核の治療は，目の前の患者さんに利益を与えるだけではありません．空気感染をする結核．これを治療することはとりもなおさず新しい患者さんの発生を防ぐという公衆衛生的な意味ももっているわけです．攻撃は最大の防御，治療が最大の予防，とまあこういうわけです．

結核は専門の結核病棟でないと治療できない，ということはありません．条件さえ整えばたいていの病院で治療可能な疾患です．外来での治療だって

不可能ではありません．怖がることなく正しい知識をもって医療従事者が結核に対峙するかが大事なポイントになります．
　結核治療法の決め手は患者さんにいかにきちんと抗結核薬を毎日毎日飲んでもらうか，ということです．世界的には，患者さんに医療従事者の目の前で薬を飲んでもらう，direct observation というやり方が主流になっています．

- 結核治療成功の最大のポイントは，いかに患者さんに毎日きちんと薬を飲んでもらうか，である．

　治療については，空洞があるか，喀痰のフォロー結果，HIV 感染などいろいろな観点から検討しなくてはなりません．
　ここでは，基本的な原則をまずおさえておきましょう．

> ⚠CAUTION 【原則その1】結核の治療は最低 6 カ月間である．

　これはすべての病態において，すべての治療薬のコンビネーションにおいてもいえます．とにかく 6 カ月間は治療を続けなくてはなりません．もちろん，場合によっては 6 カ月以上治療することも考えられます．
　治療のコンビネーションはいくつかあります．しかしどの治療法も一般的に最初 2 カ月の導入療法を用い，その後 4〜7 カ月（ですから，最低トータルでは 6 カ月になりますね）の継続療法期に持っていきます．
　導入療法（intensive phase）で最も多く使われているのが 4 剤療法です．これはイソニアジド（INH），リファンピシン（RFP），ピラジナミド（PZA），エタンブトール（EMB）の 4 剤によるコンビネーションです．これを毎日，あるいは週 5 日間，8 週間飲み続けます．これが導入療法です．
　継続療法期（continuation phase）には（感受性のあることを前提にして）INH と RFP のコンビネーションを毎日 4 カ月（ガイドラインでは 18 週間）

間飲み続けます．

- 導入療法は INH/RFP/PZA/EMB の 4 剤を毎日 2 カ月．
- 継続療法は INH/RFP を毎日 4 カ月．

どうです．簡単でしょう？

　複数の抗結核薬を同時に使うのは，耐性菌を恐れてのことです．例えば RFP は強烈な抗結核作用を持っており，頼もしい限りの薬ですが，単剤で使うと早晩耐性を獲得してしまうのですね．最初は 4 剤使いましょう．毛利元就「4 本」の矢です．

　もし重篤な肝疾患を合併していたり，痛風があったりしたら PZA を導入療法から外すのも一案です．PZA は妊婦に禁忌，とする意見もあります．日本の場合，高齢者では PZA による肝障害の頻度が高いという意見もあり，高齢者の患者では最初から PZA を外した 3 剤にすることも割と多いです（ただし，この治療オプションについての「エビデンス」は必ずしも十分ではありません）．その場合には 3 剤で 2 カ月，INH/RFP で 7 カ月の合計 9 カ月の治療になります．

　4 剤で治療している場合，感受性試験が正式にかえってきて，これが汎感受性，つまりどの抗結核薬にも感受性があるとわかったら 4 剤は不要です．普通は EMB を外して INH/RFP/PZA の 3 剤に減らし，このままトータルで 2 カ月治療します．

　さて，継続療法は 4 カ月間です．が，もし空洞病変が肺にあって，喀痰培養が治療 2 カ月たっても陽性の場合，7 カ月という長い治療が勧められています．トータルでは 9 カ月の治療になりますね，導入療法の 2 カ月と合わせると．また，前述のように肝障害などで導入療法に PZA をかませることができなかった場合も 7 カ月の継続療法がいい，とされています．

　喀痰の陽性，陰性を知るために，ガイドラインでは毎月喀痰を塗抹と培養

の検査に出し，2回連続で陰性だったらOK，としています．肺結核患者さんの80%は治療開始2カ月後には喀痰陰性になるといわれています．

　また，アメリカのガイドラインではルーチンの肝機能，腎機能のチェックは不要，と書いていますが，多くの専門家はこれらをよくチェックしていますし，どこまでこの勧告に根拠があるのかは不明です．ぼくはビビりなので1カ月に1回くらいのペースで，特に肝機能に気をつけて血液検査しています．
　結核の治療を開始するのに確定診断（培養陽性）を待つ必要はありません．それじゃ何週間も待たにゃーならんことになります．臨床的に十分結核が疑われたら，検体をできるだけたくさん採って（喀痰はもちろん，場合によっては胃液や尿からも培養で生えることがあります），躊躇することなく治療を開始しましょう．培養が陰性に出ても偽陰性ということもあります．一般的には臨床的に結核を疑ったら他に可能な別の診断がない限り，結核として治療を完結させるのが望ましい（until provenotherwise）でしょう．特に，治療開始後に患者さんがよくなっていればそれも結核の臨床診断をサポートします．

> ⚠ CAUTION 【原則その2】全ての結核患者さんにはDOT（directly observed therapy）を提供すべきである．

　ここでいえるのは結核治療において最も大事なのは長期治療をキチンと完了すること．いわゆる「アドヒアランス」が大事になってくる，ということですね．DOTを採用すればその治療効果がよくなることはすでに多くの研究で明らかになっています．

> ⚠ CAUTION 【原則その3】「一般論として」キーとなる抗菌薬はリファンピシンである．

　結核治療には単剤は使えません．普通は3剤か4剤のコンビネーション治療を行います．コンビネーションについてはすぐに述べますが，その中で欠

かせないのがRFPあるいはRFPと同系統の抗結核薬（リファブチンやrifapentine）です．これを欠くと治療効果ががくっと落ちてしまうのです．

RFPには消化器副作用があり，多くの患者さんが軽い下痢を起こしたりします．たいていの場合は投与時間をずらしたり，食事や水分と一緒に投与するといった工夫で我慢できるものです．繰り返しますが，RFPは結核治療の核なのでできればガンバって患者さんに飲んでもらいたい．副作用を理由に薬を中止する前に，このような工夫をします．

一方，肝障害は見過ごせません．INH, RFP, PZAはよく肝障害を起こします．特に，後述しますがRFPとPZAの組み合わせにより起きる肝障害は時に患者さんを死に至らしめます．肝機能をチェックして正常値の5倍以上になったり，5倍に達していなくても症状を有している場合はこれらの薬は中止しなくてはなりません．肝障害が軽減し，肝機能が正常に戻ったらもう一度このような薬を再チャレンジしてもよい，とガイドラインには書いてあります（程度問題ですが）．

さて，潜在性結核の治療について．ツベルクリン反応が陽性だったり，新しい検査であるクオンティフェロン（QFT）が陽性の時で結核の症状がない場合を潜在性結核（latent tuberculosis）と呼びます．

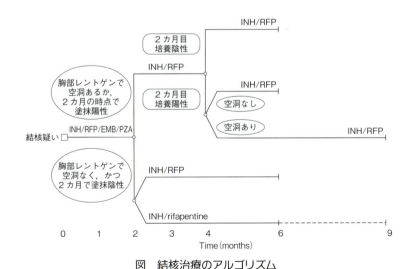

図　結核治療のアルゴリズム

従来使われてきたのは，INH の単剤投与です．投与期間は 9 カ月とされています．投与量は成人では 1 日 300mg を 1 日 1 回です．以前は日本ではこの 9 カ月の INH 使用が認められていなかったり，高齢者には適応とならなかったりしてなかなか面倒だったのですが，現在ではそのようなこともなく，割と治療しやすくなりました．書類を半年ごとに書き直さねばならないのが，不合理だとは思いますが．不合理なルール多いぜベイビー．

国際的にはより優先順位が高まっているのは，リファンピン単剤を 4 カ月です．こちらのほうが完遂率が高く，副作用も少ない．ついでに言えば日本の場合，INH 耐性菌のほうが多いので，色んな意味で便利です．

Menzies D, Adjobimey M, Ruslami R, et al. Four months of rifampin or nine months of isoniazid for latent Tuberculosis in Adults.

Iwata K, Morishita N, Nishiwaki M, et al. Use of Rifampin compared with isoniazid for the treatment of latent tuberculosis infection in Japan: A bayesian inference with Markov chain Monte Carlo method. Intern Med. 2020; 59: 2687-91.

ぼくはこの論文を受けて外来での LTBI 治療はリファンピンに変えました．後にこのデータを使ったベイズ推計で，日本の患者でもリファンピンのほうが安全で完遂率が高いことを示しました．

Iwata K, et al. Use of rifampin compared with isoniazid for the treatment of latent tuberculosis infection in Japan:A bayesian inference with Markov chain monte carlo method.Intern Med Adv Pub.

海外では，これよりももっと簡単な rifapentine と INH 3 カ月治療というのが主流になっています．ここでも日本は若干の遅れが出ています．

Sterling TR. Guidelines for the treatment of latent tuberculosis infection: Recommendations from the National Tuberculosis Controllers Association and CDC, 2020. MMWR Recomm Rep [Internet]. 2020; 69.

それどころか，最近になって，活動性の結核も rifapentine を使った 4 カ月の治療が従来の 6 カ月の治療と比べて遜色ないというデータも出てきました．長い間スタンダードと言われてきた結核の 6 カ月治療も新しい時代の波

に凌駕されてしまうのかもしれません．

> Dorman SE, Nahid P, Kurbatova EV, et al. Four-month rifapentine regimens with or without moxifloxacin for tuberculosis. N Engl J Med. 2021 ; 384: 1705-18.

B ファーストラインの抗結核薬

では，「抗菌薬」的な見地からのアプローチをしてみましょう．各抗結核薬の特徴です．

> ⚠ CAUTION　結核に対する第一選択薬は以下のうちから選びます（ファーストライン）．

イソニアジド（INH）	リファブチン（RBT）
リファンピシン（RFP）	エタンブトール（EMB）
rifapentine	ピラジナミド（PZA）

この他に結核に使用されている抗菌薬には以下のようなものがあります（セカンドライン）．

サイクロセリン	パラアミノサリチル酸（PAS）
エチオナミド	ストレプトマイシン
レボフロキサシン	アミカシン
モキシフロキサシン	カナマイシン
capreomycin	

■ 1．リファンピシン

強い抗結核作用を持ち，結核治療の中心的地位を占めているのがリファンピシン（RFP）です．RFP の導入以降，結核治療の成績は目覚しく向上しました．逆に言うと，RFP 耐性菌というのは大変治療が難しい，ということでもあります．ちなみに，日本では一般名をリファンピシン，商品名をリファジン®と言いますが，アメリカなどでは一般名はリファンピンといいます

（商品名は Rifadin® などいろいろ）．同じ薬なのに，どうして一般名が2つあるの？　ややこちいじゃない．

　RFP はキモなので，少し長めに解説いたします．

　RFP はリファマイシンという薬のグループに属します．構造式は複雑でして，分子量もドでかいのが特徴です．

　リファマイシンには他にリファブチンや rifapentine といった薬もあります．

　RFP は PK 的にはとてもよい薬で，腸管吸収もよく，体中くまなく広がっていきます．また，なぜかプラスチックなどの異物にとても親和性があるのも特徴です．そのため，人工弁に起きた心内膜炎や人工関節での化膿性関節炎など，異物に関連した感染症に好んで用いられます．

　RFP の代謝は主に肝臓で行われ，胆管から排泄されますが，実際には体中の体液からも流れ出します．薬がオレンジ色でして，**涙や汗，尿がオレンジ色に染まります**．患者さんにびっくりしないように教えてあげてもいいですし，尿をみることで患者さんがきちんと薬を飲んでいるかを知る目安にもなります．コンタクトレンズも染まってしまうので，あらかじめ患者さんには（特にディスポでない）コンタクトはしないよう教えてあげなくてはいけませんよ．

　投与量は最大で 10mg/kg（最大投与量は 600mg）を1日1回ですが，それ以下の量で投与する医師もいます．ぼくも日本では1日 450mg を使うことが多いです．朝食前に飲むことが基本ですが，吐き気などでどうしても飲めない場合は，飲めないよりましなので，食後に分割投与を余儀なくされることもあります．

> ⚠️ **CAUTION** RFPの厄介な問題は，その強烈なP450誘導能力にあります．

　結核はconsumptionという別名を持っているように大変消耗する病気なので，患者さんが経口避妊薬で問題になることはあまりありません（偏見？）．前述のように横山光輝の『武田信玄』では逆のことが起きてましたが……知らんけど．

　問題になるのは次のようなケースです．

　若い患者さんが熱と首が痛いというのでやってきました．体中に点状出血があります．腰椎穿刺をしたら典型的な髄膜炎像でソラマメ型の陰性菌が2つ仲よく並んでみえている．この患者さんをケアしていた若いナースにERの指導医が「予防にこれを飲んだらいいよ」とRFPを2日分投与．

　と，その後ナースがこの医師に詰め寄って「妊娠しちゃったわ，どうしてくれるの！」とこれはまた他人が聞いたら問題がさらに複雑になるようなことを……．

　ま，皆さんも使う時には要注意です．子供ができるくらいならまだいいですが（？），例えば血栓症でワルファリンを飲んでいる患者さんなどでは大問題になる可能性があります．ワルファリンもRFPによって血中濃度が減じてしまい，十分な抗凝固が得られない可能性もあるからです．例えば，人工弁のある患者での重症ブドウ球菌感染症などではRFPを使いますが（前出），こういうときにワルファリンを増やさないと血栓形成などの合併症を起こしてしまうかもしれません．

　何度も書いているように薬の相互作用については，ぼくは暗記することをお勧めしません．現在，次々に多くのRFPと相互作用を起こす製薬についてのデータが集まっています．RFPを使っているときは必ず患者さんに処方されている薬をチェックして，相互作用がないかどうかを調べてください．

　ぼくはiPhoneのePocratesというアプリでいつも調べることにしていますが，例えば，結核性髄膜炎の患者でフェニトインを用いる場合，RFPはフェニトインの血中濃度を下げますが，フェニトインはRFPの血中濃度を変

えない……などと ePocrates で調べると載っています．こんなの全部暗記できるわけがありません．

　RFP は多くの他の結核薬同様肝障害を起こすことがあります．とくに INH と併用されている場合（そしてほとんどの場合は併用されていますが）は要注意です．肝障害を起こしたときの対応の仕方については INH の項で詳しく説明しています．多くの抗 HIV 薬，例えばプロテアーゼ阻害薬などは RFP と相互作用を起こします．詳しくは姉妹書の『抗 HIV/エイズ薬の考え方，使い方，そして飲み方 ver.2』（中外医学社）をご参照ください．
　RFP は髄液への移行性はそんなに良くなく，血清の 10〜20％ともいわれていますが，臨床的にはこれでも問題ないと考えられています．INH 同様結核性髄膜炎にも RFP は使ってもよいのです．
　RFP は，**腎機能が悪化しても投与量を調節しなくてもよい**ので，便利な薬です．

　さて，リファマイシンにはバリエーションがあることはすでに書きました．
　リファブチンと rifapentine です．どちらも RFP 同様結核のファーストラインの治療薬として使える，とガイドラインには書いてあります．
　リファブチンは RFP に比べ P450 誘導能が小さいため，P450 により代謝される薬を飲んでいる患者さん，例えば抗ウイルス薬を飲んでいる HIV 患者さんなどに用いることがあります．その際は投与量の調節が必要なので，要注意．
　リファブチンは，重症エイズ患者さんでは好中球減少症を起こすのではないか，というデータがあります．これはリファマイシン全体では珍しい副作用なので注意が必要です．
　同様に，リファブチンはぶどう膜炎を起こす（ただしまれ）ことも知られています．どちらも濃度依存性で，投与量が増えれば増えるほど副作用の頻度は増します．
　rifapentine は半減期がやたら長く，週 1 回の投与も可能です．その効果が RFP と同様か，それ以上かについてはたくさんのスタディーが出ており，

現在その使用の拡大が検討されています．前述のように latent tuberculosis の治療データで最近注目されています．

　投与量は成人では 10mg/kg，最大 600mg を週1回とされています．週1回の抗結核薬なんて感覚的にはちょっと気持ち悪いですが．

　リファブチンとは異なり，rifapentine は P450 誘導が強いので，HIV 患者さんには使わないほうが無難でしょう．妊婦に対してもデータが乏しい．正直いって，どうしても，という強い理由がある場合以外は使いたくない薬です，個人的には．

　さて，話を RFP に戻しますが，**RFP は結核だけに効く抗菌薬ではありません．インフルエンザ菌や髄膜炎菌，黄色ブドウ球菌なんかには抜群の効果を示します**．髄膜炎菌感染症患者さんと強い接触のあった医療従事者は2日間 RFP を曝露後予防として飲むことができます．この話はすでにサクッと触れましたね．黄色ブドウ球菌感染症に RFP を使う時は，耐性が出やすいことを考えて他の抗菌薬と合わせて使うことが肝心です．

● RFP は黄色ブドウ球菌感染症では単剤では用いない．

■ 2．イソニアジド

　イソニアジド（INH）は RFP と並んで結核治療の骨格をなす，大事な薬です．

　INH は化学名ではイソニコチン酸ヒドラジドといいます．抗酸菌の分裂能を低下させますが，意外なことに正確な作用機序はいまだに不明です．一説によると mycolic acid 合成能の阻害がそのメカニズムである，といわれます．mycolic acid は抗酸菌の脂肪の成分の1つでして，これが結核菌の抵抗性や，グラム染色で染まりにくい性質に寄与しています．

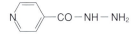

INH の腸管吸収はよく，半減期も長いため 1 日 1 回投与が可能です．

大切なのは副作用でして，末梢神経障害を起こします．ピリドキシン（ビタミン B_6）を併用することでこの副作用を抑えることが可能です．1 日 25 〜 50mg を投与し，ニューロパチーを発症した場合は 100mg に増やすべし，という意見もあります．リスクが高いのは妊婦，授乳時の乳児，HIV 感染者，糖尿病，アルコール依存，栄養不良，慢性腎不全，高齢者で，こうした人物にビタミン B_6 投与が勧められていますが，ぼくは基本的に患者全員に出しています．まあ，患者さんだと高齢者が圧倒的に多いのですが．

また，肝機能障害もよく知られた副作用でして，INH を長期投与する場合は肝機能のモニターが必要です．

肝障害が起きやすい患者としては，もともと肝疾患のある方は当然として，高齢者が有名です．年齢の高い方に INH を投与する際は充分注意が必要です．一般には 35 歳以上の方はこの場合「高齢者」扱いされますが，この原稿執筆時点でまだ天命を知らない 50 歳……ぼくは複雑な気分です．他に，中枢神経系の障害や，ループス様の症状，チラミン中毒（チーズやワインなど，チラミンを含む食物との相互作用で顔面の発赤などが起きること）が知られています．

INH は肝臓から排泄されるので，腎機能障害があっても投与量を減らさなくてもよいのが特徴です．これは重要な点なのでおさえておきましょう．

■ 3. エタンブトール

エタンブトール（EMB）は静菌性の抗結核薬です．RNA 合成阻害を行うと考えられていますが，この薬の作用機序も正確にはわかっていません．静菌性なのですが，PK 的にはよい薬で，腸管吸収もよいですし，髄液への移行もよく，結核性髄膜炎に好んで用いる専門家もいます．EMB も結核のファーストライン，重要な薬です．

$$CH_2OH\quad\quad\quad\quad\quad C_2H_5$$
$$|\quad\quad\quad\quad\quad\quad\quad\quad\quad |$$
$$CH-NH-CH_2-CH_2-NH-CH$$
$$|\quad\quad\quad\quad\quad\quad\quad\quad\quad |$$
$$C_2H_5\quad\quad\quad\quad\quad CH_2OH$$

　EMB は RFP 同様**単剤で用いると耐性を生じやすい**，という特徴を持っています．

　覚えておきたい**副作用は視神経炎**．典型的には色覚異常が最初に現れ，赤と緑の区別がつかない色盲がみられます．投与量依存的で，低い投与量，例えば 15mg/kg で投与した場合などではほとんど問題にならない，といわれています．腎機能に異常のある患者さんでは特に要注意です．

　いずれにしても，患者さんに投与する際にはこのことをよく注意して，定期的に色覚検査を行うのがよいでしょう．また，色覚異常を訴えることのできない患者さん，例えば小さなお子さんとかにはこの薬は勧められません．妊婦に対しても EMB は特に禁忌ではありません．そうそう，結核患者はしばしば個室に隔離されていますが，眼科医に視神経の評価をお願いすると，「外来に来れないんだったら無理です」とむげに断られてしまうことがあります．色覚異常だけなら簡単な数字読みのブックレットで代替可能ですから，簡易的な検査を個室で行うのも一手です．インフラがないとできない，と決めつける必要はありません．

　成人の投与量は 15〜20mg/kg を 1 日 1 回です．EMB は腎臓から排泄されるので，腎機能に応じて投与量の調節が必要です．

■ 4．ピラジナミド

　ピラジナミド（PZA）も結核治療においてはファーストラインで，4 剤併用のメンバーの一人です．マクロファージの中にいる比較的活動性の弱い結核菌に特に効力を発揮することが知られています．特に，膿瘍のような酸性の環境には強いのです．

投与量は成人では 20 〜 25mg/kg を 1 日 1 回です．必ず体重をベースにして投与するのがミソ，ですね．

　PZA も多くの抗結核薬同様，肝障害を起こすのが問題です．特に高齢者ではこれが問題になることが多く，すでに述べたように日本の専門家の中にはPZA を高齢者に使わず，3 剤で治療する人もいます．ぼくも実は，しばしばこれをやります．

　高尿酸血症や，関節痛を起こすこともよく知られていまして，急性痛風発作を起こすこともあります．

　PZA は妊婦に対する安全性が確立されていません．しかしファーストラインの大事な抗結核薬です．世界保健機関（WHO）はリスクと利益を天秤にかけ，PZA を妊婦にも使ってよい，と勧告しています．一般に抗結核薬は妊婦にも安全なものが多いのですが，PZA は若干の懸念が残ります．

　PZA は原則として肝臓で代謝されるのですが，その代謝産物は腎臓から排泄されます．したがって RFP や INH と異なり，PZA は腎機能の悪い患者さんには投与量の調節が必要になります．

C セカンドラインの抗結核薬

　といっても馬鹿にしたものではありません．耐性結核には威力を発揮します．セカンドラインの抗結核薬の最大の問題点は副作用が多いことです（一般的に）．したがって，この副作用をよく理解して患者さんを選択することが大事になるのですね．

■ 1. ストレプトマイシン

　古典的な抗結核薬のストマイも投与が煩瑣であることと耐性が多くなった

ことでセカンドラインに格下げです．ただし，結核に対してはいまだに切れ味のいい薬ですので，専門家に好んで使われているのも事実です．感受性がある菌であればファーストラインなみの治療効果が期待できるでしょう．

ストマイはアミノグリコシドの一種です．アミノグリコシドについてはすでに解説しましたが，ストマイやアミカシンのようにマイコバクテリアに効果のあるものと，ゲンタマイシンやトブラマイシンのように効果のないものがあります．アミノグリコシドは経口投与ができないので，点滴，時に筋注で投与しなくてはならないのです．ストマイも例外ではありません．長期にわたる治療が必要な結核の治療においては，これは大きな欠点といえるでしょう．

投与量は 15mg/kg を 1 日 1 回点滴，最大量は 1g です．通常は毎日投与で治療していき，2～4 カ月治療します．その後培養が陰性になり，臨床的にも治療効果がみられるようになったら週に 2, 3 回の投与に減らしていきます．

腎機能異常のある患者さんや高齢者では投与量に気をつけなくてはなりません．これはアミノグリコシド特有の副作用のためです．

俗に「ストマイ難聴」といわれる耳毒性は有名です．これは聴覚だけを侵すのではなく，前庭神経などに障害をきたしてバランス感覚を失うこともよくあります．

これが恐ろしい．

すでに述べたようにアミノグリコシドの副作用は特に高齢者によくみられるのですが，高齢者がバランス能力を失ってしまうと何が問題でしょうか．

そう，**転倒です**．大腿骨骨折，寝たきり，数々の合併症という悪循環がそこには付きまといます．ですから，ストマイの投与時には単に聴こえるかどうかだけでなく，ちゃんと歩行ができるかという項目もおさえて患者さんをフォローしなくてはなりません．

腎毒性も有名です．これもアミノグリコシドとして生まれたストマイの悲しい運命なのですね．

腎毒性，耳毒性ともにループ利尿薬などの併用でリスクが増します．併用している薬にはよくよく注意が必要です．

ストマイは胎児に耳毒性をきたす危険があるため，妊婦には禁忌です．注意してください．

ちょっと話はずれますが，妊婦に禁忌ということは，妊娠の可能性のある女性には必ず妊娠の有無を確認してからストマイを使わねばなりません．女性をみたら妊娠を疑え，は真実をついた言葉です．

臨床的には経口摂取ができない結核患者で，やはり注射薬のあるINHとレボフロキサシンの3剤併用で対応することがあります．

■ 2. アミカシンとカナマイシン

アミノグリコシドのところをご参照ください．あと，抗結核作用のあるアミノグリコシドにエンビオマイシンという日本産の抗菌薬もありますが，ぼくは使ったことがありません．

■ 3. サイクロセリン

サイクロセリンは**肝機能障害を起こしにくい**といわれており，耐性結核だけでなく，肝機能障害を起こして，INHやPZAが使いにくい時に代役として用いられることもあります．**投与量は1日10〜15mg/kgで，通常は**

500〜700mg を 1 日量とし，これを 1 日 2 回に分けて投与するのが普通です．多くの抗結核薬は 1 日 1 回なので，ここはポイントですね．投与量が大きくなると副作用もみられやすくなりますから，血清濃度を定期的に測ることもあります．

では，そのサイクロセリンの副作用，ですが……．

最大の問題は中枢神経に対する作用です．サイクロセリンは「psychoセリン」，というありがたくないあだ名を持っておりまして，とにかく精神神経系の副作用がよくみられます．軽い頭痛から痙攣，見当識障害に至るまでありとあらゆる症状がみられます．INH 同様ビタミン B_6 がこの症状を軽減するといわれており，通常大量を（100〜200mg を 1 日 1 回）併用します．サイクロセリンは精神科疾患やてんかんを持つ患者さんには使いにくいですね．サイクロセリンは腎不全のある患者さんには禁忌です．が，すでに透析に入っている患者さんであれば投与量を調節して用いることも可能です．

■ 4．エチオナミド

投与量は 15〜20mg/kg を毎日，1 日 1 回，あるいは 2 回に分けて投与します．最大量は 1 日 1g．

エチオナミドの**最大の副作用は消化器症状**で，腹痛や悪心嘔吐，味覚異常（金属の味を感じる）などがあります．寝る前とか食事とともに摂取することで副作用は軽減します．

また，エチオナミドはさまざまな内分泌異常を起こすことが知られており，女性化乳房や甲状腺機能低下症，インポテンツなどを起こすことが知られています．糖尿病の患者さんでは血糖のマネジメントが困難になるともいわれています．TSH は定期的にチェックする必要があります．

また，エチオナミドも肝機能異常を起こすので INH などと同様定期的な肝機能のチェックが望ましいと思います．腎機能に応じて投与量の調節も必

要です．

■ 5．パラアミノサリチル酸

　略して PAS（パス）と呼ばれるこの薬も歴史が古い．最近使う人はほとんどいなくなりました．

　成人では 8 〜 12g を 1 日飲むのですが，これが飲みにくい．消化器症状のために多くの患者さんが薬を飲めない．これはアメリカの専門家に聞いた話（未確認）ですが，旧ソ連の国家運営されていた結核病院をソ連崩壊後，壊したのですが，そのとき壁の穴からたくさん PAS がでてきたんだそうです．あまりに飲みにくいんで，患者が隠れて（壁に）破棄していたんだそうな．他にもループス様症状やリンパ節腫脹，伝染性単核球症様の症状，過敏性反応など多彩です．

■ 6．フルオロキノロン

　最近特に注目されているのがキノロンです．キノロンで抗結核作用があるとされているのはたくさんありますが，その中でもレボフロキサシン，モキシフロキサシンがもっともその効果が高いとされています．

　とくにレボフロキサシンは他のファーストラインが副作用で使えなくなったときによく用いています．日本の添付文書にも結核治療に加えられているのも大きな理由で，あと前述のように経口摂取ができない患者での点滴治療でストレプトマイシン，INH とともに用いたりもします．モキシフロキサシンの添付文書には結核菌は適応菌種になっておらず，また注射薬もないのが問題ですので，日本では結核治療には基本的に用いません．が，前述のように新しい rifapentine ベースの治療は 4 カ月で，モキシフロキサシンがレジメンに入っているので（ほかは INH と PZA），もしかしたら，今後はこの薬は標準的結核治療薬に格上げされるかもしれません．

■ 7．capreomycin

　ネーミングがちょっとかっこいい capreomycin もたまーに耐性結核に使われます．

Streptomyces capreolus というカビからとれたのでこのネーミング．Mycin というのは *streptomyces* というカビからとれた抗菌薬のお尻につくのですね．

capreomycin はポリペプチドで，経口薬がありません．したがってストマイなどと同様点滴で投与となります．多剤耐性結核などよっぽど難しい症例でないと使いませんね．

capreomycin はアミノグリコシドではないのですが，似たような副作用を持っており腎毒性，耳毒性があります．また，妊婦には禁忌です．髄液移行性がなく，結核性髄膜炎や脳内結核腫にはいい選択ではありません．

名前はかっこいいのですが欠点が多いのですね．どうしてもこれしか残っていない時しか使わない薬です．日本では未承認です．

■ 8. デラマニド（デルティバ®）

臨床現場ではあまり出ないんですが，デルティバ®．1 錠 6125 円の高額な薬ですが，登録医だけが処方できる特殊な薬で多剤耐性結核に使用します．やっぱ，出ないぞ，デルティバ®．妊婦には禁忌で，QT 延長など重大な副作用の原因にもなります．欧州でも承認されています．

■ 9. ベダキリン（サチュロ®）

こちらも多剤耐性結核に特化した薬で 2017 年に部会承認，2018 年に製造販売承認．希少疾病用医薬品です．米国と欧州で 2010 年代に承認されています．

D 困った合併症

結核治療の途中で合併症が起きることはとても多いです．特に HIV 感染を合併しているとかなり多くなります．こういうときは，専門家をコールして相談するのがよく，自己判断で適当に薬を変えたり調節したりするのは厳に慎むべきです．

合併症の対応などについては,

> Iseman MD. A Clinician,s Guide to Tuberculosis. 1st ed. Philadelphia: Lippincott Williams & Wilkins Publishers; 2000.

がお勧めです．臨床的にリアルな問題を多く網羅しており，とても便利です．新しい版が予定されており，楽しみにしていたのですが，諸般の都合でおじゃんになったそうです．がーん．

- 結核治療は難しい．問題があればすぐに専門家に相談したほうがよい．

36 寄生虫の治療薬

　寄生虫の話をします．日本でも海外旅行者や海外駐在者が増えて，途上国など寄生虫感染のリスクが高い国に行く人が増えました．ところが，世界中にまだまだたくさんある寄生虫感染症を専門にするドクターはどんどん減っています．

　多くの寄生虫感染症はプライマリケアのセッティングでも治療可能です．ただし，熱帯熱マラリアなど，見逃すと命にかかわる怖い寄生虫感染症もありますから，そこは要注意ですね．

　なお，日本での承認薬でも寄生虫感染治療はある程度可能ですが，めったに使われない未承認薬は熱帯病治療薬研究班から得ることができます．薬剤使用機関も限定されています．これらも希少薬剤として国に審査承認されるべき医薬品とは思います．

熱帯病治療薬研究班．

熱帯病治療薬研究班が管理する薬剤（2021年6月時点）
　グルコン酸キニーネ（重症マラリア）
　ピリメタミン（トキソプラズマ）
　スルファジアジン（トキソプラズマ）
　ホリナート（ロイコボリン，ピリメタミンの副作用を防ぐため）
　トリクラベンダゾール（肝蛭治療薬）
　スラミン（アフリカトリパノソーマ症ローデシア型）
WHO（世界保健機関）から提供可能な薬
　メラルソプロール（アフリカトリパノソーマ症ローデシア型）

エフロールニチン（アフリカトリパノソーマ症ガンビア型）
ベンズニダゾール（シャーガス病）
ニフルチモックス（シャーガス病）

また，日本における寄生虫感染症については「寄生虫症薬物治療の手引き 改訂（2020年）第10.2版」が詳しいです．これは無料でダウンロードできますから，とても便利です．ぜひご活用ください．

寄生虫症薬物治療の手引き 改訂（2020年）第10.2版.

あと，基本的な寄生虫の勉強については『本質の寄生虫』（中外医学社）がオススメです．ややこしい寄生虫問題もやんわりほんわり理解できます．

多くの寄生虫感染症は日本に存在せず，いわゆる輸入感染症です．ま，しかし，輸入感染症を見ることができるかどうかは，今後のコロナ次第ってこともありますが．

A マラリア

アフリカやインドなど，マラリア流行地から帰ってきた旅行者が熱を出したら，これは「そうでないとわかるまで」マラリアです．マラリア流行地は，CDCやWHOのウェブサイトなどで調べることが可能です．

CDCホームページ. Malaria and travelor.

WHOホームページ. Malaria.

先進国出身者のマラリア死亡者のほとんどが「きちんと予防薬を飲んでおらず」，しかも「医師に迅速に診断してもらえなかった」ためだということ

がわかっています．疑えばマラリア，とりあえずマラリア，何はともあれマラリアです．

- マラリアの流行地からの帰国者が発熱すれば，それはマラリアでないとわかるまでは，マラリア．

　マラリアの場合は，治療と予防に分けられます．予防というのは，マラリア流行地に行く時に，薬を飲んでマラリアにかかるのを防ごう，というものです．マラリアには残念ながらワクチンがまだ存在しないために，このような薬による予防に頼らざるを得ないのですね．

　もちろん，長袖長ズボンという肌を露出しない服装や，DEETという防虫薬，蚊帳の活用など，ハマダラカに刺されないことも重要です．薬だけに頼る，というのは何であれあまりよくないのですね．

　予防的に用いることができるのはメフロキンとドキシサイクリン，そしてアトバコン／プログアニル合剤（マラロン®）になります．マラロン®は出発直前に飲み始め，帰国後7日間の服用で中止できるのが特徴です．ちょっとお値段が高い．1錠507.3円です．

■ 1．マラリアの治療について

　一番便利なのは，国立国際医療研究センターが作っている「手引き」です．2021年6月に調べると，2014年の3.1版が載っています．あれ？　もっと新しいものがあったような……なぜかなー．

国立国際医療研究センター．マラリア診断・治療アルゴリズム．

これによると
重症マラリアでは
　未承認薬の注射キニーネ

黄疸または原虫寄生率 2-5％の重症マラリアなら，
　　リアメット®錠（アーテメター・ルメファントリン）

重症ではないマラリアなら熱帯熱，三日熱，卵形，四日熱あるいは *P. knowlesi* のいずれも
　　マラロン®
　　メフロキン
　　塩酸キニーネ末とドキシサイクリン

のいずれかで治療とあります．
　が，**海外では注射薬のアーテミシニンのほうが重症マラリアの第一選択薬**です（経口投与が可能になったら，アーテミシニン併用療法（ACT）に置換します）．
　これはキニーネの副作用のためです．
　英国のガイドラインではアーテスネイト注射薬が第一選択薬です．長い間塩酸キニーネを使っていた米国も，ついに FDA がアーテスネイト注射薬を承認して，こちらが第一選択薬になりました．マラロンなどの経口薬と併用して用います．おー．

　　　　Lalloo DG, Shingadia D, Bell DJ, et al. UK malaria treatment guidelines 2016. J Infect. 2016; 72 :635-49.

■ 2. アーテミシニン

　アーテミシニン（中国名チンハオス）は Artemisia annua というヨモギ属の植物から 1972 年に中国の科学者，ト・ヨウヨウによって抽出されました．むかーしからマラリア治療に民間療法的に使われていたのです．ちなみに和名はクソニンジン．本当です．トはこの功績により 2015 年，後述する大村智らとともにノーベル生理学医学賞を受賞しています．
　その誘導体が artemether や artesunate ということになります．アーテミシニンは油，水ともに解けにくいのですが，脂溶性にしたのが artemether，水溶性にしたのが artesunate となります．

アーテミシニン（チンハオス）誘導体の一つである artemether は，難溶性のアーテミシニンの側鎖をメチル基で置換したものです．

ルメファントリン（旧名ベンフルメトール）はキニーネ，メフロキン，ハロファントリンなどと同じくアリル・アミノ・アルコール族に分類される遅効性の抗マラリア薬です．

併用療法（ACT）は，アーテミシニン耐性獲得を防止するためです．以前はメフロキンとの併用もよく行われていました．

アーテミシニン耐性マラリアは海外では結構問題視されています．ACT失敗も報告されています．カンボジアなど東南アジアでよく見つかっている（アフリカなどでは多くない）ので，日本でもこの問題はリアルな問題です．日本のマラリアはアジアで感染したものが多いからです．

〈Fairhurst RM. Understanding artemisinin-resistant malaria: what a difference a year makes. Curr Opin Infect Dis. 2015; 28: 417-25〉

日本の手引きでは，**リアメット® 1回4錠1日2回を食後に3日間内服します．** 2017年より保険収載されているので，一般医療機関でも保険診療として用いることが可能です．

以前はアーテスネイトの坐薬もあったのですが，現在は保険診療としても研究用としても供給がありません．

薬理学のところでも申しましたが（7-A, 104ページ）坐薬のほうが，経口薬よりも一般にバイオアベイラビリティがよいとされています．が，Kucers' によると，アーテミシニンについては経口薬のほうがバイオアベイラビリティがよかったのだそうです．ただし，両者ともに患者間のばらつきが大きく，またバイオアベイラビリティはよくて60％くらいで，やはり注射薬が一番よいのだとか．なんで日本にないんだよー！

- 熱帯熱，非熱帯熱ともにマラリアの治療は ACT が基本．

■ 3．キニーネ

　キニジンはキニーネの右回旋のジアステレオイソマーにて抗不整脈薬です．キニーネはマラリアの薬です．それでどちらも，マラリアに用いることができます（ややこしいですね）．抗マラリア作用はキニジンのほうが強いとされますが，副作用もこちらのほうが多いです．アメリカではキニジンを用いています．でも，国際的にはキニジンよりもキニーネがより用いられますし，それよりもさらにアーテミシニンのほうが主流になっています．

　ちなみに日本で研究班から入手できるのはキニーネ（Quinimax®）です．

キニン　　　　　　　　　　　　　　キニジン

キニーネもアーテミシニン同様，自然界から得られた薬です．ペルーなどの木から見つかった自然の薬で 17 世紀からマラリア治療に用いられてきました．Cinchona アルカロイドの作用がわかったのは 19 世紀のことです．キニーネは原虫のヘミン合成を阻害するのです．

　とにかく副作用が多く，副作用は耳鳴り，難聴，頭痛，悪心嘔吐，視覚障害などの cinchonism で多くの患者が体験します．減量を余儀なくされることも多いです．またインスリン分泌作用があり，低血糖がしばしば起きます．これは点滴の速度が速いと特に起きやすいです．マラリアそのものも低血糖を起こすので，要注意ですね．また，全ての抗不整脈薬は催不整脈薬であるとの格言のごとく，不整脈が起きることがあります．末梢血管拡張などで低

血圧も起きたり，けいれんや昏睡が見られることがあります．

　点滴のキニーネとartesunateなら，artesunateのほうが有効かつ安全です．治療効果は引き分け，安全性はartesunateのほうが上だったという臨床試験もあります．

> Dondorp A, Nosten F, Stepniewska K. Artesunate versus quinine for treatment of severe falciparum malaria: a randomised trial. Lancet. 2005; 366: 717-25.

　前述のように，日本では点滴のアーテミシニンが研究班からも入手できない状態にありますから，「次善の策」として，キニーネを重症マラリアに用います．

　重症マラリアの治療は経験値の高い専門病院，専門医に委ねるのが妥当でしょう．ちなみに，経口薬のキニーネも保険収載されていて日本でも使えますが，使い道はないでしょう．

■ 4. メフロキン（メファキン）

　メフロキンはキノリン・メタノールというクラスに属する抗マラリア薬でクロロキンと構造が似ています．

　メフロキンは予防にも治療にも使えます．その作用機序はよくわかっていません（なんと！）．メフロキンはクロロキン耐性のマラリアにも効果がありますから，多くの地域に旅行した場合でもこれを活用することが可能です．が，何事にも例外があります．メフロキン耐性地域，というのがわずかながらあるためです．タイ―ミャンマー国境付近，この辺のアジアは，要注意です．他にもフィリピンやアフリカでもメフロキン耐性は散見されています．だからCDCのウェブサイトで常に旅行者の行程とにらめっこしながらチェックする必要があるのですね．特に，耐性情報なんて刻々と変化する可能性

もあるのですから．

- 旅行者の国別情報は暗記する必要なし．必ずウェブサイトで調べること．

実は，**メフロキンも比較的安全な薬で，副作用も多くはありません**．ところが，わずかながらに精神症状を起こすことが知られており，これが誇大に喧伝されて，旅行者の間ではあまり人気がありません．英国やアメリカなどはメディアがヒステリックな報道を起こすことが多く，これをみた人たちが，これまたヒステリックに反応するので「メフロキン恐し」というイメージが定着してしまいました．

とにかく，そんなこんなの理由で，パイロットなど特殊な職業についている方たちには相対的に禁忌にもなっています．また，メフロキンはまれに洞性徐脈を起こすことも知られています．**妊娠第1三半期には禁忌です**．

メフロキンもとても半減期の長い薬で，出発1週目から飲み始めて週1回の投与，帰ってきてからも4週間のみ続けます．1錠851.6円なので，後述のマラロン®よりはやや安いです．

治療について．熱帯熱マラリア，非熱帯熱マラリアにもリアメット®，マラロン®の次の3番手として用いることができます．通常はアーテスネートと併用して（ACT）治療しますが，なぜか「手引き」では単独投与です．

■ 5. ドキシサイクリン

ドキシサイクリンはいろいろな変わった感染症に効くのでしたね．

予防投与は，クロロキン耐性・メフロキン耐性の地域にも使えるのでとても便利です．また，「明日からアフリカ行くんですけれど」という遅きに失した相談をされる方にも使えます（もっと早くから相談してよね……）．なぜならドキシサイクリンは出発1日前から飲み始めてもいいからです．でも，世界的には予防薬としてはアトバコン/プログアニルに一歩譲るって感じの

ようです．治療に用いることはあまりありませんが，三日熱マラリアでクロロキン耐性地域（パプアニューギニア，インドネシアの一部）でプリマキンと一緒に用いることがあるそうです．

■ 6．アトバコン・プログアニル（マラロン®）

アトバコン　　　　　　　　　プログアニル

　アトバコンは**ニューモシスチス肺炎のような真菌感染症**や，**バベシアのようなほかの原虫にも使われること**があります．これが，**マラリアにはとても強い効果**を発揮します．細胞内呼吸に重要なチトクローム系の阻害がそのメカニズムです．プログアニルは第二次世界大戦中に開発された古い抗マラリア薬ですが，アトバコンとの併用で近年復活した薬といえましょう．

　マラロン®は予防にも治療にも使うことができます．特に，**肝臓内原虫によく効くので，帰国後1週間で止める**ことができるのが特徴です．これなら飲み忘れの危険は激減です．もっともマラロン®はメフロキンと異なり，毎日飲まなくてはなりません．毎日飲むのと，週1回飲むの，どっちが忘れにくいと思いますか？

　治療にもマラロン®を使うことはできます．治療効果は抜群ですが，時々再発例もあります（特に三日熱）．

　マラロン®は1錠507.3円．毎日服用が必要（かつ保険が効かない）なので，メフロキンよりはかなりお高くなっています．

■ 7．プリマキン

　プリマキンは8-アミノキノリンです．

これはもっぱら，**三日熱 / 卵形マラリアの休眠体（hypnozoite）駆除**に用いられます．

両者は，熱帯熱マラリア（*P. falciparum*）よりも致死率が小さいですが，肝臓で長く長くとどまっているため，再発が時々問題になります．そこで，これらのマラリア原虫の治療では，治療終了後肝臓によく入るプリマキンを使い，ヒプノゾイドが暴れだすのを抑えなくてはなりません．プリマキンはオリジナルの治療が終わるちょっと前から始め，14 日間投与します．

プリマキンは G6PD 欠損症のある患者さんでは重篤な溶血性貧血を起こすことがありますから，リスクのある方では，開始前にあらかじめ調べておきましょう．G6PD 欠損症は日本人ではまれです．

もし，G6PD 欠損症のある患者さんで，例えば *P. vivax* の感染があったらどうするか？？？　これにはぼくはいい回答を持っていません．一度，カメルーンの患者さんでそういう方がいましたが，彼はカメルーン生まれで，したがって旅行者に比べてマラリアに免疫があり，軽症が多かったのですね．しかもカメルーンに住んでいるとどんどん蚊に刺されるので地元の人には予防薬という概念がナンセンスだったりします．そういうわけで，この患者さんは「ま，再発したらまた治療すればいいさ」と笑っておっしゃったのでプリマキンなしの治療で済ませました．

■ 8. Chroloquine

Chroloquine は 4- アミノキノリンで，1934 年に合成されました．熱帯熱マラリアではたいてい耐性が進んで使えなくなってしまいましたが，**非熱帯熱マラリアに対しては今でもファーストチョイス**です．薬理作用は，マラリアにとって有害なヘム（ヘモグロビンの構成要素）の代謝をブロックするの

がメインとされています．日本では未承認．

$$\text{Cl}\underset{N}{\underset{|}{\bigcirc}}\text{NH-CH-(CH}_2)_3\text{-N}\overset{C_2H_5}{\underset{C_2H_5}{\diagup}}$$

　熱帯熱マラリア（*P. falciparum*）の場合，クロロキン耐性が多いのでなかなか使いづらいところがあります．使える場所としては，中東，エジプト，パナマ運河以西の中央アメリカ，メキシコ，ハイチ，ドミニカ共和国があります．また，三日熱マラリア（*P. vivax*）でも最近耐性がちらほらみられるようになりました．パプアニューギニア，インドネシア，ミャンマー，インド，そしてソロモン諸島がそうです．

　なお，Chroloquine は関節リウマチなど膠原病にも用いることが可能で，かつては大量長期投与がなされていました．その合併症として Chroloquine 眼障害が有名になり，大きな社会問題にもなりました．現在，マラリア予防や治療薬として用いられる Chroloquine については投与量も少ないので安全だと考えられていますが，体内蓄積する傾向にあるため（半減期は50日ほどです！），長期投与は避けたほうがよいかもしれません．

B　赤痢アメーバ

　アメーバは経口感染を起こす原虫，*Entamoeba histolytica* による感染症です．臨床的にはアメーバ赤痢か肝膿瘍をよく見ます．

　両者において治療はメトロニダゾールとなります．これに，シストを駆除するためのアミノグリコシド，パロモマイシンをかませます（アミノグリコシドの章（27，413ページを参照）．これはすでに述べたとおり．

　アメーバ膿瘍は，細菌性膿瘍と異なり，ドレナージをしなくても薬だけで治療可能だといわれています．もっとも，診断のために（アンチョビペースト様の液体がみえます）針を刺すことはありますが，破裂の危険が大きい場合以外は，みだりにドレナージをする必要はありません．

- 治療にはメトロニダゾール，これにパロモマイシンをかませてシストを駆除．
- 膿瘍にはドレナージは不要なことが多い．

C ジアルジア症（ランブル鞭毛虫症）

　これも原虫症です．アメーバが血便発熱など強い症状が多いのに対して，ジアルジアは慢性の腹部不快感，臭い便などじわじわ型の症状が出ることが多いです．ぼくもカンボジアでこいつにやられたことがあります．

　治療はアメーバと同じメトロニダゾール．ただし難治例もあって大量長期療法を余儀なくされたり，類似薬のチニダゾールを用いることもあります．

　チニダゾールはハイシジン®という商品名でトリコモナス症に適応があります．2g 1回という割とあっさりした治療の仕方をします．

D クリプトスポリジウム症

　これは国内でも流行が見られることがあります．水から感染することの多い原虫症です．塩素製剤で死なないため，上水道が汚染されるとアウトブレイクの原因になることもあります．抗酸菌染色で発見するため見逃すことも多いです．

　免疫能が十分ある人なら，急性下痢症として発症し，自然治癒します．エイズなど免疫抑制者においてはあまりよい治療がないのですが，nitazoxanide，パロモマイシン，アジスロマイシンなどを試みることがあります．ただし，エイズ患者のクリプトスポリジウム症の治療は基本的には抗ウイルス薬で細胞性免疫をあげてやることが主体になります．Nitazoxanide につい

ては熱帯治療薬研究班に相談して個人輸入が可能です．進行エイズの重症クリプトスポリジウム症などでは検討するかもしれません．

E サイクロスポラ，イソスポラ症

これも海外に多い原虫症で，免疫抑制者に多いです．ST 合剤が治療薬となります．

F アフリカトリパノソーマ症，アメリカトリパノソーマ症，リーシュマニア症

トリパノソーマはアフリカ型，アメリカ型に分けられ，前者がいわゆる「眠り病」，後者が心不全を起こす「シャーガス病」となります．以下の研究班保管薬で治療します．詳細は寄生虫学の成書参照のこと．

> **研究班で保管している薬**
> スラミン（アフリカトリパノソーマ症ローデシア型）
> メラソプロール（アフリカトリパノソーマ症ローデシア型）
> エフロールニチン（アフリカトリパノソーマ症ガンビア型）
> ベンズニダゾール（シャーガス病）
> ニフルチモックス（シャーガス病）

リーシュマニア症は南米や南アジアなどで見られる原虫感染症で，皮膚，皮膚粘膜，内臓リーシュマニア症（カラ・アザール）の3形態を取ります．日本でもときどき見つかりますが，リポソーマルアムホテリシンBを使うことが多くなっています．

G 自由生活アメーバ症

　河川などに生息するアメーバですが，コンタクトレンズの普及に伴い，アメーバの角膜炎が増えてきました．まれに脳髄膜炎を起こすことがあります．
　角膜炎の場合，早期眼科受診，局所的治療を受けることが大切です
　アメーバ髄膜脳炎はきわめて予後の悪い脳炎で，*Acanthamoeba*, *Balamuthia*, *Naegleria*, *Sappinia* などが原因となりますが，まれに日本でも報告されています．治療はペンタミジンとかフルコナゾールとかST合剤とかリファンピシンなどを併用して治療します．*Balamuthia* や *Naegleria* にはアムホテリシン B を用いることもあります．専門家にコンサルすることが大切です．

H 吸虫症

　くっついて吸盤から吸い付くようなイメージの寄生虫を総称して吸虫といいます．英語では fluke といいます．以下のようなヤツです．

住血吸虫
　日本住血吸虫（*Schistosoma japonicum*）
　マンソン住血吸虫（*S. mansoni*）
　メコン住血吸虫（*S. mekongi*）
　ビルハルツ住血吸虫（*S. haematobium*）
　日本では日本住血吸虫がいましたが，1996年に流行根絶宣言がなされています．
肝吸虫（*Clonorchis sinensis*）
肝蛭症（*Fasciola* spp.）
横川吸虫（*Metagonimus yokogawai*）
肺吸虫（*Paragonimus miyazakii*, *P. westermani*）

で，治療薬としては覚え方は簡単で，

一つを除いてみんなプラジカンテル

です．ええ？　そんなに簡単でよいの？

いいんです．簡単なのが罪悪という前提を疑いたい……なんちゃって．プラジカンテルはピラジノイソキノリン派生物です．1970年代にメルク社で鎮静剤として開発され，これが後にバイエル社に研究が移譲されて抗寄生虫薬として1980年代から使われるようになりました．

で，その例外が

肝蛭

です．好酸球増多と右季肋部痛で見つかることが多い肝蛭ですが，プラジカンテルも効かないわけではないのですが治療効果が低く，トリクラベンダゾールが第一選択薬になります．研究班に相談して供給が可能です．トリクラベンダゾールはチバガイギー，現在のノバルティスによって開発された薬で当初は動物の感染症のために作られたものです．1980年代にイランで肝蛭が流行した時大活躍して，今に至ります．

ちなみに，「美味しんぼ」で有名になった北大路魯山人という食通は美味しい生のタニシを食べすぎて肝ジストマで死んだというこれまた有名なエピソードがあります．さて，肝ジストマ（distoma hepaticum）は英語圏では肝蛭のこと（Faciola）らしいのですが，日本では肝吸虫のことなんだそうです．で，肝吸虫の第一宿主がマメタニシに寄生するのですが，そこからは人には感染せず，第二宿主の淡水魚から感染します．だから，北大路魯山人が肝吸虫症で亡くなったのは，コイの洗いか何かの食べ過ぎかと思われます．ちゃんちゃん．

で，**肝蛭以外の吸虫はすべてプラジカンテルで治療**

となります．こちらもちゃんちゃん．

I 条虫症

条とはヒモのような細長いものを指す漢字なんだそうです．サナダムシ（日本海列島条虫などの俗称）という虫がいますが，あれは真田家の真田紐（刀の下げ紐）に似ているからサナダムシです．英語では tapeworm といいます．どっちも形から入っています．

で，

> 有鉤条虫（*Taenia solium*）
> 無鉤条虫（*T. saginata*）
> 広節列島条虫（*Diophylobothrium latum*）
> 日本海列島条虫（*D. nihonkaiense*）
> マンソン孤虫（*Sparganum mansoni*，マンソン住血吸虫とは関係ないよ）

などが臨床的に重要な条虫症です．他にも大複殖門条虫とか，米子列島条虫とかいろいろあります．

で，治療は全部……はい．

プラジカンテル

予想通りでしたね．ただし，後述する有鉤嚢虫症は例外で，治療はややこしいです．

で，以前の日本の教科書にはガストログラフィンを十二指腸ゾンデに入れて駆虫とか，プラジカンテルも飲んでから下剤を内服して2時間便意を我慢させて一気に排便させ……とか，かなりむちゃなことが書いてありました．海外の教科書ではさらっとプラジカンテルを内服，としか書いてありません．現在の手引ではプラジカンテルと下剤の併用を推奨しており，ガストログラフィンについては付記してあるものの（この方法は患者の苦痛が大きい）と注意書きしています．

ぼくも昔は下剤を併用していましたが，現在ではプラジカンテルのみです．

大体，条虫症の患者さんってたいてい無症状なのです．無症状の患者に下痢を起こすというのも医療倫理上許容できません．頭節の確認も推奨されていますが，ぶっちゃけ再発しなければほうっておけばよいのであって，あまり気にしなくてよいと思います．

■ **有鉤嚢虫症について**

有鉤条虫（*T. solium*）ですが，終宿主は豚です．豚の筋肉にセルカリアが寄生し，調理不十分な肉を人間が食べるとこれが成虫になって腸管に巣くいます．これが有鉤条虫症．

有鉤嚢虫症は同じ寄生虫による感染症ですが，内容がちょっと異なります．こちらは，有鉤条虫の虫卵を摂取することによってそれが体のあちこちで嚢虫となって発症します．特に問題になるのが中枢神経で，neurocysticercosis と呼ばれます．しばしばけいれんで発症します．

この場合，治療は脳内の有鉤嚢虫が生きているか死んでいるかにもよります．まずは抗けいれん薬でけいれんを止めます（当たり前ですね）．

最近の研究では，アルベンダゾールにプラジカンテルを併用，かつステロイドを用いるというレジメンの有効性が示されています．シストが少なければプラジカンテル抜きで，アルベンダゾールのみ，というオプションもあります．

> Garcia HH, Gonzales I, Lescano AG, et al. Efficacy of combined antiparasitic therapy with praziquantel and albendazole for neurocysticercosis: a double-blind, randomised controlled trial. Lancet Infect Dis. 2014; 14: 687-95.

水頭症のような合併症があれば外科的処置（シャント術など）が必要になることもあります．嚢虫が脳実質内にあるのか脳室直下にあるのかなどによっても治療方法は変化します．難しいですね．

J エキノコッカス症

エキノコッカス……と呼んでいたら,「違うよ,エキノコックスだ」と直されました.クリプトコッカスもクリプトコックスと直されることがあるけど,「みんなが使ってる言葉が正しい」のです (**3**-コラム,71 ページ).

そういえば,前にメトフォルミンって呼んでいたら「違う,メトホルミンだ」と学術用語で直されたことがあったっけ.ぼくなんか,そういうのが全然気にならないほうなので,どっちでもよいと思うけど.

特にキツネなどを介して肝臓などに囊胞を作るエキノコッカス.日本では北海道などで *Echinococcus multilocularis* が見つかっており,海外では *E. granulosis* もいます.ぼくはペルーで *E. granulosis* の症例を勉強させてもらいました.

どちらも治療の基本は外科的な囊胞の切除です.場合によっては補助的にアルベンダゾールを用います.

K 回虫症

輪切りにすると真ん丸の,細長い,いかにも「虫」という感じの寄生虫が回虫 (*Ascaris lumbricoides*) です.英語でも roundworm.そのまんまです.

パモ酸ピランテル (コンバントリン®)
　か
メベンダゾール

を用います.回虫の薬は吸虫や条虫と違う,と覚えておけばよいのです.パモ酸ピランテルは 1966 年に寄生虫感染症に効果があるとわかった物質で,動物,そしてヒトの感染症に用いられています.

メベンダゾールはベンズイミダゾール系の抗蠕虫薬です.前述のアルベン

ダゾールに名前が似ています．こちらもベンズイミダゾール系で構造式も似ています．

L 鉤虫症

鉤がついていてひっかかるので鉤虫症です．英語でも hookworm．そのまんまです．鉤虫は日本名と学名（ラテン語）がかみ合わないので覚えるのが大変ですが，これは慣れるしかありません．

| ズビニ鉤虫 | Ancylostoma duodenale |
| アメリカ鉤虫 | Necator americanus |

前からズビニ鉤虫のズビニって何よ……と思ってたのですが発見者のイタリア人，ドゥビーニ A. Dubini からきているのだそうな．知らんがな．

治療は回虫と同じ，
パモ酸ピランテル（コンバントリン®）
　か
メベンダゾール
です．

M 鞭虫症

ムチみたいなシッポがついているので鞭虫症です．英語でも whipworm なのでそのままです．学名は

Trichuris trichiura

といういかにもな発音をしていて，とちってしまいそうな名前です．

治療はメベンダゾールです．パモ酸ピランテルが効かないところだけ要注意．ってこういうのはいちいち教科書で確認したほうがよいのです．

N 蟯虫症

Enterobius vermicularis

は子供の時「蟯虫検査」をした人も多いでしょうから，若干なじみがあるのではないでしょうか．お尻がかゆくなる病気です．治療はおおかたの予想通り

パモ酸ピランテル（コンバントリン®）

か

メベンダゾール

です．

O 旋毛虫症

鞭毛虫症と名前が似ているので間違えそうです．学名も *Trichinella spiralis* で，*Trichuris trichiura* にちょっと似ています．いやですね．これはお尻に巣くう鞭毛虫とは全然異なる感染症で，熊の肉を食べる，などから感染して人間の筋肉に丸まって収まり，筋炎を起こします．好酸球が高い，体中が痛い，でこの感染症を考えます．臨床的には全然ちがいますよね．

治療はアルベンダゾールかメベンダゾールです．

P 糞線虫症

Strongyloides stercoralis は **HTLV-1 や HIV 感染のある方で重症感染症を起こすことがあり**，感染症学的にはちょっとキモとなる存在です．腸管を食い破ってそこにいるグラム陰性菌による敗血症を起こしてしまうということにおっそろしい寄生虫です．何十年も人間の体にいて，喘息発作でステロイドを飲んだりすると暴れ出したりします．日本では南九州・沖縄（HTLV-1 感染の多い地域）でよく見つかります．

治療はイベルメクチンの内服です．イベルメクチンは大村智先生がその開発に寄与され，ノーベル賞を受賞した記念すべき抗寄生虫薬です．イベルメクチンはマクロサイクリックラクトン系の抗菌薬で，いろいろな線虫，そして節足動物にも効果があります．だから，疥癬（ヒゼンダニ感染）にも効くというわけ．糞線虫の特効薬として我々はとても助かりましたし，従来安全で有効な治療法がなかった疥癬の「決めて」になる治療法となったのも画期的でした．

ちなみに，**イベルメクチン**は本稿執筆時点で新型コロナウイルス感染治療に使えるのでは？　と日本国内では散々話題になっていますが，現段階でこれを支持する臨床データは乏しいです．

Q　顎口虫症

　ライギョやドジョウ（日本の元総理大臣とはなんの関係もありません）から感染するといえばこれです．*Gnathostoma* が学名になります．皮膚に入り込んで炎症を起こします．治療は外科的に摘出することですが，アルベンダゾールを使ってもよいです．

R　フィラリア症

　バンクロフト糸状虫（*Wuchereria bancrofti*）やマレー糸状虫（*Brugia malayi*）などのフィラリア症ですが，ミクロフィラリアとマクロフィラリアがあります．「西郷どん」こと，西郷隆盛も罹患していたというのがこのフィラリア症で，今は日本からは根絶されていますが，昔は奄美大島などに多く発生していたのでした．象皮症という脚の浮腫や陰囊浮腫が有名です．

　ミクロフィラリア症は
ジエチルカルバマジン（DEC）
に加え，ドキシサイクリンで治療します．これは寄生虫に感染している細菌（*Wolbachia*）を殺して臨床効果を高めるためです．クール！

　DEC は目のオンコセルカ症を合併していると，菌体を破壊して病態を悪くしてしまいます．よって，最初にイベルメクチンでオンコセルカを治療し，後にフィラリア症に DEC を用います．同様に，ロア症にも DEC を用いますが，寄生虫の量が多いときは脳症が悪くなる可能性もあるため，ステロイ

ドを併用することがあります.

というわけで,多細胞の寄生虫感染症(原虫ではない,ぜん虫)には

プラジカンテル派
パモ酸ピランテル / メベンダゾール派
その他派

の3つにわければわかりやすいということがわかりましたね.すっきりさせましょう.

S トキソプラズマ症

研究班が提供するスルファジアジンとピリメタミンで治療します.拙著『抗HIV薬……』か『本質のHIV』(MEDSi社)をご参照ください.

T 疥癬

ヒゼンダニの感染である疥癬は,非常に重要な感染症です.日本では施設内でのアウトブレイクが問題になります.

疥癬には通常の疥癬と重症型の痂皮性疥癬があります.痂皮性疥癬(crusted scabies)とは,以前ノルウェー疥癬(Nowegean scabies)と呼ばれていた重症型の疥癬ですが,ノルウェー人に気の毒だというので近年名前が変わりました.通常の疥癬と痂皮性疥癬の違いはダニの種類の違いではなく,患者の免疫状態による重症度の違いです.

海外では,治療の第一選択薬はpermethrinクリームです.が,日本にはこの薬がなく,かつては硫黄の匂いの強いムトウハップが日本では使われてきましたところが,ムトウハップは臨床効果もイマイチで臭く,おまけに硫

化水素ガスによる自殺事故が相次いだため，2008年に製造が中止になりました．オイラックス®軟膏を軽症例に用いる皮膚科の先生もいますね．これはイソプロピルメチルフェノールという殺菌剤に抗炎症剤やかゆみ止めを混ぜた局所薬です．

　で，前述のイベルメクチン（経口薬）が使えるようになって疥癬治療は劇的に楽になりました．イエイ．

　日本では国際的標準治療薬のペルメトリンがないのですが，最近，同じピレスロイド系殺虫剤のフェノトリン（スミスリンローション5%）が承認されています．ペルメトリン同様，1週間おきに2回投与します．イベルメクチンが体重15kg未満の小児に使えないので，そういうときはこちらの選択肢もあります．イベルメクチンとの質の高い比較試験はないので，どちらがベターかはわかりません．

37 ひとつギアを上げた, 抗菌薬の考え方, 使い方

　お疲れ様でした．これで抗菌薬についてだいたいご説明は済ませました．それでは，実際に抗菌薬を使う上で，ちょっとギアを上げた使い方について実際にあった症例をデフォルメした形で紹介します．

A 出てる菌全部カバーするの？

　発熱患者．事前の培養で，尿からESBL産生クレブシエラ，痰からAmpC産生しているであろうエンテロバクター．

　こういうときは，**安全策ならカルバペネム**です．しかし，肺炎と尿路感染でどちらかの確度が十分に高ければ，

肺炎にはセフトリアキソン（あるいはセフェピム）
尿路感染と思えばセフメタゾール

で初期治療をしてもよいと思います．AmpCでも「たいてい」セフトリアキソンでよくなります．このへんは，自分のアセスメントがどのくらい正しいか，とそのアセスメントが間違っていた場合にどこまでちゃんとリカバーできるか，にかかっています．
　よって，**ベッドサイドでの患者状態の把握が大事**ということです．カルテ

の培養結果だけで抗菌薬を決めるのはヤバイってことです．

　この患者さん，ぼくが週一でバイトしている施設での出来事でした．まずは肺炎と思いました．で，まずはセフェピムで治療して de-escalation しました．自施設（神戸大学病院）だったら，セフトリアキソンで初期治療も可能だったでしょう．AmpC はいかに丁寧に経過観察できるか，がポイントです．

B Blaz 陰性で de-escalation できるか

　ブドウ球菌感染症で，βラクタマーゼ産生かどうかは

　まずは MIC で
　次にゾーンエッジ試験
　それでも心配なら遺伝子検査で blaz を探す．

　となるのですが，では blaz でも検出できない耐性菌もまれにいるといえばいるのです．

　と，こういう蟻地獄的な「検査で見つからないときの検査」の連鎖に陥っている後期研修医は多いです．

　そうではなく，

感度 100% の検査はない

　という当たり前の一般法則に落とし込んでしまえばいいのですよ．
　MIC がじゅうぶんに低ければ，ペニシリン感受性菌である事前確率は高まっています．あとは，ゲーム理論や経過観察の頻度などで丁寧に見ていけば，

全部検査．それでも懐疑的

という不可知論に陥って不安いっぱいになることなく，ペニシリンでブドウ球菌感染症を治療できます．このような

漠然とした不安

に襲われて芥川龍之介みたいになっていると，患者にメロペン®か，自分にデパス®を出さないと安心できない不安ちゃん，不信ちゃんになってしまいます．健全な不安は診療には必須ですが，不健全な不安は邪魔になるだけです．

C グラム陰性菌の IE？

IE の患者さんがいたのですが，すでに抗菌薬曝露を他院で受けていました（F○○k!）．で，転院後に血液培養を採ると，なんと大腸菌が生えたのです．

おお，大腸菌が原因の IE か

という話になったのですが，ぼくは待て待て．これは普通の IE 患者が，前医で（不要な）尿カテーテルを入れられて，尿路感染も合併したんじゃない，と言いました．歯科治療後のコテコテの IE で，ぼくはレンサ球菌を期待していたからですし，市中で大腸菌の IE なんてまれな現象が起きることが納得いかなかったからです．

しかし，件の研修医は一所懸命 PubMed を調べて，

岩田先生，でも見てください．ほら，大腸菌の IE だってチャント症例報告ありますよ！

と鼻息荒く主張してきます.

そうではないんです.「大腸菌による IE という症例報告がある」ということは,**その現象がとてもまれってことなんです.**
これを Abduction(アブダクション)といいます.情報をそのまま受け取るのではなく,仮説を立て,その背後にある全体像を把握するってことです.**症例報告があるってことは,そういうことはめったにない**,と解釈すべきなんです.

この患者さんは結局オペになり,心臓の弁からレンサ球菌が(ラッキーにも)検出されました.レンサ球菌による IE,入院,尿カテ,UTI の合併だったのです.

アブダクションはとても大切な臨床上の営為ですが,苦手な研修医も多いです.指導医にも多いかな.

「妊娠の可能性ありませんか」

と患者さんに訊いて……

「たぶん,ないです」

と答えたら,それは「ない」ではなく,「ある」と判断すべきなんです.わかりますか?

ちなみに,施設見学をして,
「オタクの感染対策,上手くいってますか」
と訊いた時,

「ああ,うちはできてますよ」

と即答されたら,その施設の感染対策はダメダメの可能性が高いです.
「うーん,あれやこれやまだまだ問題山積みで……」

という回答なら，まあまあうまくいっている可能性が高い．

伝わりますか？

D キーワードをつなげても物語はできない

国家試験などでは

肺炎，高齢者，循環風呂

といえば「レジオネラ肺炎」で決まりです．このように，紙の上の試験レベルだとキーワードを並べるだけで診断できるのです．医学生はこういうの，大得意．

さて，80代の女性が

嘔吐
発熱
胸部レントゲンで浸潤影

があるというので「誤嚥性肺炎」と診断されてゾシン®（ピペラシリン・タゾバクタム）で治療されていました．まさに，キーワード診断．
　ところが，血液培養からは大腸菌が検出されます．あれ？　尿培養も一応とっていたのですが，そこからも同じ感受性の大腸菌が……，
　よくよく話を聞いてみると，この患者さん，

熱 ⇒ 嘔吐

の順番で受診したのでした．そしてレントゲンに影がある．
　実は，露骨な嘔吐＝誤嚥性肺炎ではありません．「誤嚥」は一般的に嚥下

機能が低下した高齢者などに起きますが，それは露骨な嘔吐ではなく，マイクロアスピレーションといって気づかないままに口腔内常在菌が「間違って」気道に落ち込み，肺炎を起こすのです．だから，誤嚥性肺炎に露骨な誤嚥のエピソードはなく，よって案外「誤嚥性肺炎」の診断は難しい．

　さて，露骨な嘔吐のあとの肺浸潤影は感染症ではなく，吐物が肺を化学的に刺激して炎症を起こしているだけの化学性肺臓炎（chemical pneumonitis）です．感染症ではないので当然抗菌薬は不要で，経過観察だけで24〜48時間くらいで治ってしまいます．

　この患者さんはよって，

　　尿路感染嘔吐
　　誤嚥
　　化学性肺臓炎

だったのでした．喀痰培養は「口腔内常在菌」しか検出されませんでしたが，結局こちらは抗菌薬治療不要なので，尿路感染の大腸菌だけ狙ってセファゾリンに de-escalation して治した，めでたし，めでたしのケースでした．

　患者に起きていることは必ず理論的な順序を作ってストーリーを再構築することが大事です．それがアセスメントです．**アセスメントには時間軸が大事です**．キーワードだけつなげてもアセスメントにはなりません．

　　パンツを履く
　　そして
　　ズボンを履く

　　のと

　　ズボンを履く
　　そして
　　パンツを履く

　キーワードはおんなじですが，順序が（時間情報が）違います．両者は同じものではなかったのでしたね！

38 新型コロナウイルス感染の治療

　本書で新型コロナウイルス感染（COVID-19）の治療について網羅的に解説することはしません．「網羅的」に解説すると，集中治療領域の全身管理や血栓の予防や治療，コード確認や緩和ケアの是非，腹臥位療法の方法，リハビリ，栄養，家族との面談方法などなど多種多様の検討項目があります．そうしたこと全部を網羅的に解説する能力がそもそもイワタにはありませんし，本書の目的からも大きく逸脱するでしょう．

　COVID-19特有の治療薬に限定しても，本書で上手に解説し尽くすことは困難です．2021年12月21日にGlobal Coronavirus COVID-19 Clinical Trial Tracker（http://www.covid-trials.org）で検索すると，実に2914の臨床試験が存在します．世界中が注目するこの感染症については山のような治療方法が検討され，臨床試験で吟味されます．

　ぼくがCOVID-19の治療でよく用いるのは米国NIHの診療ガイドラインです．通常，診療ガイドラインというのは年単位で改訂がなされます．ところが，このNIHガイドラインではWhat's New in the Guidelinesという項目があり，毎月のように新しい推奨項目が加わります．

NIH. COVID-19 Treatment Guidelines. What's New in the Guidelines

　というわけで，本書でCOVID-19の治療薬を網羅的に解説するのがムリー，な理由がおわかりいただけたでしょうか．

　とはいえ，です．本書が「考え方」の本である以上，やはり「考え方」は

お伝えせねばなりません．ぼく自身，COVID-19 の治療薬についてはいろいろ変遷があったのですが，「考え方」「原則」はまったくブレていません．

ですので，ここではその「原則」についてご説明申し上げます．ま，これって他の感染症治療の原則とほとんど変わりないんですけどね．

■ 原則1　アウトカムが大事．特にエフェクトサイズ

ある治療薬を診療現場で採択し，使う根拠はなんといっても「エビデンス」の有無ということになります．しかし，エビデンスは「ある」「ない」というデジタルな判断基準で吟味してはいけません．大事なのは「どれくらい」あるか，です．

毛が3本生える育毛剤は，「常識的」に言えば「効かない」育毛剤です．これを「それなりに効果があった」とか「一定の効果があった」と官僚的詭弁を弄してはいけません．3本じゃオバQにしかならないのです．オバQじゃ，通じない若い読者が多いでしょうけど，そんなの気にしないのが令和な書き手です．古すぎてわからないことは，ネットで調べてください，と読者に丸投げです（いいのかなー）．

件のNIHガイドラインを見ると，「治療のまとめ」が載っています．Therapeutic Management of Adults with COVID-19 です．ぼくが今読んでいるのは 2021 年 12 月 16 日更新分です．

 NIH. COVID-19 Treatment Guidelines. Clinical Management.

ここで，「入院患者で人工呼吸管理か ECMO が必要な患者」では

> デキサメタゾンが AI
> デキサメタゾンとトシリズマブが BIIa
> トシリズマブが使えないときはサリルマブ BIIa

の推奨になっています．他の薬は推奨されていないのに注意してください．

ここでのAとかBは推奨の度合いです．Aが強い推奨，Bが中くらいの

推奨，Cはオプション（おすすめってほどでもないけど，やめろってほどでもない）です．つまり，重症COVID-19患者では

デキサメタゾンがとってもおすすめ
デキサメタゾンとトシリズマブが，まあまあおすすめ，あとはサリルマブ
他は，オプションですらない

事がわかります（2021年12月の段階で）.
　ⅠとかⅡとかⅢはエビデンスの質の高さのランキングです．Ⅰは大きな問題のないランダム化比較試験で得られたエビデンスあり．Ⅱaは，問題ありのランダム化比較試験か，そのサブグループ解析あり，Ⅱbはランダム化してない比較試験か，観察研究で，Ⅲがエキスパートの意見，です．AⅠがめっちゃよいエビデンスに基づく，とってもおすすめな推奨で，CⅢは専門家がええんちゃう，って言ってるから，使うというのもやぶさかでなし，ってことです．

　では，なぜデキサメタゾンが推奨されるのか，NIHはそこに「理路（rationale）」を示します．それはRECOVERYトライアルで，酸素を必要とする患者での死亡の減少が認められたからです．28日後の死亡率の違いは23.3% vs 26.2%, 2.9%の違いであり，だいたい34人治療すると1人の命を救える計算になります（NNT）．まあ，残念ながら重症コロナは治すのは大変で，デキサメタゾンを使っても2割以上の患者さんは亡くなってしまうのですが，それでも数%は死亡を減らすことができるのです．
　ちなみに，デキサメタゾンにトシリズマブを加える点については，NIHは早期の臨床試験で利益が認められなかったと指摘します．しかし，RECOVERYトライアルではトシリズマブの追加で死亡率の低下が認められました．ただし，患者振り分けの方法に問題あり，と委員から指摘があり，推奨としてはBⅡaとなったのでした．

　もちろん，「ガイドラインなんて洒落臭え！　あっしは原著論文読むんだぜえ」派のみなさんも決して否定はしません．ガンガン，原著論文をお読み

38

新型コロナウイルス感染の治療

になれば良いと思います．
　が，そのときは

■ 原則2　原著論文を読むなら網羅的に
■ 原則3　薬は絶対にエコヒイキしない

　の2つの原則を守る必要があります．
　先に申し上げたとおり，COVID-19関連の臨床試験は何千とあります．そのうち，結果が出ているもの，結果をpreprintという査読なし論文で発表したもの，査読を終わらせ，査読付き論文に載ったものなど，様々なデータが存在します．もちろん，そういう臨床試験をまとめたメタ分析もあります．
　で，原著論文で勝負するなら，関連したすべての臨床試験を探し出して，網羅的に吟味する必要があります．「よかったねー」な研究や「だめだったねー」な研究が混在していることが多いのですが，その一部だけ読むと間違えてしまうのです．
　さらに，自分がエコヒイキしてる薬の都合の良いデータばかり抜き出しするのはよくありません．都合の悪いデータもちゃんと見るのが大事です．というか，抗菌薬や抗ウイルス薬に限らず，全ての医療行為にはエコヒイキはご法度です．よくあるのが「日本産」の魔力．ノーベル賞とったイベルメクチンがー，とかアビガン®がー，みたいな美しい物語にメロメロパンチになってはいけません．どの薬も公平に，公正に評価するのがプロです．贔屓を作ってはいけません（だから，利益相反も持っちゃダメなんですね）．イベルメクチンにしてもアビガン®（ファビピラビル）にしても，NIHがガイドラインで推奨するレベルのエビデンス，あるいは専門家の意見すら欠いており，現段階ではCOVID-19治療には使えません．
　こんな感じで，ぼくの周辺ではデキサメタゾンは酸素を必要とする患者には使う．酸素のいらない無症状，あるいは軽症患者は対症療法のみ，レムデシビルとトシリズマブはケース・バイ・ケースって感じの診療になっています．実にシンプルですね．アビガン®もイベルメクチンも使いません．
　最近は，量を増やしたステロイドが死亡リスクを下げるのでは，という観

察研究データもあるため，こういう治療を行う患者もいますが，これを標準的治療にすべきかどうかは，今後の研究データによるでしょうね．

Pinzón MA, Ortiz S, Holguín H, Betancur JF, Arango DC, Laniado H, et al. Dexamethasone vs methylprednisolone high dose for Covid-19 pneumonia. PLOS ONE. 2021; 16: e0252057.

■ 原則4　PICOのPが大事

PICOとは治療のエビデンスを吟味するときの，

Patient
Intervention
Comparison
Outcome

です．アウトカムが大事，というのはすでに申し上げました．でも，同様に大事なのはPatientです．誰の話をしているのか．無症状患者か，重症患者か．どの患者を対象にしたエビデンスなのかを見落とすと，見当違いな解釈になりがちです．ここ，忘れがちなので注意しましょう．

■ 日本の「手引き」について

ちなみに，日本の「手引き」はあまり評価できませんでした．特に第4.2版までは，単に治療薬や臨床試験が羅列されているだけで，「結局どうすればいいの？」……つまり，so what? な問題に全然踏み込んでいなかったからです．

しかし，2021年5月26日に第5版が出ました．これは重症度に応じて治療薬の推奨が明言されるようになりました．大きな前進だと思います．酸素を必要としない中等症Iの患者では「軽症例ではステロイドを使うべきではない」，中等症IIでは「ステロイドを早期に使用すべき」と明言され，「さらに「レムデシビルの使用も考慮する」などと推奨のレベルの高さが理解できる記述になっています．

新型コロナウイルス感染症（COVID-19）診療の手引き・第5.0版

　まあ，呼吸不全のない中等症Ⅰの患者になぜあれやこれやの採血をしなければいけないのかとか，結局ファビピラビルは使うべきなのか，使わないほうが良いのかとか，NIHのガイドラインに比べると切れ味が乏しく，玉虫色な表現が多いのが気になりますが，それでも4.2から5への飛躍は非常に大きかったものと思います．さらによいものに進化していくことを期待しています．

　（追記）
　2021年11月に6.0版も出ています．

 新型コロナウイルス感染症（COVID-19）診療の手引き・第6.0版

Bonus Track 1

MALDI-TOF, マルチプレックス PCR, そして新型コロナの時代の抗菌薬の考え方, 使い方

　一つの節目は, インフルエンザの迅速キットでした. 1990年代, これまで「ウイルス」とひとかたまりに認識していたウイルス性疾患を, 病原体ごとに峻別することが臨床現場でできるようになったのです.「ウイルスだね, たぶんインフルエンザ」だったのが,「インフルエンザAです」とイムノクロマト法の赤い縦棒で断定できるようになったのでした. こんな昔ばなしをするのは, イワタがクソジジイになったからじゃないか, と危ぶむ読者の方, あなたは鋭く, そして正しいです.

　ほぼ同時期に, インフルエンザについてはノイラミニダーゼ阻害薬という治療薬も登場しました. 診断ができ, 治療ができるのだから, インフルエンザという「ウイルス性疾患」は特別の地位を得ました. それでなくても検査が大好きで, 薬を出すのが大好きだった90年代の日本の医者たちはやっきになってインフル検査をして, そして治療したのです.

　しかし, インフルエンザはもともと高熱, 寒気, 節々の痛みといった「現象」から認識され, そしてあとになってウイルスが同定されたのです. そのような「現象」を無視してウイルスだけ見つけても, 一体何を治療しているのか. 患者を治療しているのではなく, 単なる赤い棒を治療しているのに過ぎないのではないか, こういった「名前」と「現象」のズレの問題を扱ったのが, 拙著『感染症は実在しない』(集英社インターナショナル)です. ま, この話はこの本に詳しいので, 興味がある人はそっちを読んでくださいませ.

　で, MALDI-TOF MS (質量分析) の登場です.

MALDI は Matrix Assisted Laser Desorption/Ionization の略です．マトリックス支援レーザー脱離イオン化法のことです．イワタのざっくりな理解では，マトリックスとは「もの」のことです．ここに対象とする別の「もの」を混ぜます．ここに窒素レーザーを当てると「もの（マトリックスと検体）」が気化され，散り散りになります．

で，TOF MS です．これは time of flight mass spectrometry の略で，飛行時間型質量分析法です．気化されて散り散りになった「もの」は電荷をもち，これが電位差のために移動します．移動時間は「もの」の質量によって異なります．この時間差……あるいは飛行時間差を用いて「もの」の質量を分析します．

で，感染症領域においては，微生物の菌体そのものを「もの」として，質量分析を行い，その違いを菌の同定に用います．これまでは生化学的な反応の組み合わせを用いて微生物の同定を行っていたのが，よりスピーディにたくさんの菌を峻別することができるようになりました．16S rRNA を用いた遺伝子学的菌の同定との一致率も 9 割以上になることが多く，多くの微生物を迅速に正確に同定することができるようになったのです．この技術は抗酸菌や真菌の同定，さらには薬剤耐性の有無まで判定ができる可能性を持っており，今後は抗菌薬適正使用にも影響を与えるかもしれません．

ただし，MALDI-TOF MS にも問題点はあります．他のどの検査にも問題点があるように（急に村上春樹調）．*Shigella* など一部の菌の同定は難しいとされていますし，肺炎球菌や肺炎桿菌など，莢膜のある微生物では誤同定の可能性もあります．こういった問題点を理解した上で検査を活用する必要があります．ま，どんな検査も問題点を理解しないと活用できないのですが．

もっと本質的な問題は，MALDI-TOF MS は検出された微生物が病気の原因なのか，あるいはそうでない微生物なのか（コンタミネーションやコロナイゼーション）を峻別できないところにあります．それは「現象」とのすり合わせで行うしかありません．現象とのすり合わせとは要するに「臨床判断」ということです．今の所，臨床判断は人間にしかできませんから，テクノロジーの進化を診断に活かすも殺すも医療者次第なのは，従前と変わりありません．

MALDI-TOF MS のおかげで，これまでは峻別されていなかったたくさんの微生物が同定されるようになりました．「そんな名前，聞いたことがない」という菌がたくさん見つかるのです．そうした菌は臨床情報も乏しく，どんな病気を起こし，どうやって治療するのかも明確でないことも多いです．
　聞いたことがない菌に遭遇したときはとにかく勉強することが大事です．文献を検索して，目の前の現象をその微生物で説明してよいのか，そして治療の対象とすべきか，どうやって治療するかを吟味します．テクノロジーの進化は「もっと勉強しろよ」という意味でして，あまり楽になるわけではないのです．

　さて，遺伝子検査も進歩しています．従来の遺伝子検査，例えば PCR ですと，狙った微生物「だけを」ピンポイントに調べるのが常でした．典型例は，COVID-19 の原因，SARS CoV2 の PCR ですね．
　ところが，最近は多種多様な微生物の遺伝子を一気に調べるというマルチプレックス PCR という検査が臨床現場に導入されるようになりました．ここでもテクノロジーの進化は素晴らしく，従来よりも短い時間で大量の微生物を一気に調べることができます．呼吸器検体や髄液検体でこのような検査は応用されるようになりました．最近は消化器検体も同様の検査が導入されています．
　これまではマイコプラズマやクラミジア（クラミドフィラ），レジオネラといったグラム染色では見えない，見にくい微生物の感染症の診断を迅速に行うのは難しかったのですが，こうした診断も素早く行えるようになりました．
　ただし，こうしたハイテクな検査もやはり「臨床判断」で失敗すると，上手く使えなくなる……というか，逆に失敗の原因になってしまう可能性すらあります．
　例えば，多くのインフルエンザ感染は不顕性感染であることがわかっています．常在している微生物も多く，コロナウイルス（新型じゃないやつ）は喉に定着しているだけで病気を起こしていないことも，ままあります．では，症状がない，あるいはほとんどない患者さんにこのような遺伝子検査をやみ

Bonus Track 1

MALDI-TOF，マルチプレックス PCR，そして新型コロナの時代の抗菌薬の考え方，使い方

くもにやって，喉にくっついている微生物を見つけても，それは治療や対策の対象になるのでしょうか．

　誤同定の問題もあります．例えば，消化器の遺伝子検査ですと，アメーバ赤痢の原因になる *E. histolytica* と病原性のない *E. dispar* で検査の交差反応を示すことがあります．これは大きな問題ですね．もっとも，ぼくはハイテクな検査を dis りたくてこんなことを申し上げているのではありません．そもそも，古典的な便の検鏡検査でも *E. histolytica* と *E. dispar* を区別するのは困難，しばしば不可能なのですから．

　申し上げたいのは，テクノロジーの新旧関係なく，微生物同定検査を臨床的なコンテクストで行うというのは，微生物を見つけるだけでなく，起きている現象とのすり合わせが必要だ，ということです．

　そのすり合わせはしばしばシンプルです．尿路感染の症状の人から膿尿がでて，そこから大腸菌が検出されれば，それはすべてつながっています．

　けれども，微生物の存在と疾患がつながっていないこともあります．こういうときに，頭の中で「つながっている」と勘違いしていると，失敗が起きます．

　Tスポット陽性でした．血管炎の治療でステロイドパルスしたいんですけど，INHで潜在性結核の治療をしてくれませんか，と依頼されたことがあります．

「それってそもそも血管炎なのでしょうか」
「臨床的には，熱もありますし炎症マーカーも上がってまして」
「それって全部結核ってことはありませんか？」
「……」

　そう，この患者さんは結核患者だったのです．結核菌は検出できませんでしたが，臨床的コンテクストとしてはそうでした．よってINH1剤ではなく4剤で治療しました．ステロイドパルスもしませんでした．そして患者の熱は下がり，炎症マーカーも改善し，治療的に診断は確定されたのです．

「熱があって，新型コロナ PCR やったら陽性でした！！！」
「先生は皮膚科の先生ですね．なぜ皮膚科の先生がコロナを見てるんですか」
「いや，この人，脚の蜂窩織炎で．壊死組織のデブリドマンが必要になったので，入院，手術が必要になったのですが，手術室から「発熱患者の術前には必ずコロナの検査をしろ」と言われて……」
「で，脚が腫れてて，真っ赤な蜂窩織炎患者にコロナの PCR をやったと……」
「ええ，相部屋で入院してたんですけど，急に隔離をするわ，ナースはみんなフルの PPE を着てるわ，で患者さんが怯えてしまって……」
「そりゃ，怯えますわな」
「先生，どうしましょう」
「たぶん，その方，コロナじゃないですよ」
「でも，PCR は間違えないってワイドショーの『専門家が』」
「お願いですから，ワイドショーで医学知識を得ないでください」

はい，この方は PCR の偽陽性の患者さんで，再検して PCR 陰性が確認，隔離もすぐに解除されました．逆に，典型的な呼吸器感染症の病態なのに PCR が陰性で，「非定型肺炎」として抗菌薬治療を受けて，後に急速に呼吸状態が増悪，再度 PCR をやって陽性，でコロナ病棟に入院になる患者さんもいます．臨床的なコンテクストを無視して検査をすると，必ずいつかは失敗します．もっとも，このような実例を何度経験しても，全く学習しない医療者は多いので，このへん，諦め半分で書いてますけどね．

さて，本書は「抗菌薬」の本ですので，本題に戻りますね．

新型コロナ流行当初，抗菌薬の使い方はほぼほぼほったらかし状態でした．
まあ，責任は我々にもあります．コロナ対応に忙殺されて，抗菌薬ラウンドとかも割愛したり縮小することも多かったですから．
臨床現場もコロナの恐怖でヒステリックになっていました．培養も採らず

Bonus Track 1

MALDI TOF，マルチプレックス PCR，そして新型コロナの時代の抗菌薬の考え方，使い方

に広域抗菌薬をどんどん入れたりするのも，レッドゾーンでベッドサイドで血液培養採ったりするのが怖かった，という側面もあるでしょう．

現在はやや落ち着きを取り戻し，きちんとした発熱ワークアップ，二次性細菌感染症の診断もできるようになりました．が，これも施設による格差が大きいと聞いています．外来診療でも，入院診療でも，きちんとした培養検査やグラム染色，de-escalationといった「基本」が守れなくなっているケースがあるようです．コロナのPCRだけやって，熱の原因は知らん顔，というプラクティスもよく見ます．昔，某「渡航外来」で，マラリアの迅速キットだけやって「陰性」だったら「マラリアじゃありません」で帰宅させていたところがありました．じゃ，熱の原因はなんやねん，というのが大事なわけですが，そんな感じです．

コロナの時代においても，抗菌薬の考え方，使い方は微塵も変わりません．ちゃんと診断すること．ちゃんと原因微生物を確定すること，あるいは推定すること．見つけた菌が病気の原因なのか，臨床的なすり合わせをすること．その原因菌にふさわしい最良の抗菌薬を選ぶこと．雑に広域抗菌薬いてまえー，熱が下がったから，そのまま同じ広域抗菌薬継続ー，ではダメなのです．

困難に陥ったとき，恐怖に駆られたとき，人は思考停止に陥ります．しかし，困難なときにこそ，考えることが重要なのです．考えることを放棄したり，落ち着きを失って取り乱したりして，正しい判断ができる可能性は高くありません．怖いときこそ，落ち着く．怖いときこそ，考えることが重要です．

勇気とは蛮勇を奮って豪腕を振り回すことではなく，怖さを感じているときに，その怖さに抗って冷静に考え続けることなのですから．

参考文献
関口幸恵. MALDI-TOF MSによる微生物同定の現状と活用にあたっての留意点. 腸内細菌学雑誌. 2015; 29: 169-76.
Hou T-Y, Chiang-Ni C, Teng S-H. Current status of MALDI-TOF mass spectrometry in clinical microbiology. Journal of Food and Drug Analysis. 2019; 27: 404–14.
Robinson J. Colonization and infection of the respiratory tract: What do we know? Paediatr Child Health. 2004; 9: 21–4.

Bonus Track 2

新型コロナウイルスと抗体カクテル療法

A 抗体療法と感染症

　感染症の治療といえば，読者はすぐに抗菌薬を想起することであろう．しかし，免疫グロブリンを用いた抗体療法の歴史は抗菌薬のそれよりも長い．その嚆矢は北里柴三郎が作製した破傷風抗毒素，さらに北里とベーリングが作ったジフテリア抗毒素である．これらの業績がなされたのはまだ19世紀の終わりのことであった．エールリッヒと秦 佐八郎が世界初の抗菌薬，サルバルサンを開発したのが1910年頃だから，抗体療法はそれよりもずっと早くに開発されたのだ．

　　吉田眞一, 柳 雄介, 吉間泰信, 編. 戸田新細菌学　改訂 34 版. 南山堂; 2013.

　抗毒素が開発された19世紀当時は，ウイルスは植物の病気の原因となる濾過性病原体として知られていた．が，人間の病原体としてのウイルスは認識されておらず，当然，その治療薬は存在しない．天然痘や狂犬病のワクチンこそ開発されてはいたが．

　その後，サルファ剤やペニシリンといった現在でも使われる抗菌薬が次々と開発，発見され，細菌感染症治療薬は劇的な進化を遂げてきた．他方，ウイルス感染症の治療法たる抗ウイルス薬の開発は遅々として進まなかった．ウイルス感染症に対する血清療法もほとんどなく，わずかに狂犬病ウイルスやB型肝炎ウイルス，水痘・帯状疱疹ウイルス（VZV）に対する曝露後予防

としての抗体療法などが臨床現場で用いられていた（VZVに対する抗体，VZIGは日本では未承認）．1990年代になり，重症RSウイルス感染症予防のためのモノクローナル抗体，パリビズマブが米国で承認されたのが稀有な例外であろう．

> Salazar G, Zhang N, Fu TM, et al. Antibody therapies for the prevention and treatment of viral infections. NPJ Vaccines. 2017; 2: 1-12.

　そんななか，モノクローナル抗体の開発とともに，感染症以外の領域で抗体療法が盛んに用いられるようになってきた．特定の抗原に対する抗体を作製するBリンパ球を無限増殖能力を持ったミエローマ細胞と融合させハイブリドーマを作り，単一の抗体を大量に作る技術は1970年代に確立され，1980年代に実用化された．従来の動物由来の抗体はアナフィラキシーや血清病などのアレルギー反応など副作用が多いことが問題で，回復患者のポリクローナルな抗体は，臨床効果は十分とはいえなかった．モノクローナル抗体，特にヒト化した抗体はこうした問題を払拭したものであり，遺伝子工学の進歩とともに普及した．モノクローナル抗体はがんや自己免疫疾患などの治療に広く使われるようになり，多くの疾患で標準治療に組み込まれていった．俗に「バイオ」と呼ばれる生物学的製剤の多くはモノクローナル抗体である．

> Liu JKH. The history of monoclonal antibody development-Progress, remaining challenges and future innovations. Ann Med Surg（Lond）. 2014; 3: 113-6.
> Hifumi T, Yamamoto A, Ato M, et al. Clinical serum therapy: benefits, cautions, and potential applications. Keio J Med. 2017; 66: 57-64.
> Covid-19-real-time learning network. Monoclonal Antibodies［Internet］.［cited 2021 Jul 28］.

　しかし，感染症治療の手段としての抗体製剤はなかなか実用化されず，仮に開発されても確たる臨床効果は示されてこなかった．ウイルス感染症について言えば，急性ウイルス感染の多くは自然治癒するため，高額な抗体療法は割に合わなかった．慢性ウイルス感染は細胞内感染という性格から細胞外で効果を発揮する抗体療法とは相性が悪い．

例外としてはエボラウイルス疾患に用いられた抗体療法で，単一のモノクローナル抗体を用いた mAb114（ansuvimab-zykl）や3種類の抗体を用いた（カクテル療法ですね）REGN-EB3（Inmazeb）が，旧来のモノクローナル抗体である ZMapp やレムデシビルよりも死亡リスクを下げることがランダム化比較試験で示された．比較的患者数が少なく，致死率が高いエボラのような疾患は抗体療法のキャラクターとよくフィットするように思う．

Mulangu S, Dodd LE, Davey RT, et al. A randomized, controlled trial of Ebola virus disease therapeutics. N Engl J Med. 2019; 381: 2293-303.

さて，COVID-19 である．何千という臨床試験が世界中で走っており，ありとあらゆる医薬品が治療薬として検討されているが，「これ」といった決定打は非常に少なく，堅牢なエビデンスで死亡リスクの減少が確立しているのはデキサメタゾンだけ，と言ってもよい（本稿執筆時点）．そのなかで，抗体療法も当然のように検証されてきたのだが，やはりこれというものはなかなか出てこなかった．

ところが，最近になって複数の抗体を併用するいわゆる「カクテル療法」で有望な（promising）データが発表されるようになった．デキサメタゾンが酸素化不良を起こした「重症化」に対応する治療なのに対して，このカクテル療法は酸素化が悪くない患者に用いる「重症化しないための」治療である．これまでの COVID-19 治療戦略に存在していなかったミッシングピースと言ってもよい．

ちなみにであるが，モノクローナル抗体の一般名はたいがい，覚えにくい（個人の感想です）．いちおう，名前の付け方には決まりがあって，すべてお尻に -mab がつくことになっている．抗ウイルス療法としてのそれはその前に vi がつく．遺伝子工学を用いてヒト化された抗体ではこれに zu がついていたが，世界保健機関（WHO）の新命名法ではこの基準が削除された．よって，RS ウイルス予防に用いる抗体はパリビズマブ（pali-vi-zu-mab）だったが，（比較的新しい）エボラの治療薬は ansu-vi-mab である．なお，Inmazeb は商品名であり，atoltivimab, maftivimab, odesivimab のカクテルだ．明日からの診療にはなんの役にも立たないけれど．

WHO. Revised monoclonal antibody（mAb）nomenclature scheme [Internet]. [cited 2021 Jul 28].

B COVID-19 に対する抗体療法

　米国の臨床試験で検証された抗体療法の嚆矢はイーライリリーのモノクローナル抗体（bamlanivimab）で，米国の回復患者の血液由来の SARS-CoV-2 のスパイク蛋白に対する抗体だ．イーライリリーは他にも etesevimab を作っており，これはウイルスのスパイク蛋白受容体結合ドメインに対するモノクローナル抗体である．両者の併用療法が米国食品医薬品局（FDA）から緊急使用許可（EUA）が得られているが，薬事承認はされていない．当初，bamlanivimab 単剤が EUA を得ていたが，E484K 突然変異を持つ変異ウイルス（variant）の出現とともに本剤への耐性ウイルスが確認されたために EUA は取り消された．軽症から中等症の COVID-19 に用いられている．ただし，両剤はベータ株，ガンマ株などの変異ウイルスでは効果が落ちることも懸念されている．

 NIH. COVID-19 treatment guidelines. Anti-SARS-CoV-2 Monoclonal Antibodies [Internet]. [cited 2021 Jul 28].

　生物学的製剤開発をしていたリジェネロン社は 2 つの抗体を用いたカクテル療法，REGIN-COV を開発した．リジェネロンはこれを米国で販売し，国外の販売をロシュに委託した．米国では FDA の EUA を得ている．ロシュグループ傘下の中外製薬が日本での開発権と販売権を取得し，さらに特例承認を取得した（商品名ロナプリーブ®）．ロナプリーブ® は casirivimab と imdevimab の 2 種類のモノクローナル抗体で，それぞれ SARS-CoV-2 スパイク蛋白受容体結合ドメインの異なる部位に結合する．

 中外製薬．ニュースリリース．抗体カクテル療法「ロナプリーブ点滴静注セット」，新型コロナウイルス感染症（COVID-19）に対し，世界で初めて製造販売承認を取

得. 2021年7月19日. [Internet]. [cited 2021 Jul 28].

では，その効果はどのくらいか．

外来患者を対象とした臨床試験が行われ，プレプリントではあるが発表されている．4,000人以上の患者を採用した多施設ランダム化研究で，casirivimabとimdevimabをそれぞれ1,200 mg（合計2,400 mg），4,000 mg（合計8,000 mg）投与する群とプラセボ群の3群で比較したものであるが，ハイリスク群で有害事象が多かったために合計1,200 mgと2,400 mgそしてそれぞれに対するプラセボへと変更され（計4群），ハイリスク群を対象とするようになった．いずれも静脈内投与である．

検査で確定診断72時間以内，かつ発症7日以内で18歳以上のハイリスク患者が対象となった．一次エンドポイントは29日後の関連入院あるいは全死亡である．結果，2,400 mg群も1,200 mg群も有意にプラセボ群よりも発生頻度は低く（それぞれ1.3% vs 4.6%，および1.0% vs 3.2%），症状改善までの時間も早かった（10日 vs 14日）．また，ベースラインで血清中に抗体をすでに有している患者でも同様のアウトカムであった（ただし，サンプル数は多くない）．

Weinreich DM, Sivapalasingam S, Norton T, et al. REGEN-COV antibody cocktail clinical outcomes study in Covid-19 outpatients. medRxiv preprint. [Internet]. [cited 2021 Jul 28].

これを受けて，FDAは1,200mg（それぞれ600mg）投与量について，非入院患者へのEUAを与え，静脈内注射および皮下注射による投与を認めている．なお，本研究の一部のデータはウイルス量などの吟味を行ってNew England Journal of Medicineに発表された．

Statement on Casirivimab Plus Imdevimab EUA［Internet］. COVID-19 Treatment Guidelines. [Internet]. [cited 2021 Jul 28].
Weinreich DM, Sivapalasingam S, Norton T, et al. REGN-COV2, a neutralizing antibody cocktail, in outpatients with Covid-19. N Engl J Med. 2021; 384: 238-51.

また，COVID-19 に対する多くの臨床試験を発表している RECOVERY 協力グループもプレプリントの論文を発表している．通常の COVID-19 ケアに加え，介入群では 8 g の REGIN-COV を投与されている（それぞれ 4 g）．一次アウトカムは抗体陰性患者，および全参加者における 29 日後（28 日と書いているところもあり，プレプリントらしい誤記であろう）の死亡とある．ベースラインの抗体陰性患者においては死亡率は 24% vs 30%で統計的有意に死亡率の低下がみられた．が，抗体陽性者を含む全患者をみると死亡率は 20% vs 21%で有意差はなかった．現在のところ，日本でも米国などでも本剤は入院患者には使用できず，この投与量（大量だ）も用いられない．

RECOVERY Collaborative Group. Casirivimab and imdevimab in patients admitted to hospital with COVID-19 (RECOVERY): a randomised, controlled, open-label, platform trial. medRxiv preprint. [Internet]. [cited 2021 Jul 28].

　なお，本剤ではハイフロー酸素や人工呼吸器を必要とする入院患者を対象とした臨床試験も行われていたが，独立データモニタリング委員会が安全性の懸念やリスク利益のバランスに問題があることから臨床試験を中断させている．
　ということで，繰り返しになるが，本剤の使用は，少なくとも現段階では，酸素化のよい「重症化する前の」患者の重症化予防を目的として使用される．

C その将来性と懸念材料

　ロナプリーブ®は成人あるいは 12 歳以上かつ体重 40 kg 以上の小児で，発症 7 日までの患者に使用する．低酸素血症が「ない」患者が対象だ（デキサメタゾンとは逆）．
　重症化防止が本剤治療の目標なので，重症化リスクの高い患者が対象となる．添付文書では，以下のリスクのうち少なくとも 1 つを持つもの，とされる．

COVID-19は「数」の病気であった．感染者数が爆発的に増えると，数週後に重症患者が増加し，さらに死亡者が増加する．

　しかし，ここにゲームチェンジャーが現れた．一つはいうまでもなくワクチンで，高齢者への予防接種が普及することで「感染者は増えても，重症者が増えない」現象が起きている（典型例は，英国だ）．ロナプリーブもまた「感染者は増えても重症者を増やさない」ツールとして，ある種の切り札，ゲームチェンジャーになる可能性がある．本剤が臨床現場に何をもたらすのか，たいへん興味がある．

　米国ではcasirivimab 600 mgとimdevimab 600 mgが入った製剤など複数の製剤が使用可能なようである．腎機能や肝機能に応じた調整は必要ないとある（Lexicomp®の情報による）．

　日本ではそれぞれ300 mgずつ入った製剤と，1,332 mg（11.1 mL）ずつ入った製剤の2種類があり，前者は2バイアル使って1人分であるが，後者は5 mL吸って使う「2人分」の製剤のようだ．なんでこんな面倒くさい製剤を作ったのかは不明だが，特に後者の場合はメーカーに使用依頼をかけるときにいろいろトラブルのもとになるのでは，と懸念する．なお，本剤は希釈前に20分間室温に放置して使うが，保存時間は16〜48時間で，保存期間を超えたら破棄せねばならない．

厚生労働省. 新型コロナウイルス治療薬の特例承認について. [Internet]. [cited 2022 Feb 14].

　また，米国とは異なり，日本では皮下注の適応はない．皮下注の臨床データが乏しいので妥当な判断かもしれないが，逆に在宅などのセッティングでの使用を困難にする可能性がある．医療が逼迫した場合は自宅や療養施設での使用も検討すべきであろう．自宅で酸素化が悪くなってからデキサメタゾンを投与するよりは，「酸素化が悪くなる前」にロナプリーブ®を投与するほうがずっと人道的だからだ．厚生労働省もそのようなシチュエーションは頭に入れているようだが，まずは供給量などを勘案して入院患者限定使用となるようだ．

m3. com. 新型コロナの抗体カクテル療法特例承認, 入院・死亡リスク7割減. [Internet]. [cited 2021 Jul 28].

　臨床試験上はデータ的にはっきりしなかったが，ワクチン接種者で本剤がどのくらい効果を示すかは懸念材料だ．抗体を有している場合は効果が落ちることが懸念され，ワクチン接種者や既感染者では本剤を「あえて」用いない，という選択肢も考えられる．特に感染者が増えて本剤が枯渇した場合は重要な議論のポイントになるだろう．なお，抗体療法を投与したあと90日間はSARS-CoV-2ワクチンを接種してはいけない．まあ，感染後90日間は再感染リスクはほとんどないので，接種を忘れてさえいなければ，さしたる問題にはならないだろう．

 COVID-19 vaccine. Administration Errors and Deviations. [Internet]. [cited 2021 Jul 28].

　抗体療法はワクチンとオモテウラの関係にある．前者は受動免疫を付与し，後者は能動免疫を付与するが，大雑把に言えばやっていることは同じである．よって，なんらかの理由でワクチン接種を受けていなかった方の曝露後予防などに本剤が活用される可能性がある．

　やはり懸念されるのは変異ウイルスの存在だ．モノクローナル抗体に対する効果が減弱する変異ウイルスはすでに見つかっており，これがbamlanivimabの単独使用を不可能にした．動物実験ではロナプリーブはアルファ株やデルタ株にも効果を示すことが示唆されているようだが，今後新たに出現する変異株への効果は未知である．

 Nadeem D. Dual-antibody drugs effective against COVID-19 variants in animal study. Reuters［Internet］. 2021 Jun 21. [cited 2021 Jul 28].

　コスト面も問題だ．一般的にモノクローナル抗体は高価である．本剤は日本政府が買い上げて供給するようだが，日本政府の購買力の原資は我々の税金なので，「無尽蔵に使える財布」と捉えてはならない．

おわりに

　感染症領域で抗体療法を使うことはさほど多くない．しかし，COVID-19 の軽症，中等症患者においては抗体カクテル療法がある種の切り札，ゲームチェンジャーになる可能性がある．懸念材料や克服すべき問題も複数ある．本稿がこの治療法の理解の助けになればなによりだ．

　なお，ロナプリーブ®のあとで，単剤の抗体，ソトロビマブ（ゼビュディ®）が承認された．これが，本稿執筆時点で世界中に広がっている変異株「オミクロン株」に効果があるということで，注目されている（ロナプリーブ®は変異のために効果が期待できません）．また，これとは別に経口の抗ウイルス薬も複数開発され，こちらも注目されている．

　「利益相反」：筆者はリジェネロン，ロシュ，中外製薬いずれに対しても開示すべき利益相反を持たない．当然のことながら本稿は筆者個人の見解であり，所属先の見解を反映するものではない．

　本稿の執筆にあたり，神戸市立医療センター中央市民病院感染症科の土井朝子先生と，神戸大学医学部附属病院感染症内科の西村 翔先生に貴重なアドバイスをいただいた．この場を借りてお礼申し上げます．

＊本 Bonus Track 2 は感染症総合誌 J-IDEO．2021 年 Vol.5 No.5. 678-81（中外医学社）に掲載された論考を再掲したものです．

J-IDEO
2021-5

利益相反

2020 年度(令和 2 年度)
　　奨学寄附金　　0 円
　　講演料
　　　　・大日本住友製薬　113,432 円

2021 年度(令和 3 年度)
　　奨学寄附金
　　(神戸大学大学院医学研究科微生物感染症学講座感染治療学分野へ)
　　　　・ツムラ　200,000 円
　　　　・旭化成ファーマ　500,000 円
　　講演料
　　　　・ツムラ　113,432 円

(2022 年 2 月末現在)

あとがき

　ver.3 から ver.4 までは時間をかけすぎたので，改訂作業がめちゃくちゃしんどかったです．そのせいで，と言い訳するのはよくないですが誤字脱字も発生し，読者の皆様にはご迷惑をおかけしました．

　ver.4 から ver.5 までは比較的短い時間だったので，全体像もイメージしやすく，比較的楽しく作業を行うことができました．今回は誤字脱字，ないかな．あったらすぐに教えてください．執筆作業は年々向上していると思っています（まじで）が，老眼も年々悪化しているので誤字脱字，やや，自信がありません．

　本書を初めて書いたときは，当方は自他ともに認める「若手」だったのですが，もはや自他ともに認めるシニア世代でして，一部では「老害」呼ばわりされている可能性もあります．「老化」自体は止められないですが，「老害」は止められるものと思っています．「老害」につきものの，勉強不足，努力不足，他者の言葉に耳を傾けない，古い考え方に固執しすぎ，な態度に陥らないよう，一所懸命勉強しながら書きました．本書の執筆は我が脳内のアンチ・エイジング活動だったりします．

　なんといっても，近年は若手の優秀な感染症医が続々と誕生しています．彼らの発言や執筆に丁寧に耳を傾け，自分が老害に陥っていないか自分の価値観を微調節する毎日です．あと，ツイッターのおかげで海外の感染症業界の情報が非常にスピーディに入ってくるようになりました．大量の重要論文や海外の学会発表が簡単に吸収できるようになったのはツイッターのおかげです．コロナがなくなっても国際学会行かなくてもいいんじゃね？　と思ってしまうくらい．

　便利なソーシャルメディアも，使い方次第では非常にやばいツールでして，ツイッター，フェイスブック，YouTube などではあれやこれやのデマ，誤情報，フェイクに満ちています．けっこう，医者とかナースも騙されてたりします．あなたは動画サイトのインフルエンサー（自称）とかの意見を鵜

呑みにして薬出したりしてませんか？　大丈夫ですか？

　ま，率直に申し上げて細かいことは，どうでもいいんです．*aerogenes* が *Klebsiella* だろうが，*Enterobacter* だろうが，知ったコッチャない，とイワタは思ってますし，クリプトコッカスは，クリプトコックスだと書くべきだ，みたいな人は，メンドウクサイなあ，あっち行っててほしいなー，って感じです．

　けれども，根幹のところ，原理原則とか，考え方，みたいなところで，いい加減な言説がはびこり，フェイクに騙される医療が提供されるのは本当に困ったことなのです．

　僕は専門外の領域については必ず UpToDate（UTD）で調べて確認することにしています．「なんとかいう物質が，自閉症の原因になっていてー」なんてネットでチラ見をしたら，UTD で，そんな事実はないことを確認します．

　できれば本書もまたそのような，「悩んだら確認する」引用元にしていただけるようになりたい．そうなれるよう，一所懸命書きました．というわけで，使ってやってください．

　　　2022 年 2 月

　　　　　　　　　　　　　　　　　　　　　　　　　岩田健太郎

■索引■

あ

アーテミシニン	536, 537
アウトカム	564
亜鉛	21, 342
アクチノマイコシス	223
アクチノミセス	365
アザクタム®	318
アシクロビル	496, 498
アジスロマイシン	361, 369, 370, 380, 544
アシネトバクター	437, 452
アシネトバクター感染症	257
アズトレオナム	314, 318
アスペルギルス	461, 464, 471
アセスメント	28, 184, 562
アセチルスピラマイシン	380
アゾール	457, 467
アタキシア	443
アデホビル	503
アトバコン	541
アトバコン/プログアニル合剤	535
アナフィラキシー	234
アネメトロ	446
アビガン®	486
アブダクション	560
アフリカトリパノソーマ症	545
—— ガンビア型	534, 545
—— ローデシア型	533, 545
アベロックス®	350, 352, 360
アマンタジン	481
アミカシン	372, 418, 419, 427, 528
アミノグリコシド	24, 131, 385, 413, 420, 528, 543
アミノペニシリン	240
アムビゾーム®	469, 478
アムホテリシンB	457, 464, 465, 466, 474, 478, 546
アメーバ・シスト	419
アメーバ肝膿瘍	419
アメナメビル	497
アメナリーフ®	497
アメリカ鉤虫	551
アメリカトリパノソーマ症	545
アモキシシリン	175, 209, 227, 240, 242, 262
アモキシシリン・クラブラン酸	190, 258, 263
アルコール	444
アルベカシン	428
アルベンダゾール	549, 550, 552, 554
アレルギー反応	233
アンコチル®	479
アンタゴニズム	129
アンピシリン	83, 209, 240, 242, 260, 270
アンピシリン・クロキサシリン配合	261, 263
アンピシリン・スルバクタム	186, 257, 261, 263, 297

い

胃潰瘍	372
意識状態	5
イセパシン®	428

イセパマイシン	428
イソスポラ	330, 545
イソニアジド	514, 523
イソプロピルメチルフェノール	556
糸球体腎炎	215
イトラコナゾール	460, 477
イベルメクチン	553, 554
イミペナム・シラスタチン・レレバクタム	306
イミペナム・レレバクタム	318
イミペネム	317, 377
イミペネム・シラスタチン	306
院外型グラム陰性菌	96
陰性所見の重要性	70
インターフェロン	501, 507
インターフェロンα	502
咽頭炎	364
院内型グラム陰性菌	96
院内感染	294
陰部潰瘍	371
陰部ヘルペス	498
インフルエンザ	275, 327, 363, 408, 523 569

う

ウィップル病	331
ウレアプラズマ	346
ウレイドペニシリン	253

え

エイズ	544
栄養要求性レンサ球菌	219
疫学情報	65
エキノカンジン	457, 469
エキノコッカス症	550
壊死性筋膜炎	376
エスカレーション	182
エタンブトール	514, 524

エチオナミド	529
エプクルーサ®	508
エフロールニチン	534, 545
エリスロシン®	379
エリスロマイシン	361, 378, 379
エルバスビル	508, 510
エンテカビル	504
エンビオマイシン	528
エンピリック	34
エンピリックな治療	34

お

黄色ブドウ球菌	93, 207, 252, 266, 270, 341, 348, 384, 400, 429, 523
オーグメンチン®	190, 259, 263
オキサセフェム	281
オグサワ	190, 259
オゼックス®	351
オセルタミビル	481
オフロキサシン	351
オメガシン®	306, 309, 318
オラセフ®	304
オラペネム®	313, 319
オルドレブ®	454
オンコセルカ	554
温度依存性の抗菌薬	134

か

疥癬	555
回虫症	550
各種軟部組織感染症	271
喀痰のグラム染色	77
カスポファンギン	478
画像所見	62
ガチフロ®	354
ガチフロキサシン	354
顎口虫症	554

カナマイシン	426, 528	
化膿性関節炎（septic arthritis）	271	
過敏性腸症候群	455	
カルバペネム	169, 306, 372, 557	
カルバペネム・イミペネム・レレバクタム	313	
カルバペネム耐性腸内細菌科	163, 313, 437	
カルベニン®	306, 309, 317	
ガレノキサシン	360	
肝機能異常	458	
肝吸虫	546	
カンサイダス®	478	
ガンシクロビル	489	
カンジダ	458, 464, 467, 471, 476	
肝障害	522, 526	
眼障害	543	
肝性脳症	455	
関節炎	66, 68	
関節痛	66, 68	
感染期間	60	
感染経路	63	
「感染症が治る過程」の一般原則	40	
感染症診断のコツ	59	
感染性心内膜炎	139, 217	
肝臓内原虫	541	
カンディン	467	
肝蛭	547	
肝蛭治療薬	533	
肝毒性	475	
眼毒性	463	
眼内炎	458	
肝排泄性の抗菌薬	22	
カンピロバクター	365	
顔面神経麻痺	499	
簡略版βラクタマーゼ分類	151	

き

寄生虫	533
キニーネ	538
キノロン	337
偽膜性大腸炎	295, 375, 384, 390
偽膜性腸炎	345, 390, 456
急性中耳炎	245
急性副鼻腔炎	246
吸入療法	419
蟯虫症	552
局所にあるリンパ節腫脹	67
銀翹解毒散	485
菌のマインドマップ的分類	91

く

空間	63
グラジナ®	508, 510
グラズプレビル	508, 510
クラバモックス®	259
クラビット®	342, 352, 353, 355, 359
クラフォラン®	301
クラブラン酸	255
クラミジア	346, 365, 369, 408, 429
グラム陰性桿菌	225, 265
グラム陰性菌	211, 258, 281, 314, 337, 429
グラム染色	12, 77, 181
グラム陽性菌	266, 384, 429
クラリス®	379
クラリスロマイシン	361, 379
クリプトコッカス	464
クリプトコッカス髄膜炎	458
クリプトスポリジウム症	544
クリンダマイシン	120, 213, 373, 381
グルコン酸キニーネ	533
グレースビット®	360
グレカプレビル	511

グレカプレビル・ピブレンタスビル	508
クレブシエラ	153, 452
クロラムフェニコール	440, 441

け

経口第三世代セフェム	174
憩室炎	258
頚部の診察	67
ゲーム理論	173
血圧	3
血液培養	11
結核菌	64, 307, 349
血管炎	368
血球減少	325
ケフラール®	273, 304
ケフレックス®	181, 273, 304
下痢	365
嫌気性菌	258, 374, 429
嫌気性グラム陽性菌	211, 221
ゲンタシン®	417, 418, 427
ゲンタマイシン	417, 418, 427
アキレス腱断裂	354
原虫	429
ゲンボイヤ®	506

こ

コアグラーゼ試験	93
広域抗菌薬	265, 429
広域スペクトラム抗菌薬	429
抗インフルエンザ薬	481
抗ウイルス薬	480
高カリウム血症	324
好気性グラム陰性菌	341, 413
抗菌薬使用のための10の掟	2
抗菌薬の使用期間	194
抗結核薬	512
抗酸菌	284, 365, 413, 418

感染症	372
鉤虫症	551
抗真菌薬	457
好中球減少時の発熱	37
酵母菌	464
誤嚥性肺炎	374
呼吸器感染症	347
呼吸数	3
黒色真菌	465
骨髄炎	271
骨軟部組織感染症	348
骨盤内炎症性疾患	432
コリスチン	163, 165, 438, 451, 454
コロニー	100
コンタミネーション（コンタミ）	101
コンバントリン®	550, 551, 552

さ

細菌性急性咽頭炎	243
細菌性血管腫症	370
細菌性髄膜炎	279
細菌のペニシリン結合タンパク	206
サイクロスポラ	330, 545
サイクロセリン	528
サイトメガロウイルス	489
サチュロ®	531
殺菌性抗菌薬	116, 340, 384, 416, 447, 452
ザナミビル	481
ザバクサ®	294, 305
サリルマブ	564
サルファアレルギー	311, 323
サルファ剤アレルギー	370
サルモネラ	252, 276
サワシリン®	190, 209, 259, 262

し

ジアルジア	443
ジアルジア症	445, 544
ジーンプラバ®	392, 394
ジエチルカルバマジン DEC	554
ジェニナック®	360
シオマリン®	281, 303
時間依存性	131
時間依存性の抗菌薬	133
時間と空間	60
色素性痒疹	335
持久性隆起性紅斑	335
シクロスポリン	458
ジゴキシン中毒	21
視神経炎	525
ジスロマック®	380
シタフロキサシン	360
市中獲得型 MRSA	328, 377, 384
市中肺炎	265
質量分析	87
耳毒性	423, 527, 531
シナジー	320, 385, 417
シナジー効果	128
シナシッド®	366, 405
ジフルカン®	477
シプロキサン®	337, 352, 353, 355, 359
シプロフロキサシン	338, 352, 353, 355, 359
ジベカシン	427
シベクトロ	404
シャーガス病	534, 545
自由寄生性アメーバ髄膜脳炎	467
重症マラリア	533
自由生活アメーバ症	546
十二指腸潰瘍	372
ジューリング疱疹状皮膚炎	335
術後の創部感染	272
消化器症状	347, 529
肝蛭症	546
条虫症	548
食歴	63
職歴	63
ジョサマイシン®	380
シラスタチン	307
腎盂腎炎	326, 447
新型コロナウイルス感染症	85, 563
新型コロナウイルス感染症診療の手引き	567
真菌感染	332, 541
神経毒性	453
人工関節	348
人工呼吸器関連肺炎	294
進行性多発性白質脳症	494
人工弁	385
震災と感染症	200
侵襲性アスペルギルス症	476
腎毒性	452, 468, 492, 494, 528, 531
腎毒性が強い抗菌薬	19
心内膜炎	271, 279, 341, 348, 386, 400, 430

す

水痘	500
水痘・帯状疱疹ウイルス	498
水頭症	549
髄膜炎菌	211, 225, 272, 523
スオード®	352
スケドスポリウム	463, 467
スタチン	368
スティーブンス-ジョンソン症候群（SJS）	238
ステップワイズ	339
ストマイ難聴	527
ストレプトグラミン	366, 426
ストレプトマイシン	526

ズビニ鉤虫	551	セフゾン®	304
スピラマイシン	380	セフタジジム	265, 285, 302
スピロヘータ	211, 230, 365	セフチブテン	304
スペクチノマイシン	420, 428	セフテム®	304
スラミン	533, 545	セフテラム	304
スルバクタム	255, 257	セフトビプロール	291
スルファジアジン	533, 555	セフトリアキソン	83, 230, 265, 275, 302, 386, 417, 557
スルファメトキサゾール・トリメトプリム	320	セフトロザン・タゾバクタム	163, 293, 305
スルフォニルウレア	458	セフピロム	285, 303
スルペラゾン®	285, 296, 301	セフポドキシム	305
スルホン剤	334	セフミノクス	300
		セフメタゾール	170, 171, 280, 282, 300, 557

せ

性感染症	371, 431	セフメノキシム	302
静菌性抗菌薬	116, 430	セフロキシム	304
制酸剤	21, 342	セラチア	276, 418
赤痢アメーバ	445, 543	セリンβラクタマーゼ	164
接合菌	463, 465, 476	尖圭コンジローマ	494
セファクロル	273, 304	染色の方法	79
セファゾリン	271, 299	潜伏期間	60
セファマイシン	153, 265, 280, 284	旋毛虫症	552
セファメジン®	299	前立腺炎	448
セファレキシン	181, 273, 304		
セファロスポリン	134, 264, 270		

そ

セフィキシム	304	爪白癬	461, 475
セフェピム	160, 265, 285, 303, 557	鼠径部肉芽腫症	370
セフォゾプラン	285, 303	鼠径部の診察	68
セフォタキシム	275, 301	鼠径リンパ節腫脹	371
セフォタックス®	301	ゾシン®	261, 297
セフォチアム	275, 300	鼠毒	226
セフォペラゾン	301	ゾフルーザ®	488
セフォペラゾン・スルバクタム	257, 285, 296, 301	ソホスブビル	510
セフカペン	304	ソホスブビル・ベルパタスビル	508
セフジトレン	304	ソホスブビル・レジパスビル	508
セフジニル	304		
セフスパン®	304		

た

タイガシル®	439
胎児	528
帯状疱疹ウイルス	492, 496, 497
耐性グラム陽性菌	389, 402
大腸菌	153, 275, 326, 345
多剤耐性グラム陰性菌	451
多剤耐性緑膿菌	293
タゾバクタム	256, 258
脱毛	459
ダフクリア®	392
ダプソン	334, 336
ダプトマイシン	398, 409
タミフル®	483
タムシ	461
ダラシン®	377, 381
タリビッド®	351
胆管炎	297
単純ヘルペスウイルス	492, 496
炭疽菌	223, 378, 429
タンパク結合能	107

ち

チエダラ	377
チエナム®	306, 308, 317, 377
チゲサイクリン	163, 437, 438, 439
チトクロームP-450（CYP）	108
チニダゾール	445, 446, 544
中耳炎	259
注射キニーネ	535
注射用ペニシリンGカリウム	209, 260
中枢神経感染症	286
腸球菌	240, 270, 326, 346, 385, 386, 402, 417
腸チフス	146
腸内細菌科	141, 273, 326
治療期間	195

治療期間の短縮	199
チンハオス	537

つ

通常一般医療で使うキノロン系抗菌薬	353
強い抗菌薬	35
ツルバダ®	506

て

テイコプラニン	397, 409
ディスク法	154
定着菌	100
ディフィシル菌	178
デエスカレーション	34
テオフィリン	342
デキサメタゾン	501, 564
デシコビ®	506
テジゾリド	404, 410
鉄剤	21, 342
テトラサイクリン	372, 429, 436
テノゼット®	506
テノホビル	505
テビペネム	319
テビペネム・ピボキシル	306
デラマニド	531
デルティバ®	531
テルビナフィン	461, 474, 479
天疱瘡	335

と

動物咬傷	258
ドキシサイクリン	21, 229, 429, 436, 535, 540, 554
トキソプラズマ	334, 370, 375, 533, 555
毒性	422
特発性細菌性腹膜炎	279

索引

トシリズマブ	501, 564
トスフロキサシン	351
トブラシン®	427
トブラマイシン	418, 427
トミロン®	304
トリクラベンダゾール	533
トリコモナス症	544
ドリペネム	306, 318
トロビシン®	420, 428
豚丹毒	385

な

内因性の耐性リスト	147
ナイセリア	211, 225
ナリジクス酸	337
難治性感染症	400
軟部組織感染症	341, 377

に

ニフルチモックス	534, 545
日本住血吸虫	546
ニューモシスチス肺炎	323, 334, 375, 541
尿道炎	346
尿のグラム染色	80
尿路感染	275, 294, 326, 344, 345, 447, 557
認知の間違い	84
妊婦	444, 528, 531

ね

ネイリンカプセル	475
ネオマイシン	424
猫ひっかき病	332, 370
熱帯熱マラリア	333, 533

の

脳室シャント感染	286
濃度依存性	131
濃度依存性の抗菌薬	131
嚢胞性線維症	419
ノカルジア	311, 330
ノルフロキサシン	351

は

ハーボニー®	508, 510
肺炎	557
肺炎球菌	265, 275, 327, 342, 363, 374, 408, 429
肺炎球菌感染症	138
バイオアベイラビリティ	191
肺吸虫	546
ハイシジン®	544
バイシリン®G	209, 262
バイタルサイン	2
梅毒	211, 227, 248, 432
培養検査	10
バカンピシリン塩酸塩	209, 262
バクシダール®	351
白癬	475
バクタ®	320, 333
破傷風	222, 444
パシル®	352
パズクロス®	352
パズフロキサシン	352
バナン®	305
パニペネム	317
パニペネム・ベタミプロン	306, 309
パニマイシン®	427
菌の染色作用	434
パピローマウイルス	493
ハベカシン®	428
バベシア	375, 541
パモ酸ピランテル	550, 551, 552
パラアミノサリチル酸	530
バラ栽培家の疾患	463

バラシクロビル	496, 498
バルトネラ感染症	370
バレオン®	350
パロモマイシン	418, 543
半合成βラクタマーゼ阻害薬	257
バンコマイシン	24, 34, 83, 270, 382, 409
バンコマイシン耐性MRSA	388
バンコマイシン耐性菌	400
バンコマイシンのパルス療法	394
汎細気管支炎	367
パンスポリン®	300
ハンセン病	334, 335

ひ

ビアペネム	306, 309, 318
光過敏性	344
ビクシリン®	209, 260, 261
ビクシリン®S	263
皮疹	66, 70
ヒストプラズマ	332, 465
微生物のカテゴリー	89
非定型抗酸菌感染症	349, 370
皮膚軟部組織感染症	327, 372, 400, 461
皮膚ブドウ球菌	287, 384
ビブラマイシン®	436
ピブレンタスビル	511
ピペミド酸	350
ピペラシリン	253, 258, 261
ピペラシリン・タゾバクタム	261, 297
ピボキシル基	178
百日咳	332, 370
ピラジナミド	514, 525
ビリアード®	505
ピリメタミン	533, 555
ビルハルツ住血吸虫	546
広い抗菌薬	35

ピロリ菌	250, 372, 443, 455

ふ

ファーストシン®	285, 303
ファビピラビル	486
ファムシクロビル	496, 498
ファムビル®	496
ファロペネム	306, 319
ファロム®	319
ファンガード®	478
ファンギゾン®	478
フィダキソマイシン	392, 394
フィニバックス®	306, 318
ブイフェンド®	478
フィラリア症	554
フェニトイン	458
腹腔内感染症	294, 307, 313
複雑性腎盂腎炎	447
腹部感染症	258
腹膜透析	389
フサリウム	464, 465
腐性ブドウ球菌	326
不整脈	538
ブドウ球菌	93, 144, 211, 219
フラジール（経口薬）	446
プラジカンテル	547, 548, 549
プリマキン	541
フルオロキノロン	530
フルコナゾール	458, 477, 546
フルシトシン	479
ブルセラ症	413, 432
フルマリン®	281, 301
プルリフロキサシン	352
ブレイクポイント	104, 109
プレバイミス	495
ブロアクト®	285
プログアニル	541
プロジフ®	459, 477

プロトコル・バイオレーション	357
プロベネシド	227
フロモキセフ	283, 301
フロモックス®	304
糞線虫症	553
分布容積	107

へ

ペグインターフェロン	502
ペスト	418, 432
ベストコール®	302
ベズロトクスマブ	392, 394
ベダキリン	531
ペニシリン	35, 175, 204
ペニシリン・クリンダマイシン療法	214
ペニシリンG	210, 211, 213, 227
ペニシリンGが第一選択となりやすい病原体	231
ペニシリンアレルギー	229, 314
ペニシリンの副作用	233
ベムリディ®	506
ペラミビル	482
ヘリコバクターピロリ	365, 372
ヘルペス	493, 496
ベル麻痺	499
便移植	394
ベンザチンペニシリン	263
ベンジルペニシリン	210
ベンジルペニシリンベンザチン水和物	209, 262
ベンズニダゾール	534, 545
ペンタミジン	546
鞭虫症	551
ペントシリン®	261

ほ

蜂窩織炎	328
膀胱炎	326
放線菌	307
ポサコナゾール	464, 479
ホスカルネット	492
ポストアンティビオティックエフェクト	124
ホスフルコナゾール	459
ホスホマイシン	163, 447, 450
ホスミシン	450
ホスラブコナゾール	475
ボリコナゾール	478
ホリナート	533
ポリミキシン	451
ポリミキシンB経口薬	454
ボレリア	230

ま

マイコプラズマ	346, 365, 408, 429
マヴィレット®	508
マキシピーム®	285, 303
麻杏甘石湯	485
マグネシウム	21
マグミット®	342
マクロライド	361, 365, 370
マラリア	332, 375, 429, 534
マラロン®	535, 536, 540, 541
慢性胃炎	372
慢性閉塞性肺疾患	367
マンソン住血吸虫	546

み

ミカファンギン	478
ミノサイクリン	429, 436
ミノマイシン®	434, 436
脈拍数	3

む

ムコール	463

ムピロシン	411

め

メイアクト®	304
メイセリン®	300
メコン住血吸虫	546
メタロβラクタマーゼ	151, 164
メチシリン感受性黄色ブドウ球菌	94
メチシリン耐性黄色ブドウ球菌	94
メトロニダゾール	21, 374, 442, 446, 543, 544
メファキン	539
メフロキン	535, 536, 539, 540
メベンダゾール	550, 551, 552
メラルソプロール	533, 545
メロペネム	25, 257, 306, 318, 438
メロペン®	36, 297, 306, 318
免疫グロブリン	235
免疫複合体	237
免疫抑制者	544

も

モキシフロキサシン	344, 351, 353, 360, 530
モダシン®	285, 302
モナドロジー	186
モノクローナル抗体	392
モノバクタム	314
モラキセラ	327, 408
モラキセラ・カタラーリス	275

や

薬剤相互作用	23
薬物動態	103
薬理作用	103
野兎病	418, 432

ゆ

有鉤嚢虫症	549
有症状期間	60
ユナシン®	263, 297
ユナシン®-S	261

よ

溶血性尿毒症症候群	448
溶血性貧血	236, 542
余暇	64
横川吸虫	546

ら

癩菌	334
ライム病	279
ラスクフロキサシン	352, 360
ラスビック®	352, 360
らせん菌	230
ラタモキセフ	283, 303
ラニナミビル	481
ラミシール®	461, 479
ラミブジン	501, 503
ラミラ®・ネブライザ・システム	419
ランブル鞭毛虫	443, 544

り

リアメット®	536, 537
リーシュマニア症	545
リケッチア	365
リステリア	241, 270
リネゾリド	24, 402, 410
リファキシミン	455
リファジン®	520
リファンピシン	21, 341, 348, 385, 514, 519, 546
リポソーマル	464, 465

リポソーマルアムホテリシンB		478, 545
緑膿菌		97, 265, 285, 293, 348, 413, 418, 419, 452
緑膿菌感染		254
旅行者下痢症		455
淋菌		276, 346
リンコシン®		381
リンコマイシン		373, 381
リンパ節腫脹		66
淋病		277, 420

る

類天疱瘡		335
類鼻疽		331, 432
ルリッド®		380

れ

レカルブリオ®		306
レクチゾール		335
レジオネラ		347, 365, 429
レジオネラ肺炎		369
レジパスビル		510
レッドマン症候群		396, 398
レテルモビル		495
レプトスピラ		230
レボフロキサシン		338, 340, 342, 347, 352, 353, 355, 359, 530
レンサ球菌		93, 270

ろ

ロイコボリン		533
ロキシスロマイシン		380
ロセフィン®		302
ロメフロキサシン		350

わ

ワルファリン		342, 368, 444, 458, 521

数字

3剤併用療法		385, 438

A

Abduction		560
Absidia		465
ABX guide		172
Acanthamoeba		546
Actinomycosis		223
additive effects		129
albicans, non-albicans		471
Alternaria		465
Ambler 分類		150
AmpC		152, 158, 256
AmpC 過剰産生菌		312
Ancylostoma duodenale		551
antagonism		129
Arcanobacterium haemolyticum		371
Aspergillus terreus		467
A 群溶連菌		363, 374

B

βラクタマーゼ		150, 207, 254, 269
βラクタマーゼ産生菌		281
βラクタマーゼ産生ブドウ球菌		145
βラクタマーゼ阻害薬		255
βラクタマーゼ阻害薬入りの抗菌薬		155
βラクタム		205
βラクタム環		205, 268
βラクタム剤		133, 269, 291
bacillary angiomatosis		370
Bacillus anthracis		223
bactericidal		116
bacteriostatic		116
Bacteroides fragilis		281, 374
Bacteroides melaninogenicus		225

Bacteroides oralis	225		*Clonorchis sinensis*	546
Balamuthia	546		*Clostridioides septicum*	224
Bartonella	370		*Clostridium*（*Clostridioides*）	
benzathine penicillin	227, 233		*difficile* associated diarrhea	
Bipolaris	465		（CDAD）	390, 391
BK ウイルス	494		*Clostridium*（*Clostridioides*）	
BLBLIs	155		*difficile*	178, 295, 375, 384,
Burkholderia pseudomallei	331, 432			390, 391, 442, 456
Bush-Jacoby- Medeiros（BJM）			*Clostridium perfringens*	224
分類	150		*Clostridium sordelli*	224
B 型肝炎	500		*Clostridium tetani*	223
			CLSI	104, 141
C			cluster	93
			CMV	489, 497
CA-MRSA	377, 384		CNS 感染	398
Candida albicans	459, 473		Cockcroft-Gault 式	17
Candida auris	476		complicated pyelonephritis	447
Candida glabrata	459, 461, 473		contamination	101
Candida krusei	459, 461, 473		COPD	367
Candida lusitaniae	467		*Corynebacterium jeikeium*	384
Candida parapsilosis	459, 473		*Corynebacterium diphtheriae*	222
Candida tropicalis	459		COVID-19	85, 563
Capnocytophaga canimorsus	226		CRE	313, 437
capreomycin	530		CRE 対抗薬	164
carbapenem-resistant			*Cunninghamella*	465
Enterobacteria ceae	163		*Curvularia*	465
carbapenemase producing			*Cutibacterium acnes*	433
Enterobacteriaceae（CPE）	163		*Cyclospora*	330
Cardiobacterium hominis	226		cystic fibrosis	419
cefiderocol	293		*Cystoisospora*	330
ceftazidime-avibactam	293		C 型肝炎	507
ceftobiprole	291			
Centor の基準	243		**D**	
chain	93			
Chlamydia trachomatis	346		DAA	507
chroloquine	542		de-escalation	34, 254
cidofovir	493		Delafloxacin	407
Citrobacter freundii	276			

索引

DHP-I 阻害剤	307		gatifloxacin	344
Donovanosis, Klebsiella granulomatis 感染	370		Geckler 分類	79
			Giardia lamblia	443
DPB	367		*glabrata*	473
			Group B *streptococcus*（GBS）	215

E

E. coli 275
E. faecalis 241, 296, 417
E. faecium 386, 406
E. faecium 菌血症 401
Eagle effect 122
EB ウイルス（EBV） 238, 497
Eikenella corrodens 226
Elizabethkingia meningoseptica 385
EMB 514
Entamoeba histolytica 543
Enterobacter aerogenes 276
Enterobacteriaceae 326
Enterococci 240
Enterococcus 270
eravacycline 434
ertapenem 306, 313
ESBL 産生菌 141, 293, 312
EUCAST 105
Exphiala 465
extended-spectrum beta-lactamase（ESBL） 151, 153, 448
Erysipelothrix rhusopathiae 385

F

fasciola spp 546
febrile neutropenia（FN） 37, 288
fecal transplantation 394
fluke 546
Fusobacterium 225

G

G6PD 欠損症 542

H

Haemophilus ducreyi 346, 371
Haemophilus influenzae 275, 363
Helicobacter pylori 251, 443
Herpes simiae 500
HIV 65, 370, 503
HIV 感染に伴う日和見感染 329
HSV 492
HSV 感染 498

I

infective endocarditis（IE） 217
INH 514
inoculum effect 120
intermediate 110
intrinsic resistance 147
Isavuconazole 476
Isospora 330

J

Jarisch-Herxheimer 反応 238
JC ウイルス 493

K

Klebsiella 276
Klebsiella granulomatis 371

L

lactobacillus 385
Lefamulin 408
Leishmania 467
Leuconostoc spp 385

Lichtheimia	465
Listeria monocytogenes	224, 240

M

MAC	370
Malassezia	467
MALDI-TOF	87
MALDI-TOF MS	569
MDRD 式	18
Melioidosis	331
Meropenem-vaborbactam	314, 306
Metagonimus yokogawaii	546
methicillin 耐性	383
MIC	137
Miller-Jones 分類	77
minimum bactericidal concentration（MBC）	117
minimum inhibitory concentration（MIC）	109
Moraxella catarrharis	275
Morbidity & Mortality conference（M&M）	54
Morganella morganii	276
MRSA	94, 291, 383, 398, 401, 437
MSSA	94, 272
Mucor	465
Mycobacterium abscessus	284
Mycobacterium chelonae	372
Mycobacterium fortuitum	284
Mycobacterium leprae	334, 373
Mycobacterium marinum	372, 418
Mycobacterium tuberculosis	417
Mycoplasma genitalium	346, 431
Mycoplasma hominis	431

N

Naegleria	467, 546
Necator americanus	551
Neisseria gonorrhoeae	276, 277, 346
Neisseria meningitidis	225
Nocardia	330
nutritionally variant streptococci（NVS）	219

O

oritavancin	406
OXA βラクタマーゼ（OXA）	152

P

Paragonimus miyazakii	546
Paragonimus westermani	546
PAS	530
Pediococcus spp	385
penciclovir	496
penicillin binding protein（PBP）	206
permethrin クリーム	555
pharmacodynamics（PD）	103, 109
pharmacokinetics（PK）	103
PICO	567
PK/PD	103
Plasmodium falciparum	334
Pneumocystis	471
postantibiotic effect（PAE）	124
progressive multifocal leukoencephalopathy（PML）	494
Proteus mirabilis	276
Pseudallescheria bodyii	465
Pseudomonas aeruginosa	265
PZA	514, 525

Q

QT 延長	344, 354, 368, 465, 531
Quinimax®	538
Q 熱	332

R

rapid growers	372
RFP	514
Rhizopus	465
Rhodotorula rubra	464
rimantadine	481
Rizomucor	465
rose handler's disease	463

S

Salmonella	276
Sappinia	546
Scedosporium apiospermum	465
Scedosporium prolificans	465
Schistosoma apiospermum	467
Schistosoma haematobium	546
Schistosoma japonicum	546
Schistosoma mansoni	546
Schistosoma mekongi	546
selective digestive tract decontamination (SDD)	111, 451
Serratia marcessens	276
small colony variant (SCV)	328
SPACE	276
spontaneous bacterial peritonitis (SBP)	279
Sporothrix shenkii	463
Sporotrichosis	462
Staphylococcus epidermidis	287
Staphylococcus saprophyticus	326
Streptobacillus minus	226
Streptobacillus moniliformis	226
Streptococcus pneumoniae	275, 363
Streptococcus prolificans	467
Streptococcus pyogenes, group A streptococcus (GAS)	212, 363
Streptomyces cattleya	307
Streptomyces fradiae	447
Streptomyces nodosus	467
ST合剤	21, 128, 320, 333, 545, 546
surgical site infections (SSI)	272

T

Telavancin	407
torsa de depointes	368
Trichinella spiralis	552
Trichosporon	464
Trichuris trichiura	551
trovafloxacin	356
Trovan®	356
Tリンパ球	238

V

vancomycin intermediate *S. aureus* (VISA)	292
vancomycin resistant *S. aureus* (VRSA)	292, 388
viridans streptococci	217
volume of distribution (Vd)	107
VRE	402
VZV	492, 497, 498, 499

W

Whipple's disease	331

Z

Zygomycetes	465

著者略歴

岩田健太郎(いわたけんたろう)

島根県生まれ

1997年	島根医科大学（現島根大学）卒業
1997〜1998	沖縄県立中部病院研修医
1998〜2001	セントルークス・ルーズベルト病院内科研修医
2001	米国内科専門医
2001〜2003	ベスイスラエル病院感染症フェロー
2002〜2006	ロンドン大学熱帯医学衛生学校感染症修士コース（通信制）
2003〜2004	北京インターナショナルSOSクリニック家庭医
2004	米国感染症科専門医
2004	亀田総合病院総合診療部・感染症内科部長代理
2005	同部長
2006	同総合診療・感染症科部長
2008年	神戸大学大学院医学研究科微生物感染症学講座感染治療学分野教授 現職

抗菌薬の考え方，使い方 ver.5				ⓒ
コロナの時代の差異				

発　行	2004 年 8 月 1 日	1 版 1 刷
	2006 年 4 月 1 日	1 版 5 刷
	2006 年 9 月 1 日	2 版 1 刷
	2010 年11 月10 日	2 版 7 刷
	2012 年 4 月 1 日	3 版 1 刷
	2017 年11 月15 日	3 版 8 刷
	2018 年11 月30 日	4 版 1 刷
	2021 年 3 月20 日	4 版 4 刷
	2022 年 4 月 1 日	5 版 1 刷
	2024 年 6 月 1 日	5 版 2 刷

著　者　岩田　健太郎

発行者　株式会社　中外医学社
　　　　代表取締役　青木　滋

〒 162-0805　東京都新宿区矢来町 62
電　話　(03) 3268-2701（代）
振替口座　00190-1-98814 番

印刷・製本／三和印刷（株）　　＜HI・YK＞
ISBN978-4-498-11718-1　　Printed in Japan

JCOPY　＜(社)出版者著作権管理機構 委託出版物＞
本書の無断複製は著作権法上での例外を除き禁じられています．
複製される場合は，そのつど事前に，(社)出版者著作権管理機構
(電話 03-5244-5088，FAX 03-5244-5089，e-mail: info@jcopy.
or. jp) の許諾を得てください．